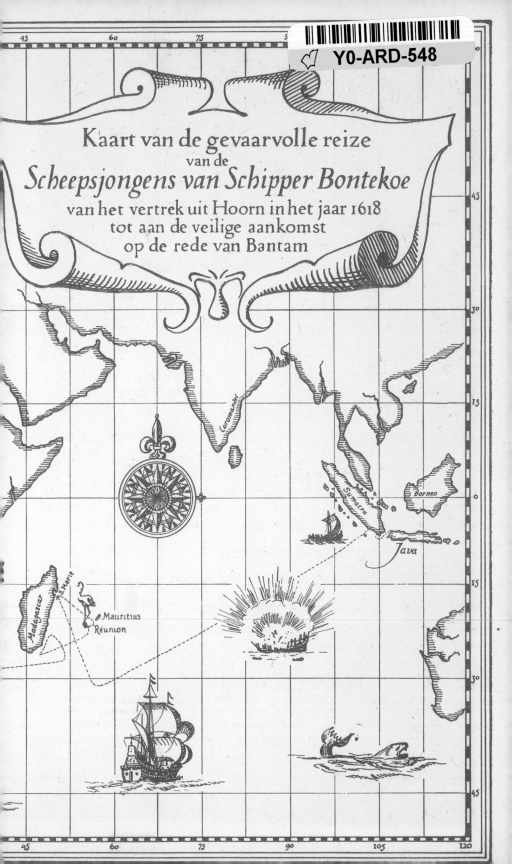

Kaart van de gevaarvolle reize
van de
Scheepsjongens van Schipper Bontekoe
van het vertrek uit Hoorn in het jaar 1618
tot aan de veilige aankomst
op de rede van Bantam

De scheepsjongens van Bontekoe

Voor Tom

voor zijn 11ᵉ verjaardag.

van:

tante Corrie

Marielie

ome Jan

Johan Fabricius

De scheepsjongens van

Bontekoe

Leopold / Amsterdam

Achttiende druk 1989
© *Erven Johan Fabricius 1923*
Omslag Fiel van der Veen
Illustraties Dick de Wilde
Typografische verzorging: Wim Bloem
NUGI *221* / ISBN *90 258 3455 8* / CIP

AAN MIJN VADER

Aan de Hollandse Jongens!

'In 't Jaer ons Heeren 1618, den 28. December, ben ick, WILLEM IJSBRANTSZ. BONTEKOE van Hoorn, Tessel uytghevaeren voor schipper, met het schip ghenaemt: *Nieu-Hoorn*, ghemant met 206 eters, groot omtrent 550 lasten, met een Oosten-Wint...'

Zo, m'n jongens, zet het *Journael* in van een der eerste, kranige 'Schippers naast God', die met hun wakkere mannen ons gezag in Indië vestigden. Elke kajuitsjongen uit de zeventiende eeuw had, als hij ook maar een beetje lezen kon, het verhaal in zijn scheepskist liggen bij z'n bijbeltje en zijn onderbroeken. En Potgieter dichtte op Bontekoes reis een reeks 'liedekes'.

Bontekoe heeft geen zilvervloot veroverd en ook geen tocht naar Chatham gemaakt. Hij volbracht zijn simpele opdracht (met een notedop-zeekasteel de Kaap te omzeilen) in rustig vertrouwen op God, – als alle schippers uit onze Gouden Eeuw, die op hun avontuurlijke zwerftochten naar het onbekende land door oud en jong werden nageoogd en benijd om de heldhaftige taak die ze gingen vervullen. En Willem IJsbrantsz. Bontekoe zou waarschijnlijk evenals zijn kameraden geheel in de vergetelheid zijn geraakt, wanneer hij niet een reis had gemaakt zó vol tegenslagen, als de geschiedenis onzer zeevaarders er wellicht geen andere telt.

Maar hij was taai. Toen zijn schip op de Indische Oceaan in brand vloog, verliet hij het niet, voor hij ermee de lucht invloog. En in een hulkje wist hij Batavia te bezeilen.

Het leven van een mán, jongens, gaat nooit zonder stormen voorbij. Hoe verder het land dat je bezeilen wilt, hoe moeilijker en gevaarlijker de reis. Verlaat je schip niet, voor het onder je bezwijkt! Dan zal men later zeggen: 'Hij voer door vele stormen, maar zijn reis werd een reis van Bontekoe!'

JOHAN FABRICIUS

Eerste deel

Zeewind

'Satanse jongen, hou die bout vast!'

"'k Hou 'm toch vast, baas?'

'Noem je dat vasthouden? Jij zult nooit een goeie smid worden!'

Peter Hajo zweeg even. 'Wil ik ook niet,' pruttelde hij toen.

'W-wat zeg je? Wil jij geen smid worden?!'

'Nee, baas. 'k Wil naar zee.'

Meester Wouter, de hoefsmid uit 'De IJzeren Man', liet de zware voorhamer, die hij juist had opgeheven, van verbazing een seconde lang in de lucht zweven. Toen dreunde een mokerslag; de vonken stoven meester en knecht om het gezicht. 'Gekkenpraat!' zei de hamer in zijn ijzeren taal.

Peter Hajo keek zwijgend naar het roodgloeiende bouteinde.

Hij verstond de taal van de voorhamer! Als hij in het halfdonker van de wintermorgen de rossig-schemerende smederij binnenkwam, had hij buiten al gehoord hoe zijn baas gemutst was.

'Zou je niet eens trekken?' gromde meester Wouter. 'Het vuur is zowat uit! Op die manier zou ik de hamer platslaan en de bout zou rond blijven!'

'Hoe kan ik trekken, baas, als ik...'

'Ben jij een joffer, dat je die bout niet met één hand kunt vasthouden?'

Peter Hajo was geen joffer. Hij klemde zijn rechtervuist om de bout, trok met de linker de blaasbalg, liet het niet merken dat de slagen hem nu tot in de straffe spieren van zijn rug zeer deden. Een brede lach verscheen op zijn met roet overdekte jongenskop toen hij vroeg: 'En als ik m'n neus moet krabben, baas?'

'Leg 'm maar op het aambeeld, dan zal ik 'm met m'n hamer krabben! Wat moet je op zee! Haringvissen? Om te verdrinken, zoals je vader, of door de Duinkerkers naar de galeien te worden gebracht?'

'Ik wil met de walvisvaarders mee, baas. Maar...' Peter Hajo slikte wat weg.

'Jongens van veertien willen ze niet hebben! Je moet zestien wezen. – Vis jij maar stekelbaars, zeggen ze!'

Baas Wouter meesmuilde.

Maar zijn gezicht betrok toen zijn boze vrouw de smidse binnenstoof en snauwde: 'Ben je doof? D'r is al driemaal volk geroepen in de winkel, en m'n bieten staan aan te branden!'

De hoefsmid uit 'De IJzeren Man' keek verbluft naar de deur, die alweer met een slag dichtgevallen was, zette toen grommend de voorhamer neer. Peter Hajo bleef alleen, – tuurde in de vlammen van de oven.

'Kom maar eens terug als je zestien bent...' – Over twee jaar! Alsof hij niet het werk van een zestienjarige jongen zou kunnen doen! Hij zétte het alle zestienjarige jongens in Hoorn om die bout vast te houden zoals hij dat daareven had gedaan! Was er één bij, die hem aandurfde? Had hij Peer den Vos geen pak slaag gegeven als hij in zijn leven niet had gehad, omdat hij (zonder het te vragen!) in de bijt was gaan vissen die Peter Hajo in het ijs had gekapt? Peer den Vos, die wel een hoofd groter was dan hij!

't Was een gemene streek om hem als landkikker te laten rondspringen, hem, die, toen hij nauwelijks lopen kon, de touwen die de binnenzeilende vissers zijn oudere vrienden toewierpen al met een echte zeemansknoop om de meerpalen sloeg; hem, die zich op z'n vijfde jaar stiekem in vaders botter had verscholen en mee ter haringvangst was gegaan!

Hoe snakte hij ernaar op zee te zwalken zonder een streepje land mijlen in de omtrek; hoe snakte hij ernaar de wijde wereld te zien en met echte zeebenen terug te komen en op te snijden net als die bruingebrande pikbroeken die met Jan Pieterszoon Coen naar de Oost waren getogen en nu de waarheid spraken of logen, juist als het hun inviel, zonder dat een landrot zeggen kon: 'Je zuigt uit je duim!' – De Oost... daar was voorlopig helemáál geen kans op. Misschien later, als hij eerst een paar reizen met een walvisvaarder had gemaakt; als het vel van zijn handen was gebarsten door het zout; als de traanlucht in z'n haar en in z'n kleren hing, – misschien zouden ze hem dan willen meenemen. Jandorie! Peter Hajo zag een beeld opdoemen van bergen, fladderende papegaaien, dansende wilden, van apen, tijgers, krokodillen...

Weg was het beeld.

Daar stond Peter Hajo, leerling in de hoefsmederij 'De IJzeren Man'. Daar lag de bout die hij zo meteen weer moest vasthouden; daar hing de balg... Twee jaren nog zou hij tussen grauwe wanden en smerige ruitjes de blaasbalg moeten trekken en bouten vasthouden. Twee jaren zou hij, in plaats van de zeewind die hem het bloed deed bonzen, ijzerlucht en de stank van geschroeide paardehoeven moeten opsnuiven. Peter Hajo, 'wilde' Hajo: een meeuw in een kooi, een haai in een boerensloot...

Stil! Wat hoorde hij daar! Buiten op straat kwam een troepje jongens voorbij, lachend, door elkaar heen schreeuwend en met veel geklepper van klompen over de straatkeien.

Peter Hajo *wist* dat ze in de haven zouden gaan botkloppen. En hij? Hij...!!

Toen meester Wouter enige ogenblikken later de smederij weer binnenkwam, zette hij grote ogen op.

'Satanse jongen!' mompelde hij. Grimmig pakte hij de bout op; de hamer viel met het geweld van een donderslag op het gloeiende ijzer.

Peter Hajo was verdwenen.

Een vechtpartij

Buiten heerste december.

Peter Hajo trok de muts over de oren, stak zijn handen en polsen in de zak, klemde de armen tegen het lijf en draafde zo'n beetje om warm te worden. In de zeventiende eeuw was een winter nog een winter!

Al gauw kreeg hij de groep jongens in het oog. Daar had je Lange Leen, die natuurlijk weer de leider van de troep zou zijn. Peter Hajo zou hem zodra de gelegenheid zich voordeed eens ongezouten aframmelen, want Leen keek altijd zo minachtend op je neer en zou zich op den duur wat te veel gaan verbeelden.

En dan was Padde er ook bij, die goeiige dikzak die altijd met z'n oogjes knipte en nu natuurlijk weer de netten en de emmer dragen moest.

Padde was Hajo's schaduw; volgde hem bij al zijn schelmenstreken op de voet. Hij was het, die Hajo's heldendaden ruchtbaar maakte en hem tegenover iedereen verdedigde wanneer Hajo er zelf niet was om dat te doen. Honderdmaal was het gebeurd dat Padde, die niet zo hard kon lopen als de omstandigheden soms vereisten, in de vingers van een nijdige boer of nachtwacht was terechtgekomen en Hajo de volgende dag met bitter verwijt op zijn builen, schrammen en blauwe plekken wees.

Maar als Hajo weer appelen ging 'rapen' in de tuin van het Sinte Clarensklooster, was Padde bij hem en kroop hijgend en blazend over muurtjes en heggen, tot groot ongenoegen van zijn moeder, die hem daarna met haar grote harde handen bont en blauw sloeg, – wanneer ze er niet te moe voor was. Want Padde had zeven jongere broertjes en zusjes...

'Hajo!' riep Padde verheugd, toen hij zijn held zag aankomen. 'Ik dacht dat je in „De IJzeren Man" stond!'

''t Werd me er te warm!' zei Hajo. 'En Wouter was zo aan het hameren dat ik al maar door aan botkloppen moest denken. Waar gaan jullie het doen?'

'In de Karperkuil,' zei er een.

'Zou je 't niet liever eens in je moeders wastobbe proberen? Weet je wáár bot zit? Tegen de Italiaanse zeedijk aan!'

'Juist!' zei Padde, 'daar zit de bot.'

'Wel,' zei Lange Leen, 'gaan jullie dan naar de Italiaanse zeedijk. Geef die bijl hier, Padde. *Wij* gaan naar de Karperkuil.'

Peter Hajo bleef rustig. 'Van wie is die emmer?' vroeg hij.

'Van mij,' zei Padde. 'En dit ene net is ook van mij.'

'Top. Leg de rest neer. Een bijl hebben we niet nodig, want ik heb er nog een bijt.'

Padde ontdeed zich van twee netten die hem nog over de schouder hingen en gaf de bijl aan Lange Leen.

'Laat ze maar lopen, jongens!' zei deze.

'Wedden, dat er in de hele Karperkuil geen onnozel botje zwemt?' vroeg Padde, terwijl hij met Hajo meeliep.

'Wacht even!' riepen toen Schouwen Doedes en nog een paar jongens. 'Wij gaan ook mee!'

'Als je 't maar laat,' dreigde Hajo. 'Nou heb ik jullie niet meer nodig.'

Hajo en Padde liepen de Korenmarkt over en daarna de Veermanskade langs met de hoge pakhuizen en deftige patriciërswoningen. Juist wilden ze bij de Hoofdtoren rechts afslaan, de Italiaanse zeedijk op, toen een Friese tjalk de haven kwam binnenzeilen. Haastig liepen ze toe om hem te helpen vastleggen. Het scheelde maar een haartje of Padde werd door het touw in het water getrokken, wat hij nog slechts kon voorkomen door aan boord te springen, waar hij voor de voeten van een gezelschap deftige heren terechtkwam. Verlegen krabbelde hij overeind.

De heren lachten en gingen aan wal. Hajo groette hen vol ontzag.

'Wie waren dat?' vroeg hij aan schipper Blok, de eigenaar van de tjalk.

'Wel,' zei Blok, 'die met die baard, da's schipper Bontekoe.'

'Natuurlijk. Maar de anderen?'

'Die bennen alle vijf van de Oostindische Compagnie. Die magere is uit Enkhuizen, en die dikke met z'n wijde handschoenen komt uit Zeeland. Ik heb ze met de *Hoornse Zon*,' Blok wees op z'n tjalk, 'naar Texel moeten brengen en weer halen ook. Daar leidt de *Nieuw-Hoorn*, weet je?'

'De *Nieuw-Hoorn*?'

'De schuit van schipper Bontekoe, die naar Oostinje gaat. Je zou 'm es moeten zien. Tweehonderd koppen aan boord!'

Hajo keek peinzend de deftig geklede heren na, die juist een ogenblik stilstonden voor Bontekoes woonhuis op de Veermanskade. 'Zeg, Blok,' vroeg hij, 'wijs me eens hoe groot de *Nieuw-Hoorn* is.'

Blok trok een ernstig gezicht, spoog zo er eens voor zich heen en mat met zijn ogen de grond af. 'Zie je dat paaltje, helemaal daarginds?'

'Dat daar?'

'Nee, nog eentje verder. Zo lang is-t-ie vast wel van 't galjoen tot aan de spiegel.'

En de schipper ging met zijn beide zoons de zeilen inrollen.

Padde had er zwijgend bij staan luisteren, pakte nu zijn emmertje weer op, en de beide jongens vervolgden hun weg. 'Die sprong in de tjalk viel niet mee!' zei Padde. ''t Was een heel eind!'

Maar Hajo gaf geen antwoord.

Zo kwamen de jongens op de Italiaanse zeedijk. Er lag een brede strook ijs.

Plotseling bleef Hajo stilstaan. Padde schoot gedachteloos nog een eindje door. Toen hield hij stil en keek verbaasd om. De blik in Hajo's ogen duidde op onweer.

'Kijk eens, Padde,' zei Hajo langzaam en wees voor zich uit. 'Wat zie je daar op het ijs?'

'Hemeltje!' zei Padde, 'daar is er een aan het botkloppen.'

'Juist! Er is er een in *mijn* bijt aan het botkloppen. Ken jij hem? Ik niet.'

Padde begon opgewonden te blazen. 'In *onze* bijt! Nee, wie het is, kan ik niet zien. Ik zie niet zo goed als jij.' En Paddes ogengeknip onderstreepte deze verklaring.

'Kom mee,' beval Hajo.

Padde stelde voor zichzelf vast dat het weer een spannende middag kon worden.

Samen stevenden ze op de roekeloze botklopper af.

Het was een netgeklede jongen, die, een emmertje naast zich, energiek met een bijl op het ijs klopte, om de door de kou verdoofde bot te wekken en naar de bijt te lokken waarin het verraderlijke net hing. De jongen was zo in zijn werk verdiept, dat hij niet merkte wat hem boven het hoofd hing.

Padde kon zijn verontwaardiging niet langer verkroppen: toen ze de dijk afgingen, rende hij op de ijverige klopper toe. Maar vlak bij hem gekomen, had hij het ongeluk uit te glijden; hij plofte achterover op het ijs – dat weinig meegaf! – en kwam verbouwereerd overeind.

De jongen keek op. Zijn ernstig gezicht nam een meewarige uitdrukking aan. 'Ja, het ijs is hier glad,' zei hij.

'Wat doe jij hier!' voer Padde uit, terwijl hij weer op zijn korte beentjes krabbelde.

'Botkloppen,' antwoordde de jongen. 'Heb je je pijn gedaan?'

'Botkloppen?' schreeuwde Padde. 'Ik zal je helpen!'

De jongen keek Padde bevreemd aan. Toen zei hij: 'Waar je nu staat is het niet meer nodig! De bot zal daar wel erg geschrokken zijn.'

Padde hapte naar adem. Daar hij de juiste woorden niet vond om zijn gemoed te luchten, trapte hij de emmer om die bij de bijt stond.

De bot sprong overal op het ijs rond.

Toen tintelde er iets in de ogen van de onbekende jongen. Hij sprong uit zijn knielende houding overeind met een snelheid, die door Padde half met jaloezie, half met schrik werd waargenomen, stelde zich voor zijn aanrander op en zei kalm en vriendelijk: 'Doe die bot weer in de emmer alsjeblieft.'

'Ik zal jou in de emmer doen en in de bijt gooien!' beloofde Padde.

'Dat is goed,' zei de jongen. 'Maar zoek eerst de bot bij mekaar. Een – twee...'

Toen kwam Hajo. 'Halt! Laat m'n vriend met rust!'

De jongen mat zijn nieuwe tegenstander van het hoofd tot de voeten, iets wat Hajo nooit goed zetten kon, vooral niet wanneer hij die het deed er zo keurig uitzag als deze onbekende jongen.

'Goeiemiddag,' zei de vreemdeling vriendelijk.

'Waar woon je?' klonk het grimmig uit Hajo's mond.

'Ik kom uit Alkmaar.'

'Zo, dus je wist niet dat dit mijn bijt is.'

'Jouw bijt?' vroeg de jongen. En onschuldig liet hij er op volgen: 'En als het ijs nou weer smelt... blijft de bijt dan van jou?'

Dat was te veel. 'Kom mee naar de dijk,' zei Hajo kortaf. 'Ik wil met je vechten.'

Padde glom van blijde verwachting. 'Nou zul je eens wat beleven, mannetje!'

De jongen luisterde er niet naar. 'Ik ga met je mee,' zei hij. 'Maar eerst moet die dikzak...' En langzaam kwam hij op Padde af, die druk met zijn oogjes knipte. 'Een – twee – dr...!'

'Zoek ze maar even bij mekaar, Padde,' zei Hajo.

Toen bukte Padde zich. 'Ik doe het omdat ik gauw wil zien hoe jij 'm aframmelt, Hajo!'

Peter Hajo en de nette onbekende jongen begaven zich naar de dijk. En twintig passen achter hen aan volgde hijgend en blazend Padde, met aan één arm zijn eigen emmer en aan de andere de emmer met bot.

Zo belandden ze op de verlaten dijk. Padde zette zijn lege emmer omgekeerd neer en ging zitten.

'Begin maar,' zei Padde.

De twee doodsvijanden hadden zich tegenover elkaar gesteld. Hajo's ogen fonkelden; zijn lenig lichaam kromde zich voor de sprong. De ander wachtte rustig de aanval af.

'Pak hem, Hajo!' riep Padde. 'Met één douw leg je 'm.'

Maar Hajo had Paddes raad niet afgewacht: was toegesprongen.

De onbekende jongen bleek even stevig als kalm te zijn: hij ving Hajo op, en deze had het alleen aan zijn weergaloze vlugheid te danken dat hij niet werd neergedrukt.

Padde was van opwinding van zijn emmer gesprongen.

'Je wint het, Hajo! Hij is zo stijf als een stokvis!'

Maar 'wilde' Hajo, de schrik van het vredige plaatsje Hoorn, had zijn man gevonden. Na een minutenlange strijd stonden ze nog net zo als ze waren begonnen. Dat wil zeggen: Hajo nu rood als een gekookte kreeft.

'Zo schieten we niet op,' hijgde Hajo. 'Laten we even rusten en dan opnieuw beginnen.'

De ander liet onmiddellijk zijn armen zinken. En terwijl Hajo amechtig op de emmer ging zitten die Padde hem eerbiedig afstond, liet de vreemde jongen

17

een onderzoekende blik over zijn kleren gaan, klopte zich het zand van de broek.

'Verduiveld jammer dat je hem hebt losgelaten, Hajo,' zei Padde. 'Binnen twee tellen had-ie op z'n rug gelegen!'

'Hou je gezicht!' gromde Hajo.

De jongen uit Alkmaar keek welwillend naar zijn tegenstander. 'Ben je smid?' vroeg hij.

Hajo veegde onwillekeurig met de mouw over zijn zwart gezicht. 'Jij bent zeker pennelikker, hè, dat je je zo opdirkt.'

'Ik ben scheepsjongen,' was het antwoord.

Dat werkte. Hajo sprong overeind. 'Scheepsjongen?!'

'Is het zo gek, als iemand scheepsjongen is?' vroeg de ander verbaasd.

Hajo maakte een onwillige beweging. 'Ik zou het niet willen wezen!' schimpte hij met iets weeks in zijn stem.

'Waarom niet?'

'Daarom niet!'

'We hebben het hier best,' zei Padde. 'Hij wordt smid en ik kom bij m'n oom in de bierbrouwerij, dan weet je wat je hebt. Speel jij maar voor aap op die smerige schuit van jou.'

Hajo maakte zijn gezicht erg onverschillig. 'Je bent zeker bij de walvisvaart, hè?'

'Nee,' was het antwoord. 'Ik ga met de *Nieuw-Hoorn* naar Oostinje.'

'Dacht ik niet dat je zo'n peperdief was?' riep Padde.

'Hoe... hoe oud ben je?' vroeg Hajo.

'Ik ben veertien.'

'*Veertien*?! Wie... wie heeft je aangenomen?'

'Schipper Bontekoe zelf.'

'Zo,' schimpte Hajo. 'Dan is je vader zeker zelf naar de schipper gegaan om voor zoonlief een plaatsje te vragen?'

De vreemde jongen keek even voor zich uit, de zeedijk af. 'Ik heb mijn vader nooit gekend,' zei hij toen.

Hajo wilde zich zelf wel een klap om de oren geven.

De jongen uit Alkmaar keek hem onderzoekend aan. 'Jij zegt, dat je niet varen wilt. Maar je meent het niet.'

'Welles,' gromde Hajo.

'Maar waarom dan toch niet? Je ziet en hoort toch duizend dingen waar je anders nooit achter zou komen! Vreemde landen, onbekende volken... andere dieren, bomen en planten... en dan zo'n lange verre reis overzee. Later word ik reder en bouw schepen voor de grote vaart; ik wil ...!'

Hajo sprong met een ruk overeind. Het hoofd afgewend, sloeg hij zonder nog een woord te spreken de richting van de Westerdijk in.

De toekomstige reder keek hem verbaasd na.

En Padde voer uit: 'Hij heeft je toch gezegd dat hij niet varen wil? Wat heb jij er dan aan een stuk over door te wauwelen? Of denk je dat 't zo lollig is die kletspraat aan te moeten horen, als je zelf in de smederij moet staan?' Hij pakte zijn emmer op en zei dreigend: 'Wee je gebeente als ik je wéér eens tegenkom!' En grommend en brommend sukkelde Padde achter Hajo aan.

De onbekende jongen keek het tweetal even na. Een glimlach speelde om zijn lippen toen hij zijn emmer beetpakte en de dijk opging, in de richting van de Veermanskade...

Hajo en Padde liepen de Westerdijk af, de poort door, daarna weer verder. Hajo voorop, Padde een halve pas achter hem aan.

Het was die dag stil geweest, maar nu tegen de avond stak de wind op.

In Hajo's binnenste stormde het. Padde begon te schelden op de onbekende jongen. 'Hij met z'n rederij! Met die schepen bedoelt hij zeker klompen met een mast erin!'

Hajo antwoordde niet. Zijn grijze ogen tuurden voor zich uit, de zee over. Hij hoorde niet wat Padde zei.

Wat hij hoorde – dat was de taal van de zee! De zee sprak met Peter Hajo... de zee, die lokte en bedwelmde, de zee, die zijn ziel verteren deed van verlangen. 'Peter... fluisterde de zee hem in het oor. 'Peter... kom, Peter... kom dan toch! Ik ben oneindig, Peter... niemand kent me, Peter... als je wist, Peter, wat voor verre vreemde landen... Peter...! Peter...?!'

Padde hijgde en blies en begon langzamer te lopen.

Hajo merkte het, keerde zwijgend om. Nu ging het tegen de wind in; Hajo trok zich de muts van het hoofd, liet de zoute wind door zijn haren vliegen.

Padde waagde een nieuwe poging. 'Laat die vent maar naar zee gaan! Wij hebben 't hier best, hè, Hajo?' Maar toen hij geen antwoord kreeg, gaf hij het op.

Zo kwamen de jongens bij het vallen van de duisternis weer de poort binnen. Hajo stevende in de richting van de Hoofdtoren.

'Gaan we nog niet naar huis?' vroeg Padde.

'Ga jij maar.'

'Ik blijf bij je.'

Bij de Hoofdtoren sloeg Hajo links om, de Veermanskade op, hield stil voor het woonhuis van schipper Bontekoe, stapte de stoep op, liet de zware klopper vallen.

Sprakeloos bleef Padde staan.

De dienstbode deed open, keek wantrouwend naar de wel onverwachte, maar haar lang niet onbekende gast.

'Is de schipper thuis?' vroeg Hajo. 'Ik wil hem spreken.'

'Jij??' vroeg de dienstbode.

Padde vond zijn spraak terug. 'Laat hem binnen!' schreeuwde hij. 'Als je niet wilt dat ik morgen je emmers wéér omtrap!'

'Stil, Padde!' zei Hajo. En tegen de dienstbode: 'Zeg de schipper dat ik mee naar de Oost wil. Toe, alsjeblieft...'

De dienstbode bleek een week hart te hebben. Ze was zojuist van plan geweest de deur voor Hajo's neus dicht te gooien, maar nu weifelde ze een ogenblik. 'Mee naar de Oost? Jij mee naar de Oost??'

Toen riep van boven uit het huis een jongensstem: 'Laat hem binnen, Aagje!'

Hajo voer een rilling door het lichaam. Die stem... was dat niet...?!

Hij werd binnengelaten. Maar toen hij zijn klompen buiten had neergezet en op zijn kousen op de dikke vloermat stond van het deftige portaal met z'n koperen luchter, was het tot Hajo doorgedrongen dat zijn laatste kans verkeken was. De jongen met wie hij had gevochten, woonde hier in huis!

Ook Padde, daarbuiten, had de stem herkend. Hij schold en tierde dat het een aard had en wachtte op het ogenblik dat Hajo de deur zou worden uitgegooid. Toen dat niet gebeurde, ging Padde verbaasd op de stoep zitten en mijmerde wat voor zich heen.

Het was stil op straat en volslagen donker geworden. Het licht van de huizen aan de overzijde van de kade spiegelde zich zacht glanzend in het ijs; Padde kon aan de hele hemel geen enkel sterretje ontdekken. In de verte jankte een hond; een schaatser kwam, krits-krats, de gracht af en... Was dat daarbinnen de stem van schipper Bontekoe niet? Weg was de stem weer. 'Arme Hajo,' dacht Padde. 'Arme vriend Hajo!' Maar die jongen uit Alkmaar kreeg van Padde op z'n ziel, dát stond vast! – Wat stond hier een tocht! Weer huilde de hond, nu dichterbij. Het lang aangehouden gejammer scheen eindeloos in de stille donkere winteravond. Padde huiverde.

Hoe laat zou het eigenlijk al zijn? Hij kon op z'n vingers natellen dat hij laat genoeg zou thuiskomen om een pak slaag van zijn moeder op te lopen. 'Ik heb het verdiend,' bekende hij zichzelf met een zucht. 'Ze slaat hard, maar ze heeft groot gelijk dat ze me slaat. Laten andere jongens hun moeder ook met eten wachten? Zou Harmen Lijsjens het doen? Of Thijs Veermanszoon? Of Klaas van de Lage dijk? Nee, nietwaar? En Hein van het Hazenpad? Zou Hein van het Hazenpad óóit wel eens een broek hebben gescheurd, behalve dan die keer dat hij van Hajo een pak rammel heeft gekregen? Ik durf wedden dat zijn moeder niets dan plezier van hem beleeft. – Zou ik naar huis gaan?'

Padde richtte zich vastbesloten op. Maar mismoedig plofte hij weer neer. ''t Gaat niet,' zuchtte hij. 'Zie je, zo ben ik nou. Ik kan zo moeilijk naar huis, als ik een vriend heb. Dat is bij vader net zo en daarom loopt hij van de ene kroeg naar de andere, en moeder zal wel denken: Padde? Padde gaat dezelfde kant op.'

Een magere keeshond kwam de kade afdrentelen. Padde riep hem bij zich en streelde hem over de kop. 'Ben jij die muzikant van daareven? Je hebt heel mooi gezongen, hoor! Als ik wat voor je had, zou ik 't geven.'

De hond likte zijn hand, besnuffelde zijn broekzak.

'Drommels,' zei Padde. 'Dat is waar ook. Jij hebt toch een echte hondeneus, beestje!' En hij diepte uit zijn zak een stuk brood op. 'Kun je mooi zitten?'

Zenuwachtig blaffend sprong het dier om Paddes opgeheven hand.

'Luister dan tenminste even, Keesje! Kijk, voor dit stuk brood heeft m'n moeder moeten werken, weet je? Dat kan jou niet schelen, hè? Jij denkt: brood is brood en ... hap! – Laat me uitspreken, Keesje. Als ik groot ben, zie je, als ik in de bierbrouwerij ben van m'n oom – nog even geduld! – dan wil ik – stil! – dan wil ik hard werken, om m'n moeder net zoveel brood te kunnen geven... als ze maar hebben wil! Ziezo. Nou krijg je het.' En Padde zag hoe de keeshond het brood in een ommezien verwerkte. 'Je hebt het eten nog niet verleerd,' zei hij, 'al lijkt het me dat je het niet vaak doet.'

Padde richtte het hoofd op toen hij in de richting van de herberg: 'De Drij Coninghen' het lallend gezang van een paar dronken mannen vernam. Tranen welden in zijn ogen op. 'Dag, Hajo,' zei hij zachtjes. 'Dag, beste vriend Hajo!' En tegen de hond, die zich bibberend tegen zijn dijen had gevlijd: 'Ik moet weg, Keesje. Vader komt thuis. Maar als hij m'n moeder of m'n zusjes en broertjes wil slaan, krijgt hij met mij te doen. Dat... dat verzeker ik je.'

Padde stond op, liet zich door de keeshond een pootje geven en liep langs de donkere straten naar huis...

Schipper Bontekoe

Van teruggaan was geen sprake meer: Hajo zat in de val. De dienstbode leidde hem door een brede gang in een deftige kamer. Daar moest hij maar wachten. En Hajo wachtte in het zweet zijns aanschijns. Hij keek vol ontzag naar de zware gladgewreven eikenhouten meubelen, naar het glimmend gepoetste koper bij de indrukwekkende schouw, naar de in gouden lijsten gevatte tekeningen van schepen, waarbij er ook waren als een vis in mootjes gesneden, zodat je er binnen in kon kijken; naar de zwaar fluwelen overgordijnen en naar dat prachtige tapijt dat brandde onder zijn sokken. 'Wat moet jij hier, indringer!' riep alles hem toe. 'Raak ons niet aan: je zou ons smerig maken. En wat ruik je naar de smederij!' De grote spiegel aan de wand lispelde hem in het oor: 'Had jij je haren niet eens kunnen kammen? Wat zie je er vies en zwart uit!'

Hajo begon zich met de mouw van zijn jas aan een reinigingsproef te onderwerpen – zonder gunstige uitslag: de mouw was ook zwart.

Zou hij stilletjes weglopen? De gang door en dan vlug de deur uit? Maar hij verwierp het plan even snel als het was opgekomen: men zou denken, dat hij iets had gestolen, en hem nalopen en roepen: 'Houdt de dief!' Het bloed steeg hem naar de wangen.

Hajo zat in de val. Hopeloos. Zo meteen zou de schipper binnenkomen – Hajo zag zijn statige figuur al! – en zeggen: 'Jij, smerig manneke, *jij* wou *mij* spreken? Jij, kwajongen, wou de gezagvoerder van de *Nieuw-Hoorn* spreken?! Pak je weg, galgebrok! Ik heb zo juist een en ander over je gehoord! 't Is fraai, hoor!'

En wat zou hij moeten antwoorden? 'Schipper, hij viste in *mijn* bijt?' De deur uitjagen liet hij zich niet! Hij zou op z'n dooie gemak de gang doorlopen en buiten z'n klompen aantrekken of er niets was gebeurd.

Zou de schipper nog lang wegblijven? Hajo haalde diep adem. Hoe kwam het dat hij het zo benauwd had? Z'n hele lichaam kriebelde – natuurlijk omdat hij nog warm was van dat onzinnige sjouwen! Wat zou hij zeggen als de schipper binnenkwam? 'Goeie avond, schipper?' Zo, zonder erg? Hajo kromp even ineen toen hij weer een blik in de spiegel wierp. 't Was erbarmelijk zoals hij er uitzag.

Arme Peter Hajo! Hij had wel kunnen grienen. Hij en grienen!

Toen naderde buiten de gang een zware stap. De deur opende zich: schipper Willem IJsbrantsz. Bontekoe, gezagvoerder van de Oostinjevaarder *Nieuw-Hoorn,* kwam de kamer binnen.

'Goeienavond, jongeman!' zei de schipper vriendelijk. 'Ik hoor dat je me wat te vragen hebt?'

Die vriendelijkheid was erger dan een pak slaag. Het duizelde Peter Hajo. Wat was dat nu? De schipper zette hem niet de deur uit? Stond hem zelfs welwillend te woord? Of school er een adder in het gras? Onmogelijk! In de klare ogen van de zeeman vond hij niets dat op dubbelzinnigheid duidde.

'Schipper,' stamelde hij, 'schipper... ik zou... ik wil... ik...'

Een glimlach verscheen op het gebruinde gezicht van de grote man. 'Ik had uit een verhaal van mijn neef opgemaakt dat je je mondje wel wist te roeren,' zei hij.

Daar had je het! Dus toch! Hajo's kin beefde. Maar hij zei geen woord.

De schipper kreeg medelijden. 'Wel,' zei hij, 'dan zal ik het woord maar doen. 't Is goed. Je gaat mee.'

'Méé...?' stotterde Hajo.

'Mee naar de Oost,' zei de schipper. 'Met de *Nieuw-Hoorn*.'

Hajo begon te trillen als een riet. '*Nieuw-Hoorn*...' stamelde hij. 'Oost...?!'

'Precies,' zei de schipper glimlachend. 'Je schijnt me vlug van begrip. En ik hoor van mijn neef dat je een paar stevige knuisten hebt en je de kaas niet van je brood laat eten. Dat zijn eigenschappen die ik bij m'n volk nodig heb.'

'Schipper!!' En Hajo maakte een beweging om Bontekoes handen te grijpen.

Deze werd even verrast door zijn uitbarsting. 'Wil je zó graag mee?'

Toen gebeurde er iets wat Hajo in geen jaren overkomen was: Hajo griende.

'Zo-zo,' zei schipper Bontekoe. 'Je heet Hajo, hè?'

'Jawel, schipper. Peter Hajo.'

'Zoon van Harmen Hajo?'

'Jawel, schipper. Maar vader is...'

'Ik weet het,' zei schipper Bontekoe. 'Diezelfde nacht zijn er nog drie andere botters vergaan.' Hij zweeg een ogenblik en zei toen langzaam, zonder Hajo aan te zien: 'Jouw vader, Peter Hajo, was een wakker man. Ik verwacht van zijn zoon hetzelfde.' Toen vroeg hij ineens: 'Je moeder vindt het toch wel goed, dat...'

'O, die vindt het best, schipper!'

'Wat vindt die best? Dat je haar verlaat?'

'Ja zeker, schipper!'

Bontekoe kon een nieuwe glimlach niet onderdrukken.

Maar zijn gelaat stond weer ernstig toen hij vroeg: 'Wat was je aan de wal, Peter Hajo?'

'Smidsknecht, schipper.'

'Tevoren nog wel eens wat anders gedaan?'

'Jawel, schipper. Drogistenjongen in 'De Gouden Gaper'.'

'Beviel je dat niet?'

'Nee, schipper.' En Hajo kneep het er angstig uit: ''k Ben er weggestuurd, schipper...'

'Zó?? Hoe kwam dat zo?'

Hajo beet zich op de lippen. Hij kon de schipper toch niet zeggen dat hij zoethout had gesnoept en de kat van de oude drogist pillen had ingegeven om haar het muizenvangen te leren?

De schipper wilde hem helpen. 'Ben je nog wel eens in een ander vak geweest?'

'Jawel, schipper!' zei Hajo, blij dat hij uit de brand was. 'Loodgieter.'

Bontekoe zette grote ogen op. 'En... eh... dáárvoor?'

'Metselaar, schipper.'

'En tevoren??'

Hajo moest even nadenken. 'Ik geloof...'

'Breek je hoofd maar niet, Peter Hajo. Ik zie wel dat je al heel wat hebt meegemaakt. Overal weggestuurd?'

Hajo knikte. Met ogen waarin de angst te lezen stond volgde hij de schipper, die in gedachten verzonken het vertrek op en neer stapte. 'Schipper,' kreunde Hajo, 'ik zal... ik wil... ik beloof...'

Met een ruk keerde Bontekoe zich om en keek hem recht in het gezicht. Hajo voelde dat die ogen dwars door z'n baadje heen zagen. En juist daarom doorstond hij de blik.

'Luister, Peter Hajo,' zei de schipper. 'Als je moeder geen bezwaren heeft, meld je dan morgen bij schipper Blok in de Jeroensteeg en zeg hem dat je overmorgen met de *Hoornse Zon* meegaat naar Texel, waar de *Nieuw-Hoorn* op goede wind wacht.'

'Jawel, schipper...!!' Het klonk als een juichkreet. En met zijn roetknuisten veegde Hajo haastig over het gezicht, dat straalde van onmetelijk geluk... en blonk van tranenvocht.

'Doe dat niet,' raadde Bontekoe. 'Je zult er helemaal als een Moriaan gaan uitzien.'

Hajo trok snel zijn vuisten weg. 'Schipper ik zal altijd...'

'Daar twijfel ik niet aan, Peter Hajo. Kwajongens zijn goed voor de wal; op een Oostinjevaarder hebben we *mannen* nodig. Als je moeder geen bezwaren maakt, sta je van morgen af op mijn monsterrol. Denk er om dat van de bemanning van de *Nieuw-Hoorn* geen kwaad woord gezegd mag kunnen worden, en dat in de grote mast een vlag wappert die we tegenover de hele wereld moeten hooghouden. Verstaan?'

'Verstaan, schipper'... Verdikkoppe, dat kwam er kranig uit!

En toen een groot ogenblik: schipper Bontekoe, gezagvoerder van de *Nieuw-Hoorn,* stak de scheepsjongen Peter Hajo de hand toe. Hajo voelde het door al zijn leden trillen. De hand van *zijn* schipper!

Bij de voordeur, in de gang, wachtte hem de jongen die vanmiddag in zijn bijt had gevist. 'Ik heet Rolf,' zei die. 'We moeten maar goeie vrienden worden, want aan boord is mijn oom niet mijn oom, maar de schipper, en ik scheepsjongen, dat snap je!'

'Ben je dan niet nijdig op me?' stamelde Hajo.

'Nijdig??' vroeg Rolf. En zijn gezicht stond ernstig als altijd toen hij er op liet volgen: 'Dacht je dan dat ik er *jou* in had laten vissen als 't *mijn* bijt was geweest?'

Moeder

In het kleine, armoedige huisje in de Bagijnesteeg wachtte Peters moeder.

Drie jaar geleden, in de nog in aller geheugen levende najaarsstormen van het jaar 1615, was de botter van haar man vergaan, en Peters vader en oom waren verdronken. Vrouw Hajo bleef met vier kinderen achter: Peter, twee meisjes: Antje en Maartje, nu twaalf en tien jaar oud, en Doris, die destijds nauwelijks lopen kon. Het was voor de weduwe een hele taak om, naast haar dagelijks werk in huis, met naaien genoeg te verdienen om zich en haar kinderen te kunnen voeden en kleden. Maar ze sloeg er zich door.

Een grote zorg was het voor haar dat haar oudste jongen voor galg en rad dreigde op te groeien. Peter haalde van de vroege morgen tot de late avond kattekwaad uit; dagelijks kwamen klachten binnen, dat hij de hele buurt onveilig maakte. Haar man was de goedheid zelf geweest en kwam er niet gauw toe zijn kinderen te slaan, maar Peter had er hem verscheidene malen toe gebracht.

Op zijn twaalfde jaar had Peter de wens te kennen gegeven om te gaan varen.

Van die dag af had zijn moeder helemaal geen rustig ogenblik meer. Ze probeerde op alle manieren hem in iets anders plezier te doen krijgen. Hij kwam eerst bij een schoenmaker in de leer, waar hij het drie volle weken uithield – toen werd hij weggestuurd. Een leerlooier ontfermde zich over hem, maar werd er slecht voor beloond: de tweede dag poetste Peter de plaat, omdat hij de stank van de looierij niet prettig vond. De leerlooier wilde evenmin Peter terugzien als Peter de leerlooier, en Peter belandde bij een slager. De eerste dagen, toen hij alleen maar vlees behoefde rond te brengen, was alles botertje tot de boom: hij zwierf met zijn vleesmand aan de arm urenlang de haven rond. Toen kwam de dag dat hij voor de eerste maal zou helpen bij het slachten van een koe. Hij hield zich goed, maar toen het bloedige werk was afgelopen, sloop hij met een kwaad geweten door sloppen en stegen naar huis. Die nacht deed hij geen oog dicht en de volgende morgen weigerde hij kort en goed, weer naar de slagerij te gaan.

De bokkingrokerij volgde. Peter verklaarde, als hij daar bleef, zelf tot een bokking te zullen worden gerookt en liep weg.

Ook voor timmerman bleek hij niet in de wieg te zijn gelegd, evenmin voor metselaar, loodgieter of drogist. Eindelijk kwam hij in de smederij van meester Wouter. Daar was hij nu al een half jaar!

Zijn moeder, die zich met de gedachte verzoend had dat haar Peter naar zee zou gaan – op het land wilde hij immers niet deugen? – voelde haar hoop weer opleven. Zou het nu toch eindelijk goed gaan? Haar zorgen bleven talrijk genoeg: Peter scheurde op onverklaarbare wijze zijn kleren tot zelfs zijn muts toe, brak elk ogenblik wat en bezorgde haar doorlopend onrust, maar dat alles vergaf ze hem graag, wanneer hij nu maar eindelijk enig blijk gaf, een bruikbaar mens te willen worden.

Was Peter Hajo ineens veranderd? Allerminst. De zaak lag eenvoudig zo, dat de smederij hem van alle bedrijven op het land het minst afstootte en hij besloten had het zo lang te harden tot zich een gelegenheid zou voordoen het ruime sop te kiezen.

Nu en dan had hij zelfs wel schik aan het smidsbedrijf! Hij kon bij het balgtrekken de hele wereld vergeten wanneer hij in de rossig blauwe, onrustig lekkende vlammen tuurde, die tegen de krakende, knetterend barstende houtblokken een grimmige veldtocht voerden. Steeds sneller trok Hajo de balg aan; steeds wilder dansten de lange vuurduivels. Ze grepen het weerloze hout van alle kanten aan, omslopen het, wrongen zich listig met hun lenige lichamen tussen de spleten door en staken honend de tongen uit wanneer hun list gelukt was. Bezijden het tochtgat, waarboven de grote helrode vlammen oplaaiden, speelden kleine blauwe duiveltjes krijgertje op zwarte, verkoolde lijken. Hajo was als in boeien geslagen. Dat leger roodrokken behoorde hem toe; op zijn bevel bestegen ze hun rossen en vielen loeiend aan, klauterden over de muren van hout en grepen de ijzeren bout bij de keel, die star, onwrikbaar hun dolle aanval wachtte. Daar begon de bout al te gloeien, meester Wouter legde hem op het aanbeeld, hief de hamer op; met een donderslag kwam het stalen blok neer; de vonken spatten alle kanten uit. Sa! Hou vast! Boem!

Hoor het dreunen! Zo werd de bout overwonnen.

En dan van de zomer! Toen de boeren met hun jonge paarden waren gekomen die voor het eerst beslagen zouden worden! Sapperloot, daar moesten de beestjes niets van hebben. En wat een wonder! Peter Hajo zou zich ook niet laten welgevallen dat men hem van die gloeiende ijzers aanspijkerde. Ze beten en sloegen achteruit – je moest op je tellen passen!

Als de boer aan wie het paard behoorde naar de markt was en baas Wouter even de rug had gekeerd, zag Hajo zijn kans schoon om, floep, met een fikse sprong op de paarderug te wippen. Dan kwam het op vasthouden aan! Hajo greep met z'n vuisten in de manen, trok de benen naar achter om niet gebeten te worden, en dan ... Ha-ha-ha! 'Zie, dat je me eraf krijgt!'

Maar Peter Hajo's moeder lachte niet die avond dat ze op haar oudste zoon wachtte. Een uur geleden was de hoefsmidsvrouw uit 'De IJzeren Man' bij haar geweest en had met haar schelle stem gezegd: 'Al is m'n man dan een sul, ik ben het niet! Ik zal ervoor zorgen dat die strop van een jongen niet weer over m'n drempel komt! Nu is het met m'n goedheid afgelopen!'

Peters moeder had niets geantwoord...

Zwijgend was er gegeten; moeders gedruktheid werkte terug op de kinderen.

Toen Antje, Maartje en Doris naar bed waren, was moeder met haar naaiwerk bij de haard gaan zitten. Ze zei tegen zichzelf dat ze heel boos was op haar Peter, omdat hij van zijn werk was weggelopen en zich zo weinig aan zijn moeder stoorde dat hij met eten niet thuis kwam en haar liet wachten, avond aan avond, terwijl hij kattekwaad uithaalde. Ze zou hem vragen of zij het aan hem verdiend had dat hij haar leven zo vergalde, en of hij ook wist hoe vader op dit ogenblik wel over hem zou denken.

Zou het helpen? Peter was licht ontroerd; ze wist dat hij ondanks alles van zijn moeder hield en geheel te goeder trouw beterschap zou beloven. Maar zou hij zijn belofte kunnen houden? Zou hij – aangenomen, dat baas Wouter hem toch nog weer bij zich nam – over een week niet weer opnieuw weglopen?

'De zee zit hem in het hoofd,' zuchtte ze. De zee – dat zou tenslotte toch nog het enige zijn. Daar kon hij niet weglopen als het hem in de zin kwam; daar heerste onverbiddelijk strenge tucht; daar zou zijn teugelloze zin tot avonturen bevrediging vinden. Maar dat had nog de tijd. Welke schipper zou een veertienjarige jongen aannemen?

En dan ...! Peters moeder beet zich op de lippen.

Buiten sloeg de torenklok. Zeven uur al! Waar zou hij toch zo lang blijven? Haar boosheid maakte plaats voor onrust. Hij zou toch niet onder het ijs liggen?! Dwaasheid! Was het niet honderdmaal gebeurd, dat hij haar had laten wachten? – Maar de gedachte liet haar niet los. Op het laatst werd ze zo onrustig en opgewonden, dat ze haar werk ter zijde moest leggen.

Zou ze eens in de steeg gaan zien of hij er aankwam? Ze stond op. Wel, als ze nu tóch ging kijken, kon ze meteen wel even een doek omslaan en naar de haven doorlopen. Maar toen ze opstond, meende ze ineens... Snel ging ze weer zitten, nam haar naaiwerk op en deed alsof ze helemaal niet had willen uitkijken. Zie zo, nu zou ze nog ééns proberen...

Toen werd de deur opengerukt; haar jongen stortte naar binnen, wierp zich in haar armen en snikte: 'Moeder! Moeder! Ik ga naar zee!'

Dat werkte! Peters moeder werd er helemaal bleek van. 'M'n jongen! Mijn jongen! Hoe is dat zo opeens...'

'Schipper Bontekoe... Nieuw-Hoorn... Texel... Oostinje...' bracht Peter er uit. 'Ik zal alles vertellen!'

'Goed, m'n jongen,' zei moeder. En terwijl ze met grote ogen staarde naar de buitendeur die nog wijd openstond, herhaalde ze toonloos: 'Dat is goed... – Doe de deur dicht, Peter.'

En ze ging naar de kast, waar zijn koud geworden eten te wachten stond.

Het grote afscheid

Al vroeg in de volgende morgen klopte Padde tegen de ruitjes van het kleine huisje in de Bagijnesteeg. Hajo deed hem open en bazuinde zijn vriend het grote nieuws tegemoet.

Padde sloeg er haast van achterover. 'Hoe moet het nou met *mij*?'

'Vraag of je ook mee mag,' stelde Hajo weifelend voor.

'*Ik* mee? Denk je dan, dat ik mee *wil*?! Ik ga toch in de bierbrouwerij van m'n oom? Dan weet je wat je hebt!'

Hajo vertelde wat zich had afgespeeld sinds hij Padde had verlaten. 'En morgen ga ik met de *Hoornse Zon* naar Texel, Padde!'

'Onmogelijk!' riep Padde ontzet uit. 'Ze zullen een dagje moeten wachten!'

'Waarom is het onmogelijk?' vroeg Hajo.

'Waarom??' Padde spalkte zijn oogjes open. 'Je moeder moet toch een uitzet naaien en je moet hier ook nog van de hele stad afscheid nemen!'

'M'n moeder is vannacht aan m'n uitzet begonnen,' zei Hajo. 'En dat afscheidnemen in de stad is binnen een uur bekeken.'

'Dat zal je niet meevallen!' verzekerde Padde. 'Vooruit, trek je klompen aan: we beginnen dadelijk!' En hij ging op zijn vingers natellen van wie Hajo zo al afscheid zou moeten nemen.

'Ik moet ook even naar schipper Blok, om te zeggen...'

'Ook dat nog?' stamelde Padde. 'Ik heb al zevenendertig mensen waar je beslist heen moet! Ben je klaar?'

'Ik kom!' Hajo ging naar de achterkamer waar moeder druk met naaiwerk bezig was. Hij kuste haar en ging met Padde mee.

'Luister goed,' zei Padde. 'Ik heb altijd gedaan wat *jij* wou, maar vandaag ben *ik* de baas. Jij bent veel te veel van streek, om zelf alles te regelen. Ik ben kalm, dat zie je wel dat ik kalm ben, en daarom zal *ik* het doen. Ik zou niet graag willen dat je er met afscheid nemen eentje oversloeg, en ik later de praatjes moest horen.'

Hajo liet zich voor het eerst in zijn leven door Padde leiden.

'Naar baas Wouter!' beval Padde. Ze sloegen de richting van de smederij in.

''t Is niet goed met de baas,' stelde Hajo vast toen hij de korzelige hamerslag vernam waarin niets van het blijde ritme lag, dat het hebben kon wanneer de baas in een goeie bui was.

'Hij zal van z'n lieve Leentje weer eens op z'n tabernakel hebben gekregen,' meende Padde. Hij opende de deur der smederij, stapte naar binnen. 'Morgen, Wouter! We komen afscheid nemen!'

Meester Wouter liet de hamer zinken. 'Satanse jongen!' was al wat hij zei.

'Wees niet boos op me, baas, dat ik gisteren...'

'Hij gaat naar de Oost,' zei Padde. ''t Is de vraag of hij ooit zal terugkomen.'

'Naar de Oost?' vroeg Wouter, ineens met een trilling in zijn stem. 'Jij, Hajo?'

'Ja, baas.'

'Met de *Nieuw-Hoorn*!' zei Padde. 'Heb je geen oude kist, Wouter? Om als scheepskist te gebruiken. Daarvoor zijn we gekomen.'

Wouter had Hajo zijn zwarte smidsknuist toegestoken. 'Ik ben niet boos, hoor! Waarachtig niet! Wil je wel geloven... hm! En een kist heb ik ook wel voor je. Waarachtig wel! Ik zal er banden omslaan, dan kan-ie tegen een stootje.'

'Zou je over de hoeken ook geen plaatjes leggen?' stelde Padde voor.

'Komt in orde,' zei baas Wouter.

Hajo wilde hem bedanken. 'Baas, ik...'

'Sssst!' gromde Wouter. 'Niet zo luid! Als m'n vrouw het hoorde... nou, dan zwaaide er wat voor je! – Zeg... eh, als jullie de kist straks komen halen, loop dan even achterom. 't Is maar, zie je...'

Padde knipte met z'n oogjes. 'Gesnapt, Wouter. Als ze ons met die kist zag lopen... nou, dan zwaaide er wat voor je, hè?'

''t Is alleen om de stoep,' gromde Wouter. 'Die wordt zo smerig van al dat geloop.'

De jongens gingen weg. En de voor zijn stoep zo bezorgde smid keek het tweetal na. Toen dwaalde zijn blik even door de lege werkplaats en hechtte zich op de verlaten plaats onder de blaasbalg. 'Satanse jongen!' mompelde hij. Hij snoof even, veegde zich over de wangen, hief grimmig de hamer op en liet de smidse dreunen.

'Naar schipper Blok,' beval Padde.

Ze liepen langs het raadhuis, de Rode Steen over, lieten de Waag links liggen en gingen de Grote Oost af. Het was nog niet helemaal licht; de straten waren leeg, op een enkele melk- of turfkar na.

Zo kwamen ze in de Jeroensteeg bij schipper Bloks bescheiden woning aan. Padde klopte met een gewichtig gebaar aan.

Er werd niet opengedaan.

'Daar kon hij nog wel eens spijt van hebben,' meende Padde. 'Een van de mannen van de *Nieuw-Hoorn* in de kou laten wachten!' Hij wilde met zijn vuisten net een roffel slaan toen er een knip werd weggeschoven, de deur half geopend en door de kier een hand met een melkkan verscheen. 'Vier maatjes, Kobus,' klonk een vrouwestem.

'Knap maar!' gromde Padde en trok Hajo weer mee. 'Kom, dan gaan we nu maar eerst naar Truitje Cannegieter. Meisjes zijn geweldig op afscheid-nemen gesteld!'

Truitje Cannegieter woonde in de Leliestraat. De jongens moesten dus weer dwars de stad door, langs het Gouw en dan de Turfhaven over.

Truitje, een lichtblond, blozend meiske met een kort, rood lijfje en een blauw baaien rok, was al ijverig bezig het straatje voor de huisdeur te schrobben. 'Zo!' riep ze vrolijk toen ze het onafscheidelijk tweetal zag naderen. 'Waar gaan jullie naar toe?'

'Naar Oostinje,' zei Padde. 'Nou ja: ik natuurlijk niet. Ik kom in de bierbrouwerij van m'n oom, dan weet je wat je hebt. Maar Hajo gaat met de *Nieuw-Hoorn* mee. Tegen de wilden vechten.'

'Oh!' riep Truitje. 'Is het heus? En breng je een aapje voor me mee?'

'Je krijgt een papegaai,' beloofde Padde.

'Als ik er een machtig kan worden...' weifelde Hajo.

'Je hebt ze maar te grijpen,' zei Padde. 'Maar achter de kop, denk er om, want ze bijten gemeen. Een andere vraag is of jij wel levend terug zult komen, Hajo.'

'Ja, wees maar voorzichtig!' ried Truitje moederlijk aan.

'Je kunt zo voorzichtig zijn als je wilt,' zei Padde, 'maar voor je er erg in hebt, heb je een giftige pijl in je lever.'

'Wat griezelig!' stamelde Truitje.

'Griezelig is het goeie woord,' zei Padde. 'Die wilden daar springen van de ene boom op de andere, net eekhoorns. Het enige wat je er tegen kunt doen is ze eruit te schudden. En dan al die slangen, tijgers, olifanten en krokodillen! In de bomen hangen noten als kanonskogels, die geregeld op je kop vallen als je er onder gaat slapen!'

'Hoe weet je dat allemaal?' vroeg Truitje ontzet.

'Dat heeft dronken Roeltje me zelf verteld. Moet je hem eens over de menseneters horen! Ze staan met zúlke messen klaar om je levend te villen. Jongens van veertien zijn het lekkerst, zeggen ze.'

'Onzin!' zei Hajo. 'Je duwt ze maar een paar kralen of gepoetste duiten in de hand, en ze denken er niet meer aan je een haartje kwaad te doen! Gewoonlijk willen ze je dan met de dochter van z'n menseneteropperhoofd laten trouwen.'

'Dat zou je toch zeker nóóit doen?' vroeg Truitje.

'Nooit!' zei Padde. 'Hij laat zich liever levend verslinden. Ga eens kijken, Truitje, of jij bij geval wat kralen voor ons hebt. 't Gaat om z'n leven, dat begrijp je.'

'Kralen??'

'Nou ja, kralen, rinkelbellen, wat je maar missen kunt. Zoek maar goed; wij zullen wel wachten. Want daarvoor zijn we gekomen.'

Toen Truitje naar binnen was gegaan, zei Padde tot Hajo: 'Zie je nou dat je voor het afscheidnemen wel een dag of wat nodig zult hebben?'

'Op die manier wel,' lachte Hajo.

'Het is de enige goede manier,' stelde Padde vast.

'Ik wou dat ik maar vast op de *Nieuw-Hoorn* zat, Padde!' En Hajo kneep zijn vriend in de arm, zuchtte van blijde spanning.

Padde zweeg en keek voor zich uit...

Een ander meisje kwam uit de voordeur, Truitjes twintigjarige zuster Sijtje, even fris, blozend en stevig als haar jongere zusje. Ze hield iets onder haar schort verborgen. Na een snelle blik achteruit in het voorhuis te hebben geworpen, wenkte ze Hajo. 'Kom eens even hier, Peter?'

'Ja,' zei Padde en deed een pas naar voren.

'Nee, ik moet Peter hebben.'

Padde bleef grommend staan. En Hajo werd naar binnen geloodst. Achter de deur hield het meisje hem staande en fluisterde: 'Je gaat met de *Nieuw-Hoorn* mee, hè?'

Hajo knikte.

'Nou, daar is ook een Fries aan boord! Hij heet Hilke. Hilke Jopkins! Die moet je dit maar geven, wil je?' En Sijtje haalde van onder haar heldere boezelaar een paar enorme paars-wollen handschoenen te voorschijn.

'Sokken?' informeerde Hajo.

'Handschoenen!' zei het meisje, wat beledigd.

'Ze zijn zo reusachtig groot...'

'Vind je? Ja... och, Hilke is helemaal nogal groot! En met handschoenen, dat weet je ook wel, is het beter te groot dan te klein. En vind jij het dan soms mooi als een man van die kleine handjes heeft, net als een meisje? Ik vind het gewoon afschuwelijk. En jij?'

'Ik ook,' zei Hajo.

'Nou, vervolgde Sijtje tevreden. 'Zeg hem maar dat ze nog niet klaar waren toen hij hier was, anders had ik ze hem dadelijk meegegeven. En... eh, als je kunt, zorg er dan voor dat hij wat voorzichtig is, wil je? Hilke is altijd zo vreselijk onvoorzichtig.'

'Ik zal ervoor zorgen,' beloofde Hajo.

Sijtje keek hem liefkozend aan. 'Hier!' fluisterde ze, terwijl ze van onder haar rokken een zeer, zeer rijk gekleurde das opdiepte, 'die is voor jou. Ik had 'm eigenlijk voor Hilke gehaakt, zie je, als hij terugkomt, maar nou is ie voor jou.' Ze zuchtte even. 'Ik heb toch tijd genoeg om nog een andere te haken... – Kom hier, kereltje, dan zal ik je de das omstrikken.' En vol aandacht en zorg knoopte ze de das om Hajo's hals.

'Je bent een lieve meid, Sijtje,' zei Hajo.

'Malle jongen! Zeg Hilke dat ie me eens schrijft. Zul je 't doen?'

'Ja, Sijtje.'

'En dat ie gauw terugkomt. Zul je?'

'Ja, Sijtje.'

'En zeg 'm, dat...' Op het onverwachtst begonnen Sijtjes lippen te beven. 'Ik zal 't 'm zeggen,' beloofde Hajo.

Toen gebeurde iets wat niemand verwachten zou: Sijtje nam Hajo's blonde kop in haar handen en zoende de verbouwereerde jongen op beide wangen dat het klapte. 'Ga nou maar,' fluisterde ze haastig, toen in de gang voetstappen klonken.

Buiten brak Hajo zowat de hals over Padde, die op z'n knieën voor de deurkier lag. ''n Schat van 'n meisje!' zei Padde met schorre stem.

'Wat?! Heb je geluisterd?!'

'En alles gezien! Vergeet die handschoenen niet te geven! En let 'n beetje op Hilke. Dat laatste zeg je 'm natuurlijk niet!'

'Wat?'

'Dat ze je gezoend heeft. – Laat me die das eens kijken? Alsjeblieft, vijf kleuren. Die das is met *liefde* gebreid, Hajo!'

Truitje kwam terug met een verfomfaaide pop, een half kapotte rinkelbel, een koperen, ineengedeukte vogelkooi, een verroeste koffiemolen, een mombakkes en een verzameling gekleurde kraaltjes. Schuchter omziend, knipte ze het touwtje door waarmee een handwerkschaartje aan haar hals was bevestigd. 'Hier, neemt dit ook maar mee. Ik zal wel zeggen dat ik het verloren heb.'

Padde was in de wolken. Hij ging zorgvuldig na in welke staat de verschillende kostbaarheden verkeerden, liet de rinkelbel rinkelen en Hajo het mombakkes opzetten. Toen hij de koffiemolen ontdekte, sprong hij een el hoog de lucht in. 'Een koffiemolen! Ga *nou* maar gerust naar de wilden, Hajo! Met een koffiemolen bij je, hoef je nooit bang te zijn! Ik ken hopen lui die aan een koffiemolen hun leven te danken hebben, en die zeggen allemaal: Naar Oostinje? Best! Maar niet zonder koffiemolen!'

'Zou ik alles op het schip mogen brengen?' vroeg Hajo weifelend.

'Wat dacht je dan?!' zei Padde verontwaardigd. ''n Mensenleven is geen kleinigheid!'

'Vooruit dan maar! Dan kan ik in die kooi meteen Gerrit meenemen!'

Gerrit was een tamme torenkraai, die al twee jaar lang lief en leed met Hajo deelde.

'Nou, we moeten weg!' zei Padde.

'Ja. Ik dank je wel, hoor, Truitje! En ik zal nog er eens om je denken, als ik zo'n zwartjeshoofdman die pop in z'n vingers douw.'

'Praat me er niet van, Peter!' zuchtte het meisje. 'Goeie reis, hoor, en kom me maar levend terug.'

Padde kon slecht tegen hartroerende tonelen: een dikke traan biggelde over zijn wang en bleef aan zijn kin hangen, want Padde had beide armen vol en zag geen kans de traan weg te vegen. 'Nou naar Jansje Bezem,' zei hij met gebroken stem.

'Wéér een meisje?' vroeg Hajo.

Padde keerde zich verbaasd om. 'Wou je soms van jongens kralen los krijgen?'

'Maar heb je dan nóg niet genoeg?'

'Ik begin pas! – Juist zulke kleinigheden redden je leven, Hajo! Vraag 't maar aan Roeltje! Kralen, knopen... hemeltje, knopen hebben we nog niet! Denk er om, dat je die *in elk geval* meekrijgt!'

Jansje Bezem woonde in de Hanekamsteeg, en dus moesten ze opnieuw de hele stad door.

'Had je 't met afscheidnemen niet wat handiger in kunnen pikken?' vroeg Hajo. 'We sjouwen op die manier driemaal meer dan nodig is.'

'Breng me niet in de war,' zei Padde. 'Ik heb genoeg aan m'n hoofd.'

'Nou, maar ik vertik het langer. Ik moet niets van al die meisjes hebben!'

'Wat? Van Jansje Bezem niet?!'

'Van Jansje Bezem helemáál niets.'

'Hoe is 't mogelijk!' zei Padde. ''t Is een schat van een meisje!'

'Zo. 't Kan, maar ik heb er nooit wat van gemerkt.'

'Als je eens wist wat een ezel je bent,' zuchtte Padde. 'Waarachtig, je mág Jansje Bezem niet overslaan!'

'Voor mijn part dan. Maar ik wil eerst naar Dove Nelis, daar zijn we nu toch in de buurt.'

Padde haalde de schouders op en volgde Hajo grommend naar het kleine huisje van Dove Nelis, een oude zeerob die in z'n goeie dagen met Willem Barendts op Nova Zembla had overwinterd, later doof was geworden en in Hoorn zijn laatste jaren sleet temidden van scheepjes in flessen en duizend-en-een reisherinneringen. Hoe vaak had Hajo niet z'n tijd vergeten als Dove Nelis aan het vertellen was? Van Dove Nelis wilde hij in de eerste plaats afscheid nemen.

De ouwe baas stond juist op het punt om zijn gewone morgenwandelingetje langs de haven te maken. Maar toen de jongens binnenkwamen, trok hij zijn jas weer uit en zei Grietje, zijn goedmoedige huisvrouw, koffie te zetten.

Hajo gebruikte de handen als spreektrompet en schreeuwde Dove Nelis zijn grote nieuws in het oor.

'Dat mag ik horen!' zei Nelis, terwijl hij vergenoegd voor zich heen knikte. 'Zo zo, met schipper Bontekoe! Een puike schipper! Een beste, brave ouwe! Varen, m'n jongens, dà's het mooiste wat er is. Daar kè-je met landrotten niet over klesse; dat moet je *voelen*, hè? Als je op je schuit staat en je kijkt zo

eens schuin langs je bezaansmast en je zegt zo losweg: makker, zeg je, wat
voor weer steekt er achter 't zeil? of: bootsman, wat dach-ie, wanneer zouden
we weer d'r eens land voor de boeg krijgen?... wat je dan voelt, dat weet
alleen een zeeman. Varen, jongens, dat mot in je bloed zitten, dat kè-je niet
leren. Je moet het ruiken of er ergens riffen of banken liggen; je moet het
ruiken of je kan uitvaren of niet. En jongens, je moet meer van je schuit
houwen as van jezelf! Als er een storm staat dat je meer zeewater as soep
binnenkrijgt dan moet je niet denken: Heer in de hoge hemel, red mij! Nee!
Dan moet je denken: genade voor m'n *schuit*! Zie je, als je zo midden op de
oceaan dobbert en je zit 's avonds wat te kletsen over je wijf en je kinders, hè,
nou, en in 't vooronder leggen me die apen van jongens van d'r lui meissies
te zingen, zie je... dat moet je voelen. Daar ken je met landrotten niet over
klesse...'

Hajo liet z'n ogen dwalen. Hij wás al op de oceaan.

'En de zeeziekte?' riep Padde. 'Wat doe je tegen zeeziekte?'

Dove Nelis gromde wat en was niet erg spraakzaam meer.

'Kom,' zei Padde daarom, 'we moeten weer verder.'

De jongens stapten op; Hajo nam met tranen in de ogen afscheid van zijn
oude vriend. Bij de deur duwde Grietje Padde een flesje in de hand. 'Hier,
Padde, bewaar jij het maar voor hem. Het is 't beste middel tegen zeeziekte.'

Padde sloeg een gat in de lucht. 'Grote genade, Hajo! Dát is me een pak
van het hart!' En hij borg het flesje zorgvuldig onder zijn pet.

De jongens vervolgden hun weg naar Jansje Bezem in de Hanekamsteeg. Was het gedachteloosheid van Padde toen hij op het Grote Oost, in plaats van recht door te lopen, de Bottelsteeg insloeg naar de Appelhaven, waar hij woonde? Ze waren al een eindje de steeg in, toen Hajo stilhield. 'Waar gaan we eigenlijk naar toe?'

Padde keek verwonderd op. 'Naar Jansje Bezem! Waar anders heen?'

'Dan maken we nu een omweg.'

'Zou je denken?'

'Ik denk het niet, ik weet het. En jij weet het net zo goed als ik.'

'Mij best,' zuchtte Padde. En met een martelaarsgezicht maakte hij rechtsomkeert. Maar twee huizen verder hield hij weer stil en greep Hajo bij de arm. 'Zeg... eh, Hajo...! Nou we tóch eenmaal hier zijn, konden we eigenlijk ook wel even langs mijn huis lopen, vind je niet? 't Is nog geen tien passen om!'

'Maar wat zouden we er moeten doen?'

'Dat vraag je nog? Afscheid nemen van mijn moeder!'

'Zou die er erg op gesteld zijn?'

Padde slikte iets weg. 'Nou, en óf ze er op gesteld zal zijn!'

Hajo weifelde.

'Je *hoeft* niet,' zei Padde beledigd. 'Ik zal je niet dwingen! 't Laat mij natuurlijk ijskoud, dat snap je wel, nietwaar?'

Hajo aarzelde nog even, sloeg toen de richting van de Appelhaven in.

Paddes gezicht straalde.

Zijn moeder, een grote, bleek uitziende vrouw, was bezig het smalle gangetje te dweilen dat naar het huisje en nog enkele andere krotten voerde, die een gemeenschappelijke bleek en een groentetuintje hadden. Vóór op de straat gooiden een paar zusjes en broertjes van Padde elkaar met modder.

'Blijf daar!' riep Paddes moeder haar oudste zoon toe toen hij met Hajo het gangetje wilde binnengaan. 'Vóór het eten kom je me niet in huis. En dan je smerige klompen uit. Begrepen?'

Padde kuchte en schoof Hajo voor zich. 'Peter gaat naar Oostinje, moeder. Met de *Nieuw-Hoorn*! Schipper Bontekoe heeft hem *dadelijk* aangenomen! Hij komt afscheid nemen!'

'Wacht dan maar even,' zei de vrouw. En zwijgend werkte ze voort.

'Goed, moeder,' antwoordde Padde snel. 'We zullen wel wachten.' En tegen Hajo verklaarde hij: 'We hebben nu de tijd! Als ik geweten had dat we zo gauw ergens een koffiemolen zouden opduikelen... En dat middeltje tegen de zeeziekte! Jansje Bezem geeft ons wel knopen. O, heertje, zoveel we maar hebben willen! Trouwens – m'n moeder is met dat gangetje in twee tellen klaar. Geschrobd is ie al, hè, en dweilen, nou, dat is in een ommezientje bekeken.'

Hajo knikte half luisterend.

Maar Padde kon niet meer aan het woord komen, want z'n broertjes en zusjes hingen hem al om de hals. 'Rijden!' schreeuwden ze. 'Hop paard!' En Padde galoppeerde en sloeg met de achterbenen als een vurige hengst.

Toen kwam zijn moeder naar voren. Zij veegde zich de haren voor het gezicht weg, stopte Hajo een in een rode zakdoek geknoopt bundeltje in de handen, keek hem streng aan en zei met haar zware stem: 'Geef dat aan je moeder. Zeg haar ook dat ik morgen een uurtje kom helpen, want ze zal het druk hebben met je uitrusting.'

'Morgen gaat hij al weg, moeder,' zei Padde.

'Dan kom ik vanmiddag. Nu heb ik geen tijd. Ben je door Wouter weggestuurd?'

De jongens schudden eenstemmig ontkennend het hoofd. 'Wouter timmert zelfs nog een kist voor hem!' zei Padde. 'Met ijzeren plaatjes om de hoeken!'

'Dat valt me mee van een galgebrok als jij bent,' zei de vrouw tot Hajo. 'Je moeder heeft je veel te weinig slaag gegeven. Op zee zullen ze je wel leren!'

'Ik zal zorgen dat ik geen slaag meer krijg,' antwoordde de jongen.

Paddes moeder keek even op van de kordaatheid waarmee dat er uitkwam. De schaduw van een glimlach gleed langs haar stroeve mondhoeken. 'We zullen zien of je woord houdt! Wees zuinig op je goed en spaar wat je verdient voor je moeder.'

Hajo beet de lippen opeen. 'Zou ik tóch gedaan hebben,' zei hij.

Maar Paddes moeder had het alweer te druk om Hajo nog te woord te kunnen staan – nu met het herstellen van de orde onder de kleinen, tussen wie een vechtpartij was ontstaan. Ze tilde de hoofdschuldige bij zijn oren van de grond en droeg hem naar het turfhok om hem op te sluiten. In het voorbijlopen knikte ze Hajo toe. 'Ik hou je aan je woord!' riep ze. 'Goeie reis!'

Padde trok zijn vriend terzijde. 'Laat eens kijken?' vroeg hij, op het rode bundeltje wijzend.

Hajo knoopte het los. Er zaten een broek en een paar sokken in.

Padde betastte ze eerbiedig. 'Dat is mijn nieuwe broek,' zei hij. 'Zondag zou ik 'm voor het eerst aankrijgen. 'n Mooie stof, hoor! En ijzersterk. En die sokken heeft ze van de herfst gebreid.'

Hajo werd er wat verlegen onder. 'Jouw broek?'

'Ja. Net als die sokken. Die waren anders ook voor mij geweest. Maar da's niks hoor: ze breit wel weer nieuwe.'

'Maar moet ik die zakdoek tenminste niet...'?

'Teruggeven? Welnee! 't Is vaders zakdoek voor de kerk. Nou ja, daar gaat hij toch nooit naar toe, want als hij zaterdagsavonds thuiskomt...' Paddes stem trilde. 'Vooruit!' zei hij, 'we gaan naar Jansje Bezem!'

Toen de jongens tegen de middág weer in de Bagijnesteeg aanlandden, waar moeder met het eten wachtte, bleek duidelijk dat de Hoornse meisjes, hoe ondeugend Hajo dan ook mocht wezen, hem toch niet door meneseters wilden laten verslinden. Als Hajo op staande voet een uitdragerij was begonnen, zou zijn fortuin zijn gemaakt.

Met een stralend gezicht zette hij een prachtige, sterke kist voor zijn moeder neer. 'Van Wouter gekregen! 't Is een échte scheepskist! En dit is van Paddes moeder, kijk eens hoe mooi! Vanmiddag komt ze zelf om met m'n uitzet te helpen.'

38

Moeder knikte, terwijl ze het bundeltje losknoopte. Ze wilde nog wat zeggen, maar kwam niet goed uit haar woorden.

's Avonds, toen de kinderen naar bed waren gebracht, zei moeder: 'Peter, je moet afscheid nemen van je broertje en je zusjes, want morgen ga je weg, vóór ze wakker zijn.' Haar stem was nu rustig en werkte kalmerend op Hajo's verwarde gedachten. Hij ging naar de achterkamer, waar Doris en Maartje en Antje sliepen, boog zich over hun bedstee en beloofde papegaaien en kokosnoten, apen, tijgers, jonge olifanten en menseneters in een kooi te zullen meebrengen. En bij elke belofte biggelden hem de tranen over de wangen. Hij kwam op onvaste voeten in de voorkamer terug, waar hij zijn moeder in de stoel bij de haard zag zitten. Ze lachte hem toe.

'Kom eens bij me zitten, Peter. We zullen voor het laatst eens wat praten, hè? Want er zijn een paar dingen die even moeten worden geregeld. – Kijk, hier is de sleutel van je kist. Aan een touwtje, zie je wel? Buk je hoofd eens, Peter, dan zal ik hem om je hals hangen. Zo... nu kan je hem niet verliezen. En hier is een zakje waarin ik drie guldens heb genaaid, voor het geval je in verlegenheid mocht komen. Hang het onder je hemd als je straks gaat slapen. 't Is niet zo heel veel, Peter, maar... maar...'

'Moeder,' snikte Hajo, 'wat moet ik met al dat geld doen! Jij hebt het nodig voor Maartje en Antje en Doris en voor jezelf. Ik verdien toch geld?'

'Stil!' zei moeder. 'Als het schip... als je schipbreuk mocht lijden... dat zakje kun je niet verliezen en... Vaders bijbeltje heb ik ook in je kist gedaan en een lokje haar van ons allemaal. Dan heb je tenminste iets als je aan ons denken wilt. – Over een paar jaar kom je pas terug. Je zult dan een grote sterke jongeman zijn geworden die héél wat meer heeft gezien dan vader of ik. Al die tijd, Peter, zal ik... zal ik rustig wachten en vast vertrouwen dat alles goed gaat. En Peter van mij, als je ooit eens verdrietige ogenblikken hebt, zeg dan maar gerust, zeg dan altijd maar gerust: mijn moeder denkt aan mij... Beloof je me dat, Peter?'

'Moeder!' kermde Hajo.

'Dan is het goed, m'n jongen. En nu moet je naar bed gaan, dat je morgen een flinke nachtrust achter de rug hebt.' Ze sloeg haar armen om hem heen.

En Peter Hajo, scheepsjongen op de Oostinjevaarder *Nieuw-Hoorn,* liet zich, tegen zijn moeder gedrukt, als een klein jongetje naar bed brengen.

Hij kleedde zich uit zonder bewust te zijn dat hij het deed. Maar door de wolk van grauw die voor zijn ogen hing, schitterde heel ver weg iets bonts en vreemds dat zijn hart deed zwellen van opwinding en blijdschap.

Zijn moeder ging stil, om de kinderen niet te doen wakker schrikken, naar de voorkamer. Ze leunde tegen de haard en bleef een ogenblik staan met al de kalmte waarover een moeder beschikt als ze zo juist afscheid genomen heeft van haar jongen die naar de Oost gaat.

Toen begonnen haar schouders te beven en ze borg het hoofd in de handen.

Padde doet zijn vriend uitgeleide

Om negen uur in de morgen van de achtentwintigste december 1618 zou de friese tjalk de *Hoornse Zon* de schipper Willem IJsbrantsz. Bontekoe naar de Oostinjevaarder *Nieuw-Hoorn* brengen, die voor Texel op gunstige wind lag te wachten.

Ruim zeven uur diezelfde ochtend, toen de duisternis nog om de haven hing, kwamen twee jongens bepakt en bezakt de Veermanskade afhollen in de richting van de aanlegplaats.

'Ik kan niet meer,' hijgde de dikste van de twee. 'Loop jij door, Hajo, *jij* mag in geen geval te laat komen.'

'Maar 't is nog veel te vroeg, Padde! 't Is nog lang geen negen uur!'

Padde wilde hem verwijten dat hij overstuur was, maar verslikte zich.

Zo kwamen ze bij de Hoofdtoren. 'We zijn de eersten!' riep Hajo.

Padde sukkelde hijgend en blazend in een drafje verder tot hij bij de tjalk was aangeland. Daar zette hij de omvangrijke last die hij torste neer, ging op de gedeukte kooi van Truitje Cannegieter zitten – tot groot ongenoegen van Gerrit, die onrustig op zijn stokje heen en weer dribbelde en verwijtend door de tralies gluurde – en veegde zich het zweet van het gezicht. 'Zie zo,' zei hij. 'Nu kan die tjalk zonder jou niet meer wegzeilen.'

'Laten we zolang op en neer lopen,' stelde Hajo voor.

'Lopen?! Heb ik vanmorgen nog niet genoeg gelopen?'

'Maar je vat kou, Padde, als je daar blijft stilzitten!'

'Dan kruip ik in m'n bed. 'k Heb toch niks beters te doen, als jij er niet meer bent.' En Padde bleef zitten en keek weemoedig naar de *Hoornse Zon*, die zachtjes deinde op de kalme golfslag.

Hajo bleef nog een tijdje staan, ging toen naast Padde zitten. Hij trachtte met zijn ogen de grauwe morgennevel te doorboren. Van heel uit de verte drong het loeien van een misthoorn tot hem door. Dan werd het weer stil. op het zachte klotsen van het water na.

Die rust om hem heen deed Hajo goed; hij kon zich aan zijn gedachten overgeven. Hij begon nu als scheepsjongen; over een paar jaar kon hij matroos zijn en later... wie weet of hij niet nog eens tot... ja, 't kón toch, nietwaar?... tot bootsman werd bevorderd... Bootsman Hajo! Wat zou zijn moeder dan trots op hem zijn! 'Heb je 't gehoord?' zouden de mensen zeggen. 'Als jongen twaalf ambachten dertien ongelukken, en nou... wie had dat gedacht... bootsman Hajo!'

Hajo hoorde naast zich een licht geronk. 'Padde! Slaap je?'

Eerst geen antwoord. Toen steunde Padde diep, geeuwde hartgrondig en huiverde. 'Dacht je dan dat ik vannacht een oog heb dichtgedaan?'

Daar kwam schipper Blok met zijn twee zoons aanzetten. 'Jullie zijn vroeg genoeg!' riep hij lachend. En op de vogelkooi en al wat er om heen lag wijzend, vroeg hij: 'Moet die rommel allemaal mee?'

'Dat *is* geen rommel!' voer Padde uit.

'Goed, dan is 't geen rommel,' zei Blok gul. 'Gooi het maar achter in de bak. Maar de bootsman van de *Nieuw-Hoorn* zal je zien aankomen!'

'Die bootsman zal wel beter weten wat er voor een Oostinjereis nodig is!' zei Padde.

'Nou, 't zal me benieuwen'. Blok sprong in de tjalk en begon met de hulp van zijn zoons de mast op te zetten. 'Oostenwind,' zei hij. 'Tot Enkhuizen is het opwerken. Dan zijn we d'r gauw.'

Kwart voor negenen kwam Rolf aanstappen met een kist onder de arm. Hajo holde hem tegemoet en de jongens drukten elkaar de hand.

'Rolf,' zei Hajo, ''t spijt me dat ik je voor pennelikker heb uitgemaakt!'

'Ja,' zei Padde. 'Ik heb gezegd dat ik je zou aframmelen als ik je weer tegenkwam, maar dat trek ik terug.'

'Knip jij altijd zo met je ogen?' vroeg Rolf.

'Knap maar,' zei Padde. En Rolfs kist besnuffelende, vroeg hij: 'Is dat alles wat je meeneemt?!'

'Het is genoeg,' meende Rolf.

'Here-m'n-tijd,' zei Padde, 'je bent al net zo overstuur als Hajo!'

Het was intussen licht geworden. En eindelijk, toen negen bronzen slagen galmden uit de toren van de grote kerk, kwam een gezelschap heren met Bontekoe in hun midden het havenhoofd afwandelen.

'Dezelfden als eergisteren, Padde!' fluisterde Hajo.

'Die doen mijn oom tot Texel uitgeleide,' zei Rolf. 'Die lange met dat bleke gezicht is koopman Rol; die gaat mee naar Indië. Om voor de Compagnie zaken te doen.' En evenals Hajo en als Padde, die zelfs een soort buiging maakte, trok hij zich eerbiedig de muts van het hoofd.

'Goedemorgen, mannen!' wenste Bontekoe hun met gulle zeemanshartelijkheid toe. Hij liet een monsterende blik over zijn beide kranige scheepsjongens gaan en schonk de kleine dikke buigende Padde een welwillende glimlach. Daarna gingen de heren de loopplank over naar de tjalk. Rolf drukte Padde de hand en sprong aan boord. De zoons van schipper Blok gooiden de touwen los waarmee de tjalk vast lag.

Voor Hajo en Padde was het ogenblik van afscheid gekomen. De ogen vol tranen stonden ze tegenover elkaar en zochten naar woorden.

'Hajo...!'

'Padde...'!

Hajo... beste Hajo...!'

'Padde... beste, goeie Padde...!'

Hajo durfde niet langer blijven. Hij wendde zich snel af en ging de loopplank over.

De plank werd ingetrokken.

Met een gezicht waarin de wanhoop zich spiegelde stond Padde aan de kant en zag toe hoe de tjalk zich van de wal losmaakte. Toen, op het laatste ogenblik, zette hij met een kreet af en sprong...!

Blok ving hem op en hees hem binnen boord.

Padde was met zijn voeten in het water terechtgekomen.

'Hajo!' snikte de arme jongen, terwijl hij het water uit z'n klompen liet lopen. ''t Gaat niet... Ik breng je tot Texel.'

Bontekoe had met een zijdelingse blik Paddes acrobatentoer waargenomen. 'Daar heb je me waarachtig die zelfde springer weer!' riep hij. 'Wat moet er met hem gebeuren, Blok?'

Blok was de kwaaiste niet. Hij wist dat Hajo en Padde onafscheidelijke vrienden waren. 'Laat 'm maar meegaan,' zei hij lachend. 'Dan kan hij meteen de *Nieuw-Hoorn* eens zien! Die is wel 'n kijkje waard!'

Maar toen Padde zijn bezinning terug had gekregen, sloeg hem de schrik om het hart. Waar zou dat op uitdraaien als hij weer thuiskwam?! 'Heila!' riep hij een paar vissers toe, die bezig waren hun botter ijsvrij te kappen. 'Zeg jullie aan m'n moeder dat ik even ben meegegaan naar Texel?'

De vissers grinnikten. 'Ze slaat je beide benen stuk,' zei er een.

'Dan ken je m'n moeder slecht!' riep Padde, terwijl een paar dikke tranen in zijn ogen sprongen. En toen de vissers meesmuilend de schouders ophaalden, schreeuwde hij hun woedend toe: 'Bovendien! Zijn het *jullie* benen?!'

De tjalk zeilde de ijsgang door en kwam in vrij water. Bontekoe stapte op Padde toe. 'Wil jij later ook gaan varen?'

Padde schudde vol onverholen afschuw het hoofd. 'Ik kom in de bierbrouwerij van m'n oom! Dan weet je wat je hebt.'

Bontekoe mat Padde glimlachend van het hoofd tot de voeten. 'Je hebt groot gelijk, hoor. 'n Best vak!' En hij ging bij de heren zitten, die achter in de tjalk hadden plaats genomen.

'Ik voel me nou al beroerd van dat ellendige schommelen,' verklaarde Padde, toen hij bij Rolf, die voorin zat, belandde. En slechts de overtuiging dat zijn vriend het later nóg nodiger zou hebben, weerhield hem om uit Grietjes flesje te proeven.

'Je voeten zullen wel koud zijn,' zei Rolf.

'Spring *jij* 'ns zo'n end!' gromde Padde.

Hajo zat bij de mast en keek naar de flauwer wordende omtrekken van het stadje, dat zachtjes in de sluiers van de nevel wegzonk. Toen kwam suizénd de boom aanscheren: het zeil werd omgegooid. Hij bukte bliksemsnel het hoofd en voelde zich weer in de werkelijkheid verplaatst.

Tot Enkhuizen moest er gelaveerd worden; daarna verliep de vaart vlotter. Ze kregen nu de golfslag aan stuurboordzij, zodat de tjalk geducht heen en weer zwaaide en het Padde slecht te moede werd. Zijn ogen verfletsten; hij werd akelig bleek. 'Ik wou dat ik maar dood was,' verklaarde hij.

'Wil je wat uit Grietjes flesje?' vroeg Hajo.

Er was een ogenblik van heftige tweestrijd in Padde. Maar zijn goede inborst zegevierde. 'Dat flesje helpt me niks. Ik ben wat beroerd omdat ik vannacht geen oog heb dichtgedaan, dat is alles.' En om te bewijzen dat dat 'alles' was, boog hij zich snel overboord, om zich eerst na geruime tijd nog veel bleker om te draaien.

Het was zonnig weer. Een blauwe lucht. De oostenwind hield staag aan.

'Als het zo blijft, varen we nog vanmiddag uit,' zei Bontekoe tot de andere heren. 'Wat denk jij van de wind, Blok?'

'Dat-ie mooi is uitgeschoten en goed vast zit, schipper!'

Een uur later kwam Texel in het zicht. De gele duinen blonken in het zonlicht; hier en daar schitterde een rood dak, en... en...!

'De *Nieuw-Hoorn*!!!' schreeuwde Hajo. 'Padde!' En hij greep zijn makker bij de arm en duidde hem opgewonden een vlekje met een paar rechtopstaande lijntjes. 'Padde dan toch! Kijk, Padde!!'

'Ik zie niks,' zei Padde. 'M'n ogen doen zeer van de slaap. Maar ik zal... ik zal je uitrusting halen.' En Padde wankelde naar de plaats waar Hajo's kist en ruilmateriaal geborgen waren.

'Er ligt er nog een!' riep Rolf. 'Daar, links er van!'

'Er liggen er drie,' zei Blok. 'Maar de middelste moeten we hebben.'

Bontekoe zag intussen vol belangstelling toe hoe Padde bezig was Hajo's hebben en houwen naar voren te slepen. 'Van wie is dat alles?' vroeg hij.

'Van Hajo, schipper.'

'Wel, wel! Roep jij Peter Hajo eens even hier?'

Padde rook onraad. ''t Is om te ruilen, schipper. Tegen de wilden!'

'Als je in m'n dienst stond, zou ik je voor je ongevraagde praatjes in het eindje touw laten bijten,' zei Bontekoe.

Toen haastte Padde zich om het bevel van de schipper op te volgen.

'Hou je taai,' fluisterde Rolf Hajo in het oor. 'Hij is helemaal niet kwaad.'

Maar Hajo voelde zich allesbehalve 'taai' toen hij voor de schipper stond.

'Is dat jouw uitrusting, Peter Hajo?' De stem klonk onheilspellend.

'Ja-wel, schipper.'

'Wat wou je met dat alles doen??'

'Inruilen. schipper...'

'Wou jij op eigen houtje handel drijven en de Compagnie benadelen?'

'Handel drijven, schipper...?'

Padde was weer naderbij gekomen. ''t Is om z'n leven te redden, schipper...'

Bontekoe keek verwonderd op. 'Ik spreek met hem en niet met jou.'

''t Is m'n vriend, schipper,' zei Padde.

'Pak je weg, of je gaat overboord!' fluisterde Blok hem toe.

Dat werkte. Padde keerde subiet om en ging naar Rolf, al pruttelend over de tegenwerking die Hajo ondervond.

Bontekoe liet een onderzoekende blik over het rommeltje gaan. 'Wat wou je met die kraai doen? Ook inruilen?'

'Nee, schipper. Dat is Gerrit. Die gaat... die gaat zo maar voor de gezelligheid mee...'

'Voor de gezelligheid. Zo-zo. Hoe kom je aan Gerrit?'

'Uitgehaald, schipper. Toen ie nog jong was.'

'Ka!' schreeuwde Gerrit.

De heren konden hun vrolijkheid niet verbergen, en Hajo vatte moed. ''t Nest zat in de galmgaten van de Sint-Anthonius, schipper. De koster heeft er niets van gemerkt.'

'Hoeveel jongen zaten er in?' vroeg Bontekoe.

'Drie, schipper.'

'Drie? Gewoonlijk heeft 'n kraai er vier, hè?'

'Jawel, schipper, deze ook. Maar ik had er immers een uitgehaald.'

Bontekoe beet zich op de lippen. 'Nu, 't valt me tenminste mee, dat je er drie hebt laten zitten. Is 't daar goed mee afgelopen?'

'Jawel, schipper. Schouwen Doedes heeft er een van en Klaas van de Hoge Dijk had er twee, maar eentje heeft zich in een pier verslikt. 'k Had 'm 't nest verkocht. Maar Gerrit is de slimste, schipper! Hij verstaat alles! En wegvliegen doet-ie ook niet meer.'

'Is hij zo tam?'

'Ja, schipper. Ik heb 'm gekortwiekt.'

De heren begonnen te lachen. 'Kijk eens, Peter Hajo,' zei Bontekoe, 'als mijn bootsman Folkert Berentsz. je mét zo'n inboedel aan boord ziet stappen, gooit hij jou mét Gerrit in de Noordzee. Daarom is het 't beste dat je hem zegt: de schipper vraagt of er een plekje voor vrij is. – Verstaan?'

'Jawel, schipper!' Hajo glunderde.

'Snij dan maar uit.'

Dat deed Hajo. Zijn hart woog licht als een veertje toen hij naar voren ging.

Ook Padde was opgetogen en stak zijn vreugde over de gunstige uitslag niet onder stoelen of banken. Maar Hajo luisterde niet naar hem, keek zijn ogen uit naar de *Nieuw-Hoorn,* die groter en groter werd. Hoe trots hief het schip zijn hoge steven uit het groengrijze water! Langzamerhand kon hij de gebeeldhouwde figuren van de spiegel onderscheiden, het rank uitgebouwde galjoen, de dreigende geschuts- poorten met de ronde vuurmonden...

Boem! Boem! Twee blanke wolkjes stegen aan weerszijden van het schip op, en in het- zelfde ogenblik wandelde langs een lijntje een bonte doek naar het topje van de grote mast: de vlag van de Oostindische Compagnie! Blok hees de Hoornse Eenhoorn. Hajo rilde van op- winding. Hij had een haast onweerstaanbare drang om Hoera! te schreeuwen en te gaan dansen op de planken vloer. Dat was nu *zijn* schip! Dat was het schip dat hem door dui- zend gevaren en avonturen heen zou brengen naar het grote droomland... Indië!

Een half uur later legde de *Hoornse Zon* tegen de *Nieuw-Hoorn* aan. Een touwladder werd uit- geworpen; de heren klommen naar boven. Daarna volgde Hajo. Achter hem Padde, om te helpen dragen. En ten slotte Rolf.

'Vang je me als ik val?' riep Padde klagend omlaag. En toen met een hartverscheurende kreet: 'M'n koffiemolen!!'

Een plons duidde aan dat de koffiemolen te water was geraakt. Met bevallige schommel- bewegingen zonk hij de diepte in.

'Ka!' riep Gerrit verschrikt.

En Rolf zei, bedaard als altijd: 'Ik heb hem haast op mijn hoofd gekregen.'

'Terug!' jammerde Padde. 'Hajo moet de koffiemolen mee hebben!'

'Hij is gezonken,' antwoordde Rolf op een graftoon. 'Je zult er naar moeten duiken. Voor- uit, schiet op, anders val jij ook nog op m'n hoofd.'

45

Al jeremiërend vervolgde Padde de klimpartij. Zo kwamen ze boven, waar een stelletje janmaats hen met hoongelach ontving. 'Groentjes!' werd er geroepen. 'Ik ruik landrotten! – Een kraai!'

'Niet bang zijn, Hajo, zei Rolf.

Hajo beet de tanden opeen.

En Padde schreeuwde: 'Vooruit! Wijs ons waar we heen moeten!'

Allen begonnen te proesten. Maar een kok met wit voorschoot en een blozend gezicht kwam op de jongens toe en zei: 'Laat ze maar lachen. Ze menen het zo kwaad niet. Kom mee, ik zal jullie naar 't vooronder brengen.'

'Dat zou ik ook denken!' mopperde Padde.

Zo kwamen ze, na een trapje te zijn afgedaald, in de slaapplaats voor het volk. 'Hier, deze kooien zijn vrij,' zei de kok. 'Ja, de beste plaatsen zijn natuurlijk weg; je hebt hier nogal eens een kans op een zeetje. Nou ja, dat went wel, hoor. Stop die rommel maar gauw weg, voor de bootsman 't ziet! Maar waar moeten we met die kraai heen? Die hou je op den duur onmogelijk verborgen.'

'Ka!' bevestigde Gerrit.

'Hoeft ook niet,' zei Padde. 'De schipper kent 'm.'

'Dat scheelt een duit op een stuiver,' meende de kok. 'Hier is een spijker, hang daar de kooi maar zolang aan op. Ziezo – nou kun je het verder wel vinden. Ik ben Bolle. Ja, ik heet eigenlijk anders, maar de maats noemen me Bolle, omdat ik met kerstmis en nieuwjaar altijd van die lekkere bollen bak, zeggen ze. Dat treffen jullie dus net. Ja, ik zelf lust ze niet, hoor!'

'Waarom niet?' vroeg Padde.

'Omdat ik me er tegen heb gegeten. Op een kaperschip. Dat zal ik jullie weleens vertellen. Maleis zal ik je ook leren. Stom-eenvoudig. Ajer is water, kapal is schip, en wat je niet weet, dat blijft zo.' En Bolle verdween met een vriendelijke hoofdknik. 'Zie maar gauw dat je die rommel wegstopt! Als Berentsz. 't ziet...!'

De jongens bleven alleen en keken in het rond.

'Die kok moet je te vrind houden, Hajo!' zei Padde. 'Die Berentsz. schijnt een kwaaie te zijn!'

'Er is hier niet veel frisse lucht,' stelde Rolf vast. En hij gooide een luik open.

Padde jammerde nog wat door over zijn koffiemolen. Eindelijk werd hij er moe van, geeuwde ontzagwekkend en zuchtte: 'Daar zitten we nou. Daar heb ik verkleumde voeten voor opgelopen en de hele nacht voor wakker gelegen, om hier te zitten zonder koffiemolen! Kom, ik ga 't schip eens bekijken. Gaan jullie mee naar boven?'

'Zometeen,' zei Rolf. 'Peter en ik moeten eerst ons boeltje nog wat schikken, en ik voor mij eet ook even m'n boterham op.'

Op het woord 'boterham' keek Padde om. 'Ja, ja,' zuchtte hij en aarzelde met weggaan.

Rolf begreep. 'Hier, Padde.' Hij duwde hem een pakje boterhammen in de hand.

'En jij dan?' vroeg Padde.

'Ik heb in m'n kist nog genoeg.'

Padde zette z'n tanden in het brood. 'Mm! Rookvlees! Die moeder van jou heeft het goed met je voor, zeg!'

Hij noch Hajo merkte op dat Rolf zich plotseling afwendde.

Padde geeuwde nog eens hartgrondig. 'Ik zal toch maar vast naar boven gaan. De lucht is hier nog altijd even beroerd.' En hij wankelde het trapje op, botsend tegen de deurpost.

Een kwartier later wilden Rolf en Hajo hem volgen. Maar ze hadden hun neus nog niet buiten de deur gestoken toen een zware stem hun toebulderde: 'Donder en bliksem! Lopen jullie *nou* al te luibuizen?! Daar staat een schrobber! Water is d'r zat, kijk maar om je heen. En jij, alsjeblief, een zwabber! Wat hij schrobt, zwabber jij. Verstaan?'

'En wat moet ik schrobben, bootsman?'

'Donder en bliksem! Wát je schrobben moet?! Het schip moet je schrobben! Wou jij de zee schrobben? Je begint bij 't achterste boevennet en eindigt met 't galjoen en de boegspriet. Als ik straks nog één smerig plekje vind, word je

allebei gekielhaald. Vort! Aan 't werk!' En Folkert Berentsz., bootsman op de Oostinjevaarder *Nieuw-Hoorn,* vervolgde zijn gevreesde ommegang.

Hajo pakte de schrobber en ging verwoed aan het werk.

Maar Rolf mat met zijn ogen de geduchte oppervlakte van het schip en zei: 'We zullen ons vandaag tot het achterdek bepalen. Het is onmogelijk om in één middag het hele schip te schrobben, – en dat weet de donder en bliksem ook wel.'

Terwijl de beide jongens schrobden en zwabberden dat de zeepvlokken in het rond spatten, ging schipper Bontekoe na of alles voor de reis gereed was. De wind beloofde oost te zullen blijven en de schipper stuurde een paar boten naar de wal om vers water te halen. Rolf zag hoe het aan boord gehesen werd. 'We gaan meteen weg,' zei hij tot Hajo. 'Nog vlugger dan ik dacht.'

'Hoe weet je dat?'

'We nemen water in. Dat is altijd het laatste wat er gebeurt.'

Hajo keek om zich heen. 'Waar zou Padde zitten? Ik zie hem nergens.'

'Hij zal naar z'n koffiemolen vissen,' zei Rolf. 'Wacht, daar komt Blok aan. – Heb jij Padde soms gezien, Blok?'

'Die ligt onder in m'n tjalk te snurken. Ik moet zometeen weg, maar ik zou 'm maar kalm op één oor laten. Anders gaat-ie nog mee naar Oostinje!'

'Ja-ha!' lachte Rolf. 'Dat zou voor de bierbrouwerij van z'n oom 'n strop zijn.'

'En jongens?' vroeg Blok, 'kennen jullie de bootsman al?'

'Nou!' zei Rolf.

Blok schudde vrolijk het hoofd. 'Da's andere koek dan bij Wouter een beetje in 't vuur blazen en 's avonds appelen rapen in 't Sinte Clarens, hè, Hajo?' En lachend daalde hij weer de valreep af naar zijn tjalk.

De jongens zetten hun werk weer voort.

Hajo boende van heb ik jou daar! Elk plekje dat hij had geschrobd bekeek hij met voldoening. Dat plekje kende hij en het kende hem.

Hajo was bezig een innige vriendschap te sluiten met de *Nieuw-Hoorn.*

Een poos later greep Rolf hem bij de arm. 'Daar gaat de tjalk!'

Hajo staarde met grote ogen naar het wegzeilend vaartuigje. Toen rende hij naar de verschansing. 'Padde!' schreeuwde hij. 'Dag, Padde!!!' En met de grote rode zakdoek die Paddes moeder hem gegeven had wuifde hij uit alle macht. 'Dag Padde!! Padde!!!'

Het heen en weer hollen van de maats hoorde hij niet, noch het klapperen van de ankerpallen en het verwarde stemmengeroezemoes achter en om en beneden hem. 'Dag, Padde!! Padde!' riep hij. En hij wuifde, wuifde.

Toen dreunde het onder de planken vloer onder zijn voeten: donderende kanonschoten deden zijn oren daveren; een wolk van rook omhulde het schip. Half bedwelmd wendde Hajo zich om. In het want en op de raas krioelde het van janmaats; de zeilen werden losgegooid en sloegen klappend uit in de wind, tot gebruinde knuisten ze hadden vastgesjord; een Hoera!!! steeg op uit tweehonderd kelen.

Hajo hield zich vast aan het want; haalde diep adem.
De *Nieuw-Hoorn* stak in zee.

Rolf en Hajo hingen over de verschansing en tuurden naar het grijze streepje land, dat smaller en smaller werd. Zwijgend keken ze over de wijde groene watervlakte, rondom het schip gemarmerd door het schuim. Een paar meeuwen zwierden om de masten, met kalme geluidloze wiekslag.

Toen... hoorden ze achter zich een licht gedruis. Ze wendden zich om en... en zagen vanuit het gat van het vooronder het bleke, van slaap vertrokken gelaat verschijnen van Padde, die stotterend vroeg: 'Wat... wat was dat met die kanonnen, Hajo?'

Op zoek naar de bottelier

Aan de zware eikenhouten tafel in de grote kajuit van de *Nieuw-Hoorn* zaten schipper Bontekoe en koopman Rol tegenover elkaar. De schipper bestudeerde ingespannen een grote zeekaart en mat met een passer enkele afstanden. De koopman liet zijn ogen gaan over lange cijferreeksen, maakte nu en dan een aantekening en verdiepte zich in nieuwe tabellen.

Stilte in het vertrek. Stilte, die volkomen paste bij de haast plechtige stemming in dit heiligdom: de kajuit van de schipper!

Plotseling hieven beide heren het hoofd op: voor de ingang van de kajuit was een tumult ontstaan. 'Laat me er door!' schreeuwde een stem. 'Ik wil de schipper spreken. Laat me er door, zeg ik je!' Op hetzelfde ogenblik werd de deur opengerukt, en een kleine dikke jongen stormde het vertrek binnen, op de voet gevolgd door de waardige, reeds grijzende scheepsbarbier, in de wandeling 'Vader Langjas' genoemd.

De vermetele binnendringer – wie was het anders dan Padde? – staarde met ogen waarin de ontzetting lag uitgedrukt in het strenge gezicht van Bontekoe. 'Meneer... de tjalk is weg!'

'Schipper! Die drommelse aap van een jongen... hm!' gromde de barbier verontwaardigd en naar adem happend.

'Ga jij je gang maar, Vader Langjas,' zei Bontekoe. 'Ik zal met de jongeman wel even afrekenen.'

'Ik zal gaan, schipper. Maar die drommelse kwajongen... hm!' En grimmig sloot Vader Langjas de deur achter zich.

Padde viel voor de schipper op de knieën. 'Schippertjelief, keer om! O, alsjeblief...!'

'Sta jij eens op,' zei Bontekoe op een toon die weinig goeds voorspelde.

Padde kroop weer overeind; zijn ogen zwommen in tranen. 'Schippertje, toe...!'

'Vertel mij eens kort en duidelijk waarom je niet op de tjalk zit! Geen uit-vluchten, alsjeblieft.'

'Ik ben in slaap gevallen, schippertje! Vannacht heb ik geen oog dicht-gedaan...'

'Wat drommel, was dan in de tjalk gaan slapen!'

'Dat heb ik gedaan, schippertje! Maar die schommelde zo verschrikkelijk en toen ben ik weer aan boord gegaan. O, hemeltje, en toen al die kanonnen ineens...!'

'Die kanonnen heb je dus gehoord?!'

'Jawel, schipper, maar ik durfde niet naar buiten te komen! Ik dacht... ik dacht, dat er Duinkerkers...!' En Paddes verwilderde ogen vulden zich opnieuw met angst voor die geduchte piraten.

'Aap van een jongen, was toch voor de dag gekomen; dan had je nog terug gekund!'

'En *nou* niet meer, schipper?!'

Bontekoe wist niet goed wat hij er aan had. 'Hoe zit het eigenlijk? Sta je me hier voor 't lapje te houden? Biecht nou maar eerlijk op. Wilde je met je vriend mee?'

Paddes ogen dreigden uit de kassen te vallen. 'Mee naar Oostinje??!' stamelde hij en greep zich in de haren. 'Ik ga toch in de bierbrouwerij van m'n oom?! – O, schippertje, schippertjelief, keer om, in 's hemelsnaam...!' En opnieuw viel Padde voor Bontekoes voeten neer en probeerde zijn handen te grijpen.

Bontekoe zag in dat hij zich vergist had. Hij deed een paar passen door het vertrek, vroeg toen: 'Jij heet Padde, hè?'

'Padde Kelemeijn, schipper. Van de Appelhaven.'

'Luister goed, Padde Kelemeijn. We zullen je hier aan boord werk verschaf-fen, want ledigheid is 's duivels oorkussen. En als je goed aanpakt en we mochten toevallig een schip ontmoeten dat weer naar Holland gaat, dan zullen we je daar op zien over te zetten.'

'Wanneer zou dat zijn, schipper?'

'Dat kan vandaag nog gebeuren en 't kan ook nog wel drie maanden duren.'

'Drie maanden...,' herhaalde Padde toonloos.

'Maak je geen zorgen,' troostte Bontekoe. 'Je bent hier goed onderdak, en je moeder zal, als ze je behouden terugziet, veel te blij zijn om nog aan slaan te denken.

Padde sprong overeind. 'M'n moeder slaat me nooit, schipper!'

'Je hebt anders alle recht op een flink pak op je broek,' zei Bontekoe. 'Maar we zullen eens naar een geschikte bezigheid voor je zoeken. Kun je klimmen?'

'Klimmen, schipper?'

'Ja. In een touw bijvoorbeeld.'

'O... nee, schipper. In een touw niet.'

'Op een ladder wel?' vroeg Bontekoe.

'Op een ladder wel!' haastte Padde zich vol ijver te verklaren.

Bontekoe wierp de koopman een vrolijke blik toe. 'Dan zullen we een botteliersmaat uit je maken. Meteen een goede voorbereiding voor de bierbrouwerij! Vraag maar aan de maats of ze je de bottelier even willen wijzen, en zeg hem dat je hem helpen moet. Begrepen?'

'Jawel, schipper...'

'Goed zo. De deur is achter je.'

'Jawel, schipper...' Padde bleef staan.

'Ben je nog niet weg?'

'Schipper... schippertje...' Paddes oogjes knipten smekend, 'zou je nou *heus* niet nog even terug willen zeilen?'

Dat was te kras. Bontekoe maakte een beweging die Padde aanleiding gaf, met zoveel spoed de kajuit te verlaten dat hij buiten de deur een dikke, blozende, vriendelijke, enigszins scheelziende man pardoes omver liep. 'Kijk uit je ogen!' snauwde Padde.

De man krabbelde sprakeloos van verwondering weer overeind.

En Padde vervolgde grimmig zijn weg. Een lange schrale janmaat met rood haar en groene glazige ogen als van een vis werd het eerst door hem aangeklampt.

'Waar is de bottelier?'

De kerel keek Padde van uit de hoogte aan. 'De bottelier? Drie maal 't schip rond, de vierde hoek van 't zeil om, en dan aan 't vijfde touwtje trekken, dan komt ie wel.'

'Wil je op je ziel hebben?' vroeg Padde.

De vent begon te mekkeren als een geit.

Padde snoof en brieste en pakte een ander bij z'n jas. 'Waar is de bottelier?!'

De maat, een ineengedoken, stevig kereltje met slimme oogjes, keek van zijn werk - het inleggen van een touw - op. 'Wat kan ik verdienen als ik je 'm wijs?'

'Ik zal aan de schipper vertellen wat een lamme kerels jullie zijn!' schreeuwde Padde.

'Dat verandert,' zei de man. 'Luister goed! De bottelier is vast op 't schip: ik heb 'm vóór twee reizen nog gezien. Loop maar een eindje door, dan zul je 'm wel vinden. 't Is zo'n lange magere korte dikke kerel.'

Padde was alweer verder, beproefde zijn geluk bij een drietal janmaats die over de verschansing hingen en pruimden.

'De bottelier?' vroeg de grootste, die een scheef gezicht had en daarin een half dicht oog. 'Weet je wat je vooral niet vergeten mag als je de bottelier zoekt?'

'Nou?' vroeg Padde weifelend.

'Wel verduiveld, nou ben ik het zelf vergeten,' zei de kerel.

'Heb jij je ene oog ook vergeten?' vroeg Padde. Toen sprong hij haastig opzij.'

Padde klaagde zijn nood bij een trouwhartige, baardige zeerob die aan het smeren van een ankerspil zijn zorgen wijdde. 'Ja, ze zullen je wel lelijk voor de mal houden!' zei de zeerob, terwijl hij zijn klare ogen medelijdend op de nieuwbakken botteliersmaat richtte. 'Je moet rekenen: je bent een groentje, hè? Maar ik zal je de bottelier wijzen, hoor, heb maar 'n ogenblikje geduld. Die spil moet eerst even geolied worden. Help maar 'n handje, dan gaat het vlugger.'

'Graag!' zei Padde, blij dat hij de trouwhartige, vriendelijke zeerob een wederdienst kon bewijzen.

'Je bent een brave jongen,' verklaarde de zeerob. 'Hier is olie. Smeer er maar op los.' En Padde smeerde tot de spil en hij zelf om het meest glommen.

'Goed zo!' prees de trouwhartige zeerob. 'Je zult het gauw leren. – Ziezo, nou deze spil ook nog even.'

Padde was alweer aan het werk. De lof die de ervaren zeerob aan zijn smeertalent had toegezwaaid prikkelde Padde: hij smeerde nu zo aandachtig en ijverig dat hij niet merkte hoe de zeerob er maar met de handen in de zakken bij was gaan zitten, een vrolijk wijsje tussen de tanden floot en goedkeurend met het hoofd knikte.

Toen de spil gesmeerd en Padde achter adem was, zei de trouwhartige zeerob: 'Ik had het zelf niet beter kunnen doen. Kom, nou de spil van het plechtanker.

Padde keek sip. 'En de bottelier?'

'Plicht gaat voor, jongen,' zei de trouwhartige zeerob. 'Eerst nog even de spil van het plechtanker!'

'Maar ga je dán heus met me mee?'

'Ja. Als ik eerst in de fok ook nog wat geklaard heb...'

'En wanneer zou dát afgelopen zijn?' vroeg Padde weifelend.

'Dat hangt er vanaf,' zei de trouwhartige zeerob. 'Als je me helpt, zijn we in een stevig uurtje klaar, maar anders gaat m'n hele middag er mee heen.'

Paddes ogen schoten vol tranen; hij wendde zich af.

'Ja... plicht gaat voor,' zei de trouwhartige zeerob. En hij pakte zijn pot met smeer op en verdween in de richting van de plecht.

Padde bleef staan, de wanhoop in het hart. Hij voelde zich van de hele wereld verlaten en wenste, dat de *Nieuw-Hoorn* vandaag nog met man en muis zou vergaan. Hij begon te huilen, en hoe meer hij snikte, des te meer meelij kreeg hij met zichzelf.

Onverwachts werd hij op de schouder getikt. Hij keerde zich om en keek in het blozende gezicht van de schele dikzak die hij, uit de kajuit komende, omver gelopen had.

'Wat scheelt er aan, kereltje?' vroeg de man vriendelijk.

Maar Padde had zijn vertrouwen in de mensheid verloren. 'Gaat je geen barst aan!' gromde hij. ''k Heb niks.'

'Maar als je niks mankeert, waarom sta je dan te grienen?' vroeg de man.

Padde haalde de schouders op. 'Jij bent zeker ook gekomen om me voor de gek te houden, hè? Ja, trek maar geen gezicht alsof je niet weet, dat ik de bottelier zoek. Jullie kunt knappen!'

'De bottelier? Zoek je de bottelier? Wel, da's merakel: *ik* ben de bottelier!'

Padde kon een kreet niet onderdrukken. 'Is 't heus?! Hou je me niet voor de gek?'

'Welnee,' zei de dikkerd. 'Waarom zou ik je voor de gek houden?'

Padde vloog hem om de hals. 'Ik moet je helpen! De schipper heeft het gezegd!'

'Wel, da's merakel, ik had de schipper juist om een jongen voor de bottelarij...' De man stokte, deed een paar passen terug en staarde Padde aan. 'Wel, da's nou waarachtig 'n groot merakel. Je lijkt... je lijkt op m'n jongen,' fluisterde hij.

'Is die hier ook op 't schip?' vroeg Padde.

De schele dikzak wilde wat zeggen, maar slikte het weer weg en schudde ontkennend het hoofd.

'Waar is ie dan?'

De bottelier kuchte, legde zijn hand op Paddes schouder en gaf toen het zonderlinge antwoord: 'D'r staan... d'r staan nog wel twintig kruiken die allemaal moeten worden gespoeld. Kom... kom maar mee, kereltje.'

Ook Gerrit doorleefde die eerste namiddag aan boord stoere ogenblikken. Terwijl hij in het schemerdonker van het vooronder in zijn kooi zat te overpeinzen dat hij voor een doodgewone torenkraai toch een merkwaardig bewogen leven had, kwamen drie mannen binnenstappen.

'Alsjeblieft!' zei er een, die een beetje mank liep, 'Daar ligt het zootje!' En hij sleurde Hajo's 'ruilhandel' te voorschijn. 'Wat zullen we er mee doen? Ze moeten gepest worden, dat staat vast: groentjes moeten gepest worden.'

'Gepest worden,' bevestigde de tweede, een grove kerel met een door de pokken geschonden gezicht.

'Hè-hè-hè!' grinnikte de derde, een wat gebogen manneke.

'Wat we kunnen doen,' zei de manke, 'is: de hele rommel zoek maken.'

'Zoek maken! zei de pokdalige.

'Hi-hi-hi!' grinnikte de kleine.

'Ka!' riep Gerrit.

De drie mannen schrokken. Toen begon de manke te lachen. 'Wel verduiveld!' riep hij. 'Die kraai zullen we de nek omdraaien!'

'Nek omdraaien!' stelde de pokdalige voor.

De manke ging naar de kooi en probeerde de bewoner ervan te grijpen. Maar Gerrit was zo vlug als een gezonde torenkraai maar zijn kan.

''n Aardig beessie,' zei de manke.

'Pik!' zei Gerrit en hakte met z'n snavel.

'Als ik 't mormel in m'n vingers krijg!' dreigde de kerel vloekend. En hij kreeg het in zijn vingers en sleurde zijn glanzend zwarte gevangene naar buiten.

'Zo, maak nou je testament maar!'

Maar terwijl Gerrit daarmee bezig was, klonken er buiten voetstappen. De mannen hielden zich koest.

Hajo kwam het vooronder binnen, zag de rommel op de grond en merkte dat de manke iets verborgen hield. 'Wat heb je daar?' vroeg hij.

'Dat gaat je niet aan!'

'Ka!' schreeuwde Gerrit.

Het bloed steeg Hajo naar het hoofd. 'Laat los die kraai! Hij is niet van jou.'

'Van jou dan zeker. Laat de bootsman 'm maar niet zien!'

'Laat hem los!'

'Ik zal 'm voor je ogen z'n nek omdraaien,' sarde de manke.

Toen gebeurde het. Hajo greep de kooi en smakte die in blinde drift de kerel op het hoofd. Het kon niet mooier: de oude vermolmde bodem begaf het, en de kooi kwam om 's mans nek te hangen. Hij moest de luid schreeuwende Gerrit loslaten om zich van het koperen tralienet te verlossen. Daarbij raasde en tierde hij als een bezetene. 'Ik zal je, kleine salamander!'

En terwijl Gerrit half fladderend een goed heenkomen zocht, stond Hajo met gebalde vuisten, bevend van woede, de aanval van de manke af te wachten.

Die liet zich niet lang onbetuigd. Nauwelijks had hij zich van de kooi bevrijd, of hij kwam schuimbekkend op de scheepsjongen af. Een verwoede worsteling, vol belangstelling gadegeslagen door de twee anderen, volgde.

En juist toen Hajo, ondanks zijn weergaloze vlugheid, dreigde te bezwijken onder het ruw geweld van de veel sterkere janmaat, kwam Folkert Berentsz.

het vooronder binnen. De manke voelde zich hardhandig in het nekvel gegrepen en liet verbouwereerd los.

'Donder en bliksem! Sta je hier met een scheepsjongen te vechten?'

''n Mooie scheepsjongen!' gromde de manke, terwijl hij zijn losgeraakt boezeroen weer in de broek stopte en zijn bloedende pols aflikte. ''n Mooie scheepsjongen! De salamander heeft die kooi op m'n kop stukgeslagen!'

De gevreesde bootsman richtte zijn ogen dreigend op Hajo.

'Hij wou m'n kraai de nek omdraaien, bootsman!'

'Ka!' riep Gerrit.

'Je kraai?? Wat doe jij hier met een kraai?!'

'De schipper kent hem,' zei Hajo.

'Kijk hier eens, bootsman!' klonk het uit de mond van de manke. 'Kijk eens wat een rommeltje dat heerschap bij zich heeft!'

'Donder en bliksem...,' stotterde Berentsz.

'De schipper weet er van, bootsman.'

'De schipper, de schipper, de schipper...!' gromde Berentsz. ''n Mooie boel tegenwoordig! Toen *ik* scheepsjongen was...!! – Jij, Boutjens, kunt in elk geval op een nacht in 't schavuitengat rekenen!' beet hij de manke toe. 'En jou, jongeman, zal ik in de gaten houden. En je kraai ook! Donder en bliksem!'

Weg was de bootsman.

Hajo zocht zijn inboedel bij mekaar, raapte de kooi op en probeerde er de bodem weer in te duwen.

De drie mannen verlieten mokkend en scheldend het vooronder.

Hajo ademde diep. Hij ging op de kist zitten die baas Wouter hem had meegegeven, steunde het hoofd in de handen en staarde voor zich uit langs de lange rij kooien.

Het geluk, het onmetelijke geluk, waarvan de weerschijn daarstraks nog in zijn ogen schitterde, was vertroebeld. Hij dacht aan thuis, aan zijn broertje, zijn zusjes en aan... 'Als je ooit eens verdriet hebt, zeg dan maar gerust: Mijn moeder denkt aan mij...' – Moeder... Moedertje!

Hajo sprong overeind, liep een paar passen op en neer en snelde toen naar buiten.

Het was intussen donker geworden.

De frisse zeelucht deed hem goed. Hij leunde over de verschansing en keek naar het blanke schuim, dat wegscheerde langs de boeg, en naar de lichtende koppen op de donkere golven. Er was geen maan; een handvol sterren lag verdwaald over het uitspansel.

Langzaam aan kwam Hajo weer tot rust. Hij luisterde naar het zuchten van de wind, het klapperen van een losgewerkte hoek van een der fokzeilen, het gekreun van de golven die scheurden onder de scheepsboeg, naar het eentonig gezang van de roergangers:

> Wie heeft er nooit dat schip gezien
> Met zeuven zwarte masten?
> Zwart zijn de zeilen; zwart is het want;

Aan boord staan vreemde gasten!
Hi-ho! Hi-ho! Hi-ho-ho...!
Een duivel zit op het galjoen;
De dood staat aan het roer;
In de kombuis blaast in het vuur
Een zwarte duivelsmoer!
Hi-ho! Hi-ho! Hi-ho...!'

'Hallo!' klonk het achter hem. Daar stond Rolf. 'Hallo, Hajo! Ik zoek je overal! Waar was je ineens gebleven?'

Hajo vertelde wat hem overkomen was.

'We zijn met z'n beiden,' zei Rolf. 'Wie het één van ons lastig maakt, krijgt er met twee te doen!'

Daar kwam Padde aansukkelen.

'Hallo Padde!' zei Rolf, 'zien we jou ook eindelijk? De schipper zal wel 'n hartig woordje met je hebben gesproken?'

'Hij wil niet meer terug,' zuchtte Padde. 'Hemeltje, wat zal m'n moeder zeggen! En dat allemaal door die ellendige kanonnen!'

Rolf moest er om lachen. 'Als die niet hadden geschoten, sliep je nou nog.'

'Was 't maar waar,' klaagde Padde. 'Ik val om van de maf.'

'Ik doe een voorstel, Padde!' zei Rolf. 'We sluiten een driemanschap. We hebben dezelfde vrienden en dezelfde vijanden en we helpen mekaar altijd en overal. Hand erop?'

'Hand erop,' zei Hajo.

'En jij, Padde?'

Net luidde met heldere slagen een klok.

'De etensbel!' riep Padde.

'Hoe weet je dat?'

'Nou, waar zouden ze anders voor bellen dan om te eten?'

'Vooruit dan maar!' zei Rolf.

En zo begaf het driemanschap, met Padde ditmaal als leider, zich naar het vooronder, waar de kok en zijn gezellen hijgend en blazend de dampende ketels eten naar binnen torsten.

In 't vooronder

Er mochten onder de bemanning van de *Nieuw-Hoorn* lamme kerels rondlopen, in doorsnee waren het ronde, gezellige lui, die als het nodig was werkten als paarden, voor de duvel niet bang waren en lachen konden dat de wanden van het vooronder daverden.

Die eerste middag bij het eten maakten de drie 'groentjes' al een stuk of wat vrienden. Daar had je, behalve de brave deftige Vader Langjas, die de maaltijd met een gebed opende en sloot, Zwarte Gijs en Diede Doedes en Floorke en Gerretje en Steven Duffel en de Neus en... en Harmen! De koksmaat Harmen van Kniphuyzen, een paar jaar ouder dan Hajo en Rolf, was eigenlijk een dichter.

Als je tegen Harmen zei: 'Goeiemorgen!' antwoordde hij: ''k Zal d'r voor zorgen.' Als je hem vroeg: 'Maak je 't goed?' kon je er staat op maken dat hij zijn gezicht tot een grijns vertrok en zei: 'Kijk maar naar m'n snoet!' Hij klom als een aap, zwom als een rat, had de spieren van een vol-matroos en sneed op als...!

Dat kwam die avond aan het licht toen het volk in het vooronder ging zitten

gezelsen. Mannetje naast mannetje zaten ze aan de lange tafels, op elkaar gedrukt als haringen in een ton. Roken, dat ze deden! Je kon je overbuur nauwelijks meer in de nevel onderscheiden. En de tabak was niet altijd van de beste,
lang niet! Er moest wel eens eentje de pijp uit de mond worden getrokken,
omdat de 'geur' voor de anderen onverdraaglijk werd. De janmaat voelde zich
beledigd, smeet grote woorden in het rond, sloeg met de vuist op tafel dat
de potten bier er van rinkelden, en ... en lachte dan weer met de anderen mee.
    'Speel eens wat?' riep er een uit zijn kooi. 'Kniphuyzen, speel 'ns wat!'
    'Ja! Spelen!'
    En de koksmaat Harmen Kniphuyzen haalde z'n fiedel, sprong op tafel en
streek er op los. Het was er wel eens flink naast; de viool was ook niet best,
maar dat deed aan de gezelligheid geen afbreuk.De 'omes' – zo noemden de
scheepsjongens de boven hen gestelde matrozen – stampten met de voeten en
zongen:

> 'Oranje boven en blauw onder!
> Wie 't anders meent
> Die haalt de donder!'

Gerrit dribbelde onrustig op zijn stokje heen en weer, knipte zijn ogen dicht
tegen de rook.
    'Ik zal jullie wat vertellen, waarvan je, sapperloot, zult opkijken!' schreeuwde
de Neus – een dik manneke met een fraai gekrulde snor en een neus als een
bevroren aardappel.
    'Als je liegt, hap ik je neus af!' dreigde Zwarte Gijs, de smid.
    'Die zou, sapperloot, smaken!'
    'Vooruit, vertellen! Vertellen!'
    'Luister!' zei de Neus. 'Op m'n vorige reis hadden we een ziekentrooster
aan boord: Vader Jonas! Hij was vroom, sapperloot! en als we ergens in de
Oost voor anker lagen, had hij geen rust voor hij de wilden had bekeerd.
    Zo lagen we dan weer eens met averij voor een eilandje. De zwartjes kwamen
al gauw opdagen, en Vader Jonas aan 't bekeren! Als 't 'm bij een gelukt was,
hing hij de vent een nummer om de hals. De anderen werden zeker jaloers op
dat nummer, want in een ommezientje gaven ze zich allemaal voor de be-
kering op.
    Eentje was Vader Jonas' lieveling, een botmagere wilde, die was niet van
hem af te slaan. Vader Jonas had 'm Paulus gedoopt. Goed. De barbier gaat
kruiden zoeken en vraagt Vader Jonas om hem een betrouwbare wilde mee
te geven.
    – Dan moet je Paulus nemen, zegt Vader Jonas.
    Goed, Paulus en de barbier gaan aan wal. Effen later komt Paulus aanrennen
en zeit met veel grimassen dat de barbier door een krokodil is opgebikt.
Grote herrie! Vader Jonas zweert bij hoog en laag, dat Paulus onschuldig
als een lammetje is. Nou, bij de lijkdienst bad Paulus voor twee!'
    'Wat een schurk!'

'Goed! De volgende dag is er een vrind van me verdwenen. We zoeken elk muizeholletje af. Niks te vinden.

– Sapperloot, wat wordt me die Paulus dik! zeg ik zo tegen Vader Jonas.

– Neus, zegt Vader Jonas, – Paulus is 'n christenmens! Over Paulus kon ie niks horen!

Een uurtje later gaan ze samen weg. – Waar ga je naar toe, Vader Jonas? vraag ik.

– Paulus heeft me gevraagd zijn ouwe vader te willen bekeren. De arme man kan niet meer lopen.

– Wil ik even met je meegaan? 't Is hier zo'n raar land!

– Paulus is bij me, Neus!

– Juist daarom, zeg ik.

Vader Jonas werd nijdig en liep met Paulus door. Ik zie 'm nog tussen de bomen verdwijnen. Wil je wel geloven dat ik die middag niks op m'n gemak was?

En jawel hoor! Daar komt me Paulus aanzeilen, zwaait met armen en benen en maakte dezelfde grimassen als de vorige keer!

– Smeerlap! schreeuw ik en ik grijp 'm bij z'n nummer, – jij hebt Vader Jonas opgebikt! En ik schud 'm door mekaar, dat ie overgeeft. En wat spuwt ie 't eerst uit! Hè? De trouwring van Vader Jonas! Die had ie in de haast mee ingeslikt!'

'Ja... gevaarlijk goed, die menseneters!' verzekerde Harmen van Kniphuyzen. 'M'n broer en ik zijn op een vorige reis ook eens zowat opgepeuzeld.'

'Vertel op!'

'M'n broer is 'n kemiekeling, zie je, die kan nou van alles. Hij kan een knoop in z'n oor leggen, z'n ogen als knikkers laten ronddraaien en twee kanten tegelijk uitspuwen. En van een kermisvent heeft ie buikspreken geleerd.

Nou, we waren aan land gegaan, ergens in zo'n wilde streek. – Kom er eens mee, Harmen, zegt m'n broer – dan gaan we een maatje honing halen. Die koers uit moet ergens een nest zitten, want ik zie er al maar bijen heen vliegen.

Hij was verzot op honing, m'n broer. En ik dacht: laat ik 'm z'n zin maar geven. Maar ik was niks op m'n gemak, zo met z'n beidjes alleen in de wildernis. En wel ja, in een ommezientje waren we door de menseneters omsingeld.

Schreeuwen dat ze deden! Ze trokken ons de kleren uit en m'n broer zei nog tegen me: – Harmen, jij had eerst je enkels weleens mogen wassen!

– Klaas, zei ik – hoe kun je nou nog lolletjes verkopen!

Nou, we werden in een bootje gezet, en toen de rivier op. Klaas en ik moesten ook roeien! Met zo'n stok met platte schijven aan 't eind.

'Pagaaien!' werd er geroepen.

'Zal ik niet weten! 'k Was nijdig als een spin, want een van die houtskoolkoppen had m'n rooie das, die m'n vorige meisje voor me gebreid had, om z'n luizebos gebonden! – Klaas! zei ik, – als we de roeistokken er eens opnamen en ze er de kiezen mee uitsloegen?

– Ben je stapel? vroeg Klaas. – Dan zouden we er ieder acht op ons boekje moeten nemen!

Tegen donker kwamen we aan een mensenetersdorp. Nou, je snapt het, we werden met gejuich ontvangen! En weet je wat Klaas deed? Die lachte maar. – 'k Zal je vinden, schavuitenbende! riep hij. Dat verstonden ze natuurlijk niet, maar ze keken d'r wel raar van op dat Klaas zo in z'n nopjes was.

We werden voor de radja gebracht! Hij had een stuk been door z'n neus, en op z'n kop een zuidwester, die had ie opgetuigd met kraaltjes en in het midden een spiegeltje. Achter 'm zaten zijn vrouwen, wel een stuk of twintig!

Moet je horen wat Klaas deed! Hij maakte eerst een fijne buiging voor de radja; toen legde hij zijn oren in de knoop en liet z'n ogen rollen. Meteen zie ik dat ie de radja het spiegeltje van z'n zuidwester grist. De radja zelf merkte niks. Die schreeuwde wat in het Polopoeloes of zo, en toen kwam er een kerel met zó'n mes aanzetten, zeker een tovenaar! En toen sjorden ze mij aan een paal!

Maar meteen viel Klaas op z'n knieën, kuste de voeten van die menseneterskoning, en toen klonk het als uit de grond: – Peper en notemuskaat!

Klaas was aan 't *buikspreken*!

Nou, dát had je moeten zien! De kerels keken mekaar aan of ze van lotje waren getikt. Klaas stond op, drukte op z'n buik en spuwde de radjah pardoes z'n spiegeltje in het gezicht. Toen maakte hij een geluid als van rommelende donder, trok een kromme lijn door de lucht – dat was de bliksem – en drukte zijn vinger op de mopsneus van die radja. – Ziezo, zei Klaas, – nou zul je 't wel gesnopen hebben!

Nou, óf ze 't gesnapt hadden! De tovenaar sneed gauw de touwen los waarmee ik vastgesjord stond, en de radja wilde er van tussen gaan. Maar Klaas greep 'm bij z'n zuidwester, pakte met de andere hand de tovenaar bij z'n kladden en duwde ze voor zich uit naar dat bootje, hoe heet zo'n ding nog maar weer?'

'Kano!'

'Natuurlijk: de kano! Het hele dorp stond ons aan te gapen. De tovenaar wees op Klaas en schreeuwde wat in 't Polopoeloes en toen stoven ze allemaal achteruit. De radja stapte in de kano, de tovenaar ook, en ik en Klaas gingen keurig achterin zitten. – Ziezo, heren, zei Klaas – leg maar eens in! Nou, de koning en de tovenaar pagaaiden dat we om het half uur zweet moesten baliën! Toen we thuis waren, stak Klaas die radja zijn voeten toe en liet ze hem kussen. – O, zo! zei die. – En nou kunnen jullie wel weer ophoepelen. Besjoer!

En temet draait ie zich om en zegt: – Harmen, zegt ie, – weet je wat we nou nog vergeten hebben?'

'De honing!' riep Padde uit.

'Krek,' zei Harmen. 'We zijn omgekeerd en met de hele muts vol honing teruggekomen.'

'En de wilden hadden jullie de kleren afgenomen?' merkte Rolf op.

'Zo nauw moet je niet kijken!' zei Harmen beledigd. 'Anders zou je nooit er eens wat kunnen vertellen.'

'Ja, en jij hebt je gezicht te houwen als Kniphuyzen vertelt!'

'Mannen, ik heb nog wat beters!' riep een heel lange janmaat met vlasblond haar, helderblauwe ogen, grote uitstaande oren en met handen... nee maar! Hajo kon er niet naar kijken zonder aan de handschoenen van Sijtje te denken. Ze boden een ruime gelegenheid tot tatoeëring en dat had de eigenaar ook ingezien: het ene anker prijkte naast het andere; op de polsen waren harten met een pijl aaneengesmeed en hogerop zeilden driemasters over wildbewogen baren. Hajo had er een drommels ontzag voor. Dat was nog er eens 'n zeeman! Stil! Hij wou goed luisteren naar de wijsheid die dit beankerde wonder ging verkondigen!

'Twee reizen geleden, ik was op de *Gouden Leeuw,*' begon de verteller, 'waren we geland bij een rivier die zo vol krokodillen zat dat je de een naast de ander kon zien liggen. Nou, ik was net als hier de enige Fries aan boord, hè, en de maats lagen daar nog wel ereis over te mieren. – Worden in jouw koeienland de kinderen altijd zo aan de oren getrokken? vroegen ze dan wel, of: – Wat hebben jullie Friezen een kleine handjes! en meer van dat kinderachtige geleuter. – Vooruit dan! zei ik zo, toen 't me weer eens de keel uithing. – Als jullie Hollanders dan zulke kerels bent, steek dan er 's zonder boot die rivier over!'

– Doe jij het eerst! zeiden de maats.

– Ik durf wel, zei ik. – Ik steek er op z'n Fries over! – Nou, ik nam een flinke aanloop en...'

'En??'

'Jullie weet: ik spring als de beste. Ik ben eenvoudig van de ene krokodil op de andere gesprongen! En voordat de beestjes wisten wat er aan 't handje was, stond ik aan de overkant!'

'Verduiveld sterk!' verklaarden de maats.

''t Is gelogen,' stelde Padde ronduit vast.

'Spuit nommer elf geeft ook water,' zei Harmen. 'Luister, mannen, ik heb nog heel wat anders beleefd en als ik je dát vertel, mag je je muts wel vastsjorren, want je haren zullen te berge rijzen! We waren eens met z'n vijven in het oerwoud en terwijl we zo onder een boom lagen uit te blazen, zei een van m'n vrinden: – Harmen, zei-die, - speel er eens 'n deuntje!

Goed, ik haal m'n viool voor de dag en speel.

– Nog 'n moppie! zei m'n vriend.

Best, ik streek er alweer op los. Maar wat zag ik me daar? Een stuk of vijf koningstijgers, een handvol leeuwen en een slordige twintig reuzenslangen die me in een kringetje zaten aan te gapen. De muziek had ze aangetrokken! M'n vrinden lagen half te maffen en merkten niks.

– Doorspelen, dacht ik. – Doorspelen, da's het enige! – En ik speelde en speelde...

– Komt er nooit een eind aan dat moppie? vroegen m'n vrinden.

– Hebben jullie er last van? vroeg ik.

– Daar niet van, zeiden ze. En ze draaiden zich nog eens lekker om.

Na een uur of vier, vijf spelen begon ik moe te worden en... ja... als een mens moe is! Toen kwam er ook wel eens 'n vals toontje, hè? Maar ik kon merken dat beesten verstand van muziek hebben, hoor, want ze trokken een gezicht of ze een zere kies hadden. Toen schoot er een lichtstraal in m'n kersepit! Dat was de uitkomst! Weet je wat ik deed? Ik begon me daar eventjes vals te spelen, váls...!!

En ja hoor! Met de staart tussen de poten gingen de monsters er van door! Ik was nat van 't zweet en m'n armen leken wel lood. Maar... we waren gered!'

'En je vrinden, zeiden die niets toen je zo vals speelde?' vroeg Hajo, die na de wonderbaarlijke redding een diepe zucht had geloosd.

'Och... ze hadden er niet zo op gelet,' zei Harmen.

'Nou heb *ik* nog een verhaal!' riep Rolf. 'Er was eens een schip vol matrozen! Toen kwam er een grote walvis, die sperde zijn bek open en slikte...'

'Een walvis kan geen schip inslikken!'

'Nou, hij spuwde het ook weer gauw uit.'

'Omdat 't 'm te hard was?'

'Nee. Omdat hij misselijk werd van de leugens die z'n keel binnenspoelden.'

'Sapperloot...!' stamelde de Neus.

En de anderen sloegen met de vuist op tafel. 'Daar zul je voor boeten, mannetje!'

Maar ze meenden het niet. In hun hart hadden ze schik aan Rolfs vrijmoedigheid: van blode jongetjes moesten ze niets hebben.

Buiten galmden vier glazen. Tien uur! De omes stonden op, kropen in hun kooien. De olie in de lamp scheen zowat opgebrand; de vlam werd schraal; de walm sloeg dik tegen de zoldering.

Hajo zocht de lange Fries op. 'Heet jij soms Jopkins? Hilke Jopkins?'

'Dat ben ik, ja.'

'Dan moet ik je wat geven van...'

'Van...?' Hilke sperde zijn ogen open en greep Hajo bij de arm.

'Ja!' fluisterde Hajo. 'Van Sijtje.'

'Laat kijken!' zei Hilke, diep ademhalend.

'Ga je even mee naar buiten?' vroeg Hajo. 'Dan zien de anderen het niet!'

Zwijgend stond de janmaat op. En Hilke Jopkins, die als 'ome' duizend mijlen boven de nieuwbakken scheepsjongen stond, volgde Hajo gedwee het trapje op naar het dek. Eerbiedig betastte hij de handschoenen die Hajo hem daar gaf. 'Verdorie,' mompelde hij. 'Verdorie...!'

'Ze zei dat je haar eens schrijven moest en dat je voorzichtig moest zijn.'

'Verdorie...!' Hilke schudde het hoofd. 'Die handschoenen zitten me *gegoten,* zie je wel?'

'*Ik* heb 'n das van haar gekregen,' zei Hajo.

'Laat kijken?'

Hajo overreikte hem Sijtjes kleurvol geschenk.

'Verdorie...!'

'Alleen voor zondagen!!!' zei Hajo.

'Dat begrijp ik! – Zeg, Hajo...? Wat moet je hebben voor die das?'

Hajo hoorde een trilling in Hilkes stem. 'Die das is niet te koop,' zei Hajo.

'Dat snap ik! Voor een ander is ie niet te koop! Maar voor mij toch wel?'
'Daar,' zei Hajo, 'daar heb je 'm voor niks.'
'Verdorie...!' was al wat Hilke antwoordde. Hij liefkoosde de das tussen de vingers en greep Hajo's hand. 'Kerel, als je me nog eens nodig hebt...'
'Zeg, Hilke?' vroeg Hajo. 'Zou je... zou je misschien...?'
'Waarachtig! zeg op: wat is er?'
Hajo wees op Hilkes handen. 'Zou je mij niet ook een anker of een schip of wat maar het gemakkelijkst is...?'
Hilke stroopte zijn mouw op. 'Zoek maar uit. Een driemaster? Of zo een, met die kanonnen? Ik kan alles en je voelt er niets van. Heb je een meisje?'
'Nee,' zei Hajo verlegen. 'Moet dat?'
'Welnee. Maar dan had ik je een paar harten geprikt. Zoals op m'n hand.'
'Dat is ook wel mooi,' weifelde Hajo.
'Ja, maar dan moet je een meisje hebben! – D'r zijn lui die meteen haar naam er inzetten: Geertruida of Katherina of zo. Maar... eh, 't gaat er nooit meer uit, zie je? Zoals ik 't heb, zonder naam, is het *altijd* goed, hè?'
Hajo begreep het maar half. 'Zeg, Hilke,' vroeg hij, 'wanneer kun je het doen?'
'Over een dag of wat,' beloofde Hilke. 'Als de eerste drukte voorbij is.'
'Fijn!' zei Hajo. 'Zeg, weet je dat ik ook nog fries bloed in me heb?'
Hilke sloeg de handen ineen. 'Een *Fries*! Jij?'
'Moeder is van Friesland.'
'Als ik het niet dacht! Een kerel als jij...! 'k Zal je de knopen ook leren! Een boeren- en een turkse knoop, een visser-, trompet-, muil- en ankersteek, een ouwe wijvenknoop... Nooit van gehoord?'
Hajo sloeg van eerbied bijna tegen de grond, – schudde ontkennend het hoofd.
'Nog nooit van een *ouwe wijvenknoop* gehoord?? Wacht dan!' – En Hilke haalde de das van Sijtje uit zijn broekzak, greep de beide einden...
'Dat is zonde!' meende Hajo. 'Dan leer je 't me morgen maar.'
'Je hebt gelijk,' bekende Hilke. 'Ja, dat komt: jij bent een Fries, hè, en dan...!' Zorgvuldig streek hij de das weer glad. 'Brave meid!' mompelde hij met schorre stem. Toen zei hij haastig: 'Nou, ajuus, hoor! 't Is al laat.'
En terwijl de scheepsjongen van de *Nieuw-Hoorn* nog even bleef staan, in gelukkige overpeinzingen over de naaste toekomst, ging de lange Fries er met zijn schat vandoor. Hajo zag hoe hij zich diep bukken moest om het hoofd niet te stoten tegen de lage deur van het vooronder.

Daar kwam Rolf aan. 'Zullen we gaan slapen, Hajo?'
'Die... die over die krokodillen is gesprongen, zal een anker op m'n arm prikken!' fluisterde Hajo opgewonden.
'Zo?' vroeg Rolf. 'Laat het hem dan een beetje hoog doen. Op je boven-arm, of zo.'
'Maar dan zie je er niets van!'
'Juist daarom.'

Hajo keek zijn vriend verwonderd aan. 'Vind je een anker niet mooi? Wil ik liever 'n schip nemen? Hilke kan alles. Kijk maar eens naar z'n handen.'

Rolf glimlachte. 'Ik heb ze gezien. Maar weet je dat die rommel er nooit uitgaat?'

'En is dat dan erg?'

'Het kan wel eens lastig zijn. Je weet van tevoren niet wat er nog uit je groeit!'

'Uit mij?'

'Ja, uit jou.'

Hajo pruttelde nog wat. Maar hij moest er toch om lachen. Wat kon Rolf bedoelen? Dat hij nog eens iets méér dan bootsman zou kunnen worden? 'Nou, vooruit dan maar...'

'Heel verstandig,' prees Rolf. 'Ga je mee?'

Hajo liet zich gezeggen. En hij riep Padde, die nog bij tafel zat, toe:

'Padde! Sta op! We gaan naar kooi!'

Hè, dat klonk nog er eens: *kooi* inplaats van bed!

Maar Padde hoorde het niet. Met het hoofd in de handen was hij, zittend, in slaap gevallen.

Oudejaarsavond

Of de jongens aan het werk werden gezet? Nee maar! Smeren, boenen, zwabberen was het wachtwoord. En wanneer de bootsman hun een enkele maal eens een ogenblikje had gelaten om uit te blazen, wisten de omes wel 'een mooi werkje voor een scheepsjongen'. Padde viel er natuurlijk buiten: die had een leventje als een volwassen bottelier. Hij sliep een gat in de dag, at met toewijding, spoelde wel eens een kruik om en babbelde urenlang met de brave bottelier. Het was van het begin af aan gewoonte geweest dat de schele bottelier het werk deed en Padde zijn korte beentjes liet schommelen, zittend op een leeg tonnetje als een koning op zijn troon.

'Wil ik soms even helpen, Schele?' vroeg Padde wel eens, wanneer de dikke bottelier amechtig blies van 't lange bukken.

'Blijf jij maar zitten, m'n jongen,' was het antwoord. ''k Ben zó klaar.'

Maar Hajo moest voor alles opdraaien. Waar hij ook zijn vriendelijk gezicht vertoonde, overal had men een werkje voor hem. Als hij de barbier tegen het lijf liep, vroeg die: 'Zeg er eens, vriendje, ben jij niet drogistenjongen geweest?'

'In "De Gouden Gaper", Vader Langjas.'

'Och, help me dan even met het stampen van kruiden, wil je?'

En Hajo stampte. Maar buiten hoorde hij Zwarte Gijs al razen: 'Waar zit me die blikslagerse smidsjongen! Hij moet krammetjes voor me slaan!'

Of Steven Duffel, de bakker, liet hem deeg kneden. Of Hajo moest planken zagen voor Diede Doedes, de timmerman.

Zijn loon bestond meestal uit de woorden: 'Je mag me nóg 'ns helpen!' of uit een draai om z'n oren wanneer hij iets verkeerd had gedaan.

Om de haverklap werd hij bij z'n kraag gegrepen en door een janmaat het want ingestuurd om iets te 'klaren'. En als hij dan bij het zware werk op de bovenste fokke-ra stond te balanceren met negen kansen op de tien om te vallen, riep de 'ome' van beneden: 'Ja, breek je nek maar: 't is morgen toch zondag!'

Maar wat veel goed maakte? Als Hajo, een paar emmers ijskoud water in de verkleumde vingers en een zwabber onder de arm, met een echt zeemansloopje over het dek sjouwde, of boende en schrobde dat alles wit van 't schuim zag, kon het zo ineens gebeuren dat de schipper achter hem stond en vroeg: 'Valt het nogal mee, Peter?'

Dan kreeg Hajo het ondanks de decemberkoude warm onder z'n doorweekt baadje; hij rukte z'n muts af en zei: 'Vást wel, schipper.'

En de grote man knikte goedkeurend.

De bescheiden grijns die zich dan op Hajo's gelaat vertoonde was onbetaalbaar. Z'n ogen tintelden; hij wreef verlegen de polsen tegen z'n broek.

Werken wilde Hajo, maar daarom lustte het hem nog niet, voor alle omes Hansje-m'n-knecht te spelen. Hij rook het op tien pas afstand of ze hem bij de kladden wilden nemen; hoe onschuldiger een ome zich voordeed, hoe minder Hajo hem vertrouwde; de ome stak z'n vingers uit en meende Hajo bij z'n broek te hebben, maar Hajo had dit kledingstuk juist bijtijds in veiligheid gebracht!

Rolf... die lieten ze wat meer met rust. Hij was altijd zo kalm, dat hij ook de ouderen achting afdwong. Ze zeiden hem weleens: 'Doe dit of dat!' maar hem, zoals Hajo, ongezouten in zijn nekvel pakken – daar kwamen ze toch niet toe.

Bolle, de kok, gaf Hajo in het schaftuur Maleise les. Rolf zat er ook bij en schreef alles op. Want Rolf kon schrijven – een kunst die onder de janmaats weinig beoefend werd.

'Kijk,' zei Bolle terwijl hij met toegeknepen ogen de dampende aardappelen omschudde: 'Kijk, *besie* is ijzer, en *toekang* is... is zoiets als man. Nou, wat is nou: smid?'

'Besie toekang!' meende Hajo.' 'IJzer-man!'

'Nou ben je d'r krek naast!' zei Bolle. 'Smid is: toekang besie!' En Bolle had schik dat Hajo er in was gevlogen. 'Verder maar weer! Orang is mens, en *orang-orang* is mensen. Je hebt niks anders te doen dan het woord tweemaal te zeggen. Stom-eenvoudig. *Poehoen* is boom! Wat is nou een bos?'

'*Oetan*,' zei Rolf.

'Mmm? Drommels ja, dat is waar ook. Ja dat komt: jij schrijft alles op en... M'n bonen!' riep hij en snelde, in zijn haast een koksjongen omver lopend, naar de grote ketel, die wat verder op het vuur stond. 'Morgen wéér 'n uurtje!' riep hij zijn leerlingen toe. 'Zie maar eerst dat je dát allemaal onthoudt!'

Bolle had reden om niet al te gul te zijn met zijn wijsheid. Want, als alle wijsheid, had ook de zijne haar grenzen.

Hajo besloot al de eerste avond aan boord, zich op het vioolspel te werpen. Hij klampte Harmen aan, het muzikale wonder van de *Nieuw-Hoorn*.

Harmen was door het verzoek gevleid. 'Ik zal je het leren,' zei hij, 'maar je moet niet denken dat 't in knoopslag gaat; je mag blij zijn als je 't in een maand behoorlijk kent.'

'Ik zal m'n best doen!' beloofde Hajo.

'Dat schéélt natuurlijk 'n paar zeilen!' gaf Harmen toe.

'Zeg Harmen,' vroeg Hajo, 'moet hier geen snaar zitten?'

'Nou ja,' zei Harmen, 'd'r hebben d'r drie aan gezeten. Maar die ene piepte zo; toen heb ik 'm er maar afgetrokken.'

'En wat doe je met die zwarte houtjes aan 't boveneind?'

'Die zijn om de zaak wat aan te taliën. Maar ik wurm er liever niet te veel aan, anders knappen ze me nog, de snaren. Ach, geen mens weet natuurlijk op een prik hoe stijf je ze moet aantrekken. Dat doet ieder op zijn manier en al naar 't uitvalt, hè?' Met zwierig gebaar legde Harmen de viool tegen zijn borst en kraste er op los.

'Mag ik nu eens?' vroeg Hajo met van spanning onzekere stem.

'Als je d'r maar voorzichtig mee bent.'

Nou, dat was Hajo wel! Hij durfde het wonderlijke doosje nauwelijks aan te pakken. Angstig waagde hij een streek.

'Je leert het vást,' zei Harmen.

'Zou je denken?'

'Natuurlijk! Als je zo nu en dan eens een toontje niet weet, sla je dat eenvoudig over, hè? Dat doe ik ook; dat doet iedereen, en geen mens die er wat van merkt. Geef hier; ik zal je 'n begrafenis voorspelen.'

'Prachtig...' zuchtte Hajo, toen het uit was.

Dat deed Harmens kunstenaarshart goed. 'Nou, je gaat je gooi maar,' zei hij gul. 'Maar laten de anderen 't niet horen zolang je 't niet kent, want ze zouden m'n viool op je kop in stukken slaan, en dan heb ik nog geen nieuwe.'

Hajo koos voor zijn studies een verlaten plekje. Padde was zijn bewonderend toehoorder, en samen zaten ze de hele avond bij een affuit, Padde slaperig voor zich uit turend.

'Merakel...!' zei Padde, wanneer Hajo een onzekere melodie met een gevoelvolle triller had besloten. 'Zeg... Hajo?'

'Mm?'

'M'n moeder moest ons hier eens zien zitten.'

'Ja!' zuchtte Hajo, terwijl hij de viool liet zinken.

Ook Rolf besteedde zijn avonden nuttig. Hij was met Vader Langjas bevriend geraakt en kreeg van hem vergunning om te bladeren in een paar dikke boeken, die de barbier in z'n kooi had staan. Het was rustig in Vader Langjas' hut; Rolf las met opeengeklemde lippen en gefronst voorhoofd. Binnen vierentwintig uur stond hij dan ook bekend als 'de boekenwurm'. Maar intussen... ook hierdoor won Rolf aan achting.

Gerrit had een goed leventje. De maats stopten hem van alles toe, zelfs tabak, en bemoeiden zich veel meer met hem dan hij verdiende. Want Gerrit beloonde allen met hooghartige onverschilligheid en liet zich alleen door Hajo strelen.

Gerrit was niet het enige levende beest aan boord. Lijsken Cocs, een bleke, tengere koksjongen met ogen waarin tien pond onschuld lag uitgewogen, had een guinees biggetje, een wit diertje met bruine vlekken. Het kon 'een reis om de wereld' maken, die hierin bestond dat het bij z'n meester in de hals kroop en er bij de broekspijp weer uit tuimelde. Om het die reis wat te vergemakkelijken, trok Lijsken zijn toch al niet erg omvangrijke buik zo ver mogelijk in. Het diertje heette Job en had zich de gewoonte eigen gemaakt om, vóór het z'n bakje eten kreeg, te 'bidden', de voorpootjes tegen elkaar gedrukt, de ronde oogjes gesloten, mummelend met zijn konijnensnuitje.

Job en Gerrit moesten met elkaar kennismaken, dat sprak vanzelf, en het geschiedde in de kombuis. 'Ka!' schreeuwde Gerrit toen hij Job ontwaarde.

Het marmotje zei niets, ging op z'n achterpootjes zitten, snuffelde en gluurde en dribbelde haastig rond – zonder eigenlijk veel uit te voeren.

Gerrit hield z'n kop schuin, loerde met zijn schrandere ogen, wette zijn snavel op de planken vloer, plukte zich fors in de veren en schreeuwde, overtuigd van eigen voortreffelijkheid: 'Ka!'

'Kan ie anders niks?' vroeg Lijsken. 'Joppie, kom er eens bij de baas?'

Job kwam ijlings aangedribbeld, klauterde langs Lijskens toegestoken arm omhoog, verdween pardoes in zijn kraag. Lijsken zei: 'Killekillekie!', trok zijn buik in, en Job tuimelde op de grond.

Gerrit wipte haastig opzij, uitte zijn verwondering in een vragend: 'Ka?!'

Ook Job scheen wat beduusd en scharrelde in een nauw kringetje om Gerrit heen. Die draaide zichzelf bijna de hals om - verloor de zonderlinge toerist geen seconde uit het oog. 'Wij krijgen storm!' voorspelde Lijsken. 'Als Joppie krek als een tol in 't rond draait, gaat 't stormen. Als ie op z'n rug gaat liggen, komt d'r windstilte.'

'Nou, ik hoop maar dat er storm komt!' zei Hajo.

Lijsken keek hem met grote ogen aan. 'Jij hebt zeker nog nooit een storm meegemaakt!'

'Jij wel?'

'Nou! Ik ben met m'n vader bij de walvisvaart geweest!'

'En waar is je vader nou?'

'Dood. Aan de scheurbuik.' Lijskens gezicht nam een ouwemannetjesuitdrukking aan. 'Ze zijn thuis nóg met z'n vijven. En m'n moeder is niet sterk! 'k Heb 'n broer, maar die is nog te klein. En alles is zo duur tegenwoordig!' Lijsken begon voor zich heen te fluiten. 'Wat zul je d'r aan doen? Hier, hij' – dat was Job – 'hij heeft m'n vader nog gekend. Nietwaar, Joppie?'

'Mijn vader is verdronken,' zei Hajo.

Lijsken schudde peinzend het hoofd. 'Met z'n hoevelen zijn jullie?'

'M'n moeder, m'n zusjes Antje en Maartje en dan m'n broertje Doris.'

'Hoe oud?'

'Antje is twaalf, Maartje...'

'Je broer, bedoel ik.'

'Doris is vijf.'

Lijsken floot veelbetekenend. 'Te jong, hè?'

'Te jong??'

69

'Om te verdienen. 't Is beroerd, hoor, voor je moeder.'

Toen veranderde plotseling de uitdrukking op zijn gezicht. 'Weet je wat óók beroerd is? Als je 'n puist op je zitvlak hebt, en je moet paard rije!' En grinnikend pakte Lijsken zijn viervoetig lotgenootje op. 'Kom jij maar bij de baas, Joppie.'

Op oudejaarsmorgen zeilde de Nieuw-Hoorn Pleimuiden voorbij. Padde zag het, met weemoedige gedachten vervuld, weer achter de gezichtseinder wegzinken. Hij was zo in zijn overpeinzingen verdiept, dat hij er niets van merkte dat een paar janmaats naderden, op hem wezen en tot elkaar zeiden: 'Zullen we hém nemen? Lijsken is te mager.'

En pats! daar hadden ze Padde bij z'n kraag.

'Laat me los!' schreeuwde de arme jongen. 'Ik ben botteliersmaat!'

'Daar zullen we je niet om vermoorden,' zeiden de maats. 'Kom maar eens netjes mee.'

Padde werd naar het vooronder gesleept, waar de omes hem in een met papieren bloemen beplakte japon hesen en hem een pruik opzetten van geel vlas.

'Wat moet dat!' jammerde Padde.

'Je bent het nieuwejaar,' zeiden de omes. 'En de bootsman zal het ouwe jaar zijn. Wees maar blij toe: we krijgen spekpannekoeken en warme bollen.'

Warme bollen... Padde begon er iets van te begrijpen.

'Loop eens 'n paar passen,' bevalen de omes. 'En kleine stappen, want je bent een meisje. We zullen je vanavond wel zeggen als je voor de dag moet komen. En dan maar knikken en lachen – drommels, we moeten je nog met meel insmeren. En dan strooi je maar blommetjes rond; in die mand bennen d'r zat; die moet je over je arm nemen. Zie zo, en dan zeg je maar... moet ie wat zeggen? – Wacht daar loopt Harmen juist... – Harmen! Een versie voor 't nieuwejaar!'

'Wacht maar even,' zei Harmen. En na enig nadenken begon hij, terwijl de omes vol bewondering het hoofd schudden:

> Het nieuwe jaar is daar
> En wenst u altegaar
> Een voorspoedig jaar!
> Het schip van Willem IJsbrantsz. Bontekoe
> Gaat... gaat...'

'Gaat naar Oostinje toe!' viel een der maats in. 'Dat rijmt! Gaat naar Oostinje toe!'

''t Rijmt wel,' zei Harmen, 'maar 't is geen nieuwtje! We weten allemaal wel dat de Nieuw-Hoorn naar Oostinje gaat. Je moet in een versje wat zeggen wat iedereen weet en waar ze tóch verbaasd van staan te kijken. Wacht, ik heb al wat!' En Harmen dichtte:

'Het schip van Willem Bontekoe
Gaat zonder wat naar Oostinje toe!
Met rijkdom, peper en geluk belaan
Komen we weer in Texel aan!'

''t Is mooi!' verklaarden de omes. 'Vooruit, zeg het na, aap van 'n jongen!'
'Ik... ik ken er geen woord meer van,' bekende Padde.
'Luister dan, rekel! Zeg 't hem nog eens voor, Harmen?'
'Als ik 't zelf nog maar zo op 'n prik ken...' weifelde de nieuwjaarsdichter.
'Nou, dan maak je maar weer 'n ander vers,' zeiden de omes. 'Laat de boeken-
wurm het opschrijven, dan staat 't op papier. Wee je gebeente als je 't van-
avond niet kent! En lachen, begrepen?' Dat was tegen Padde.
'Jawel.'
'Jawel: wàt?!'
'Jawel, meneer...'
De omes begonnen te grinniken.
'Je bent zo groen als gras,' stelde Harmen vast. 'Kom, trek die soepjurk
maar uit, dan gaan we de boekenwurm opzoeken.'
En grimmig liet de arme Padde zich meevoeren.

Het hele schip was in rep en roer. Lampions en slingers prijkten in de kajuit
en het vooronder; een vleespot werd met zorg van binnen en van buiten
verguld: hij moest als koets dienen, wanneer het nieuwejaar straks door vier
janmaats zou worden aangesleept.
Er was verschil van mening over de vraag of er vijf dan wel tien warme bollen per man zouden worden verstrekt; de kok zweeg erover als het graf, en de
koksmaats likten zich het pannekoekbeslag van de vingers.
Padde zwoer bij hoog en bij laag dat hij een grote taart had gezien, zwart
van de krenten! En Harmen fluisterde dat er na het eten krieken op brandewijn
en trommelkoek zouden worden rondgediend. Alsjeblieft, dat was maar eventjes alles! De bootsman vergat die dag, het om de oren der scheepsjongens te
laten donderen en bliksemen, zó nam de drukte hem in beslag. Kwaje tongen
beweerden dat hij wat van streek was, omdat hij 's avonds een toespraak moest
houden, en Hajo was stomverbaasd, de gevreesde bootsman 'verekskuus!' te
horen mompelen, toen hij hem in de haast pal tegen de buik rende.
Het eten overtrof alle verwachtingen. Eerst bonen met spek en een kan
schuimend bier, toen rijstebrij met een schep basterdsuiker erover, en ten
slotte werd onder groot gejuich de taart van Padde binnengedragen, met brandewijn begoten en door de bootsman aangestoken; de vlammen sloegen haast
tegen de zoldering. Hajo en Padde hadden zoiets nog nooit gezien; Padde
stond doodsangsten uit dat de taart helemaal zou opbranden, en een paar
omes morden dat 't zonde en jammer was, de brandewijn op die manier de
wereld uit te helpen. Maar de taart smaakte best en toen de schipper met
koopman Rol eens even in het vooronder kwam kijken, nam het hoera-gebrul geen einde.

De avond bracht nieuwe verrassingen. Harmen van Kniphuyzen, zwart als een Moriaan, kwam binnen, gevolgd door zwartjes met grote zakken waaruit ze oliebollen rondstrooiden. Er waren erbij met zout gevuld; dat gaf aanleiding tot spuwen en mopperen. En de Morianen ruimden niet zonder blauwe plekken het veld.

Toen werd voor de deur van het vooronder een kanon opgesteld, geladen en... met een plof ging het schot af. Allen waren achter banken en kooien weggekropen, maar haastten zich nu om naar de suikerbonen te grabbelen waarmee de kanonsloop tot de monding gevuld was geweest.

Padde kreeg die avond geen slaap. Telkens wanneer in de fok de glazen werden afgeteld, kromp hij even ineen, en toen het elf uur was, begaf hij zich naar de plaats waar hij zich verkleden moest.

Berentsz. stond in oudejaarskledij en studeerde met Harmen zijn toespraak in.

'Eindelijk!' schold de bootsman, wie het zweet van de slapen gutste. 'Haal als de drommel de kerels die m'n sleep moeten dragen! – Dus: de hollandse vlag zal... zal wapperen van de...'

'De transen van het nieuw verworven rijk,' zei Harmen voor.

'Wat zijn dat, transen?'

'Weet ik ook niet,' bekende Harmen. 'Maar in elk behoorlijk vers komt het voor.'

'Zul je me helpen, Harmen, als ik niet verder kan? smeekte Donder en Bliksem, deemoedig als een getemde leeuw.

''k Sta ommers geen twee pas van je af, bootsman!'

Ja-ja, 't gaf me een opwinding, die oudejaarsavond!

Om kwart voor twaalven werden de maats op het dek gecommandeerd en aan weerszijden opgesteld, zodat er een vrije gang in het midden bleef. Die gang voerde naar een tegen het achterhuis gebouwde verhevenheid, waarop vier versierde stoelen stonden. Het was lekker koud; de maats sloegen de kraag van hun 'duffelse' op, staken de polsen in de zakken weg en bliezen en trappelden om warm te blijven.

Er hingen nu brandende lampions in de raas, en het bontgekleurde licht danste over de gebruinde koppen en verlichtte de zeilen van onder-op, die rood, blauw en oranje getint tegen de donkere hemel afstaken. 't Was deksels mooi.

Daar kwamen de schipper, de koopman en de stuurman Jan Piet van Hoorn de kajuit uit.

'Stilte!' gebood Vader Langjas.

Ineens hoorde je niets dan het klotsen der golven en het zuchten van de wind. Rechtop stonden de kerels; tweehonderd gespierde knuisten rukten een muts omlaag.

Dat beviel Bontekoe. Terwijl de beide andere heren met strakke ernst plaats namen, verscheen op het gezicht van de schipper een brede, jongensachtige glimlach; hij knikte even, alsof hij zeggen wilde: 'Goed zo!'

Zie je, dat ging de omes recht in 't hart. Dat was het waarom ze hun schipper zo deksels graag mochten lijden! Bij die goedkeurende glimlach strekten de halzen zich nog meer en de mondhoeken vertrokken zich nog forser. Schipper Bontekoe? Een puik schipper!

Er werd onder de maats gemompeld, gelachen en 'sssst! Daar komt-ie!' geroepen. En zie: daar verscheen achter de kombuis een eerbiedwaardige grijsaard. Een lange witte mantel met gouden sterren hing van zijn schouders en werd door vier sleepdragers opgehouden. De grijsaard schreed met z'n gevolg tussen de vrolijke maats door, maakte een diepe buiging voor de heren, die van hun zetels opstonden en terugbogen, leunde moeizaam op zijn staf en begon met enigszins onvaste stem: 'Schipper...hm!'

'Sssst! Stilte!'

'Schipper, ik ben... hm! het oude jaar, en ik ben... ik ben hier gekomen om... hm! om afscheid van je te nemen, van jou en van de koopman en van de opperstuur en van al de brave jonggezellen en huisvaders, die... hm! die het vaderland, d'rlui vrouwen en d'rlui kinderen hebben vaarwel gezegd om... hm! om de vlag van de Oostindische Compagnie te laten... te laten wapperen van de ...van de...'

'Van de transen...' vulde de voorste sleepdrager zachtjes aan.

'Van de transen van...! Waarmee ik maar zeggen wil dat... dat ik mag lijje schipper, dat jij en wij allemaal een puike reis zullen hebben; dat de *Nieuw-Hoorn* met... met rijke buit belaje weer in het vaderland mag terugkeren, schipper, bij vrouw en kinders. En dat het nieuwe jaar jou, schipper, en ons allemaal en ook de koopman en ook de opperstuur, die... die aan je zijde zitten, voorspoed mag brengen, en dat, om 't nou maar eens voor de vuist weg te zeggen, schipper, dat we in 't nieuwe jaar geen ouwe koeien meer uit de sloot moeten halen en niet mieren over wat er dit jaar verkeerd is gebeurd; dat we wat voor mekaar over moeten hebben; dat we alle herrie vergeten en vergeven moeten: dat we kerels van stavast moeten zijn, van één zin en van één hart! Zie je, schipper, dát wens ik!'

'Zo hoor ik je graag spreken, vadertje,' zei Bontekoe. Hij kwam op de grijsaard toe en drukte hem de hand. 'Mag ik je uit naam van de hele bemanning bedanken?'

'Dat mag je, schipper!' zei het ouwejaar. 'Waarachtig, dat mag je!' En hij begon te snuiven.

De schipper leidde hem op de verhevenheid en bood hem de plaats aan zijn rechterzijde aan. De vier sleepdragers verdwenen met de looppas.

'Vooruit, de kuip in!' beval Harmen Padde, die achter in de kombuis in vol ornaat te wachten stond. 'Wat?! Sta je te grienen?!'

'Harmen!' snikte Padde. 'Ik heb alles gehoord wat... wat de bootsman zei!'

En hij begon met zijn bebloemde mouw z'n gezicht te bewerken.

'Je ziet er uit als een beest!' riep Harmen ontzet uit. 'Lieve help, ben je zó'n spons? Hier met je gezicht!' En Harmen smeerde er een vingerdik meel op.

'Als we stilhouden, stap je uit en zegt m'n vers op! Vergeet het strooien niet en denk erom: lachen!'

En Padde werd vrij onzacht in de kuip geduwd.

73

'Kunnen we trekken?' vroegen de anderen.

'Wachten tot ze gaan schieten!' beval Harmen.

Padde werd bleek om z'n neus. 'Gaan ze schieten?!'

'Alle kanonnen! Zodra 't twaalf uur slaat. Ter ere van 't nieuwe jaar.'

'Ter ere van mij?!!'

Daar sloeg het al in de fok. Een-twee-drie-vier-vijf-zes... Padde stopte de oren dicht.

Boem! Het schip trilde. Boem! Boem! Boem!

'Méé!' schreeuwde Harmen.

En tegen Padde: 'Vooruit! Strooien en lachen!'

En met z'n vieren sleepten ze de vergulde vleeskuip met Padde erin tussen de maats door, die het nieuwe jaar met hoera-gebrul begroetten.

En Padde strooide. Het lachen lukte maar half. Voor de troon waarop de schipper, het ouwejaar en 'de heren' zaten, hield zijn zegewagen stil. Padde krabbelde uit de diepe kuip.

'Sssst!' werd er geroepen. 'Hij moet een versie zeggen!'

Padde keek schuchter om; Harmen gaf hem een duwtje. 'Schipper...!' begon Padde, en zijn mond begon te trillen, 'schipper...!'

'Ik ben het nieuwe jaar!' fluisterde Harmen grimmig.

'Ik ben... ik heb... ik heb daareven alles gehoord wat de bootsman zei, schipper, en...!'

Toen redde Harmen de hopeloze toestand. Hij sprong naast Padde, greep zijn hand en begon:

> 'Wij zijn het nieuwe jaar!
> We brengen niets als voorspoed maar!
> We zullen je naar Oostinje leiden,
> De Compagnie met winst verblijden!
> De mannen, nimmer lui of moe,
> Roepen...'

Hij wendde zich tot de maats, zwaaide met de blote onderarm, die nog pikzwart was van zijn moriaanschap, en uit aller mond daverde het: 'Leve schipper Bontekoe!'

Het oorlam werd binnengebracht. Voor de heren en voor het ouwejaar was er wijn. De jongens mochten zeewater drinken, zoveel ze maar wilden.

'Mannen!' zei Bontekoe. 'ik ledig dit glas op jullie aller welzijn! Ik weet dat jullie door hetzelfde voornemen bezield bent als ik: de *Nieuw-Hoorn* behouden naar Oostinje en weer naar huis te brengen!'

'Ja! Leve de schipper! Leve Bontekoe! Leve de *Nieuw-Hoorn!*'

'Zingen!' riep het ouwejaar.

'Ja! Zingen! zegt de bootsman!'

En zwaar en diep, alsof het opsteeg van de bodem der zee, klonk het mooie oude Wilhelmus.

'Den Vaderlandt gethrouwe, blijf ick tot in den doet...'

En toen verdween Bontekoe met het ouwejaar onder luid gejuich in de kajuit, en de omes holden naar het warme vooronder.

Daar duurde de pret nog lang na. Harmen kwam met z'n fiedel op de proppen; de omes zongen en zwetsten en sloegen met de vuist op tafel.

''t Zal een voorspoedige reis worden!' verzekerden ze elkaar.

Het zal een voorspoedige reis worden...

Zo dachten ze allemaal.

Storm

De eerste januari 1619 passeerde de *Nieuw-Hoorn* de zuidoosthoek van Engeland; de wind was oost; de koers werd zuidwest ten zuiden gesteld.

'\'t Lijkt wel of de wind draait,' zei Hajo tot Rolf, terwijl ze samen op het eindje van een ra zaten.

'Hij loopt naar 't zuiden,' stelde Rolf vast. 'Geef dat strengetje eens?'

'Daar. Help je mij even trekken? – Zeg, 't is ook net of de wind sterker wordt.'

'Dat lijkt zo, omdat we hoog zitten,' meende Rolf.

Maar Hajo vergiste zich niet. De wind nam toe en flink ook. Eerst wist hij zelf niet goed wat hij wilde, blies dán voor, dán achter, je kon er geen zeil naar stellen. Maar tegen de middag nam hij een besluit: hij nestelde zich in het zuiden en bleef daar zitten. De *Nieuw-Hoorn* ging galopperen als een paard, dompelde snuivend de kop in de golven. Padde werd akelig bleek.

'Ben je niet lekker?' vroeg Harmen hem meewarig. 'Ja, de eerste keer ruw weer...! Vraag de bootsman maar 'ns waar het zeeziekvrije plekkie is.'

'Het zeeziekvrije plekje??'

'Weet je dat niet? Elk schip heeft 'n zeeziekvrij plekkie! Als de bootsman niet weet waar 't is, loop dan even bij de schipper binnen. Die *moet* 't weten, hè?'

Padde was er niet helemaal zeker van of ze hem niet opnieuw voor het lapje hielden. Voor hij de bootsman lastig viel, klampte hij eerst op goed geluk de Neus aan.

"'t Zeeziekvrije plekkie?' zei de Neus. 'Dan heb je niks anders te doen als hier en daar 'ns op je rug te gaan liggen. En dan kijk je naar je voeten. Gaan die op en neer, dan ben je verkeerd. Liggen ze stil, dan heb je 't goeie plekkie te pakken.'

Padde was dankbaar voor de nieuw verworven raad, en toen hij zonder gevaar van uitgelachen te worden een proefneming dacht te kunnen doen, strekte hij zich neer.

'Wat is dat? Ben je dood?' riep een stem.

Padde krabbelde zo snel zijn loodzware benen het veroorloofden overeind, en keek in de vriendelijke ogen van Floorke, een ome met zonnesproeten en wortelrood haar.

'Ik zoek wat,' zei Padde onhandig.

'En ga je dan op je rug liggen??'

'Och,' was Paddes alleronverschilligst antwoord, 'ik zoek zo voor de aardigh-h-eid eens naar het zeeziekvrije plekje.'

Er tintelde iets in Floorkes ogen. 'Als je 't ooit nodig hebt, loop dan maar even bij me an; dan zal ik je vertellen waar het zeeziekvrije plekkie is.'

'Zeg op!'

'Waarom? Je bent *nou* toch niet zeeziek?'

Padde lachte hartelijk. 'St-t-tel je voor! Maar ik wil 't toch wel w-w-weten.'

'Nou, als je d'r op stáát! Klim dan maar 'ns in de grote mast. De bovenste ra moet je in.'

'Dat lieg je toch?'

'Liegen??? Ga zelf nou 'ns na: waar komt de beweging vandaan? Van 't water en de golven, nietwaar? Nou, waar heb je er dan de minste last van? Zo ver mogelijk van 't water af. En waar is dat? In 't topje van de grote mast!'

Daar viel niet veel tegen in te brengen. Padde ging naar de grote mast en zette één voet in het want. Maar toen hij voelde hoe het schudde en trilde, en toen hij zag hoe het wimpeltje daar heel in de hoogte heen en weer zwiepte, verklaarde hij dat Floorke de gemeenste leugenaar was die hij ooit had ontmoet.

Verdrietig gestemd, dat hij de wereld zo vol leugen en bedrog vond, liep hij Hajo tegen het lijf.

"'t Zal wel op storm uitdraaien!' verklaarde die gewichtig.

'Zeg, Hajo...' Padde sloot even de ogen. 'als ik 'ns wat uit het flesje...
... uit 't flesje van Grietje dronk! Schaadt 't niet, 't baat ook niet.'

'Heb je daar trek in?' vroeg Hajo weifelend.

'T-trek! 't Is g-geen snoepgoed!'

'Vooruit dan maar, 't zit onder in m'n kist.'

'Mispoes!' zei Padde.

En met een zwakke poging om zegevierend te kijken, haalde hij het flesje uit zijn zak. 'Ik dacht: je kunt nooit weten! Brrr... wat gaat dat schip...!'
En Padde hield zich vast aan een onderzeil; zijn knieën knikten. 'Maak je 't even open, Hajo?'

Ook Hajo voelde iets van onpasselijkheid in zich opkomen toen hij de olieachtige inhoud van het flesje zag. Met afgewend gezicht ontkurkte hij het.

Padde scheen inderdaad weinig 'trek' te hebben. Hij moest al zijn moed bijeentrommelen en neus en ogen dichtknijpen vóór hij een klokje in zijn mond goot.

'Voel je je nou beter?' vroeg Hajo.

'Veel b-b-beter,' verzekerde Padde.

'Neem nog wat,' raadde Hajo aan.

Padde begon te kokhalzen.

Toen nam Hajo een kordaat besluit: hij slingerde het flesje overboord.

'D-doodzonde,' vond Padde.

De vierde januari liep de wind naar het zuidwesten om en werd zo krachtig, dat de marszeilen moesten worden ingenomen. In de nacht bleek het noodzakelijk, ook de fok in te nemen. Het schip liep westwaarts over, met één zeil.

Padde viel op het dek niet meer te bespeuren: de Schele had hem bij zich genomen en vertroetelde hem als een zuigeling. Hajo was ook niet vrij meer van zeeziekte. Rolf scheen er weinig last van te hebben. Hij steunde Hajo vaak wanneer ze samen het want werden ingestuurd, en liep daardoor zelf honderd maal gevaar uit het hevig slingerende touwwerk te vallen.

Tegen de avond van de volgende dag barstte de storm los. Job had wel goed gezien!

De golven ramden met donderend geweld de krakende scheepswanden; wolken kokend schuim stoven tot over de hoogste raas. Het woelde en bruiste in de donkere watermassa; duivelse machten spookten op de bodem van de zee en schopten de *Nieuw-Hoorn* heen en weer.

Met wijd open ogen lagen de jongens die nacht in hun kooi en luisterden... luisterden...!

De lantaren in de slaapplaats van het volk slingerde angstwekkend heen en weer en wierp grillige, levende schaduwen door het vertrek. Enkele mannen maar konden in slaap komen; de meesten lagen wakker.

De *Nieuw-Hoorn* werd hoog in de lucht geheven, sidderde in al haar voegen en tuimelde de diepte weer in.

'Bé-ja! Ga daar maar liggen!' trachtte een maat boven het oorverdovend gekrak uit te schreeuwen.

Hajo sloot de ogen, drukte de armen stijf tegen de wanden van zijn nauwe kooi. Wat zwaaide die lamp! Door zijn dichte oogleden heen zag hij het licht als razend heen en weer vliegen. Als de *Nieuw-Hoorn* eens verging! Als de golven... hoor ze mokeren! als de golven het schip eens uiteenrukten... hoor! hoor toch eens aan...! Als ze eens met z'n tweehonderd, met Gerrit en de schipper en de kist van baas Wouters werden opgenomen in de kille, zilte armen van de zee en rondtolden in de zwarte diepten...! Het water drong hem in de neus en mond en... Moeder! Moedertje! Hajo veegde zich het zweet van de slapen.

Rolf sprong overeind. 'Ik ga eens buiten kijken!' Hij werd van de ene kooi naar de andere gesmeten, moest zich vastklemmen om niet te vallen.

'Zeg de zee gedag van me!' riep Harmen hem na. Ergens schoot er een in een lach.

Rolf kwam weer terug, tot op het hemd doorweekt. Doodmoe plofte hij op zijn kooi neer.

'Wat is 't voor weertje?' vroeg Harmen, schreeuwend om zijn geestigheid te doen verstaan.

Een dreinende, schorre stem begon te brullen:

> 'En als de maat 'n schipper heeft,
> Een oorlam en een lief,
> Dan lacht de maat, dan zingt de maat,
> Dan kent de maat geen grief!
> Van troeladiee, van troeladia...'

Ineens...! met een kreet sprongen de mannen overeind... een donderslag...! de deur van het vooronder werd versplinterd; door het weggeslagen paneel stroomde het water en spoot knallend tegen de voorwand van het volkslogies. Vlak erop, vóór je wist wat er aan de hand was, werd de deur geheel opengerukt; de bootsman stormde met een slingerende lantaren naar binnen, tot aan zijn knieën wadend in het water. 'Alle hens aan dek!'

'Hulp! Hulp!' klonk een vage roep van buiten.

Toen kon je merken dat de mannen van de *Nieuw-Hoorn* er wezen mochten: ze sprongen overeind, stonden meteen schrap op hun benen. Ze trokken met een ruk hun broek op, haalden de riem aan, een-twee! en renden achter de zwaaiende lantaren van de bootsman aan naar buiten.

Daar was het een wirwar van lichamen in de zwarte nacht. Proesten en snui-ven, een wild klappend zeil, zwiepende stengen, gekraak, geknars, schreeu-wende stemmen door het loeien van de storm heen: '*We zinken*! De boeg-poorten staan open!!!'

Van het achterdek naderen zwarte gestalten met een licht, dat plotseling uit-dooft. Een paar worden er over het dek geveegd en tegen de verschansing gekwakt.

Ineens: schipper Bontekoe.

'Schipper!! Het ruim loopt vol! De boegpoorten zijn ingeslagen!!'

'Wat drommel, dan spijker je ze weer dicht! Berentsz!'

'Schipper!'

'Met twintig hens naar het ruim!'

Weg was Berentsz., een paar dozijn mannen op de hielen.

'Schipper! Het vooronder staat vol water!'

'Haal de putsen dan op!'

Van alle kanten werden de emmers aangesleept. Maar vóór de mannen aan het baliën sloegen, vermorzelden ze met koevoeten de scheepskisten, die in het vooronder heen en weer dansten en hun de schenen stuksloegen. Toen werd een dubbel rij gevormd; de putsen gingen van hand tot hand. Een enkele keer sloegen de maats door het stampen en zwaaien met puts en al tegen de vloer; als katten krabbelden ze weer overeind en een half uur later was het vooronder droog. Toen kwamen de mannen die in het ruim waren gestuurd ook weer boven: de boegpoorten waren verzekerd; ze hadden er dubbele deuren voor gespijkerd.

Alle zeilen waren ingenomen, maar nu tolde het schip als dol in het rond. Twintig omes zetten, de tanden opeengeklemd, weer één zeil bij.

De storm joeg een ijskoude regen voor zich uit, die kletterend tegen het dek sloeg, de grens tussen zee en lucht uitwiste.

Het schip koerste westwaarts.

In het oosten schemerde een trieste morgen door het regengordijn.

Flauw van afmatting vielen de mannen weer op hun vochtige kooien neer.

De storm woedde. Dag na dag. Met roodgezwollen neus en ogen liepen de maats rond. Al hun kleren waren doorweekt; de regen wisselde af met scherpe hagel, die vinnig de huid striemde.

Drie dagen na de nachtelijke paniek streken grote vluchten meeuwen over het schip, worstelend tegen de storm. Bij troepen kwakten ze tegen het want, tuimelden met lamgeslagen vleugels op het dek. Men vermoedde de nabijheid van land, maar kon door golven, regen en wolkenschuim geen twintig ellen voor zich uit zien.

Het zeil werd omgegooid; men helde oostwaarts over. De storm bleef in dezelfde hoek zitten, rukte woedend aan masten en zeilen. En als een bende hongerige wolven vielen de golven over het schip heen. Ze hijgden en sidder-den van vernielzucht; de vlokken schuim vlogen hun van het natte lichaam; ze rolden over elkaar heen en betwistten elkaar de buit...

Vier dagen later, in de namiddag van de twaalfde januari, behaalde de storm een overwinning. Het was een seconde lang stil geweest; toen volgde een windstoot die als een kanonschot tegen de boeg knalde; het volk in het vooronder sprong overeind en...! Een doordringend gekraak.

De maats snelden naar buiten.

'De grote mast ligt om!!!'

De breuk bevond zich op vijf vadem boven het dek. De schipper stond erbij, een schaar janmaats om hem heen, gereed elk bevel op te volgen.

'Laat de steng zakken!' riep Bontekoe.

Als eekhoorns vlogen de kerels het nu slaphangende want in, klemden zich vast met voeten en tanden, de ogen dichtgeknepen tegen de regen. Met hun verstijfde vingers werkten ze de steng los, lieten hem door het marsgat zakken. 'Hou vast, mannen!'

De zware steng gleed omlaag. Zou de mast nog blijven staan?

Ademloos keken de mannen beneden naar het werk dat hun makkers daarboven verrichtten in de zwiepende, draaiende, krakende mast. Een diepe zucht: de steng zakte. 'Houdt! Houdt de steng!!'

Men liet het ondereind door het dek schieten; met touwen werd de steng tegen de mastbreuk gewoeld. Voorlopig was het gevaar geweken.

Pah!' zei de storm en rukte nijdig. Maar de mast hield stand.

Hajo was door zijn zeeziekte heen. Zijn angst was ook verdwenen: het ging nu al zo lang goed... Als een echte pikbroek liep hij op het slingerende schip rond; zijn benen gingen al aardig rond staan; hij voelde zich trots en manlijk, omgeven door het gevaar; hij spuwde het zout uit zijn rauwe keel.

Rolf liet zich door het weer niet meer beletten zijn studies voort te zetten.

Op een goeie dag gaf de storm het op. Een paar stuiptrekkingen, een diepe, diepe zucht, en onmachtig viel hij neer. Het water kalmeerde niet zo gauw.

Maar allengs verloren de golven toch hun vernielende kracht, en de twintigste januari was het mooi stil weer. Het werd ook minder koud: je voelde het zuiden al.

Een heerlijke rust daalde op de *Nieuw-Hoorn* neer. Zingend hingen de omes hun natte plunje te drogen. De handen in de zakken keken ze eens naar de blauwe lucht en stelden vast dat het er wel naar uitzag of het weertje nog 'n daggie zo blijven zou. Ze rookten, lachten en spuwden weer; hun levenskracht was niet geschokt.

In een stevig dichtgesjord houten kistje werd een lijkje aan de schoot der golven toevertrouwd. Met ongeoefende hand stond erop geschilderd:

Joppie

†

19 fan Loumaant 1619

Hij het sin eige Doot voorspelt

En is gestorfe as een Helt

Lijsken Cocs stond erbij te grienen.

Padde leert buikspreken

Er was nu werk genoeg aan de winkel! Het hele schip lag overhoop; overal zwierven stukken touw en lappen gescheurd zeil; het zout had zich ingevreten in koper- en ijzerwerk.

De maats werkten als leeuwen om alles weer op orde te brengen. Ze poetsten, olieden en schrobden dat het een aard had, en trachtten hun stukgeslagen kisten weer fatsoen te geven. Het was een gehamer en geklop van belang. Maar alles ging vol goede moed, en de omes zongen er een liedje bij.

Nu pas leerden de jongens wat werken was! De viool en de boeken schoten er bij in. Zelfs Padde toog aan het spoelen en wassen...

Men maakte van het gunstige weer gebruik om de grote mast nog meer te versterken. De schipper zelf leidde het werk. 'De mast heeft 't koud!' zeiden de maats. 'Hij heeft er zijn duffelse bij aangetrokken!' En ze wezen op de drie-dubbele touwlaag die om de mastbreuk was gewoeld. Het want werd getalied, tot het weer zat 'als een muur'. De schipper liet het grote marszeil uit de mast halen en het in de plaats van het grootzeil stellen. Waar vroeger de grote steng gezeten had, zette men nu de bramsteng op en voerde er het bramzeil aan. Dank zij die maatregelen en een voorspoedige zuidoostenwind, kon de *Nieuw-Hoorn* weer vrij snel varen. De koers werd gesteld op de Canarische eilanden – zuidwest ten zuiden.

Hajo had met Hilke voor deze morgen een afspraak gemaakt over de levering van een anker op zijn bovenarm.

'Zo,' zei Hilke, toen ze het zich in het vooronder gemakkelijk hadden gemaakt, 'stroop nou maar 'ns netjes je mouw op. Dan zullen we in één, twee tellen een fijn ankertje in je arm prikken! 't Is zonde en jammer dat je 't op je bovenarm wil hebben. Afijn, daar ben je een friese dwarskop voor.' En terwijl hij aan het prikken sloeg, vroeg hij; 'Weet je wel wat het betekent?'

'Een anker? Nou, je legt er een schip mee vast.'

'Dat bedoel ik niet. Ik zal het je maar zeggen: een anker betekent: *hoop.*'

'Hoop?? Hoop op wat?'

'Nou op wat maar. Dat je goed in Oostinje mag komen, en dat 't schip niet vergaat.'

'En komt het uit?'

'Wat bedoel je?'

'En als je nou zo'n anker op je... au! – nee, 't was niks, hoor! – op je arm laat prikken, en je denkt erbij: ik hoop dit, of ik hoop dat... komt 't dan uit?'

'De een zegt van wel en de ander zegt van niet. Maar kwaad kan 't nooit. En 't staat goed, hè? De meisjes zijn er gek op. Vind je het zelf ook niet mooi, zo'n anker?'

'Ja! Zo'n anker is... au!... is prachtig.'

'Ik zal je nog eens wat veel mooiers laten kijken,' zei Hilke. Hij trok zijn hemd open en liet een meisjeskop zien, die op zijn borst prijkte. Hilkes borst was stevig behaard, maar het schilderij behoorlijk schoon geschoren. 'Zie je? Da's met twee kleuren! 't Gezicht rood en de ogen blauw. 't Was moeilijk hoor! En ik moet doorlopend met 't mes er overheen, om 't schoon te houden. Vind je dat het op Sijtje lijkt? De neus is 't sprekend; zeg nou zelf!'

'Ja, de neus wel!'

'En dan te denken dat m'n vorige meisje er helemaal niet op leek! En 't moest juist háár portret zijn. Hou je arm goed stil, dan zijn we in een wip klaar.'

Een uur later prijkte het hoopvolle symbool in twee kleuren op Hajo's bovenarm. Het anker was blauw en er kronkelde zich in helder rood een eindje touw omheen.

Glimmend van trots bekeek Hajo het kunstwerk.

'Ziezo!' zei Hilke, zelf ook tevreden over zijn werk. 'Zeg nou eens eerlijk: heeft het pijn gedaan?'

''k Heb *niets* gevoeld hoor! En ik dank je wel!'

'Leuter niet,' weerde Hilke af. 'En tegen de tijd dat je... afijn, als je toch nog eens een paar harten op je arm wil hebben... altijd graag van dienst, hoor!'

Al vroeg in de volgende morgen – de omes lagen nog achterover in hun

kooien hun sokken aan te trekken – stormde Harmen het vooronder binnen·
'Een zeil in 't zicht!'

Dat sloeg in. De mannen sprongen overeind, renden op blote voeten en in onderbroeken naar het dek. In twee tellen was het vooronder uitgestorven. Slechts één neus stak nog ergens boven de dekens uit. Het was die van Padde. Met versufte ogen lag de arme jongen in zijn kooi. 'Een zeil in 't zicht...! Zou hij nu naar huis kunnen gaan?!' Padde huiverde van opwinding. 'Naar huis...! Zou zijn moeder naar hem verlangen? Of zou ze blij zijn, dat ze hem... hm! dat ze hem kwijt was?! – Dát geloofde Padde niet! Hij durfde gerust terug-gaan. Maar... Hajo verlaten! Hajo aan vraatzuchtige kannibalen overleveren? – Het ging niet.

Zou Indië nog ver zijn? 't Kon haast niet: ze waren nu al zo lang op weg. Als hij eens meeging – tot Oostinje – en dan *dadelijk* omkeerde? Als hij de hele reis meemaakte, zou hij een aardige duit naar huis brengen! Dan zou zijn moeder vást blij zijn, hem terug te zien. En z'n oom zou zo'n flinke kerel graag in de brouwerij nemen! Hij zou Padde smeken om bij hem te komen: Padde, een jongen als jij, de brouwerij kermt er om!

Hajo kwam binnensnellen. 'Padde! Kom toch kijken! Een schip!'

'Ja, dat zul jij wel lollig vinden!' zei Padde bitter.

'Ja! Da's leuk!'

'Dus je wilt me kwijt zijn?'

'Kwijt? Jou kwijt...?' Hajo barstte in lachen uit – wat Paddes onderlip nog een duim deed zakken. – 'Oh, Padde! Het schip ligt *achter* ons. 't Vaart dezelfde koers!'

Padde loosde tegen wil en dank een zucht. Maar meteen gromde hij: 'Jam-mer! Ik had graag teruggewild.' Hij schoot zijn broek aan, eerst verkeerd, en ging met Hajo mee.

Schipper Bontekoe liet de *Nieuw-Hoorn* op de lij werpen, zodat de zeilen slap neervielen en het andere schip gelegenheid had, de Oostinjevaarder in te halen.

Het verre zeil werd groter; bleek eveneens een driemaster te zijn. Daar drib-belde een vlag langs de grote mast omhoog. In spanning keken de maats uit tot de wind het bonte doek zou openslaan.

De Compagniesvlag!

Allen brulden het uit. 'De Compagniesvlag!!!'

Men antwoordde. Vrolijk pratend hingen de maats over de balie. Hoe lang was het geleden dat ze voor het laatst iets anders dan lucht en water hadden gezien?

Een kwartier later kon je de mensen onderscheiden. Een daverend: hoera! steeg uit beide schepen op en er werd met mutsen gezwaaid. Op het vreemde schip liet men de trap neer; een jol werd te water gelaten; enige mannen stap-ten er in en de jol koerste in de richting van de *Nieuw-Hoorn*.

Het was een kalme zee, maar toch, drommels, wat ging me dat ding op en neer! Hoepla, weg was ie achter een vette golf, ingeslikt door een walvis. 'Bah!' zei de walvis, 'ik lus je niet.' Kijk, daar lag ie op 'n handbreed water, krek een meeuw. Weg gleed ie weer in een wieg van twee golven. Je werd al katterig als je er alleen maar naar keek.

Bontekoe liet de scheepstrap zakken; er werd een loper gelegd van de trap naar de grote kajuit; de schipper en de koopman kwamen naar buiten en wachtten aan de verschansing.

De jol was nu vlakbij. Zes roeiers en op het achterbankje zaten twee heren. De een was groot, bleek en mager, had een dor gezicht en sluik, blond haar; de ander was klein, gezet, verweerd als een oud stuk zeil, en onder zijn schipperssteek sprongen weerbarstige bruine krulletjes te voorschijn.

Nauwelijks had de jol de scheepstrap bereikt, of de vreemde schipper was al vlug als een kat naar boven gewipt. Statig volgde de ander.

'Welkom!' zei Bontekoe hartelijk, terwijl hij zijn gebruinde hand uitstak. 'Welkom op de *Nieuw-Hoorn*, heren! Mijn naam is Bontekoe en dit is de heer Rol.'

'Pieter Thijsz. van Amsterdam, schipper op de *Nieuw-Zeeland*,' stelde de kleinste zich voor, op een toon alsof hij met zwaar weer door een misthoren toeterde. 'Ik ben verheugd, met u kennis te maken! Sinds we eind december uit Vlissingen voeren heb ik geen zeil meer gezien! Drommels, wat een hondeweer! Hebt u averij gehad? Wij zijn er met Gods hulp goed doorgezeild!'

Ook de ander, de koopman van de *Nieuw-Zeeland,* stelde zich voor.

'Laten we binnengaan, heren,' opperde Bontekoe. 'Ik heb nog 'n glas goede wijn.'

'Dat zal de stemming niet bederven!' bulderde de kleine lachend.

Bontekoe en de vreemde schipper namen mekaar onder de arm en gingen opgewekt pratend de kajuit binnen. Met afgemeten passen volgden de beide kooplieden, in hoffelijk, bedaard gesprek.

Toen de kajuitdeur dicht was, zetten de omes een boom op met de mannen in de jol.

'Averij gehad?'

'Mast gekraakt.'

'Lieg je toch?'

'M'n kop zal over de balie in 't water rollen, als ik lieg. Kom maar eens kijken!'

'Ik durf de jol niet uit. Als de ouwe ineens terugkomt...!'

'Hebben jullie 'n goeie ouwe?'

'Gangetje! We noemen 'm de Bruinvis, hè? En als ie in de kajuit fluistert, moet je in 't vooronder je oren nog dichtstoppen als je niet doof wil worden. Maar hij is gul met 'n oorlam.'

'Ja. En ook met juffer driestreng!'

'Wat doe jij ook met 'n stuk in je kraag op wacht te komen!'

'Maak geen deining,' riepen de omes van boven. ''t Is nog zo vroeg op de dag!'

'Waar bemoei jullie je mee?'

'Wil ik je eens op je kop spuwen?'

'Kun je niks beters?'

'Jawel!' schreeuwde Harmen. 'Ik zal jullie eens 'n raadsel opgeven! Kunnen jullie goed raaien, of zijn jullie zo stom als je d'r uitziet?'

'Hou jij je maar stil!' klonk het van beneden. 'We kunnen door je neusgaten in je hersens koekeloeren! 't Is daar een lege boel, hoor!'

'Voldoende om jullie met z'n allen te bedotten!' zei Harmen. 'Ik kan de wind laten draaien!'

'Hoe doe je dat?'

'Je gaat zo staan dat je de wind in je nek voelt, dan kijk je tussen je benen door en je hebt 'm pal in je gezicht!'

'Kinderachtig!' verklaarden de mannen in de jol.

'Stil!' zei Harmen. 'Ik heb nog een raadsel: als d'r zes man in een jol zitten, wie is dan de lolligste?'

'Weten we niet. Zeg op!'

'Wel,' zei Harmen, 'ik zou het waarachtig ook niet weten! Jullie zien er alle zes even flauw uit.'

'Kom er 'ns beneje!'

'Mag niet van m'n moeder!'

De omes boven hielden zich de buik vast.

Op dat ogenblik kwamen de heren de kajuit weer uit. 'Tot vanmiddag dus!' bulderde de kleine schipper van de *Nieuw-Zeeland*. 'Ik heb nog een oude Tocayer staan. U zult merken dat u bij een fijnproever te gast is!' Hij keek een ogenblik naar de grote mast. 'Zo zal hij wel weer tegen een stootje kunnen!'

'Zodra we voor anker liggen, nemen we hem nog eens wat beter onder handen,' zei Bontekoe.

'Waar dacht je te landen? Op de Kaapverdische?'

'Ja, tegen die tijd zullen we wel vers water moeten innemen.'

'Goed, dan landen wij er ook.'

De schippers sloegen de handen ineen. En met vlugge pas daalde de Bruinvis de trap af, gevolgd door de lange, dorre koopman. De roeiers in de jol sprongen overeind alsof er spelden in de banken zaten.

Bontekoe merkte het op.

'Je hebt er de wind onder, vadertje!' mompelde hij. 'Al zal 't endje touw er weleens bij te pas komen!'

Toen wendde hij zich tot zijn mannen. 'Van nu af varen we in compagnie met de *Nieuw-Zeeland*! Het schip heeft geen averij gehad en zeilt dus gemakkelijker dan wij. – Zei jij wat, Floorke?'

Floorke vertrok zijn mond tot een grijns. 'We geven ze geen duimbreed voor, schipper!'

Bontekoe glimlachte. 'Zo denk ik er ook over! – Heb je nog wat op je lever?' vroeg hij, toen hij zag dat Floorke aan zijn buikriem frommelde.

Floorke knipoogde tegen zijn makkers.

'Nou?'

'Ze zeggen dat de Bruinvis gul is met 'n oorlam, schipper.'

Bontekoe verstond de wenk. 'Vooruit dan maar!' zei hij, met heimelijke pret om de bijnaam van zijn collega. 'Haal dan maar een oorlam. Maar dan ook de handen uit de mouwen! Begrepen?'

Of ze het begrepen! Als hazen renden ze naar de bottelier.

Floorke werd op de schouders genomen.

Glimlachend keek Bontekoe hen na. ''t Zijn kinderen,' zei hij tot de koopman, die naast hem stond, 'en als kinderen moet je ze behandelen.'

Rol haalde de schouders op. 'Men kan de teugel ook weleens ál te vrij laten, mijn waarde!'

Bontekoes blik verduisterde. 'Ik moet vrinden om mij heen hebben,' zei hij toen kortaf. 'Met slaven begin ik niets.'

Er kwamen genoeglijke dagen. De wind bleef uit dezelfde hoek waaien; het weer was onveranderlijk mooi; elke dag werd het warmer. Met kunst en vliegwerk slaagde de bemanning van de *Nieuw-Hoorn* erin, het andere schip bij te blijven.

De drieëntwintigste januari werd er aan stuurboordzijde nóg een zeil gezien! Bij nadering bleek het de *Enkhuizen* te zijn, die bijna tegelijk met de *Nieuw-Hoorn* was uitgezeild, met als bestemming de kust van Coromandel. De schipper was een kalm en waardig man: Jan Jansz. van Enkhuizen.

De drie schepen voeren nu gezamenlijk verder. Beurt om beurt brandden ze 's nachts het seinlicht waarnaar de andere twee hun koers konden richten. Er zat iets allergezelligst in: zo met z'n drieën in compagnieschap varen. De reis scheen een pleziertocht te zullen worden. De schippers bezochten elkaar geregeld.

Men passeerde de Canarische eilanden zonder er een in zicht te krijgen.

Een school dolfijnen kwam de *Nieuw-Hoorn* tegemoet, begeleidde het schip dagenlang, lustig spelend om de boeg. De zon wierp een paarse glans op de donkergemarmerde ruggen die bij vieren, vijven tegelijk uit een groene golf opdoken en smeuïg weer weggleden, met de kantige rugvin een pluimpje water opscherend.

Het werd zo warm, dat de mannen in het blote bovenlijf gingen lopen. Het zweet gutste van hun ruggen en Padde klaagde steen en been.

'Wat scheelt eraan?' vroeg Harmen van Kniphuyzen, toen hij de arme dikzak mistroostig op zijn kooi zag zitten.

''k Zal 'n regenwurm zijn als ik er iets van snap,' zei Padde. ''t Is nog midden in de winter en ik smelt van de hitte.'

'Wat zul je dan straks wel zeggen als we bij de menseneters zijn!' beklaagde Harmen hem. 'Daar vallen de vruchten gestoofd van de bomen.'

Padde haalde zijn neus op. ''n Mooi land! Waar je moet buikspreken en de drommel zal weten wat nog meer als je niet levend verslonden wilt worden!'

Op het woord 'buikspreken' lichtte er iets op in Harmens ogen. Hij dacht even na. 'Ja, het is wel zaak dat je kunt buikspreken. 't Heeft wel 'n maand geduurd vóór ik het behoorlijk kon.'

Padde keek op. 'Kun jij buikspreken?'

'Dat heb ik je toch verteld.'

'Nee, dat was je broer.'

'Nou ja, daar heb ik 't natuurlijk van geleerd. Weet je wat moeilijk is? *Maleis* buikspreken.'

'Kun je dat óók?' vroeg Padde jaloers.

'Nou, ja, kunnen en kunnen... Met sommige woorden heb ik nog weleens last. Bijvoorbeeld poerlapoetoespoerwerpedjopakapoet. 't Zit 'm vast op al die p's, hè?'

'Spreek 'ns buik?'

'Ik heb pas gegeten! Maar kom bij me in de kombuis als de vaten gespoeld zijn. Dan hebben we het er rustig; ik zal het jou ook leren, als je wilt.'

Padde kleurde van vreugde. 'Zou ik het kunnen?'

'Voor iemand met jouw buik is 't een kleinigheid,' verzekerde Harmen.

'Harmen,' zei Padde, 'ik vind 't verduiveld aardig van je...'

Harmen maakte een afwerend gebaar. 'Als je zo samen op een schip zit, leer je wat voor mekaar overhebben. Tot straks dus!'

Een half uur later maakte Padde zich op om naar de kombuis te gaan. Hij vond er Harmen in druk gesprek met Lijsken Cocs. 'Da's vroeg!' riep Harmen hem toe. Hij wees stiekem met de duim naar Lijsken en gaf Padde een veelbetekenend knipoogje.

Padde begreep. Harmen wou er Lijsken Cocs niet bij hebben. Hij slenterde wat rond. Toen hij weer in de kombuis kwam, stond Harmen al op hem te wachten. 'Ziezo, dat papjongetje heb ik even afgepoeierd. Hij heeft met onze buiksprekerij niets te maken. We zullen hier maar gaan zitten!' En Harmen wipte behendig op een grote ijzeren ketel. 'Wat wil je dat ik zeg?'

'Nou, zeg maar wat.'

Harmen kneep zijn mond potdicht, draaide angstwekkend met de ogen, trapte van inspanning met zijn benen tegen de grote ketel waarop hij zat. En toen klonk het dof en gedempt, alsof het geluid uit de grond opsteeg: 'Ik ben koksmaat.' Harmen slaakte een zucht van verlichting.

'Merakel,' stamelde Padde. 'Zeg nóg eens wat?'

'Al moest ik al de boeken van het ouwe en nieuwe achter mekaar opnoemen!' Harmen rolde weer met zijn ogen, trapte van louter inspanning tegen de ketel, en somber klonk het uit de diepte: 'Ik heb blond haar.'

'Merakel,' zei Padde. 'Maar... eh, je hebt toch geen blond haar?'

'Weet m'n buik dat?' vroeg Harmen verwijtend.

'Ik dacht dat je je buik kon laten zeggen wat je maar wou.'

'Is ook zo,' zei Harmen. 'Ik zal 'm nou 's laten zeggen: Ik heb bruine ogen!'

'Ja, laat 'm dat eens zeggen!'

Harmen sloot de mond, trapte tegen de ketel. 'Ik heb blauwe ogen,' klonk het.

'Wil je wel geloven dat ik m'n buik wel een opstopper zou willen geven?' vroeg Harmen op luide toon. 'Hij moet het zeggen! Ik heb *bruine* ogen!' En Harmen trapte verwoed tegen de ketel. In spanning wachtten de jongens op wat er komen zou. Het duurde lang. Eindelijk klonk het: 'Ik zal zeggen waar ik lol in heb.'

Harmen wipte van de ketel af, schreeuwde: 'Ik zal m'n buik straks eens in-wrijven. Stevig inwrijven! – Nou, probeer jij het eens, Padde!'

'Zeg dan eerst hoe ik het moet doen, Harmen!'

'Stom-eenvoudig, Padde. Je haalt diep adem, wacht tot je het benauwd krijgt en dan denk je: ik *wil* wat zeggen zonder m'n mond open te doen! Dan komt het vanzelf.'

Padde beproefde het. Toen hij blauw van benauwdheid was, legde Harmen zijn oor tegen Paddes buik. 'Hou vol, Padde! Ik hoor al wat!'

'Pff!' zuchtte Padde.

'Je zult te veel gegeten hebben,' meende Harmen. 'Die bruine bonen zitten je natuurlijk lelijk in de weg! Je doet 't beste om eens een dag of wat helemaal niets te eten.'

Padde beloofde het, aarzelend.

'Je bent een verstandige jongen,' prees Harmen. 'Ga nou maar 'ns op die ketel zitten. Misschien dat je er dan meer van terechtbrengt.'

Padde liet zich op de grond neerploffen. 'Ik zit al.'

Harmen was even verbouwereerd. 'Op de ketel, heb ik gezegd.'

'Ik zit hier ook goed,' stelde Padde hem gerust.

'Wie weet het nou beter: jij of ik?' vroeg Harmen. 'Ik laat je niet voor niks op die ketel zitten! Dat is voor... voor het geluid! Net als bij 'n viool, daar zit ook 'n kastje onder – dan klinkt 't beter.'

Padde hees zich moeizaam op de ketel. 'Wat moet ik zeggen, Harmen?'

'Nou, zeg maar: ik heet Lijsken Cocs.'

'Maar zo heet ik toch niet?'

'Daarom kun je 't toch wel zeggen?!'

Padde kneep mond en ogen dicht, trapte naar Harmens voorbeeld met de hielen tegen de ketel. 'Hatsjie!' klonk het uit de diepte.

'Dat is het begin!' riep Harmen verblijd uit.

Padde keek stomverbaasd. 'Kwam dat uit m'n buik??'

'Waar anders uit?' vroeg Harmen. 'Uit je zondagse pet?'

Padde spande zich opnieuw in. Toen hij paars in het gezicht was geworden, klonk het: 'Ik schei er mee uit! Ik krijg het benauwd!'

'Je bent een geboren buikspreker!' verklaarde Harmen opgewonden. Maar tegelijk trachtte hij hem, na hem van de ketel geduwd te hebben, met zachte drang de kombuis uit te werken.

Padde stribbelde tegen. 'Ik vind het verduiveld aardig van je,' zei hij, 'dat je me wilt leren buikspr...' Toen stokte Padde en verbleekte.

Een onzichtbare, geheimzinnige kracht duwde het deksel van de ijzeren ketel omhoog en, als een duivel uit een doosje, wipte Lijsken Cocs er uit te voorschijn.

'Zo, mannetje, heb jij ons afgeluisterd!' speelde Harmen op. 'Morgen gaan we ergens anders zitten, Padde!'

Padde knikte aarzelend.

Maar met twijfel in het gemoed kwam hij even later bij Hajo, die op het voordek bezig was met het verzolen van een paar kolossale schoenen.

'Doe je daar?' vroeg Padde.

'Lappen.'

'Voor wie?'

'Voor Jopkins.'

'Is 't waar, wat je zegt?'

Hajo keek verwonderd op. 'Waarom zou 't niet waar zijn?'

Padde haalde de schouders op, beet zich op de lippen.

'Wat heb je?' vroeg Hajo.

'Niks.'

'Waarom huil je dan?'

'Ik huil niet.'

'Wel waar.'

'Nietes...'

Even pauze.

Toen vroeg Padde met onzekere stem: 'Hajo, *jij* bent toch m'n vrind, hè?'

'Ja, natuurlijk!'

'*Jij* liegt me toch niet voor, hè?'

'Dat weet je wel beter, Padde.'

Padde ging naast Hajo zitten. 'Nou, dan kan me de rest ook niks bommen. Als ik maar weet, dat *wij* vrinden zijn!' Met vochtige ogen blikte Padde voor zich uit.

'Zeg, Padde!' zei Hajo, 'Als we over een jaar of twee in Hoorn terugkomen met een zak vol guldens – wat zullen onze moeders opkijken!'

'Hajo!'

'Padde!'

De vrinden keken elkaar in de glinsterende ogen.

Padde haalde de handen uit zijn broekzakken. 'Kan ik je helpen, Peter?'

'Met die schoenen? Dat kan ik wel alleen af.'

'Nou, ik mag dat spijkertje toch wel even voor je vasthouden?'

'Goed. Hou dan maar vast.' En Hajo hief de hamer op, mikte met de zekerheid van een ervaren schoenlapper. Met een kreet trok Padde zijn vingers terug.

'Doet 't pijn?' vroeg Hajo verschrikt.

Padde likte zich een bloeddruppel van de vinger. ''t Doet 'n verduivelde pijn! Maar 't kan me *niets* schelen, hoor! Als ik maar weet dat *wij* vrienden zijn!'

Padde ziet door een mistkijker

Op een morgen bleef Hajo verrast staan, toen hij, nog slaapdronken, het vooronder uit kwam stappen en zich buiten in een puts wilde wassen. Om masten, touwen en zeilen hing een fijn waas. Het achterschip was nog slechts als een vage omtrek te zien. 'Mist...!' mompelde Hajo, terwijl hij de vochtige lucht opsnoof.

Nou, óf het mistte! Als je over de verschansing hing, keek je in een grijze massa zonder begin of einde: water en lucht waren één geworden. 'Oei...! Oeiiiii...!' Dat waren de misthorens van de *Enkhuizen* en de *Nieuw-Zeeland*. Bootsman Berentsz. was met twee janmaats bezig een grote lantaarn in de fok te hijsen. Toen hij boven hing, leek het een bleke citroen.

De omes pruttelden. Beweerden dat je om het uur je longen wel uit mocht baliën; dat ze liever kieuwen hadden als de vissen, en... dat was het ergste: dat er van een landing op de Kaapverdische eilanden wel niets zou komen om de eenvoudige reden dat je met dit weer evengoed kon zoeken naar Berentsz.' roodbaaien onderbroek, die op een vorige reis van het drooglijntje overboord was gewaaid, als naar een eiland.

De jongens moesten beurtelings op de misthoren toeteren. De omes zeiden: daar kreeg je een mooie stem en zoenlippen van.

Harmen bleek een meester! Die toeterde hele liedjes, draaide intussen rond en als het liedje uit was, stond hij weer net zo als toen hij begonnen was.

'Ik zie jou nog eens in een paardenspel optreden,' zei Rolf.

'Heb je al eens 'n misthoren op je kop gehad?' informeerde Harmen.

Rolf schudde het hoofd. 'Nog nooit. Doe het eens...?'

Harmen trok smalend zijn neus op. "k Zal wel oppassen! 't Nefie van de schipper, hè?'

'De schipper zal ik er niet bij halen,' zei Rolf, opeens driftig.

'Hoei-hoe-hoei! M'n Amsterdamse moei heit 'n varken en 'n koei!' toeterde Harmen. Toen hij de daarbij behorende ommedraai had volbracht, zag hij Rolf nog juist in de barbiershut verdwijnen. 'Daar lóópt ie, de boekenwurm! Als het 'n ander was, had ie al lang op z'n ziel gehad.'

Daar kwam Padde aandrentelen, aangetrokken door Harmens mistzangen. 'Goeiemorgen, Padde!' riep Harmen verblijd uit.

Maar Padde kon zo ineens niet weer vriendelijk zijn. 'Mm!' zei hij. 'Is dat 'n misthoren?'

'Ja, een misthoren... of mistkijker, zoals je wilt.'

'Mistkijker? Kun je er dan mee door de mist kijken?'

'Als door een druppel water,' verzekerde Harmen. 'Nietwaar, Lijsken?'

'Waar zou het woord mistkijker anders vandaan komen?' vroeg Lijsken.

Maar Padde vloog er niet in. 'Houden jullie 'n ander voor de gek!' schimpte hij.

'Voor de gek houden??' vroeg Lijsken in hoogste verbazing.

Harmen tuurde aandachtig door de horen. 'Daar gaat de *Nieuw-Zeeland*!' riep hij. 'Voor de kombuis zit de kok met drie omes te kaarten!'

'Mag ik ook eens kijken?' vroeg Lijsken.

'Alsjeblieft, Lijsken.' En Harmen stond bereidwillig de horen af.

Lijsken keek in de richting die Harmen hem aanwees. 'Verdikke, wat heeft die kok 'n klavers in z'n knuisten!' riep hij geestdriftig uit. 'Klaverkoning, klaveraas, klaverboer en zes kleintjes!'

'Geef hier,' zei Padde.

'Zeg er eens, kun je 't niet wat vriendelijker vragen?'

'Geef hem de kijker nou maar, Lijsken,' vergoelijkte Harmen.

Paddes wens werd ingewilligd. 'Ik zie niks!' verklaarde de botteliersmaat.

'Snap ik niks van,' zei Harmen. 'Heb je je andere oog wel dicht gedaan?'

'Moet dat?'

'Dat snapt toch een kind!'

'Had dat dan eerder gezegd!' gromde Padde. En hij bedekte met de ene hand het oog dat niet door de toeter gluurde.

Toen werd tussen Harmen en Lijsken een snelle blik gewisseld. Ze zetten tegelijkertijd hun voet achter Paddes hielen en... Padde lag achterover op het dek te spartelen.

'Wat een windstoot was dat!' riep Lijsken.

''k Sloeg er bijna van om!' zei Harmen.

En toen ze Padde aankeken, begonnen ze beiden te grinniken.

Maar in de ogen van de bedrogene sluimerden wraakplannen. Hij zwaaide woedend zijn toeter en wilde overeind krabbelen...'

Toen gebeurde er iets onverwachts! Een grauw, monsterachtig groot gevaarte schoof rakelings langs het galjoen; boven een stemmengeroezemoes uit schetterde een schorre misthoren. 'Het roer! Gooi het roer om!' schreeuwde iemand. Tegelijkertijd flitste een lichtschijnsel uit de mist op. Een zeil-omtrek, een scherp gekraak van hout – weg was het spook weer.

Padde was van schrik weer achterovergetuimeld. Harmen en Lijsken stonden te trillen op hun benen.

De donderstem van Folkert Berentsz. wekte hen uit hun verbijstering.

'Wat hier en daar! 't Scheelde twee el, of we waren in de *Enkhuizen* gelopen! Zet ik jullie dáárvoor te toeteren! Donder en bliksem!' En ze kregen ieder een schop onder het zitvlak. Padde zat en bleef er daarom vrij van. Harmen griste hem de misthoren uit de handen. 'Hoe-hoe-hoei!' schetterde hij. Ditmaal zonder liedje.

De bootsman verdween weer in de mist.

'Als ie 't de schipper vertelt, worden we gekielhaald!' zei Lijsken, z'n broek wrijvend.

Maar Folkert Berentsz. was geen klikspaan. Hij hield er zonder de schipper de wind wel onder.

93

De bottelier hoorde hoofdschuddend het verhaal aan dat Padde hem over het geval opdiste. "'t Is merakel! Hier, drink wat, m'n jongen. Dat spoelt de schrik weg.'

'Ik heb nog nooit wijn gedronken...' aarzelde Padde.

'Merakel. Proef dan maar gauw eens.'

Padde nam voorzichtig een slokje.

'Nou?'

'Je wordt er lekker warm van!'

'En de schrik? Die is nou zeker weg?'

Als antwoord nam Padde nog een teug.

'Je zult nog een fijnproever worden, jij!' grinnikte de Schele. 'Nou, dan ben je bij mij goed onderdak!'

'Ja-ha!' En Padde dronk dapper het hele kannetje leeg. 'Geef me nog maar wat, Schele!'

De bottelier schonk hoofdschuddend het kannetje weer vol. 'Pas jij maar op! Als de wijn is in de man, is de wijsheid in de kan!'

'Geen nood!' blufte Padde.

'La-la-la-la!' zei de Schele met vaderlijke trots. 'Hoor dat eens aan!'

Maar terwijl Padde onversaagd doordronk, betrok het gezicht van de brave bottelier. 'Ik heb je nooit van Gertje gesproken, hè?' vroeg hij. 'Dat was m'n enigst kind. In maart zou ie nou veertien zijn geworden.' De bottelier staarde voor zich uit. 'Op een avond kwam ie hoestend thuis. Dat was november van 't jaar '17. – Hoest je, m'n jongen? vroeg ik. – Ja, vader, zei-d-ie. Ik hoor z'n stem nog. – Heb je 't benauwd als je hoest? vroeg ik. – Ja, vader, zei-d-ie. 's Nachts bleef ik natuurlijk bij hem waken, hè? M'n vrouw was toen al vier jaar dood, ik was kastelein in 'De lustige Landman', bij Alkmaar. Ik gaf Gertje elk uur een hete omslag. En warme kruiken en wijn: dat helpt tegen de hoest. De volgende morgen moest en zou-d-ie gaan schaatsen. Ik hield m'n hart vast. – Zou je 't wel doen, m'n jongen? vroeg ik. – Vader, zei-d-ie, ik weet zelf 't beste wat goed voor me is! – Hij wist wat ie *wilde,* zie je; dat heb ik nooit van mezelf kunnen zeggen. Ik deed altijd wat anders dan ik van plan was. Als ik Gertje afhaalde bij meester Knol... ik liet 'm leren, zie je?... dan kocht ik onderweg snoepballetjes voor hem om hem te verrassen, maar voor ik bij meester Knol was, had ik ze zelf allemaal al opgekauwd. Weet jij eigenlijk wat je wilt?'

'Jawel,' zei Padde geeuwend. 'Ik kom in de bierbrouwerij van m'n oom, dan weet je wat je hebt.'

'Zie je,' zei de bottelier, 'zo was Gertje nou ook. Die wist op een prik wat hij wilde, en iets anders deed hij niet. Nou... die avond was hij er erg aan toe! En toen ik drie nachten aan z'n bed gezeten had... toen...' De bottelier kon niet best meer uit z'n woorden komen. Hij sloeg de hand op de knie en kuchte.

Padde zat met lodderige ogen voor zich uit te turen.

'Heb je geluisterd, Padde?'

'Jawel! Ik heb woord voor woord... hik!'

'En wat zeg je d'r van?'

Padde geeuwde. 'M-merakel, Schele...!'
De bottelier stond zuchtend op en zocht de frisse lucht.

Toen hij een poosje later terugkwam, vond hij Padde snurkend tegen een vaatje liggen. Hij tilde hem op en legde hem in zijn eigen kooi. Toen keek hij de jongen lang in het gezicht. 'Dezelfde neus, dezelfde kin en ogen! Gertje sliep ook altijd met open mond...'
De bottelier legde z'n dikke hand op Paddes voorhoofd en kuste het.

Rolf

De bedoeling was om Sint-Anthoni aan te doen en daar water in te nemen. Maar door de steeds dichter wordende mist, gepaard met een fijne regen, kon men het eiland niet in 't zicht krijgen. Daarom werd de koers gesteld op Ilje del May en Ilje del Foege. De wind zwaaide luimig; men moest laveren en verloor het verband met de twee andere schepen; de misthorens van de *Nieuw-Zeeland* en de *Enkhuyzen* waren te horen, heel ver weg.

Lang en eentonig gingen de dagen voorbij. Uren achtereen lagen de omes in hun kooi te kaarten. Hajo was met Rolfs hulp bezig een brief aan zijn moeder te schrijven. Zodra ze een schip tegenkwamen, wilden ze hem afgeven.

'Kun jij niet schrijven??' had Rolf gevraagd toen Hajo zijn hulp inriep.

'Ik kan wel wat lezen,' haastte Hajo zich te verklaren, terwijl hem het bloed naar de wangen steeg. 'Padde kan helemáál niet lezen of schrijven.'

'Wou jij je dan met Padde vergelijken?'

'Als ik maar iemand wist, die...'

'Ik zal het je leren,' zei Rolf. En met zijn gewone energie pakte hij de zaak aan.

Padde zat erbij terwijl Hajo zijn bruine vuist over het papier liet wandelen; Rolf stuurde kalm en zeker Hajo's ganzeveer in de goede richting en Hajo zuchtte van inspanning.

'Wat schrijf je nou allemaal?' vroeg Padde. Geduldig wachtte hij tot Hajo hem twee minuten later ten antwoord gaf: 'Breng me niet in de war, Padde!'

Padde zweeg. Maar per slot van rekening is een mens geen doofpot. Toen Hajo weer met zwier een punt achter een zin had gezet, waagde Padde de schuchtere vraag: 'Kun je alles schrijven wat je maar wilt?'

'Alles!' zei Hajo.

Dat moest Padde even verwerken. 'Kun jij nou ook schrijven dat 't mist... enne... dat je op de viool leert spelen?'

'Wat dacht jij dan?'

'Nou, ik dacht... alleen maar de groeten en zo, en ik kom gauw terug.'

'Kijk,' zei Hajo, 'dat komt nou van je geklets! Nou maak ik weer 'n vlak!'

'Ook erg...' meende Padde, 'da's al wel wtintig maal gebeurd. Wat is dat oogje met dat streepje eraan?'

'Een *p*,' zei Hajo gewichtig.

'Wat is dat: een pee?'

'Nou, da's een *p,* hè? Ik zal maar zeggen *P* van Padde.'

'Lieg je toch?' Padde begon te grinniken. 'Zeg, dit is dan zeker óók een pee, hè?'

'Dat is een *b*,' zei Hajo.

'Een *d*,' verbeterde Rolf.

'O, ja een *d*,' zei Hajo gauw.

Padde schudde het hoofd. 'Pee, bee, dee...! Die dee is toch ook 'n oogje met 'n streepje eraan?'

'Ja, maar daar zit het aan de andere kant!'

'Da's nou maar krek hoe je de brief houdt!' Padde greep Hajo's inktslagveld, tot ontzetting van de beide veldheren, stevig beet en zei, terwijl hij het omdraaide: 'Alsjeblieft, nou is het dan toch wèl 'n pee!'

Hajo verloste zijn in gevaar gebrachte brief en vroeg nijdig: 'Wou jij een brief op de kop lezen?'

'Op m'n kop???'

'De kop van de brief, bedoel ik.'

'Heeft een brief dan een kop?'

'Meer dan jij,' zei Rolf.

'Knap maar!' gromde Padde. En hij trok af, danig uit z'n humeur.

Toen de briefschrijvers een uur later de barbiershut verlieten, vonden ze Padde tegen de mast, met wazige ogen voor zich uitblikkend in de grauwe mist.

'Padde! Wat zit je daar?! Je zult kou vatten!'

'Hoplala-tralala!' lalde Padde met de vingers op het dek trommelend. 'Ik heb ged-danst voor de omes! Boven op de... hik! b-boven op de tafel!'

'Hij ijlt!' zei Hajo verschrikt.

Rolf legde zijn hand op Paddes voorhoofd. 'We zullen hem optillen en in zijn bed brengen.'

Maar daar wilde Padde niets van weten. 'Blijf van me af, b-boekenwurm!'

Hajo aarzelde. Maar een blik uit Rolfs ogen was hem voldoende om Padde stevig onder de armen te nemen. Rolf pakte hem bij de benen op.

Padde worstelde uit alle macht om vrij te komen. Toen het niet lukte, klaagde hij op huilerige toon: 'Hajo, help me, die lelijke... hik! die lelijke penne-likker op z'n gezicht te timmeren!'

'Je bent ziek, Padde! We zullen je onder de wol stoppen!'

'Neen, ik wil d-dansen voor de omes! Ik wil... hik!'

Ondanks zijn verzet werd Padde naar het botteliershok gebracht en daar met behulp van de Schele op zijn kooi gelegd. 'De jongen bibbert van de koorts!' jammerde de bottelier. 'We zullen hem gauw wat wijn geven!'

'Ah!' mompelde Rolf. En kortaf, dreigend volgde: 'Als je dat doet, vertel ik alles aan de schipper!'

De bottelier keek Rolf aarzelend in het strakke gezicht. Hij pruttelde wat, maar ging *niet* naar de kast om wijn te halen.

Rolf trok zijn vriend met zich mee. 'Padde is dronken,' zei hij, toen ze buiten waren.

'Dronken...?'

'Kom mee,' zei Rolf. 'Ik wil even met je praten.'

Sprakeloos liet Hajo zich naar de barbiershut leiden. Vader Langjas was er niet.

'Vertel me eens,' begon Rolf, 'is het de eerste maal, dat Padde...?'

'Ja! Vast!'

'Dan is de bottelier er schuld aan.'

'Wat een gemene streek!'

'De Schele denkt niet verder dan tot op de bodem van zijn pint,' zei Rolf 'dat is alles. Dus je hebt nooit eerder gemerkt, dat Padde...'

'Nee! Maar... Ik zal je iets zeggen. 'Laat je niet merken dat je 't weet?'

'Als ik 't niet nodig vind, nee.'

'Zijn vader is elke avond dronken.'

Rolf fronste de wenkbrauwen. Hajo voelde op dat ogenblik weer hoeveel verstandiger Rolf was. Een vaag vermoeden kwam in hem op dat Rolf al veel verdriet moest hebben gehad. Zwijgend wachtte Hajo.

'Voorlopig zullen we doen of we niets hebben gemerkt,' besliste Rolf. 'En zodra ik er een goede gelegenheid voor zie, neem ik hem onder handen. Zoiets moet ineens *goed* gebeuren.'

Een vraag, die Hajo vanmorgen bij het briefschrijven al had willen stellen brandde hem op de lippen. Nu kwam het er uit: 'Zeg Rolf... schrijf *jij* niet aan je moeder?'

Rolfs schouders trokken even. 'Mijn moeder leeft niet meer,' zei hij stroef

Hajo was op Rolfs antwoord voorbereid. 'Is ze al lang dood?' vroeg hij zacht.

'Ze is in maart van het vorig jaar overleden.'

'En heb je helemaal niemand, die...?'

'Mijn oom,' zei Rolf.

'Ja, maar, je vader...? Je zei toen op de Italiaanse zeedijk... weet je nog?

'Mijn vader is twaalf jaar geleden naar Oostinje gegaan,' zei Rolf. 'Hij voer als schipper onder Pieter Both; in 1615 is zijn schip vergaan op de kust van Celebes. Maar het bericht kregen we het vorig jaar pas. Van de bemanning was niets bekend. Mijn moeder was toch al wat zwak. Vijf weken later stierf ze.'

'Zeg... Rolf,' fluisterde Hajo, 'is dat Selee-Seleebes erg groot? Er gebeuren toch wel dingen waarover je later verbaasd staat, nietwaar?'

Rolf scheen heftig met iets te kampen. Toen haalde hij de schouders op, als om het hopeloze van Hajo's veronderstelling aan te duiden, en zei met afgewend gezicht en in een poging om luchthartig te schijnen: 'Laten we ons maar niets wijsmaken!'

Toen stond hij op, nam een boek van het medicijnkastje en ging naast Hajo, die vergeefs naar woorden van troost zocht, bij tafel zitten, de handen tegen de slapen gedrukt, de ogen star op de letters gevestigd.

'Oe-hoe-hoeiiiii...!' gilde de misthoren.

De volgende morgen was de mist minder dicht; de wereld werd weer wijder.

Padde kwam laat boven water. Hij drentelde rond en had geen behoefte om Hajo op te zoeken. In het schaftuur kwam Padde de barbiershut binnen, twintig tellen nadat de barbier ze verlaten had. Hij vond er Rolf alleen.

'Waar is Vader Langjas?' vroeg Padde.

'Gaat net naar de kajuit. Als je vlug loopt, haal je 'm nog in.'

Maar Padde bleef staan. 'We krijgen gauw land, hè?'

'Ja.'

'Ben je aan het lezen?'

'Ja.'

'Wat staat er in die boeken?'

'Hoe je zieke mensen genezen kunt.'

'Staat dat ook in boeken?? Ik dacht dat de barbier 't vanzelf kon.'

'Dan dacht je verkeerd,' stelde Rolf vast, onverstoorbaar verder lezend.

'Is lezen moeilijk?'

'Nee.'

'Schrijven zeker wel?'

'Nee.'

Padde dacht even na. 'Zeg... eh, Rolf? Wil je voor mij... ook een brief schrijven?'

Rolf keek op. 'Aan je moeder?'

'Ja.'

Rolf had uit de tafellade een vel papier genomen. Hij sleep een ganzeveer aan, doopte die in de inktpot. 'Wat moet ik schrijven?'

Padde was door Rolfs snel handelen overrompeld. Hij wipte opgewonden op het tafeltje, schommelde met zijn korte beentjes. 'Ja! Wat zal ik nou schrijven?'

'Zeg maar eerst wat er boven moet staan. Lieve moeder?'

'Nee...' weifelde Padde. 'Schrijf maar: waarde moeder. Dat staat netter.'

Rolfs pen vloog over het papier met een snelheid die Paddes mond van verbazing deed openvallen. 'Staat het er al?? Nou, schrijf dan maar... dat 't m'n schuld niet is dat ik ben meegegaan.'

'Dat schrijf ik niet, want dat is een leugen. 't Is wél jouw schuld!'

'Hè?? Ik ben toch in slaap gevallen?'

'Juist. En dat is jouw schuld. Jij had niet in slaap mogen vallen.'

Dat ging Padde boven de pet. 'Schrijf dan maar dat ik er spijt van heb. En dat ik hopen geld zal meebrengen.'

Rolf keek verbaasd op.

'Wat kijk je? Ik verdien toch zeker evenveel als Hajo en jij? Of is dat soms niet veel! M'n moeder zal niet weten wat ze ziet!'

Rolf keek dromerig voor zich uit. 'Hou je veel van je moeder, Padde?'

'Nou en of! Nou! En zij van mij ook, hoor! Als de lui zeggen... daar moet je geen woord van geloven van wat de lui zeggen: dat doe ik ook nooit. Zeg, schrijf maar dat Oostinje niet zo ver is! En: ik kom gauw terug. Zeg maar, dat ze Louwtje en Margje en Annetje en Nelis en Heintje en Jan en Gijs... Hoeveel zijn dat er? Zeven? Dat klopt. Moeder, ik en vader zijn er drie.'

'Zijn jullie met z'n tienen thuis?'

'Neen, dertien. Maar drie zijn gestorven. Aan de koorts, begrijp je?'

'Wat moet er onder staan?'

'Nou: *Padde* natuurlijk.'

Rolf weifelde. 'Zou je niet liever schrijven: 'een innige kus, of...' Rolf kleurde en vervolgde haastig: 'En dan heb je je vader vergeten te groeten.'

Padde schudde het hoofd. 'Doe ik niet.' En na lang en diep nadenken: 'Schrijf er maar onder: uw trouwe zoon Padde Kelemeyn!'

Rolf glimlachte. 'Zullen we dat: Kelemeyn er maar niet af laten? Je moeder weet wel dat je Kelemeyn heet!'

'Ze weet ook wel dat ik Padde heet! Afijn, laat het er dan maar af.'

Rolf was met de brief klaar. 'Wil ik hem je nu eens voorlezen?'

Padde begon te grinniken. 'Da's me nog nooit gebeurd!' En hij zette zich in postuur om te luisteren.

'Waarde moeder,' las Rolf, 'het spijt me dat ik zonder het te willen met Hajo mee naar Oostinje ben gegaan en u verlaten heb. Ik zal het geld, dat ik als botteliersmaat van de *Nieuw-Hoorn* verdien, sparen en aan u afgeven. Oostinje kan zo ver niet weg zijn, moeder, dat ik u vergeet. Groet Louwtje, Gijs, Annetje, Nelis, Margje, Heintje en Jan van me.

Uw trouwe zoon Padde.'

Padde had tranen in de ogen. 'Merakel,' fluisterde hij. 'Zou m'n moeder er dat nou ook allemaal zo uit kunnen halen? Lezen kan ze natuurlijk niet, hè? Maar ze zal er mee naar de meester gaan.'

'Nou, dan leest die haar alles wel voor.'

'Rolf,' zei Padde aangedaan, ''t spijt me dat ik je altijd... – Wil je er nog even onder schrijven: groeten aan... aan Jansje Bezem?'

Rolf keek Padde glimlachend aan, en deze werd vuurrood.

''t Staat er,' zei Rolf. En toen keek hij Padde diep in de ogen. 'Nu schiet me te binnen dat je nóg iets vergeten hebt, Padde. Je had erbij moeten schrijven:

Lieve moeder, ik ga tegenwoordig dezelfde kant op als vader. Gisteren was ik dronken.

Padde begon te beven als een riet. 'Niet doen, Rolf! Dát niet schrijven...!!'

'Maar 't *is* toch zo?'

'Ik zal nooit meer drinken, Rolf! Geen druppeltje!'

'Dat is dus afgesproken,' zei Rolf. 'Hier is je brief, Padde.'

Padde greep Rolfs hand. En met zijn brief in de vuist wankelde hij de hut uit.

Toen Rolf alleen was, nam hij in gedachten verzonken een vodje papier, dat op tafel lag, en krabbelde er spelenderwijze een woord op. Hij keek er mijmerend naar. Plotseling trilde er iets om zijn lippen; hij stond met een ruk op en liep naar buiten.

Toen Vader Langjas een ogenblik later terugkeerde en, ordelijk als hij was, het vodje in de prullemand wilde gooien, scheen hij door iets getroffen te worden. Hij mompelde wat, keek naar de open deur, legde daarna het stukje papier weer zorgvuldig neer op de plek waar hij het gevonden had.

Wat kon Vader Langjas, het toonbeeld van orde, ertoe bewogen hebben, dat stukje papier niet de plaats toe te wijzen waar het behoorde: in de prullemand?

Er stonden maar zes fijngetekende lettertjes op. Samen vormden ze het woordje: *moeder*.

Maneschijn

'Land! Land in 't zicht!!'

Uit alle hoeken en gaten kwamen de omes naar buiten. Speelkaarten en dominostenen nog in de hand, leunden ze over de verschansing en tuurden naar de blauwgrijze omtrek aan stuurboordzij.

Bontekoe stond met Rol en de opperstuurman op het middendek. ''t Zal Ilje del Foege zijn,' meende de stuurman.

'Dunkt mij ook,' zei Bontekoe. 'We zullen een ankerplaats zoeken en morgen verversingen opdoen. De zee moet op deze hoogte ook nogal visrijk zijn. Daar zullen we gebruik van maken!'

Er werd gepeild. Het lood raakte, na geheel gevierd te zijn, nog geen grond. Van het anker uitwerpen kon geen sprake zijn. Bontekoe besloot de kust af te zeilen tot er een baai gevonden werd.

Geleidelijk brak de zon door, begon de naakte ruggen der omes weer te schroeien.

Tegen de schemering vond men een baai. Het water was diepblauw en haast rimpelloos. Maar het dieplood raakte ook nu nog geen grond. Bontekoe besloot het erop te wagen, de nacht drijvende door te brengen. Men borg alle zeilen.

Er kwam een avond om nooit te vergeten. De maan stond hoog aan de hemel en hulde de grillig gevormde rotsen in blauw zilverig licht. Het was stil op het water.

Die avond kwam Harmen er toe, z'n fiedel weer eens voor de dag te halen. En de omes zongen:

'Dat meissie vroom waarvan ik droom,
Dat meissie van Enkhuizen,

Dat lacht zo lief, dat kent geen grief,
Dat meissie van Enkhuizen!'

En Bolle sloeg van louter plezier z'n knuisten op z'n witte broek, dat het meel er af stoof. En de Neus klopte z'n pijpje in de vlakke hand uit, en Hilke Jopkins keek naar de sterren.

Hajo leunde zwijgend over de verschansing.

Rolf zat in de barbiershut, gebogen over een kaart van de Kaapverdische eilanden.

Padde had een lijntje met spek door een geschutpoort gegooid en wachtte of er een vis wou bijten.

Als een grote wieg deinde de *Nieuw-Hoorn* op het water. Je kon er een slaapliedje bij zingen.

In de baai dobberde een grote gouden vlek.

De spiegeling van de maan.

Padde heeft beet

Of ze de volgende morgen uit hun kooi konden komen! De zon zat nog half achter de horizon, toen er al een stelletje omes in baaien onderbroeken over de verschansing hing. Als je goed keek, zag je op de rotsen een bokje met een paar geiten springen. Het was eb; er lag een flinke lap strand bloot, en in de kuilen kon Harmen zonder mistkijker, maar wel met enige verbeeldingskracht, kreeften en garnalen zien zwemmen. Padde liep het water al om de mond: garnalen waren zijn lievelingskostje!

's Avonds zouden ze weer weggaan; dus moesten overdag de handen uit de mouw worden gestoken! Ze zouden vandaag die ouwe kast van een *Nieuw-Hoorn* eens opknappen dat geen schoonmoeder er kwaad van kon spreken! Na de vroegkost werd de jol neergelaten, die verversingen moest opdoen en wat vis zien machtig te worden.

'Wie er mee wou?'

Allemaal wel!

'Ja, maar het eiland is Spaans!'

'Laat de Spekken maar komen!'

'Er mag niet gevochten worden.'

'En als zullie beginnen?'

'Dan sla je er ook op. Nogal glad,' zei Donder-en-bliksem.

Er werd geloot, wie er mee zou gaan. Hajo wist met z'n vreugde geen raad, toen Rolf en hij beiden een lang strootje trokken.

Met dertig omes daalden ze de touwladder af. Vóór in de jol lagen musketten en vistuig.

'Zul je 't niet vergeten, Neus?'

'Wat moet ik niet vergeten?'

'Je neus weerom te brengen?'

'Denk om de garnalen!' schreeuwde Padde.

'Kannibalen?'

De spanen plasten in het water. Een-twee; een-twee. Aantrekken, mannen!

'Jongens,' zei Berentsz., die bij het roer zat, 'we halen voor de branding het net door het water. Als we een flink zootje vis vangen, gaan we niet aan land. De Spekken zullen ons al lang in de kijker hebben.'

'Ik heb anders net zin in een robbertje, bootsman!'

'Dan maak je maar 'n robbertje met de grote mast!' raadde Berentsz. aan.

Op het strand doken bomen met slanke gebogen stammen en waaiervormige kruinen uit de lichte morgennevel op: palmen!

'Javaanse bloemkool, Hajo!' zei Floorke, die al drie reizen naar Indië had gemaakt.

Hajo keek wantrouwend de anderen aan. Alle omes roeiden zwijgend verder en knikten ernstig. Toen zei Hajo: 'Ik hield het voor knolraap, maar dat kan ook wel komen omdat Floorke er met z'n hoofd voor zat.'

Grinnikend haalden de omes het net te voorschijn en wierpen het achter uit. Al roeiende trok men het achter de boot aan.

'Zou er al wat in zitten? 't Is net of 't zwaarder roeit!'

'Haal maar eens op!' zei Berentsz.

Alles kroop naar achteren. De boeg schoot de lucht in.

'Trekkèèèè!'

Ineens spalkten de omes de ogen open. Er zat een grote zeeschildpad in het net.

'Wat 'n raar beessie!'

'Haal hem binnen en leg hem op z'n rug! Nou, pak hem maar gerust: je zult hem niet bezeren.'

'Zou-d-ie niet bijten?'

'Bijten? We zullen vanmiddag in hém bijten! En er een fijn soepje van koken! Hoepla!'

De schildpad lag op de rug, bewoog hulpeloos z'n dikke zwempoten.

'Ik zou hem wel voor m'n moei mee willen nemen! Krijg ik hem, bootsman?'

'Als de soep klaar is. Gooi het net maar weer uit, jongens! – Heila! Wat is dat!'

Van de strandzijde klonk een scherpe knal en aan bakboord plonsde iets in het water.

'De Spekken! Ze smijten met bonen!'

Aller ogen richtten zich naar het strand, waar zich een groepje mannen verzameld had. 'Geef mij eens 'n musket! Ik schiet op 'n mijl een vlieg z'n linker voorpoot af!'

Weer een knal en een plons.

'Aan de riemen! Ze schieten ons nog door de kleren en ik zit krap in m'n stopgaren!'

'Schei uit met die grapjes, Klaas! En pak de riemen op: we zitten vlak voor de branding!'

Een schot van de wal; de jol trilde even en uit de bodem spoot een fonteintje op. 'Au! M'n poot! Au! Au!'

'Stop het lek!' Het werd met touwpluisel gestopt.

De jammerende maat nam zijn voet in de handen. 'Ze hebben m'n teen kapot geschoten!'

'Wacht even, ik ben nog aan 't laden!' pruttelde de scherpschutter. Het laden van een musket was een werkje dat tijd en ervaring vroeg.

Weer een schot. Een kogel floot de mannen over het hoofd.

Toen was de ome, die op een mijl afstand een vlieg raken kon, gereed. Grimmig legde hij aan. Een donderslag; de schutter vloog door de schok bijna met musket-en-al de jol uit.

Maar van het strand klonk een luide gil. Een van de Spanjaarden liet zijn wapen vallen en stortte achterover in het zand. De anderen zochten een haastig heenkomen.

'Met Sinterklaas krijg je 'n nieuwe teen,' troostte Berentsz. 'Roeien, mannen! Een-twee; een-twee...'

Spoedig was men buiten schot.

'Willen we hier het net nog eens uitgooien, bootsman?'

'Vooruit maar,' zei Berentsz. 'Waar is het?'

Algemeen gegluur onder de banken. 'Het net is weg!'

Floorke begon te ginnegappen.

'Heb jij het weggestopt, beroerde kerel?'

''t Hangt nog achter de boot!' zei Floorke. 'D'r zal nou wel vis zat in zitten!'

Dat had de opwinding 'm gedaan. Ieder was vergeten dat het net in het water hing. Het werd ingehaald. Grote vreugde toen het vol glanzende spartelende vis bleek te zitten.

Maar de gewonde maat deelde niet in de blijdschap. Hij had z'n hemd uitgetrokken en was met Rolfs hulp aan het verbinden van zijn voet geslagen.

De anderen letten er nauwelijks op. Het waren ruwe klanten, die varensgasten uit de zeventiende eeuw.

Aan boord was zo gehamerd en gezaagd, dat niemand het schieten had gehoord.

In het ruim lagen nog stengen; ze werden door de achterpoorten aan dek gehesen. Een spier van veertien palm werd overlangs doorgezaagd, en die beide helften woelde men met nog twee andere stengen om de mastbreuk. Nu kon men de steng, die tijdelijk de mast versterkt had, weer hijsen en het grootzeil voeren. Het was 'een lust om er naar te kijken! De mast leek wel een zware pijler uit de Sint-Anthonius. Nu mocht de storm weer blazen.

Men was juist aan het taliën van het want toen de boot terugkwam. De vangst overtrof alle verwachtingen. Bolle liet de vis lustig knappen in de pan;

de meningen over zijn schildpadsoep liepen uiteen, maar de meesten smulden ervan. Verdikke, men kon merken dat er die dag gewerkt was: er werden me wat bruine bonen verstouwd! De gewonde maat, die nu door Vader Langjas naar alle regelen der kunst verbonden was, deed in eetlust voor niemand onder, en Padde trachtte in een berg schelvis zijn teleurstelling over de garnalen te vergeten.

Een uur na het eten klonk tussendeks een angstig geschreeuw: 'Help! Help!!'

Alles stormde naar beneden. Padde bleek half uit een geschutpoort te hangen. Een kabel, die om een pin geslagen was, liep strak gespannen naar buiten; in het water werd er woedend aan gerukt. En Padde trok aan deze kant.

'Ik... pf! ik heb beet! Help 'ns 'n handje. Ik kan 'm alleen... pf! niet binnen krijgen!'

De maats stonden paf. 'Binnen krijgen! Als het touw niet om die pin zat, had ie jou al lang buiten gekregen!'

Twee mannen sloegen hun vuisten om het touw. 'Trekken. Hoy-hay. Hoy-hay!' Nog een paar omes staken hun armen uit de geschutpoort. Er kwam beweging in de kabel: men won. Het touw werd van de pin bevrijd en alles trok mee.

'Zou 't een zeevarken wezen?'

'Trekkèèèèè...'

Een glimmend zwarte monsterkop schemerde in het heftig opgewoelde water.

Opeens werden de trekken van de omes stroef en hard.

''n *Haai*!!!'

'Hoe krijgen we 'm binnen? Wacht! Ik zal 'm van het dek een harpoen in z'n bast gooien – dan halen we hem over de verschansing!'

'Gauw dan!' Een dozijn omes stormde naar het dek.

'Wat zou d-ie wegen? Driehonderd pond? Hou vast, mannen!'

Toen schoten de trekkende omes achteruit, rolden in een kluwen van armen en benen dooreen.

Beneden in het water plonsde het. En met een hartgrondige verwensing keken de omes naar het gebroken stuk touw dat ze in de hand hielden.

Padde zuchtte. 'Daar heb ik nou de hele dag voor zitten koekeloeren! Waar bemoei jullie je ook mee? Als je mij stiekum m'n gang had laten gaan...'

Toen moesten de omes toch weer lachen.

De arme jongen zocht troost bij de bottelier. Die was net aan het tappen; Padde stak een kaars aan en daalde in de kelder af.

'Voorzichtig-aan, m'n jongen!' waarschuwde de Schele toen Padde zijn kaars op een brandewijnvaatje plaatste. 'Je zou nog brand maken!'

'Brand?' vroeg Padde. 'Dat goedje kan toch niet branden? 't Is toch nat?'

'Nat is het wel. Maar waarom zouden ze het brandewijn noemen als 't niet branden wou?'

'Kom, Schele,' zei Padde, 'laten we nou maar naar boven gaan, anders vertel je me zo meteen nog dat de zee in brand vliegt als er een z'n pijp buiten boord uitklopt!'

De Schele begon te grinniken. Maar toen ze samen het keldergat uitkropen, ontsnapte hem een diepe zucht. 'Merakel! Gertje kon net zulke grapjes maken...'

Die avond koos de *Nieuw-Hoorn* weer zee. De koers werd recht op de evenaar gesteld.

De jongens hingen over de verschansing en tuurden naar het land, dat langzaam wegzonk. De lucht en het water waren goud van de ondergaande zon, de bergen diepblauw.

Hajo voelde zich beklemd. De kreet, die de gevallen Spanjaard had uitgestoten, trilde nog in hem na. De vorm van het eiland deed hem aan een graf denken.

Als een witte lijkkrans lag de branding eromheen.

Windstilte

Nauwelijks had Bolle de volgende morgen vroegkost geschaft, of Diede Doedes kwam vertellen dat hij aan de lij twee zeilen zag. De maats brandden zich de lippen in hun haast om hun kommetje gloeiende koffie eerst nog even leeg te slurpen voor ze naar boven holden.

De marszeilen werden bijgezet en de koers gesteld op de beide schepen. Het bleken de *Nieuw-Zeeland* en de *Enkhuizen* te zijn! Dat was een verrassing! Men groette drie maal met de vlag, en ook aan boord van de andere schepen scheen men opgetogen over het weerzien.

Bontekoe beval de jol te water te laten. De opperstuurman en hij daalden de ladder af; de maats wierpen de riemen uit en roeiden naar de *Nieuw-Zeeland*.

'Zijn jullie ook aan land geweest?' schreeuwden ze naar boven, toen 'de heren' in de kajuit waren.

'Ja! We wilden op Ilje del May water innemen. Maar de Spekken hebben geschoten! Twee van ons zijn er an gegaan. Lange Harm en IJbrants Dirksz. met de sproeten...!'

De schepen koersten gezamenlijk weer zuidwaarts. Maar op een kwade morgen vielen de zeilen slap neer. Stilletjes dobberden ze op het rimpelloze water; de hitte deed het pek in de deksplieten smelten.

De maats wisten van verveling geen raad. Overal was het even broeierig; het dek brandde onder je voeten. In de kombuis liepen de koksmaats met roodgloeiende koppen heen en weer. Je pijp smaakte niet meer. Drinken – dat was het enige wat een ogenblik verkwikking gaf.

De schipper liet allerlei spelen houden; de prijzen bestonden uit appels en peren die nog in het ruim lagen opgestapeld. Verjoppie, daarvoor wilden de mannen nog wel een paar keer het dek op en neer rennen, of turfrapen, of de kruiwagen duwen! Een ome laadde onder groot gejuich de Schele op zijn wagen...

De halve dag lagen ze in de Atlantische Oceaan te spartelen, de omes; ze sprongen van de boegspriet het water in, doken onder het schip door, plasten en ploeterden en klommen dan langs de touwladder weer omhoog. Maar vijf minuten later waren ze weer even verhit als tevoren. Ze vervelden om het hardst. De ome, die bij Ilje del Foege een teen had verloren, werd door een of ander geheimzinnig zeemonster een tweede teen afgebeten. Er werd lang over geredekaveld of het een haai of iets anders zou zijn geweest. De gebeten ome zei dat de duivel er achter stak: twee tenen achter mekaar!

Om verdere ongelukken te voorkomen, liet Bontekoe het grootzeil tussen de onderste ra van de fok en de grote mast binden. Het werd met water gevuld en leverde een ongevaarlijk zwembad. Nu was het zeil ten minste nog ergens goed voor. Natuurlijk waren er weer van die grapjassen, die, als je rustig in 't bad je pijpje lag te roken, van onderen met een speld door het zeil prikten...

De jongens werden beziggehouden. Terwijl de omes geen hand uitstaken, moesten zij poetsen, poetsen en poetsen. Schrobben en zwabberen hoorden er ook bij. Als de zon al niet zo beroerd glom, had Berentsz. ze ook die vast nog laten oppoetsen.

"k Mag lijen dat de zon niet valt,' verzuchtte Floorke.

'En waarom niet?' was het lome antwoord.

"k Leg er pal onder,' zei Floorke. De omes waren te lui om te grinniken.

Op een morgen ving Harmen aan een lijntje met spek een grote kabeljauw. Toen werden allemaal door de hengelkoorts aangetast. Overal langs de verschansing stonden omes star omlaag te turen. Voor de pechvogel die geen lijntje had weten machtig te worden bleef niets over dan langs de ijverige hengelaars te lopen en te vragen: 'Al beet gehad?'

'Nee,' was dan het grimmige antwoord.

'En jij?'

'Wat?'

'Al beetgehad?'

'Nee.'

'En jij, Smirtjes? Al beetgehad?'

'Bijna.'

'Ga eens wat dieper liggen.'

'Heb ik al gedaan.'

'Wat hoger dan.'

'Heb ik ook al gedaan.'

'Wat sta je daar de hele dag, als je toch niks vangt?'

'Jij zou ook wel een lijntje willen hebben, hè?'

'Ik? Ik zal wel oppassen!'

'Ja. Opkrassen. Doe dat maar.'

Toen de bootsman het moe werd om de hele dag achter de poetsende jongens aan te zitten, brak ook voor die arme verschoppelingen een tijd van onbeperkte vrijheid aan.

Rolf maakte er een dankbaar gebruik van door bij Vader Langjas, die goed Maleis sprak, voort te bouwen op de door Bolle gelegde fundamenten. De barbier kreeg steeds meer schik in zijn ijverige leerling; hij stond versteld over de kennis die Rolf in zo korte tijd uit de boeken over heelkunde had geput, bracht hem op de hoogte met de stand en het wezen van sterren en planeten; leerde hem een gradenboog maken. Rolf nam op als een spons, ja, bracht de deftige barbier soms lelijk in het nauw door meer te willen weten dan Vader Langjas hem vertellen kon.

'Ja, jongen,' zei die dan, 'voorlopig kan ik nog niet dieper met je op de zaak ingaan!' Maar terwijl hij de logische, eenvoudig gestelde vragen probeerde te omzeilen, voelde hij drommels goed dat de heldere ogen van zijn leerling doordrongen tot in de verste hoekjes van zijn weten. Dan zei Vader Langjas met een zalvend gezicht: 'Het gebied der wetenschap is oneindig. Rolf. Wij mensen' – de nadruk op het woordje: wij – 'zijn maar stofjes in het heelal. Wij kunnen de goddelijke wonderen der natuur aanschouwen, maar bevatten kunnen wij ze niet, Rolf.' Maar tegelijkertijd moest hij zichzelf bekennen dat hij dat weleens vergat: Vader Langjas was gewend voor een alwetend man door te gaan!

Hajo speelde viool, en het ging Harmen als Vader Langjas: zijn leerling groeide hem boven het hoofd. 'Kun je er de wind niet mee lokken, Hajo?' vroeg Rolf in het voorbijgaan. 'Je leert het al uitstekend, hoor!'

Hajo hield op met fiedelen. 'Vind je?' Een goedkeuring uit Rolfs mond was hem meer waard dan de loftuitingen van tien volwassen omes.

Padde was het ditmaal bij uitzondering met Rolf eens. Vooral als Hajo erg langzaam en met trillers speelde, knikte hij ontroerd. 'Ja-ja,' zei hij dan.

Verder verklaarde hij onomwonden dat een schip een nutteloos ding is wanneer er geen wind staat.

'Foeiiiiiit...!' Een windstoot! Heerlijk verfrissend. De omes liepen joelend heen en weer, gooiden het water uit het grootzeil, hesen het en hoopten twintig knopen in het uur te maken. Floep! weg was de wind weer.

De omes gaven de moed nog niet op! 'Wacht maar!' troostten ze elkaar. 'Dat was het begin! Straks komt er wel meer.'

Maar er kwam niet meer. Een enkele maal, na uren van volkomen windstilte, deed een enkel zuchtje het water rimpelen. Na zo'n korte verfrissing drukte de hitte nog meer dan tevoren. Het grootzeil werd weer zwembad. Oef...!

Drie dagen later kwam uit het oosten een grote, donkere wolk aandrijven. Hij wierp een zwarte schaduw voor zich uit over het water, verduisterde binnen een uur de ganse hemel. Doodse stilte.

Spanning bij de schepelingen. 'Een windhoos!' werd er gefluisterd. Ondanks het halfduister broeide er een hitte die de adem benam.

Ineens... een windstoot...! Nog een! Nog een! De zeilen rukten aan de touwen, vielen klapperend weer neer, rukten opnieuw dat de raas er van piepten, vielen luimig weer neer... – Daar kletterde een regen, zo hevig dat allen doornat waren vóór ze het wisten. De waterstralen daverden op het hout dat 't horen je verging; er waren honderd trommelaars in de weer.

De maats gierden van de pret. In bakken, zeilen en pannen werd het water opgevangen. Je had maar iets op te houden en 't was al vol. De omes trokken hun broeken uit en liepen als Adams rond, stoeiend, gillend.

'Fijn is-t-ie, hè?'

Rrrrt! Met een krachtige roffel besloot de regen. Geen druppeltje viel er meer. De zon brak weer te voorschijn. Wat even tevoren gedropen had van het water, was in enkele ogenblikken kurkdroog.

Stilte. Volslagen stilte. Brandende zonnestralen vielen loodrecht op het schip.

In de namiddag herhaalde zich de grap.

De volgende dag driemaal. Maar met dat al schoot men geen vadem op.

Eindelijk begon het weliswaar gestadig te waaien, maar de wind tolde in het rond of hij dronken was. Men was zonder ophouden in de weer met het omgooien van de zeilen.

Wonderlijk waren de nachten. Dan scheen de wereld een tot berstens toe gevulde schatkist. Het goud van de sterren droop in het water, dat zelf vloeibaar goud was; uit het schuim, dat opspatte voor de boeg, stoven miljarden edelstenen alle zijden uit. Sterren werden van links naar rechts gekegeld, lieten een gloeiend spoor na.

Hajo kon er 's avonds niet toe komen om naar bed te gaan; hij voelde zich in een betoverde wereld verplaatst. Daar ergens in het noorden, moest Holland liggen en Hoorn en de Bagijnesteeg... Was het mogelijk?

Drie, zes, acht sterren tuimelden dooreen. Wéér een! En daarginds... vier tegelijk!

Rolf en Padde stonden mijmerend naast hem.

'Hajo...' vroeg Padde, 'hoe zou de evenaar er uitzien?'

'Misschien wel een lijn van vuur... of zo iets,' dacht Hajo.

''t Is hier allemáál vuur!'

Hajo keek peinzend voor zich uit. 'Zeg, Rolf, hoe komt dat... kijk eens! wat een sterren daar vallen!... hoe komt dat... met die vallende sterren?'

'Die vallen eigenlijk niet. Die veranderen alleen maar van plaats en...'

'Dat kun je ook zeggen als je een dakpan op je kop krijgt; dat ie van plaats veranderd is!' meende Padde.

De jongens zwegen en tuurden voor zich uit.

Na een uur verbrak Padde het zwijgen. 'Dat alles moest m'n moeder nou eens kunnen zien! En m'n zusjes en broertjes!'

Hajo voelde een prop in z'n keel.

En Rolf stelde voor om toch maar te gaan slapen.

Albatrossen

Na drie eindeloze weken van onophoudelijk laveren kwam de dag dat men de linie zou passeren. De omes die de reis al vaker hadden gemaakt – dat waren verreweg de meesten – deden geheimzinnig. Om twaalf uur in de middag verwachtte men een voorname gast: Neptunus in eigen persoon zou uit zee opduiken en de *Nieuw-Hoorn* een bezoek brengen. Een half uur lang zou hij het bevel over het schip in handen nemen, onder zijn gestadig toezicht de nieuwelingen laten dopen en dan met zijn gevolg weer in het zilte nat onderduiken.

Het middendek werd versierd met de guirlandes die op oudejaarsavond al zulke goede diensten hadden verricht. Tegen de grote mast timmerde men een troon voor de machtige zeegod en plaatste er een grote kuip water voor. Waartoe die diende, mochten de 'groentjes' niet weten. Voor alle zekerheid werden ze maar zolang in het vooronder opgesloten. Harmen nam Padde voor zijn rekening. Terwijl hij hem gevankelijk wegvoerde, schilderde hij hem in sombere kleuren zijn naaste toekomst voor. Padde jammerde hemel en aarde bijeen. De anderen lieten zich lachend opsluiten, maar bij de meesten was het de vrolijkheid van de bekende boer die kiespijn heeft.

'Kom, Padde, maak niet zo'n spektakel. 't Zal wel meevallen.'

'Meevallen?! Als je drie keer gekielhaald wordt en dan nog een uur met je hoofd onder water gehouden?'

Het sloeg acht glazen. De deur van het vooronder ging open.

Buiten wachtte een dubbele rij omes, die de groentjes met papieren klappers naar de verhoging dreven waar de oude grijze Neptunus al zat, omgeven door zijn hofstoet. De schipper en de opperstuurman zaten aan zijn zijde. Neptunus droeg een waardige, met papieren vissen beplakte mantel, en in zijn hand klemde hij een vervaarlijke drietand waaraan een bokking was gespietst. Zijn dienaren hadden een mombakkes voor met spitse, lange neus en groene visse-ogen; in hun rode haren zat nog zeewier. Eéntje wachtte met een grote schaar bij de ton water, om de groentjes kaal te knippen. Hij droeg de roodbaaien onderbroek van Harmen van Kniphuyzen. De anderen stonden met volle putsen gereed om te 'dopen'.

Zonder erbarmen pakten Neptunus' dienaren de groentjes in hun nekvel, duwden ze stuk voor stuk in de ton, verfristen ze ten overvloede nog met een puts water. Toen werden ze door de roodgebaaide lakei van vorst Neptunus van hun haardos bevrijd. De vlokken stoven in het rond; pijnlijke kreten der slachtoffers deden vermoeden dat de schaar weleens uitglipte. Toen alle groentjes goed kaal waren en het water hun uit de kleren droop, verhief Neptunus zich met koninklijk gebaar van zijn zetel en sprak: 'Haal me de bottelier er eens op!'

Daar kwam de Schele al aan, nog rood van het tappen. 'Wat is er van je bevelen, Majesteit?'

'Dat je de kerels een oorlam schenkt, bottelier!'

'Leve koning Neptunus!' brulden de omes.

'De groentjes ook, Majesteit?' vroeg de Schele.

'Donder en bliksem!' sprak Zijne Majesteit, 'er *bennen* nou geen groentjes meer, Schele!'

'Tot je orders, Majesteit!' En de Schele verdween, voortgedreven door een stelletje ijverige omes.

'Zou jij de bottelier niet er eens 'n handje helpen?' vroeg koning Neptunus aan Padde, die niet ophield met jammeren over de mishandeling die hij had ondergaan.

'Helpen?! Om die beroerde kerels een oorlam te bezorgen?! 'k Zou nog liever!'

'Zeg er eens, manneke!' – het was Bontekoe, die sprak – 'Durf jij tegen koning Neptunus op te staan?!'

'Koning Neptunus! Dat donder en bliksem heeft ie dan toch zeker van de bootsman!'

'Donder en bliksem...!' stamelde Neptunus.

De omes lachten. Padde trok er grimmig tussen uit.

Daar kwam de Schele met zijn helpers terug, een paar vaatjes bier voor zich uit schoppend. Met hoeragebrul werden ze (de vaatjes!) ontvangen en geopend. En toen hieven de maats de kroezen op, dronken op de gezondheid van Neptunus, de schipper, de bootsman, op de linie, op Holland en op Java, op de *Nieuw-Hoorn,* de behouden thuiskomst, gunstige wind en verder op alles waar maar op gedronken kon worden. Neptunus bleek, na in de loop der eeuwen dagelijks zeewater te hebben moeten slikken, ook niet wars van een hartversterking: hij doopte bedachtzaam zijn grauwe snor in een kroes.

De vaatjes raakten leeg. De omes keken sip. Tot troost werd er afgekondigd dat allen in de kombuis twee appelflappen mochten halen.

Die smaakten!

En toen kwam het afscheid. Neptunus drukte de schipper de hand, gaf hem het gezag over de *Nieuw-Hoorn* weer plechtig over en liet zich in triomf uitgeleide doen naar de valreep. Hij wenste allen voor de laatste maal goede reis en dook met zijn dienaren weg in het water.

Een kwartier later kwam de bootsman Folkert Berentsz. met natte haren, juist als had ook hij een liniedoop ondergaan, het dek opstuiven. 'Donder en bliksem!' voer hij uit. 'Wat heeft die rommel daar te betekenen?! Weg ermee! Waar zitten me die apen van jongens? Vooruit! Zwabberen!!'

De wind was zuidoost. De koers werd gesteld boven de Abriolhos, een groep rotsachtige eilanden voor de kust van Brazilië. Tegen dat de Abriolhos in 't zicht kwamen, stilde de wind echter, zodat men vreesde de eilanden niet te zullen kunnen omzeilen: wanneer de wind helemaal ging liggen, zou de stroom de schepen recht naar de eilanden drijven. Als ze kwamen vast te zitten, zag het er slecht uit, want op de Abriolhos zou niets te halen zijn en er was behoefte aan vers voedsel. Te lang gepekeld vlees eten leverde gevaar op; de Oostinjevaarders hadden veel met scheurbuik te kampen.

Maar in de nacht werd de wind weer sterker en op het kantje af lukte het de eilanden te omzeilen: men streek er zo dicht langs dat men met het blote oog de rotsen in het maanlicht zag oprijzen. Het volk werd vergast op een flapkan spaanse wijn voor iedere tafel van acht man.

Nu werd de steven gericht naar een groep kleine eilandjes: Tristan da Cunha. Maar men kreeg ze niet te zien... De wind sloeg om naar het noordwesten. Toen stelde men de koers op Kaap de Goede Hoop, om daar te verversen. Het was nog wel een geducht eind, maar de wind zwol gedurig aan en zat mooi achter in 't zeil. Als dolfijnen schoten de boegen door het water; de omes waren vol goede moed.

Toen de jongens op een middag bij elkaar zaten, wees Hajo opeens met de hand naar boven. 'Kijk eens, wat een grote meeuwen!' Daar kwam, heel hoog in de lucht, uit het zuiden een aantal witte vogels aanzweven. Ze namen zienderogen in grootte toe. 'Albatrossen!' riep Rolf. 'Dan zijn we dicht bij de Kaap!' Op het voordek begonnen een paar omes te schreeuwen: 'Albatrossen! We naderen de Kaap!!' Al het volk liep tezamen, opgewonden dooreen schreeuwend.

Het waren machtige dieren. Er zweefde nu al een dozijn hoog om de *Nieuw-Hoorn,* en uit het zuiden kwamen er nog steeds. Ze schenen niet te vliegen, ze dreven op hun enorme vleugels, waaraan nauwelijks enige beweging te bespeuren viel.

Terwijl de jongens geboeid toekeken hoe majesteitelijk de albatrossen kwaman aanzeilen door de wolken, hoe snel en sierlijk zij zich lieten vallen wanneer ze in het water een prooi ontdekten, hoe ze ondanks hun grootte zonder de geringste inspanning weer opstegen van het watervlak, hun prooi vast omsloten in de sterke klauwen, was op het achterdek een ander drietal met een zonderling werkje in de weer. De manke, die op de dag van de uitvaart Gerrit de hals had willen omdraaien, sneed een stukje hout van een handbreedte lang, overtrok het met reuzel, bond het houtje aan een lange lijn en wierp die toen overboord.

'Nou maar afwachten!' zei de manke.

'Afwachten,' bevestigde zijn pokdalige kameraad.

'Of ze fijnproevers zijn! Hehehe!' grinnikte de kleine, Schieltjes Blauw.

Een paar vogels doken op het lokaas neer. De behendigste hapte toe... en was gevangen. De mannen vloekten van genoegen. Met z'n drieën trokken ze de lijn binnen. Dat viel niet mee! Het dier vloog van het water op en wilde de wolken weer in. Maar de overmacht was te groot: met uitgerekte hals, de bloedende bek wijd open, werd het omlaag getrokken. Hulpeloos tuimelde het op het dek, sloeg wild met de reusachtige vleugels.

'Kom er eens hier! Kom eens kijken!' brulde de pokdalige.

Van alle kanten kwamen de omes aanzetten. 'Wat een prachtig beest!'

Boutjens – zo heette de manke – was door de algemene belangstelling gestreeld. 'Wacht maar eens even!' Hij trok zijn mes, plaatste zich achter de vogel, die, als vermoedde hij het nieuwe gevaar, nog probeerde weg te komen. Toen liet Boutjens zich met de knieën op de beide gespreide vleugels vallen en sneed het dier met een snelle beweging de strot door. 'Had je niet gedacht,' grinnikte hij, terwijl hij weer overeind sprong en zijn bebloede handen en polsen aan zijn broek afveegde.

Groots en tragisch was het, te zien hoe het prachtige dier zich de blanke veren roodverfde in zijn worsteling met de dood. Boutjens sprong gauw opzij om een slag van de vleugel te ontlopen.

'Kun je het vlees eten?' vroeg Hajo, wie het moeite kostte, de manke niet te lijf te gaan. Boutjens keek gemelijk op. Hij spuwde op het dek en keerde de jongen zonder antwoord te geven de rug toe.

'Eten?' zei een van de omes. 'Wel nee. Het vlees smaakt sterk.'

'We vangen ze zo maar. Voor de aardigheid,' lachte de pokdalige.

'Zo,' zei Hajo. 'Maar als je het hart hebt er nog een te vangen...!'

Hajo werd bij de arm gegrepen. Het was Rolf. 'Kom, Hajo. Wees verstandig. Ik weet wat beters.' En hij trok Hajo met zich mee naar de grote kajuit.

Boutjens keek hen met donkere blik na. 'Ze gaan naar de schipper! Ik zou ze graag de nek omdraaien, maar je moet nog voorzichtig zijn dat je je vingers niet brandt!'

'Kom, Boutjens,' zei Schieltjes Blauw. 'Laten we nog er eens ingooien!'
Toen stond Padde voor hen. 'Als jullie het doet, krijg je van mij op je ziel!'
Boutjens was verbluft. 'Wat zeg je?! Rakker!'
'Ik zeg, dat, als je het hart hebt nog een van die mooie beesten te vermoorden, je dan van mij op je falie krijgt! Versta je dat, dierenbeul?' Dikke tranen schoten uit Paddes knipperende oogjes; zijn stem beefde.
'Daar staat er een te grienen om 'n beetje bloed!' hoonde Boutjens. 'Wat 'n papjochie!'
Maar meteen had hij van het papjochie een klap in z'n gezicht te pakken, die niet voor de poes was. 'Dat is er één!' riep Padde. 'En dat is er nog een!'
Vloekend en tierend kwam Boutjens op Padde af. Gelukkig voor de botteliersmaat, namen de omes hem in bescherming. Zelf wilde Padde zijn voordeel daarbij niet inzien. 'Laat me los! Hij zal op z'n ziel hebben!'
'Ja, laat hem los!' siste Boutjens. 'Hij vraagt er toch zelf om?' Maar toen de maats niet op zijn voorstel ingingen, wendde hij zich tot zijn twee getrouwen. 'We zullen er maar geen woord aan vuil maken. Hier met de reuzel! We gooien nog eens in.'
'Schei er mee uit, manke!' raadden de omes.
'En waarom?' vroeg Boutjens. 'Vorige reis heb ik er wel 'n dozijn gevangen! 't Zijn mooie beessies!'
'Laat me los!' schreeuwde Padde. 'Ik wil de schurk...!'
Daar kwam Hilke Jopkins aanstevenen. Zonder een woord te zeggen, rukte hij Boutjens het tuig uit de handen en stak het in de broekzak. 'Bevel van de schipper: er mogen geen albatrossen gevangen worden.'
'O, is ie gaan klikken!' zei de manke met verbeten woede. ''k Zal hem!'
Maar toen legde de lange Fries een van zijn handjes op Boutjens' schouder. 'In gemoede,' zei hij terwijl de manke onder zijn greep ineenkromp, 'je blijft van hem af!' Met een verwensing verdween Boutjens in het vooronder.
De volgende morgen vond hij een grote klomp zout in zijn koffie. Met een kreet van afschuw spuwde hij het zwarte vocht weer uit.
Harmen van Kniphuyzen had medelijden met hem. ''n Ongelukje,' zei hij. 'Kom maar eens hier, dan zal ik je nieuwe inschenken. 'k Heb hier nog een keteltje vol staan, eigenlijk voor de schipper!' En welwillend glimlachend goot hij Boutjens' kom weer vol. Maar de duvel speelde er mee: de tweede kop was zo mogelijk nog zouter dan de eerste.
Die middag kwam de Kaap in 't zicht. Maar de vreugde hierover was niet zo groot als hij had kunnen zijn. Want de wind woei zo stijf uit het westen, dat men onmogelijk voor anker kon gaan. De zee werd steeds woeliger; de schepen dansten geducht.
Er werd scheepsraad gehouden op de *Nieuw-Zeeland*. Na lang wikken en wegen besloot men door te zeilen. Al het volk was nog gezond; er heerste voorlopig ook nog geen watergebrek. De twaalfde mei – viereenhalve maand na het vertrek uit Holland – omzeilde men de Kaap, boog daarna om naar het noordoosten. Tot Terre de Natal toe hield men het land in 't zicht. Het was mooi weer; men onderscheidde duidelijk de rotsplateaus en de kegels van het

Drakengebergte, waarvan de hoogste toppen tot in de wolken reikten.

De *Enkhuizen* was bestemd om naar de kust van Coromandel te gaan. Daarom leek het de schipper het best, het kanaal van Mozambique te doorzeilen, om dan te verversen op de Comorische eilanden, westelijk van Madagascars noordpunt. Bontekoe en Pieter Thijsz. van de *Nieuw-Zeeland* namen afscheid van de gezagvoerder van de *Enkhuizen*; de heren dronken een glas wijn op de behouden aankomst van alle drie schepen. Een uur later zond de *Enkhuizen* drie saluutschoten over het water, die prompt beantwoord werden, en week van de twee Oostinjevaarders af. De zeilen werden kleiner en blanker. Toen viel de schemering in en onttrok ze aan het oog.

Dromerig keek Hajo het lichtgrijze schimmetje na. Naar de kust van Coromandel... was dat nog weer iets anders dan Oostinje? Het scheen even ver en geheimzinnig. Hoe groot moest de wereld zijn! In Hajo kwam een stille bewondering voor de schipper die midden in onbekende zeeën zijn collega's vaarwel zei en in vertrouwen op God en op zijn kompas met z'n paar honderd janmaats naar het verre vreemde land voer, waar wellicht geen blank gezicht hem zou verwelkomen. 'Goeie reis...!' zei Hajo zacht.

Bontekoe en Pieter Thijsz. stelden hun koers zuidelijk om Madagascar.

Op een middag hing de vlag van de *Nieuw-Zeeland* halfstok.

''n Dooie,' zeiden de maats van de *Nieuw-Hoorn* tot elkaar terwijl ze er over de verschansing naar stonden te kijken. Tegen de avond hoopte zich op het middendek van de *Nieuw-Zeeland* wat volk bij mekaar. Er werd een psalm gezongen. Plechtig klonk het geluid van die vele diepe mannenstemmen over het water. Toen werd een plank met een overdekt lichaam erop over de verschansing geschoven. Het lichaam gleed in het water, zonk weg in de diepte. Twee kanonschoten– en de vlag ging weer omhoog.

Maar twee dagen later... hing hij opnieuw halfstok! Toen begrepen de mannen van de *Nieuw-Hoorn* dat men aan boord van de *Nieuw-Zeeland* kampte met een meedogenloze vijand: de scheurbuik!

De dag daarop bracht Pieter Thijsz. een bezoek bij Bontekoe. De Bruinvis was geërgerd en prikkelbaar door de slechte toestand op zijn schip en werd zeer heftig toen hem bleek dat Bontekoe zijn koers twee streken noordelijker dacht te stellen dan hem, Pieter Thijsz., goed scheen. Rood van drift stevende hij de kajuit uit, baande zich hardhandig een weg door een groepje verblufte maats, die al 'n tijdje naar zijn gebulder hadden staan luisteren. 'Vaar waarheen je wilt!' schreeuwde hij. 'Voor mijn part naar de hel!'

Bontekoe bleef kalm, zoals zijn mannen dat van hem gewend waren. 'Ieder zijn overtuiging, makker! Ik wens je goede reis.'

'Het zal me verwonderen hoelang ik op de rede van Bantam moet wachten voor de *Nieuw-Hoorn* binnenzeilt!' donderde de Bruinvis.

'Ik zal je, dadelijk bij je aankomst met de jol een vaatje Tokayer laten brengen!' zei Bontekoe vriendelijk terug.

De omes stootten mekaar aan. 'Die zit!'

De Bruinvis gromde nog wat onverstaanbaars.

De mannen in de jol beneden sprongen nog sneller overeind dan anders. Ze stootten af en roeiden als was hun leven er mee gemoeid. Maar de Bruinvis ging het nog niet vlug genoeg; hij greep een van de riemen, duwde de maat die er aan zat opzij en roeide, dat de jol er scheef van trok.

De omes van de *Nieuw-Hoorn* grinnikten. 'Wat een rare!'

Bontekoe kon evenmin een glimlach onderdrukken. 'Tóch een kranig schipper, mannen!'

De omes waren vereerd door Bontekoes vertrouwelijkheid. En Floorke, die vond dat hij bij Bontekoe wel een potje breken kon, zei terwijl hij zich achter zijn oor in de rode haarstoppels krabde: 'Maar je moet geen ruzie met 'm krijgen, schipper: juffer Driestreng ligt altijd klaar! Nee... ik heb *jou* liever, hoor!' En toen hij vermoedde dat hij nu wellicht wat te vrijpostig was geweest, keerde hij zich naar zijn makkers: 'Wat jullie, jongens?'

De omes keken lachend naar het gezicht van Bontekoe.

'Nou?' vroeg Floorke. 'Nou?!'

'Leve Bontekoe! Leve de schipper!' brulde de hele troep.

De mannen in de jol hielden van verbazing de riemen stil. 'Wat moet dat?' donderde de Bruinvis, en verschrikt trokken ze weer aan, zwijgend glurend naar de *Nieuw-Hoorn*.

In Bontekoes ogen tintelde iets. Een glimlach om zijn mond verraadde dat de onverwachte hulde hem niet onaangenaam had getroffen. 'Vooruit!' zei hij. 'Haal de bottelier dan maar op! Want daarom is het jullie toch maar te doen.'

Nieuw gebrul. Van het voordek kwamen ook maats aanhollen. Ze roken dat er wat aan 't handje was. Floorke was de man! Verdraaid, die wist overál een oorlam uit te slaan!

Maar na het eten maakte de vreugde plaats voor een algemene gedruktheid. Uit gewoonte ging het volk ook die avond weer op het dek, onder de lichtende sterrenhemel, gezelsen, maar het gesprek vlotte niet.

Er waren die middag drie man ziek geworden.

De gevreesde vijand

In enkele dagen tijds steeg het aantal zieken tot vijftien. Het was daar in het vooronder een gekreun en gekerm, dat niemand er 's nachts van slapen kon. En elke dag kwamen er zieken bij. Vader Langjas greep zich met de handen in het haar, verzon allerlei drankjes die verlichting zouden kunnen schenken. Soms hielp het ook wel wat, vooral dank zij de troostrijke voorspiegelingen waarmee het uitreiken gepaard ging. Maar van werkelijke genezing kon natuurlijk geen sprake zijn zolang de oorzaak van de ziekte niet was weggenomen: gebrek aan vers voedsel.

Lijsken Cocs was er het ergst aan toe. Zijn lichtblauwe, nu flets geworden ogen lagen diep, heel diep in de kassen; zijn spits neusje werd met de dag spitser en het zweet parelde in zijn stroblonde haren. "k Ga d'r an,' zuchtte hij. 'Eerst m'n vader, toen Joppie... wij kunnen in onze familie niet tegen de scheurbuik, weet je?' Lijsken zweeg, verraadde door een smartelijk vertrekken van de mond dat hij pijn leed.

'Heb je pijn?' vroeg Harmen, die bij Lijskens kooi zat.

Lijsken schudde ontkennend het hoofd. En met schorre stem zei hij: "t Zou beroerd voor m'n moeder zijn als ik d'r an ging. Ik had 'r van deze reis 'n mooie cent kunnen thuis brengen...'

De volgende dag hing de vlag halfstok. Lijskens tengere jongenslichaam werd in een zak genaaid en onder het zingen van een psalm, plechtig aan de golven toevertrouwd. De kanonnen wensten de kleine blonde koksmaat goede reis naar het oord waar hij geen pijn meer voelen zou.

Bontekoe betaalde aan Harmen van Kniphuyzen de volle gage van zijn over- leden vriend uit. Harmen kende Lijskens moeder en zou het haar geven. Grie- nend borg Harmen het geld in een zakje.

De gedruktheid nam met de dag toe. Er waren nu al achtentwintig zieken en dubbel zoveel anderen klaagden over moeheid in de benen. Velen liepen rond met blauwe kringen onder de ogen, vale gezichten en kleurloze lippen. Toen er op een dag vijf tegelijk in hun kooi moesten blijven, durfde Bontekoe niet verder zeilen. Tot grote vreugde der zieken in het vooronder werd de steven gewend naar Madagascar, waar men hoopte te kunnen verversen. Diede Doedesz., die zich ook al lam voelde, klom niettemin om het uur in het kraaien- nest om met zijn beproefde ogen naar land uit te zien. De vierde morgen na het wenden van de steven rezen achter de horizon bergen op.

'Land! Land voor de boeg!!' Grote opgewondenheid. De zorgen woeien zo maar de poorten uit.

In de namiddag naderde men het land. Het zag er aanlokkelijk uit. De bergen waren met bossen begroeid en het geheel maakte de indruk van vruchtbaar te zijn. Maar hoe te landen? Zo ver het oog reikte, was nergens een baai of inham, geschikt om de *Nieuw-Hoorn* te bergen. Men waagde het er op, de boot uit te zetten. Terwijl de *Nieuw-Hoorn* voor de kust op en neer zeilde, voer de schipper met dertig gezonde maats en evenveel geladen musketten weg.

Maar toen men met de boot wilde landen, bleek de branding te sterk te zijn. Terwijl men nog beraadslaagde wat nu te doen, kwamen op het strand naakte, donkere mannen aanlopen, die in luide kreten hun verrassing uitten en toen staan bleven, de hand boven de wenkbrauwen om beter te kunnen zien.

Floorke bood aan, naar land te zwemmen. Hij knoopte z'n broek stevig vast, snoof zo er eens en sprong het water in. Als een haai schoot hij door de golven. Tweemaal dreef de branding hem terug; de derde maal wist Floorke er zich doorheen te worstelen. Zijn broek boette hij er bij in; even naakt als de negers waadde hij aan land. 'Heila! riep Floorke hijgend de verbaasde inboorlingen toe, die tussen zich en dit witte roodharige monster een behoorlijke afstand schenen te willen bewaren. 'Toenggoe er eens even! Zou je bij geval kunnen zeggen, waar de kapal voor anker kan gaan? Jullie verstaan toch Maleis?'

De monden sperden zich wijd open. Mooi gebouwde kerels waren het: groot, zwart als houtskool, wollig haar en rijkelijk getatoeëerd. Een kwam er met elastische passen of Floorke af, legde hem zijn zware hand op de schouder en wees naar het zuiden. Hij zei iets waar Floorke geen spier van verstond, wees op de *Nieuw-Hoorn* en toen weer naar het zuiden.

''k Heb je al in de gaten, kameraad!' zei Floorke verheugd. 'In 't zuiden landen, hé? Hebben jullie ook wat te bikken? Makan?' En hij maakte een beweging van kauwen. Het resultaat was dat de mannen begonnen te lachen.

'Lach als je gekielhaald wordt!' gromde Floorke. Hij liep het water weer in, stortte zich in de branding.

'En?' vroegen z'n makkers, terwijl ze hem in de boot hesen.

'Verder naar het zuiden... pf! kunnen we landen... pf! En m'n broek... pff! ben ik kwijt.'

'Kon je de mensen verstaan, Floorke?'

'Best, schipper. Ik heb nooit moeite met die vreemde talen.'

'En hoe zagen ze eruit?'

'Zwart als 'n laars, schipper, en besneje als de ebbenhouten kast van m'n moei!' Floorkes ogen richtten zich groot, met sprakeloze verontwaardiging naar het strand. 'Wel sakkerloot! Daar loopt er een met *mijn* broek aan!' En Floorke wilde pardoes weer overboord springen.

Maar de maats hielden hem tegen. En Bontekoe zei lachend: Je krijgt van de Compagnie een nieuwe broek, Floorke.'

'Zo'n beste broek!' zuchtte Floorke.

Naar het zuiden! Men voer dicht onder de kust, nog weer een hele dag lang, zonder een baai te ontdekken. De stemming in het vooronder zakte weer geducht. De omes verloren het vertrouwen in Floorkes talenkennis; Floorke zelf schold op de 'nikkers', die hem van zijn broek en zijn eer beroofd hadden. Het aantal zieken klom tot boven de veertig.

Padde kreeg het druk met het verplegen van de Schele, die zich ook niet voelde zoals het wezen moest. De drie vrienden zelf waren nog gezond.

De morgen daarop was het land uit het zicht verdwenen. Men zeilde zuid-waarts tot op negenentwintig graden, maar toen zich nog steeds geen land, laat staan Floorkes ankerplaats vertoonde, wendde men de steven weer en voer in noordoostelijke richting tot op zeventien graden. Van daaruit werd de koers besteld op de zeestraat tussen Mauritius en Réunion, in de hoop een van die geide eilanden aan te kunnen doen.

In die dagen had men de tweede dode: Boutjens. De maats hadden zich tijdens zijn ziekte weinig om hem bekommerd; het was Hajo geweest die 's nachts, wanneer hij Boutjens hoorde kreunen, was opgestaan om een kroes water voor hem te halen. Aanvankelijk keerde Boutjens zich balorig af wanneer Hajo naderde, maar de avond vóór zijn dood tastte hij met zijn vermagerde vingers naar Hajo's handen en vroeg met zwakke stem: 'Waarom... waarom doe je dat?'

'Omdat je hier niet één vriend hebt die je verpleegt,' zei Hajo. 'O. Ik dacht dat je me alleen maar beschaamd wou maken.' En Boutjens begon te huilen. ''k Heb zo'n pijn, al dagenlang, en ze laten me maar schreeuwen. Vanmorgen is de barbier bij me geweest en heeft me over God en over de hemel gesproken – dus weet ik dat 't met me gedaan is. Onder in m'n kist... ik bedoel natuurlijk m'n scheepskist...' Boutjens stokte even. 'Onder in m'n scheepskist ligt een plank. Die kun je optillen; daar is niemand op verdacht, zie je? Nou, onder die plank liggen dertien zilveren guldens. Die zijn voor jou; niemand anders mag er met z'n vingers aankomen. Pas vooral op dat Schieltjes Blauw het niet in de gaten krijgt.'

Boutjens kreunde en zweeg enige tijd, hijgend van afmatting. Langzaamaan werd zijn adem weer rustiger; hij sloot de ogen.

Ten men hem de volgende morgen overboord liet glijden, zag men onder water de witte buik van een grote haai schemeren. Een kreet van afschuw steeg op uit de groep mannen, die juist hun psalm beëindigd hadden.

Toen de volgende dag Zwarte Gijs, de smid, op dezelfde droevige wijze van zijn talrijke kameraden afscheid nam, schoten drie haaien toe.

Zwarte Gijs liet in Enkhuizen een vrouw en twee dochtertjes na. In overleg met de schipper besloot Hajo het geld, dat hij van Boutjens had geërfd, voor de weduwe terzijde te leggen.

Ook de volgende dag vroeg zijn offer. Ditmaal deed men alles in stilte, om de zieken in het vooronder niet onnodig te herinneren aan wat hun misschien allen te wachten stond. Na twee dagen kreeg men het oosteinde van Réunion in het zicht, liet het schip dicht langs de wal lopen en gooide het peillood uit. Pas op veertig vadem diepte raakte het grond. Niettemin besloot Bontekoe het anker te laten vallen. Met bonzend hart vernamen de zieken in het vooronder het klapperen van de ankerspillen en daarna de zware plons in het water. Eindelijk!! Ze kwamen uit hun kooien het dek op kruipen en smeekten de schipper aan land te worden gezet.

Bontekoe keek weifelend naar de arme kerels. Op deze steile kust kon de *Nieuw-Hoorn* licht afdrijven en dan zou men van de helft van het volk gescheiden zijn. 'Moed, mannen!' zei hij daarom. 'We zullen de boot eerst eens naar de wal sturen, om te zien of er wat te halen valt!'

Terwijl de gezonde maats met het uitzetten van de jol bezig waren, besprak hij in de kajuit met de koopman het verzoek van de zieken. Rol verzette zich met hand en tand tegen het aan land brengen van de zieken op een plaats waar geen ankergrond was.

Een kwartier later voer Bontekoe met twintig maats aan wal. Ze trokken de boot een eindje het strand op, om te voorkomen dat de opkomende vloed hem zou meesleuren, en begonnen hun onderzoekingstocht. Zelfs de hooggespannen verwachtingen van Floorke, die al van verre allerlei heerlijkheden meende te ontdekken, werden nog overtroffen. In de schaduw van een groep bomen lagen grote schildpadden. Het bos achter de boomgroep weergalmde van vogelgeluiden. Tussen de stammen doorglurend, zagen ze parkieten lustig om twijgjes duikelen. Hoenders vlogen voor de voeten der omes op of scharrelden tussen wilde ananasplanten kakelend in het struikgewas weg. Blauwgrijze houtduiven drukten in een zacht: roekoe...! verwondering uit over de onbekende tweevoeters daar beneden. Het kostte de maats weinig moeite de argeloze dieren buit te maken. Met ananassen, schildpadden en duiven voor de kombuis keerde de jol naar het schip terug.

De zieken lagen op het dek te wachten. Toen ze zagen wat hun makkers van het land meebrachten, smeekten ze Bontekoe opnieuw, hen toch aan wal te willen zetten. Bontekoe beraadslaagde met de koopman.

Rol schudde het hoofd. 'Als vertegenwoordiger van de heren bewindhebbers moet ik me ten stelligste verzetten tegen een waaghalzerij waarbij het slagen van de hele reis op het spel wordt gezet!'

Bontekoe luisterde met nauw verholen drift. 'Als vader van mijn maats kan ik er niet toe komen de arme kerels voor de haaien te gooien!' zei hij toen. 'En als de heren bewindhebbers zich dat niet kunnen voorstellen, moeten ze zelf maar eens als schipper een reisje naar de Oost maken!'

Rol boog het hoofd. 'Ik wens vast te stellen dat *ik* me verzet heb.'

'Wil je 't op schrift hebben?' vroeg Bontekoe schamper. En hij ging naar de zieke omes. 'Jongens, help mekaar maar in de jol.'

'Leve de schipper! Hoera!! Leve de ouwe!!'

Of ze gauw in de boot waren! Bontekoe liet hun een zeil meegeven om daarvan een tent op te slaan, verder olie, azijn, potten om in te koken, wapens en gerei. Hij stapte zelf in de jol om hen weg te brengen.

Ze wisten van blijdschap geen raad. De tranen stonden hun in de ogen toen ze in het zachte gras bijeenkropen. 'We voelen ons al weer half gezond, schippertje!'

De andere maats begonnen een nieuwe onderzoekingstocht. Men ving een tweehonderd houtduiven, reeg de vette dieren aan lange stokken en braadde ze voor zieken en gezonden. Een feestelijke aanblik: al die knappende vuurtjes in de schemering. Voorlopig, zolang men niet wist wat dit eiland herbergde, werd voor alle zekerheid een wacht uitgezet.

Aan boord zat men ook niet stil. Enkele schildpadden, door de maats meegebracht van hun eerste landing, werden gekookt met gedroogde pruimen die nog in het ruim lagen. Dat smaakte! De omes aten tot ze niet meer konden, rookten hun pijpje, keken naar de sterren en vonden het leven nog zo kwaad niet.

Drie uren na zonsondregang keerde de schipper met zijn gezonde mannen terug. Bontekoe beval de boot niet binnen te halen: hij wilde er diezelfde nacht een eind de kust mee afvaren om voor het schip een ankerplaats te zoeken.

Rolf klampte zijn oom aan. 'Mogen we mee, oom? Hajo en ik?'

'Deden jullie niet beter, naar kooi te gaan?'

'Wij slapen toch niet, oom, zolang de *Nieuw-Hoorn* nog geen kooi heeft!'

'Nou, vooruit dan maar!' zei Bontekoe.

'Dank u wel, oom.'

Bontekoe liet een welwillende blik over zijn neef gaan. 'Wat heb je gedurende de reis zoal uitgevoerd? Geluierd?'

'Ja, oom!'

'Dacht ik al. De barbier zal wel opgesneden hebben. Hoeveel woorden Maleis ken je?'

'Tjoemah sedikit sadjah, toewan. Tetapi saben hari saja adjar.'

'Mm. – Wijs me op deze sterrenkaart de Tweelingen eens aan?'

'Dat is Castor, oom, en dat is Pollux.'

'Wijs ze me nou eens aan de hemel?'

'Kan ik niet, oom.'

'En waarom niet, domoor?'

'Omdat we hier alleen de zuidelijke sterrenhemel zien, oom.'

'Goed. Waarom noemen ze ze de Tweelingen? Weet je dat ook?'

'Nee, oom. U wel?'

'Nee, aap van een jongen, ik ook niet.'

Rolf trok een zedig gezicht. 'Kan ik gaan, oom?'

'Ja, kras maar op!'

Hajo sprong drie el in de lucht toen Rolf hem vertelde dat hij mee mocht. 'En de schipper gaat ook mee, zeg je?!'

'Ja.'

'O, Rolf! Rolf!!' Hajo maakte een rondedans waarop een Zoeloe jaloers zou worden.

Een nachtelijke roeitocht

Slechts het regelmatig plassen der riemen en het ruisen van de branding, die
nauwelijks een branding was, vulden de nachtstilte. Geen veegje wind; van
zeilen kon geen sprake zijn. De kust werd moerassig; slechts hier en daar blonk
tussen laag gewas en rottende plantenslingers een stuk zand. Zonder klotsen
schoof het deinende water tegen het land op. Even geruisloos zonk het weer
terug.

Een enkele maal school de maan achter een wolk. Dan schenen de stelt-
bomen daar op de oever donkere rotsmassa's die dreigend overhelden, en de
grillig gevormde luchtwortels, voortkronkelend tot aan de boord van het
water, werden venijnige slangen, die elk wezen dreigden te zullen omstrikken
en wurgen dat zich in hun bereik waagde.

De monding van een klein riviertje. Vergeefs trachtten de maats het op te
roeien: een wirwar van waterplanten spande zich voor de boeg en schoof de
boot weer achteruit. Aan de oevers machtige, vreemdsoortige bomen; de takken omstrengelden elkaar over het water heen. Zo dicht was het loof, dat men
er de hemel niet door kon zien; de rivier scheen als uit een donkere bergkloof
te stromen. Hier en daar dwarrelde een zwerm vuurvliegjes; de maats meenden
in de bomen een paar lichtende ogen te zien. Een luipaard? Bontekoe liet er op
goed geluk een schot op lossen. De uitwerking ervan was verbijsterend: het
klonk als duizend musketschoten; het bos weergalmde van doordringend gekrijs, vleugelgeklapper, brekende takken... en naast de boot dook een gekartelde staart uit het water op, glinsterend in het maanlicht, en sloeg zwiepend
weer neer, dat het water alle zijden uit spatte.

'Een kaaiman,' zei de schipper en leunde over de bootrand.

De maats kletsnat. 'Verduiveld, ik dacht...!' – 'Ja, dat dacht ik ook!' De humor zegevierde alweer: "k Had 'm best bij z'n staart kunnen pakken!' roept de lolligste.

'Nou, en dan?'

'In 't hondehok leggen tegen de landlopers!'

'Komaan, mannen, weer verder!' maant de schipper.

Zwijgend roeien de maats weer door. Verduiveld, 't is broeierig! Het zweet stroomt tappelings van borst en schouders. Een-twee, een-twee...! plassen de riemen. Een grote vogel glijdt als een schim over het water.

Allengs komen de ruwe varensgezellen onder de indruk van de geheimzinnige stemming van de tropennacht. Ze zingen niet, ze praten niet, ze luisteren beklemd naar de heethijgende adem der stilte.

'Ssst!' fluistert Hilke Jopkins, die voorin zit. 'Hou eens even in!' En als de maats de riemen laten zinken, wijst hij op iets donkers dat in het water drijft.

"n Boomstam,' menen de maats.

"k Zal 'm eens kittelen, die boomstam!' zegt Hilke. 'Dan zul je een boomstam eens benen zien maken. Haal de boot eens een slag om? Maar kalm aan! Mag 't, schipper?'

Bontekoe knikt; de maats halen de boot om en sturen geruisloos naar de 'stam'. Hilke gaat op de plecht staan, heft in zijn lange armen een riem op en...! Gekraak, hoog opspattend water, in het rond vliegende stukken hout. Hilke klemt in zijn knuisten het laatste eindje van een versplinterde roeispaan. De stam drijft nog – is een heuse stam.

'Verdorie...!' stamelt Hilke. 'Ik dacht, dat 't een krokodil was!'

'Had 't hem dan eerst even gevraagd!' honen de maats. En Floorke meent: 'Misschien is het een slapende krokodil! Die beestjes hebben een huid...! Je kunt er vijf zagen op verknoeien voor ze wat voelen! Waar, schipper?'

Bontekoe glimlacht. 'Verder, mannen!'

De omes hebben schik en roeien nu alsof het een wedstrijd gold.

'Een oorlam voor jullie allemaal, als je dat drie uur volhoudt!' lacht Bontekoe.

'Makkelijk te verdienen, schipper! – Kijk, Hilke, daar drijft weer wat! Zou je niet...?'

Hilke moppert wat. Zwijgend trekt men de riemen door het water.

Ineens aarzelen de maats. In de verte gromt het. Dan is het weer stil.

'Wat was dat?'

Opnieuw rommelt het. Een windvlaag koelt de bezwete ruggen zo snel af, dat de omes onwillekeurig huiveren. 'Onweer!'

Niemand heeft gemerkt dat de hemel aan één zijde als met roet overtrokken is. Daar schuift juist een dikke wolk voor de maan.

'Wat zullen we doen, schipper?'

'Aan je oorlam denken!'

Pats! zeggen de riemen alweer. Een paar vogels fladderden met veel misbaar uit de waterplanten aan de oever op. Het wordt steeds donkerder. Korte windvlagen doen de bladeren van de bomen geheimzinnig ruisen. 'Hoe-hoe...!' zucht de ene windvlaag. 'Hi-hai!' spot de andere. Geesten dwalen door de lucht. Daar, onder de wortelnetten, hokken ze; ze fluisteren met elkaar als de jol voorbijglijdt. Duister wordt het, angstwekkend duister.

Flits!

Hemel en aarde vliegen in brand. De zwarte wolken zijn nu oogverblindend goud, de stammen van de bomen glanzend smaragd. In hetzelfde ogenblik ratelt een slag die de boot doet trillen; het water schijnt zich te splijten; de maats grijpen zich aan de banken vast en zien elkaar in de wijdgeopende ogen. Dan slaat als een vonnis een regen neer die een zondvloed is. In lange, dikke pijpen schiet het water omlaag; de donder wordt er in gesmoord.

De maats schreeuwen dooreen; niemand die een ander verstaat. Hoeft ook niet. Allen weten dat in korte tijd de boot zal zijn volgeregend. 'Naar de wal!' is de gedachte, die hen beheerst. Ze roeien als dollemannen; dan, als wortels en planten het roeien onmogelijk maken, duwen ze met de riemen heftig af in de ondiepe grond. Ze springen aan wal, trekken de jol half op het land. Daar schuilen ze, nog wat beteuterd, onder het bladerdak van een reusachtige boom. En ze staan er nog geen vijf tellen onder, of het water heeft zich al een doortocht gebaand, stroomt in goten en gootjes langs de machtige stam omlaag, vormt watervalletjes van blad op blad en stroomversnellingen langs de schuine, harige takken. Wat zou het voor een boom zijn! De bladeren zijn taai als leer en dik genoeg om er schoenzolen van te snijden.

De maats krijgen schik in dat dreunen, daveren, trommelen, spetten; de kitteling van de dikke vallende druppels brengt hen in een roes. Ze trekken de kleren uit, laten het heerlijk verfrissende water over de blote huid gutsen en maken van louter plezier malle sprongen en rondedansen. De regen schenkt levenskracht aan bomen en planten; waarom dan niet aan een Hollandse janmaat?

Rrrrèng!!! Verblindend licht, een slag, bestemd om de aarde te splijten. De grond siddert onder de strieming; door het regengeweld mengt zich het kraken van scheurend hout. Takken worden links en rechts weggeslingerd en uit een zware loofboom, twintig passen van de boom waaronder de schipper met de bootsman staat, ontvouwt zich... is de duivel in het spel?... een zwarte sluiergedaante. Eén gedaante? Het zijn duizend, tienduizend dooreenkrioelende gedaanten die zich, tuimelend en schreeuwend, van elkaar losmaken en dan alle richtingen uitfladderen. Ze hebben de vorm van vleermuizen, maar hun vlerken zijn bijna zo lang als Hilkes armen. 'Kalongs!' schreeuwen de maats die in Indië zijn geweest hun makkers toe. 'Vliegende honden!'

De boom, die nu blijkt geheel kaalgevreten te zijn, is van top tot stam gespleten. De witte scheur lekt als een bleke vlam de inktzwarte hemel in. Grote stukken bast liggen overal in het rond. En op de grond wemelt een zwarte hoop krijsende dieren dooreen, die vergeefs proberen op te vliegen; wanneer er zich een uit de hoop wil losmaken, grijpen tien andere hem met de tanden beet. Floorke pakt er een achter de kop, houdt hem zegevierend omhoog. Woedend spert het beest de bek open, klapt met de vlerken, waaraan scherpe nagels zitten.

Het rommelt nu nog slechts in de verte. In het westen tekenen zich tegen de donkere lucht grillig gekartelde bliksemflitsen af, gloeien een ogenblik na als vuurpijlen, verbleken dan.

Plotseling houdt de regen op. Geen druppel meer; alleen onder de bomen spettert het nog. De maats kennen dat spelletje der tropen nu langzamerhand. Aandachtig bekijken ze Floorkes buit. 'Laat eens vliegen, Floorke?'

Floorke gooit het dier de lucht in. Onzeker fladdert het weg, dreigt over bakboord te zullen slaan: waarschijnlijk is het aan een van de vlerken gewond. Het tuimelt in het water, krijst, slaat hulpeloos met de vlerken. Een donkere gedaante schiet toe, spert een afschuwelijke muil open en sleurt de kalong de diepte in. 'Een verschrikkelijk land!' verzuchten de maats.

De dieren onder de boom zijn voor het merendeel dood of half verschroeid. Hajo vindt er een die met uitgestrekte vlerken op de rug ligt; het heeft op de borst een jong zitten, dat zo stevig zijn nageltjes in moeders vacht gegraven heeft dat het Hajo niet lukt, het beestje los te maken. Hij roept Rolf bij het zonderlinge geval.

'Dat doen onze gewone vleermuizen ook, Hajo! Ze dragen hun jongen met zich mee.'

Hajo krabt zich achter de oren. 'Nu begrijp ik eindelijk, waarom ik nooit...!'

'Heb je soms naar de eieren gezocht?'

'Jawel!' zegt Hajo. 'En gevonden ook. Maar toen ik ze door een kip liet uitbroeden, kwamen er jonge eenden van!'

Rolf lachte en Hajo ook. – 'We moeten verder, mannen!' klinkt Bontekoes stem.

De boot wordt gekeerd en weer in zee geduwd. Verfrist en uitgerust springen de maats er in, stoten van de wal en heffen de riemen op. Hoe harder men roeit, hoe vlugger de kletsnatte pakken zullen drogen! De hemel wordt weer lichter; hier en daar gluurt een ster tussen de wolken door.

De zandstrook langs de kust wordt allengs breder. – In het oosten kondigt een nieuwe dag zich aan. Oranje, karmijn, violet, alle kleuren druipen dooreen. Ineens barst het zonnegoud te voorschijn; de stralenbundels schieten alle kanten uit, kaatsen verblindend tegen de wolken. Het gerucht van de ontwaakte vogelwereld op het land zwelt aan tot een oorverdovend geschetter. Grijze, blauwe, rode, zwarte, groene vogels fladderen om en in de boomtoppen.

Het zal niet zo drukkend heet worden als de vorige dagen: het onweer heeft de lucht gezuiverd.

> 'Slaet den Speck op sienen neck!
> Slaet op den trom! Riekeldebom!'

zingen de mannen.

De feestelijke morgen drupt als balsem in hun ziel en doet alle leed vergeten.

En ineens, na een begroeide bocht te zijn omgeroeid een prachtige zandbaai! Een baai zo goddelijk mooi dat het hart der omes licht als een veertje wordt. Hier zal de schuit veilig liggen!

'Wat zeggen jullie van die baai, jongens?'

'Om in je zak mee naar huis te nemen, schipper!'

De maats roeiden naar de oever, slepen de jol het strand op en trekken er op uit, in vreugdevolle afwachting van de duizend-en-een wonderen die ze te zien zullen krijgen.

De eerste vondst is een groot binnenwater. Het is geheel doorschijnend; de zon doet de heldere bodem blinken.

'Wedden dat 't zoet water is?' vraagt Floorke. Hij bukt zich, drinkt en spuwt alles weer uit.

'Zeker brak, hè?' informeren de anderen.

'Hoe kom je erbij? 't Water smaakt fijn. Proef zelf maar eens.'

'Nee, als het zo lekker is, willen we het jou niet afhalen,' zeggen de omes.

Wat verderop beginnen er een paar te schreeuwen. 'Gommenikkie, wat een boel vis!'

Allen hollen erheen. 'Waar zijn ze nou?'

'Weg natuurlijk!' is het spijtige antwoord. 'Als jullie ook zo stampen...!'

'Hoe zagen ze eruit, Govert?' vraagt de schipper.

'Bruin, schipper! Met lange streepjes. En van onderen wit, waar, Rooie?'

'Ze bennen wel een el lang!' verzekert Rooie.

'Daar gaat er weer een!' Met snelle, sierlijke wendingen schiet een vis voorbij die vrij juist aan Goverts en Rooies gezamenlijke omschrijving beantwoordt. De rug heeft een mooie staalglans en nu het dier zich even omwerpt, flitst een zilveren buik op. Floorke stapt voorzichtig het water in, gaat voetje voor voetje op een vis toe die iets verderop in het water staat, roerloos als een snoek... Floep! Weg.

'Je hadt hem zout op z'n staart moeten leggen!'

'Praat me niet van zout!' gromt Floorke, terwijl hij nog eens spuwt. 'Wat was het voor een vis, schipper?'

'Het leek me een *harder* toe,' zegt Bontekoe. Straks, als de *Nieuw-Hoorn* geborgen is, zullen we eens een net door het water halen!'

Men loopt het binnenwater om. Het is wel een kwartier gaans.

'Heila!' Kijk daar eens!' Verbluft staan de mannen stil. Uit de bosjes aan de overkant komt deftig, met afgemeten schreden, een roze-rode vogel stappen. Hij staat bijna een el hoog op de poten, torst op een lange dunne hoekig gebogen hals een zware, kromme snavel. Nog twee komen te voorschijn, dan wel een dozijn, half fladderend, met grote luchtige passen. Alle vogels blijven onverwachts staan, wenden de koppen in de richting van de schepelingen en stoten in een schorre kreet verwondering uit. Waarop de zonderlinge roze steltgangers bij tientallen tegelijk de bosjes uitkomen en al even verbaasd zijn. Maar lang duurt dat bij de meeste niet. Ze plukken zich ijverig de veren, waarbij ze hun hals in de vreemdste bochten wringen, schrijden waardig het strand over en, bij het brakke binnenwater gekomen, steken ze er even onversaagd hun kop in als Floorke de zijne daarstraks. Maar in het vissen zijn ze gelukkiger dan hij, hier en daar heeft er een al iets spartelends in de snavel.

'Flamingo's!' zegt Bontekoe.

De vogels doen nauwelijks een poging tot vluchten als de mannen naderbij komen. Ze lopen kalm, met statig pootopheffen, een eindje het water in, gunnen zich daarbij de tijd om onderweg een visje te pikken en het met opgerichte snavel door de lange hals te doen glijden. Hajo besluit er een mee te nemen, voor Doris. Maar wat moet hij het beest te eten geven?

'Visjes, garnalen, krabbetjes...,' meent Rolf.

'Nou, zegt Hajo, 'we gaan er mee naar de haven, dan kan hij zelf vangen wat hij wil. Wat zullen de jongens opkijken!'

Aan de bosrand, in de schaduw van de bomen, liggen weer talloze grote schildpadden. 'Er wonen hier vast geen mensen,' meent Hilke. 'Anders zouden de dieren wel schuwer zijn!'

Zonder veel moeite baant men zich een weg door het lage hout. Orchideeën glanzen in het halflicht onder het loof wonderlijk mooi tégen het donkere hout. De meest zonderlinge gewassen groeien dooreen: er zijn sterk behaarde struiken met grote saprijke bessen; lage boompjes die, in plaats van op een stam, op wel vijftig stelten staan; de vruchten zitten als druiventrossen bijeen. En overal tussen de bomen schieten hoge varens op, die hun bladeren, als grote handen met lange spitse vingers, de omes beschermend boven het hoofd houden. Kleine bontgekleurde vogeltjes hangen schommelend aan de vruchtentrossen, wippen fladderend en duikelend van twijg op twijg. Er zijn er met heel lange, sierlijke staarten; andere dragen om de hals een dikke bef, als deftige raadsheren; er zijn er met dunne spitse snavels, wel zo lang als het hele lichaampje, en weer andere met een zwierige kuif op de kop.

Heel dit kleine volkje legt een haast en een ijver aan de dag, alsof er in de wereld niet anders te doen valt dan honing snoepen! En niet één laat zich ook maar in het geringst door de komst van de omes storen. De papegaaien met hun vlamrode staarten draaien nieuwsgierig de kop en krijsen hartverscheurend. Soms vliegt er ineens een vlucht schetterend op.

Men komt aan een smal, snelvlietend stroompje; het water is helder en smaakt heerlijk. De mannen lopen de oever een eindje langs en zien dikke palingen over de bodem kruipen! En dan slaan allen van verrassing de handen ineen, als een koppel ganzen, die van plan zijn een bad te nemen, giegegaggelend uit de struiken komt zetten. 'We gaan hier nooit weer weg, schipper!'

De Neus heeft een gans beetgepakt en het schreeuwende dier zonder veel omslag de nek omgedraaid. Voor de kombuis! Maar dan moet hij vlug maken dat hij wegkomt, want de makkers van zijn blank gepluimd slachtoffer komen sissend, de bek wijd opengesperd, op hem af.

'Mannen!' zegt Bontekoe, 'we zullen nu teruggaan en het schip de baai binnenloodsen. Het zal hier zowat vijf mijl vandaan liggen; we kunnen vanmiddag hier dus weer terug zijn en nog voor een goed maal zorgen.'

En zo keren de maats weer om naar het strand, waar de flamingo's nu al geen aandacht meer aan hen wijden.

'Nou zul je eens wat zien!' voorspelt Floorke. Hij schreeuwt, klapt in de handen en rent op de vogels af, die daarop verschrikt de vleugels openen. En de omes krijgen zo iets wonderlijk moois te zien, dat hun monden ervan openvallen. Het is een veld vol pioenrozen, dat als een heerlijke bloemenweelde ten hemel stijgt.

'Heb ik te veel gezegd?'

De maats staren sprakeloos naar boven.

Dan springen ze in de boot en roeien weg.

Naar de zon te oordelen, zal het een uur of acht in de ochtend zijn. Er is wat wind gekomen; het zeil kan gehesen worden. Men hijst uit louter plezier ook de vlag, die in het achterkastje ligt opgeborgen. In de gemakkelijkste houdingen die ze maar bedenken kunnen, liggen de omes door mekaar, laten hun vingers door het frisse, stralend blauwe water slieren, spreken opgewonden over hun avonturen van de afgelopen nacht en over wat straks komen gaat. En ze jammeren in koor hun uitgebreide repertoire scheepsliedjes uit – het ene nog treuriger dan het andere.

Want vrolijk zingen doet een Hollandse janmaat wanneer hij moeilijkheden heeft waartegen hij zich schrap moet zetten. Gaat alles voor de wind, zoals op die heerlijke morgen, dan is geen wijsje hem treurig genoeg.

Zeven uur later lag de *Nieuw-Hoorn* aan beide ankers veilig gemeerd in de baai, die met algemene stemmen: de *Flamingo-baai* was gedoopt.

De zon brandde.

De horen des overvloeds

Dat werd een feest! Je hoefde de handen maar uit te steken en je had wildbraad zoveel je maar wilde, jongens! Zes man togen er met de zegen op uit en trokken die door het brakke binnenwater; in een ommezien hadden ze het net vol.

Harmen, Rolf en Hajo gingen naar het riviertje waarin het van vette paling wemelde. Voorzichtig liep Hajo het water in om ze te grijpen, maar ze glipten hem tussen de vingers door.

'Ik weet beter!' zei Harmen. 'We trekken onze hemden door het water!' Hij trok zijn hemd uit, legde er een stevige knoop in.

'Je mag er nòg wel een paar knopen in leggen,' meende Rolf.

'Vanwege die paar scheurtjes die er in zitten?' vroeg Harmen geringschattend en stekelig. 'Geef me jouw hemd ook, Hajo. Dan doen we dat er nog overheen!'

Hajo stond bereidwillig zijn hemd af, en met veel succes werd het 'net' door het beekje getrokken. Harmen had de pijpen van zijn broek om zijn kuiten dichtgebonden, om er de palingen in te kunnen opbergen. 'Ze bijten niet!' stelde hij zijn makkers gerust, terwijl hij de kronkelende, glibberige dieren er in weg liet glijden. Eindelijk spande de broek aan alle kanten en deinde geheimzinnig op en neer.

''n Rotgevoel!' bekende Harmen.

Andere maats waren op de duivenvangst gegaan. De mooie grijsblauwe vogels werden zonder moeite bij dozijnen buitgemaakt. Het was hartbrekend te zien hoe de makkers van de arme gevangenen hun leven waagden om ze te bevrijden. Ook de papegaaien en de parkieten kwamen dapper voor hun soortgenoten op, vlogen krijsend om de hoofden van de mannen heen, die zo'n kromsnavel hadden weten te bemachtigen. Soms werd een ome dan ook wel eens benauwd en liet zijn prooi weer los. Ze konden zo gemeen bijten!

Padde was te opgewonden om zich tot één ding te kunnen bepalen. Hij verscheen overal ten tonele waar zijn hulp niet verlangd werd, liep boos weg wanneer hem daarop gewezen werd, kwam weer terug en beperkte zich overigens tot aanmerkingen maken op wat anderen deden. Intussen bleef hij steeds gereed om in een boom te springen wanneer zijn ongelukkig gesternte hem in de buurt van een leeuw of koningstijger zou voeren, en hij ontweek elke stam waarachter zich een menseneter verdekt zou kunnen hebben opgesteld.

Op het strand was een stelletje maats bezig met het vangen van schildpadden, een weinig spannende jacht, daar de logge reuzen niet de geringste poging tot vluchten deden. Ze werden met stokken omgekeerd en weggesleept naar de plaats waar Bolle de kombuis had opgeslagen.

Padde besloot op z'n eentje aan het werk te gaan. Maar terwijl hij het zware dier, dat hij zich als slachtoffer had uitgezocht, probeerde om te wentelen, ontdekte hij onder de schildpad een gat in het zand, en in dat gat lagen talloze kogelronde eitjes, zo groot als die van een duif. Onze botteliersmaat begon te schreeuwen als een mager varken. 'Kom eens hier! Kom eens kijken!!'

De maats renden toe en waren even verbaasd als Padde. Maar Gerretje, een ome met een lange hals en daarop een rond hoofd als een kegelbal, die al tweemaal Bantam en Sumatra had gezien, griste zonder veel omhaal van woorden de eieren uit het gat en borg ze in zijn muts.

'Geef hier!' riep Padde. 'Die eieren zijn van mij!'

'Blijf er nog maar wat bij wachten,' ried Gerretje aan. 'Hij legt er nog wel net zoveel bij!' Gerretjes bewering klonk wat kras, en Padde geloofde er geen laars van. In zijn woede gaf hij Gerretje, die zich juist grinnikend over het laatste handjevol eieren boog, een ferme klap op de volle muts. Toen maakte hij dat hij wegkwam terwijl Gerretje raasde en tierde en zich de kloddders eierstruif uit nek, oren en ogen trachtte te werken. Boos en verdrietig was Padde. Hij nam zich voor bij de schipper zijn beklag te doen.

Maar nog op zoek naar Bontekoe, zag hij schuin tegen een boom een pot staan. Er waren kerven in de stam aangebracht en daaruit droop een dik wit vocht omlaag, precies in de pot. Het zag er niet onsmakelijk uit. Padde rook eerst eens, doopte toen vol vertrouwen duim en wijsvinger in de pot en likte ze af. Hij stelde vast dat de witte, dikke vloeistof erg zoet was, en daar Padde alles wat zoet was lekker vond, doopte hij nogmaals zijn vingers in de pot. Tot het onverwachts harde noten op zijn hoofd en schouders regende. Uit de hoogte, van onder de lange gevederde bladeren van de gekerfde suikerpalm, schreeuwde de Neus: 'Beroerde kerel dat je bent!'

Padde blikte, star van schrik, omhoog. Pas toen hij zeker wist, dat het alleen maar de Neus en geen menseneter was die zich daar onder het bladerdek verscholen had, vond hij zijn kalmte terug. 'D'r is voor geen duit smaak aan!' verklaarde hij.

'Blijf er dan af met je gapjatten!'

'Als je nog één woord zegt, trap ik de hele boel om!' zei Padde. En om te bewijzen, dat hij niet gauw in zijn schulp kroop, stak hij pardoes zijn hele vuist in de pot.

'Wel sapperloot...!' was al wat de Neus er nog kon uitbrengen.

Padde ging, al slikkend, zijns weegs. Ja, zó was hij in die zoete bezigheid verdiept, dat hij niet eens merkte hoe een wesp, eveneens aangetrokken door de zoete geur van het palmvocht, onder tegen zijn hand ging zitten. Maar plotseling voelde Padde een hevige steek; hij slingerde het monster van zich af, schreeuwde of hij vermoord werd en stak zijn hand in de mond om de pijn weg te zuigen.

Paddes stemming daalde tot levensmoeheid. Ten slotte zocht en vond hij vergetelheid in het bergstroompje. Hij vulde zijn mond met water, ging op zijn rug drijven en speelde walvis door zijn vingers op de lippen te leggen en het water door een spleetje omhoog te spuiten. Hij wilde ook duiken, sprong van een overhangende tak het water in, maar kwam onzacht neer op zijn maag. Daarna gaf hij het zwemmen op.

Een half uur later kon men hem met een paal zien sjouwen met een bordje eraan waarin letters waren gegrift. 'Lees dat eens, Vader Langjas!' zei hij en duwde de barbier, die kruiden aan het zoeken was, het bordje onder de neus.

De barbier zette zijn bril op. 'Ick, Adriaen Maertsz. Block, commandeur van...! – Dat zullen we de schipper eens laten zien! Hoe kom je er aan, Padde?'

'Gevonden!' zei Padde. 'Ik dacht wel dat het letters waren; daar heb je een pee, zie je wel? Nou, wat staat er nou op?'

'Wel, vrindje, hier staat...' – en Vader Langjas zette zijn bril recht – 'hier staat dat Adriaen Maertsz. Block in het jaar onzes Heren 1612 met dertien schepen op dit zelfde eiland is geweest. Hij heeft op de kust enige manschappen verloren doordat een sloep in de branding is stukgeslagen. Je hebt natuurlijk wel van Adriaen Maertsz. Block gehoord?'

'Jawel,' zei Padde. 'De schipper van de *Hoornse Zon* heet Blok.'

'Zo...' weifelde Vader Langjas. ''t Is een admiraal, weet je? Op de Afrikaanse kust heeft hij met dezelfde dertien schepen waarvan hij hier spreekt een Spaanse vloot verslagen.'

'Merakel!' verklaarde Padde. 'En dan te bedenken dat hij nou met z'n smerige tjalk als beurtschipper vaart op Stavoren!'

Men hield die middag een feestmaaltijd. Duiven en ganzen werden aan het spit gebraden en met schildpadvet bedropen zodat ze glommen en mooie bruine korstjes kregen. Bolle bereidde voor zichzelf een flamingo waarvan hij alleen de dikke vlezige tong, die de hele ondersnavel vult, verorberde. Naar Bolles gezicht en zijn genoeglijk smakken en vingers aflikken te oordelen, moest een flamingotong een bijzondere lekkernij zijn; veel maats namen zich voor, de volgende dag ook eens zo'n rood gepluimde gast bij de staart te pakken. Palingen en andere vissen zwommen eerst in sissend, pruttelend vet en daarna in hongerige magen. Een berg van heerlijke vruchten lag opgestapeld om mee te besluiten; bovendien had Harmen een geweldige pudding gemaakt met schijfjes ananas er op en begoten met kokosmelk.

Tijdens de maaltijd, die driemaal langer duurde dan anders, viel de schemering in. Het schijnsel van de lustig dansende vlammen der spitvuren werd als een feestelijke oproep verstaan door een leger gevleugelde insecten: uit hoeken en gaten kwamen ze aansnorren, en ze zoemden zo lang boven de vlammen tot ze er met verschroeide vlerkjes in tuimelden.

Men sloeg tenten op voor de nacht. Hajo, Rolf en Padde hadden samen ook een stuk zeil weten te veroveren, spreidden dekens uit op de grond, verhoogden het hoofdeinde van hun leger met zacht gras en voelden zich als in een paleis.

De omes die hun tent klaar hadden staken een pijpje op en keken naar de sterren. Harmen haalde zijn viool en speelde om beurten met Hajo; de omes wisten haast niet wie mooier speelde.

Zo kwam de nacht. Hier en daar verdwenen er al in hun tent; het lachen en praten verstomde; Hajo en Padde, die bij mekaar waren gekropen, hoorden niets meer dan het tsjirpen van talloze krekels, het snorren van een nachtvlinder, een enkel krijsgeluid ver weg in het bos.

Rolf had uit een stukje blik, een tinnen kroes, wat schildpadvet en een wollen draad uit zijn sok een lamp samengesteld en bestudeerde bij het walmende lichtje de torren, kevers en vlindertjes die hij in de loop van de middag voor dat doel gevangen had.

Hajo kauwde op een grashalmpje, de handen onder het hoofd, de ogen gesloten. Padde lag op zijn rug naar de maan te turen.

'Hajo?' vroeg Padde zacht. 'Hoe lang zijn we nou al uit Hoorn weg?'

'Hoe lang? Een... een halfjaar zo wat.'

''n Half jaar...!' zuchtte Padde. 'Ik zie me nog op Gerrits kooi op de steiger zitten! Waar is Gerrit nou?'

Vlakbij; ik heb hem op de onderste tak van die boom gezet. – Gerrit!'

'Ka!' schreeuwde Gerrit slaapdronken. Hij maakt even een beweging als wilde hij van de tak fladderen waarop hij zat, bedacht zich toen en borg resoluut zijn zwarte kop weer tussen de veren.

'Wel te rusten,' zei Hajo.

Padde staarde afwezig voor zich uit. 'Ja, ik zie me nog op Gerrits kooi zitten. 't Was zowat bij de twintigste paal van de hoofdtoren af. – Zeg, Hajo, zou jij de weg nog kennen, als we terugkomen?'

'Stel je voor! In 't pikkedonker nog wel! Padde...! Willen we eens een wandeling... door Hoorn maken? Hè?'

Padde begon te grinniken. 'Mij best! Hoe gaan we? Van de Appelhaven uit?'

'Nee, we beginnen in de Bagijnesteeg! 't Is avond; we hebben al gegeten en jij bent het zoldervenster uitgeklommen, de goot door, over het kippenhok en door het hofje naar buiten.'

'Wat gaan we doen?' vroeg Padde opgewonden. 'Appels rapen in 't Sinte-Clarens?'

'Eerst het Gerritsland af!'

'Daar heb ik nog vijf knikkerkuiltjes!' zei Padde. 'Daar spelen de anderen nu mooi weer mee!'

'Nou, laat ze maar knikkeren, hè Padde? Die tijd hebben wij gehad.'

'Natuurlijk!' zei Padde. 'Hoogstens tollen, dat zou ik nog weleens willen doen.'

'Ja. Tollen is leuk,' gaf Hajo toe. – 'Nou, we lopen om de Grote Kerk. Zeg, zouden de steigers er nog staan?'

'Vast! De Grote Kerk, da's net als de toren van Babel – die komt nooit af.'

'Zouden we dan liever niet wat in de steigers klimmen, in plaats van naar 't Sinte-Clarens? Sproeten-Harm klimt je toch niet na!'

''k Heb juist zo'n trek in appels!' zei Padde.

'Vooruit dan maar! Zou de poffertjeskraam van Geert Oliekoek en Mietje Majoorske nog bij de kerk staan?'

Hajo bootste een krijsende vrouwenstem na: ''n Duit 'n oliekoek, jongens! Geert heit ze zelf gebakken!'

'Hè-hè-hè!' grinnikte Padde, terwijl hij z'n buikie vasthield. 'Hè-hè-hè!'

'Ach, 't is 'n arm, zwak mensje,' zei Hajo. 'Ik had vaak met haar te doen!'

'Dat dacht je maar dat ze niet sterk is! Vraag Geert maar eens; die loopt altijd met builen!' Padde trok z'n benen omhoog, sloeg er de handen omheen en zei: 'Vrouwen zijn tangen.'

'Wat een onzin!'

'Onzin? Denk maar eens aan Wouters vrouw, die lieve Leentje!'

'Goed,' moest Hajo toegeven. 'Maar als je nou weer m'n moeder neemt...!'
'De goeien niet te na gesproken!' zei Padde. '*Mijn* moeder is ook een beste, hoor!'
'Nou juist! En mijn zusjes? Antje! En Maartje! En Truitje! En Sijtje!'
'Meisjes zijn altijd lief,' stelde Padde vast. 'Maar later worden ze tangen. Ik ken d'r maar eentje die haar leven lang 'n beste meid zal blijven!'
'Wie dan? Truitje Cannegieter?'
'Die?! Die wordt een helleveeg.'
'Als jij maar geen helleveeg wordt! Wie bedoel je dan? Lotje Scheelzwam?'
'Praat me dáár niet van,' zei Padde. 'Als die eenmaal getrouwd is, kun je ze onder water stoppen, weer uitwringen en op de bleek te drogen hangen, en dan zal ze nog haar grote mond niet houden! Raai maar niet, want je weet toch niet wie ik bedoel.'
Maar Hajo gaf het niet op. 'Jansje Bezem dan soms? Uit de Hanekamsteeg?'
'Laten we maar weer doorlopen!' stotterde Padde. 'We moeten nou de Botermarkt over!'
'Ik heb je in de gaten,' zei Hajo.
Padde werd vuurrood. 'Gaan we nou, nee of ja!'
'Goed,' zei Hajo lachend. 'En dan de Gouw en de Turfhaven langs. – Nou, dan zijn we bij het klooster. Kijk jij eens of er een nachtwacht in de buurt is?'
'Wel nee! Je hoort Joris op een kwartier afstand al aankomen. Hij zal wel ergens zitten te maffen!'
'Nou, ga dan maar op m'n rug staan! Kun je?'
'Ja, best,' zei Padde. 'Ziezo, nou zit ik op het muurtje en spring de tuin in. Verdikke, wat zijn de appels dit jaar groot! En vòl dat de bomen zitten!'
'Ik ben al bij je, Padde! Nou maar voorzichtig aan.'
'Mmm! Wat zijn ze lekker!' Padde smakte met de lippen.
'Eten kunnen we ze straks wel, Padde! Hoeveel heb je er al?'
'Mijn zakken zijn al stampvol.'
'De mijne ook! Ga maar weer op m'n rug staan, dan piepen we 'm!'
'Ik zit al weer op het muurtje. Allemachies, daar komen Joris en Kale Dries aan!'
'Verjoppie! Zo, hoepla, ik ben er ook al overheen. Lopen, Padde! Lopen!' En de beide jongens stampten met de voeten op de grond, om aan te duiden hoe hard ze vluchtten. 'Lopen! Ze krijgen ons nooit! Hoor je Kale Dries razen en schelden? – Ziezo, nou geven ze het op.'
'Was me dat hollen...' zuchtte Padde. 'Wat doe je nou met je appels, Hajo?'
'Ik bewaar er een paar voor Doris en m'n zusjes.'
'Dat doe ik ook. Ze krijgen er allemaal twee. 't Moeilijke is voor mij om de appels in huis te smokkelen zonder dat m'n moeder het merkt! Ze zit natuurlijk nog te naaien, hè?'
'Ja,' zei Hajo in nadenken. 'Zeg, Padde... wat breng jij voor je moeder mee?'
'Ikke? Een kleedje voor zondags op tafel; het onze is op de hoeken zo gesleten, je zult het wel gezien hebben. En een koperen test, zoeen als we vroeger in de stoof hadden vóór vader 'm...! Dacht je dat ik voor m'n vader wat mee-

breng? Nog geen knoop voor z'n broek. Maar Margje en Annetje moeten een nieuw schort hebben en m'n moeder ook. 'k Zal zien of ik er een met 'n randje kan krijgen, net als vrouw Schimmel uit 'De Gouden Gaper'. Nou, en een voetenzak heeft m'n moeder ook nodig, als ze 's winters zit te naaien. Ze zal er voor zichzelf nooit een maken, weet je? En drie jaar geleden heeft ze het slotje van haar bloedkoralen kettinkje, dat ze altijd voor de kerk omhad, verloren. 't Was echt zilver! Ik weet niet of ik genoeg zal hebben voor een nieuw slotje. Ik mag het lijen! Nou, en dan zijn de gordijnen zo gerafeld, weet je, 't is een schande voor de buren, en in de mooie kast zitten wormen; zou je ze niet, de sallemanders? – Wat koop jij voor je moeder?'

''t Mooiste wat ik zie! Misschien wel een koperen olifant om aan de lamp te hangen! Of een glazen bol met een zeegezicht erin! Voor Doris breng ik een flamingo en een aap mee!'

'Nutteloos goed,' meende Padde. 'Weet je wat je moeder hoognodig heeft? 'n Doordeweekse rok!'

'Natuurlijk,' haastte Hajo zich te verklaren, ''n rok neem ik ook mee. Liefst een met zilverdraad bestikt, zoals die dame, weet je wel, uit dat paardenspel? Zeg, Padde, ik zie ons samen al weer in Hoorn terugkomen! Jij met je zilveren slotje en ik met m'n olifantje voor de lamp en m'n aap en m'n flamingo. Ik ga regelrecht naar huis! En jij?'

'Ik zeker niet?!' En Padde zuchtte diep.

Ze dachten beiden lang en diep na. Ineens viel het Hajo op dat Rolf gedurende hun hele gesprek gezwegen had. Hij schoof wat naar hem toe. 'Laat eens kijken je torretjes, Rolf?'

Rolf knikte. Maar plotseling keek hij verschrikt naar de insecten die hij vóór zich op zijn helder witte zakdoek had neergezet, en bedekte ze snel met de handen.

Te laat: Hajo had het al gezien. Op de zakdoek lagen niets dan uitgetrokken pootjes en vlerkjes en mismaakte, in een kringetje rondkruipende lichaampjes. 'Waarom heb je dat gedaan, Rolf?' vroeg Hajo zacht en verbaasd.

Rolf was bloedrood geworden. 'k Heb het... gedachteloos gedaan...' stotterde hij. 'Ik heb naar jullie geluisterd en...' Rolf keek met opeengeperste lippen een andere kant uit.

Toen bekroop Hajo een groot gevoel van medelijden. Hij legde zijn arm om Rolfs schouder en zocht naar woorden om zijn makker van het beklemmend eenzaamheidsgevoel te bevrijden waaronder hij leed.

Maar Padde had de verminkte diertjes nu ook gezien.

'Nee maar!' zei hij verontwaardigd. 'Die arme beestjes de vleugels uit te trekken! Ze moesten *jou* eens zo te grazen nemen!'

'Laat me!' siste Rolf. Hij duwde Padde ruw ter zijde, sprong op, schudde zijn zakdoek met een gebaar van afschuw uit en verdween met grote passen tussen de bomen.

'Lelijke dierenbeul!' schold Padde hem nog na. En toen tot Hajo: 'Eerst die beestjes martelen en dan mij een stomp geven! 'n Mooie vrind heb jij! Kom, laten we maar gaan slapen!'

'Ga jij maar,' zei Hajo. 'Ik blijf nog even op.'

'Wou je soms nog op 'm wachten ook?'

'Ga nou maar, Padde.'

Padde werd spinnijdig. 'Knap dan maar, jij ook,' zei hij vinnig. En hij verdween in de tent.

Hajo wachtte. Duizend dingen gingen hem door het hoofd. Nu, in deze geheimzinnige tropennacht ver van huis, besefte hij voor het eerst in zijn leven hoe bevoorrecht hij was. Hij beloofde zichzelf, zijn moeder nooit weer verdriet te doen. En voor Rolf wilde hij altijd een goede kameraad zijn.

Een tak kraakte; hij schrikte uit zijn overpeinzingen op. Hoe lang had hij hier wel gezeten? Hij zag tot zijn verwondering dat allen reeds in hun tenten waren verdwenen en de kampvuurtjes nog slechts smeulden. Daar stapte Rolf uit het groen te voorschijn, liep met gebukt hoofd naar de tent.

'Rolf!' riep Hajo zachtjes en sprong overeind.

Rolf stond stil, keek Hajo met grote ogen aan. 'Ben je nog niet gaan slapen?'

'Ik heb op jou gewacht.'

Rolf bleef roerloos staan. Zijn gezicht, toch al bleek in het maanlicht, scheen nog bleker te worden. Hij kwam op Hajo toe, drukte hem zwijgend de hand.

'Kom,' zei hij toen, ''t is al laat.'

Vreemde beesten

De volgende dag bracht tal van avonturen.

In de morgen namen de jongens een heerlijk verfrissend zeebad. Poedelnaakt dansten ze de zware rollers tegemoet, wierpen zich in de holte van zo'n ombollende golf, schoten er fiks onderdoor en kwamen met druipende haren weer boven, nog juist op tijd om adem te scheppen voor het onderduiken in een nieuwe golf.

Toen ze uitgeplast en uitgestoeid waren, ploften ze in het mulle zand neer, lieten zich door de zon bruin bakken en maakten berekeningen omtrent de duur van de verdere reis. 'Over een half jaar zijn we er,' schatte Hajo.

'Over drie maanden,' meende Rolf.

Toen sprong Padde onverwachts overeind. ''n Aardbeving!' stamelde hij. ''n Wát??'

''n Aardbeving! Ik heb duidelijk gevoeld dat de grond onder me bewoog!'

''t Zal wel verbeelding zijn geweest, Padde.'

'Dan is m'n neus ook verbeelding!' Allesbehalve overtuigd vlijde Padde zich weer neer. Meteen wipte hij, zo mogelijk nog sneller dan daareven, opnieuw overeind en staarde naar de plek waar hij gelegen had. Daar vond iets allermerkwaardigst plaats: het zand spleet, brokkelde en... een klein, vaalzwart kopje kwam om een hoekje kijken! Een paar zwarte, stompe lilliputterpootjes werkten het zand verder opzij en daarna vertoonde zich...

''n Jonge zeeschildpad!' riep Rolf.

Het was een alleraardigst beestje: niet veel groter dan een okkernoot, en het schildje was nog helemaal week. Hulpeloos zwaaiend met de logge zwempootjes, draaide het het stompe kopje met de twee kraaloogjes en het magere, leerachtige oudemannetjeshalsje in het rond.

Daar kwam nóg een kopje uit het zand gluren! En nóg een! De jongens wierpen het nest (wat zou het anders zijn?) open. Nee maar, het *krioelde* van die beestjes!

'Ik neem er 'n paar mee naar Holland!' riep Hajo.

'Laten we ze eens tellen,' stelde Rolf voor. Ze deden het en kwamen tot honderddertig eieren en achtentwintig jonge schildpadjes, sommige nog maar half uit het ei. 'Je had nog wat moeten blijven zitten, Padde!' zei Rolf. 'De helft is nog niet uitgebroed!'

'Ja-ha!' grinnikte Padde. 'Maar als ik nou later in Holland vertel dat ik schildpadden heb uitgebroed, moet je niet denken dat iemand er een woord van gelooft!'

'Dat is dan ook niet helemaal waar,' zei Rolf. 'Je hebt de zon alleen maar wat geholpen.'

Padde keek verbaasd op. 'De zon?!'

'Wie dacht je dan dat ze zou uitbroeden? De ouden laten zich aan de eieren niets gelegen liggen! Ze graven een gat, leggen daar de eieren in, krabben het dan dicht en verdwijnen weer in het water. De zon moet de rest maar doen!'

'Hela! Wat gaan daar voor beesten?' riep Hajo uit, terwijl hij op een viertal lompe grauwgrijze vogels wees, die zich log in de schaduw van de bomen voortbewogen. Ze hadden kleine vleugels waarmee ze zich onmogelijk van de grond zouden kunnen verheffen, en zulke korte poten, dat hun vette buik haast over het zand sleepte. De jongens sprongen op en renden erheen. Zonder veel moeite vingen ze er een; de andere vogels maakten zich schommelend uit de voeten. Hajo omklemde met beide handen de enorm zware en krachtige snavel, waarmee het dier wel geducht zou kunnen hakken.

''n Zwaan!' meende Padde.

'Het is geen watervogel – het heeft geen zwemvliezen,' stelde Rolf vast.

Het dier werd nauwlettend bekeken.[1]) Het lichaam was belangrijk groter dan dat van een zwaan, dik en rond en getooid met een onnozel klein staartje. De bovensnavel eindigde in een haakvormige punt. Het dier had een krop, en het merkwaardigste was wel een grote huidplooi om de kop, waarin het bijna de hele snavel kon terugtrekken.

'We gaan er mee naar de barbier!' besliste Rolf. En met vereende krachten en de nodige voorzichtigheid – vanwege de snavel – werd de zware vogel opgetild en vervoerd.

''n Dodo,' zei Vader Langjas.

En toen stelde Rolf een vraag die Padde in hoogste verbazing bracht: 'Tot welke *familie* zou hij behoren?'

---

1 Geen van de drie jongens vermoedde dat ze een vogel hadden gevangen waarover eeuwen later de geleerden elkaar nog in de haren zouden vliegen. Het was de 'dodo', die alleen op Réunion voorkwam en geheel is uitgestorven – dank zij het feit dat de omes, die in de loop der jaren op Réunion landden, al deze 'zwanen' hebben doodgeslagen en opgepeuzeld...

'Ik ken 'n achternichie van hem!' grinnikte Padde. 'De lamme houtduif van Geert Oliekoek! Die heeft óók een krop!' [1]

Een paar maats waren erbij gekomen. Zij kenden maar twee families in de dierenwereld. De eerste familie was die, die je kon opeten, de tweede die, 'waar geen smaak aan was', en het ongelukkig gesternte van de dodo deelde hem bij de eerste familie in.

Een paar uur later draaide hij, geplukt en schoongemaakt, aan het spit.

Een aantal maats trok die morgen op onderzoekingstochten uit. Ook de jongens besloten het land wat verder binnen te dringen. De zonnewijzer, de vorige dag op het strand aangebracht, wees nog geen acht uur toen het drietal op weg ging. Ze volgden het riviertje stroomopwaarts, liepen mannetje na mannetje langs de smalle oever. Het lage gewas aan de oever ging over in hoog en dicht bos; lianen, tot onontwarbare netten verstrikt, versperden vaak de weg; de onderste einden slierden in het snel stromende water.

De lucht, heet en vochtig, ademde de bedwelmende zoete geur van onbekende bloemen. Zwijgend gingen de jongens een ogenblik zitten. Als een eeuwenoud vertelsel, nog door geen menselijk oor opgevangen, klonk het ruisen van het water tussen de blauwgrijze bergstenen. De planten, de bomen en bloemen bogen zich ver over tot het stroompje, om elk gefluisterd woord op te vangen.

Verder weer! De jongens wrongen zich door lianen, waadden door het heldere water. Stil werd het, beangstigend stil als in dat behekste woud dat duizend jaar lang zwijgen moest, omdat een dode tak in het vallen de koningin der elfen had verpletterd. 'Hier ben ik!' zong het stroompje. 'Wie dorstig is, hij lave zich aan mij! Ik kom van ver, ik ga naar ver, ik heb geen rust, geen rust, geen rust... Weg, domme stenen, die mijn weg versperren wilt! Och, arme goede bomen, gedoemd om te sterven waar je bent ontstaan, hoe beklaag ik jullie! – Vriendelijk-stille bladeren, en jullie, geurige bloemen, die met open kelken naar mij luistert, kom, stort je in mijn armen! Ik zal je voeren ver van hier, heel ver...'

De jongens voelden aan hun benen dat ze de hele tijd gestegen hadden. Bij een dwarsbeekje gekomen, besloten ze dat te volgen. Ze kropen tussen stammen en boomvarens en stonden onverwachts voor een grote vijver, waarboven een dichte damp hing.

"n Hete bron!' riep Rolf uit.

'Heet??' Hajo en Padde staken hun hand in het water. Maar meteen trokken ze hun vingers er weer uit. 'Het is kokend!'

'Komt dat zo maar uit de grond?' vroeg Padde wantrouwend.

'Dat moet wel,' zei Hajo, 'Nergens stroomt iets binnen, en daar aan de overkant voert de vijver tóch water af.'

---

[1] Met dit antwoord was Padde de geleerden meer dan twee eeuwen voor. Want pas in de tweede helft van de negentiende eeuw bewees de grote natuurvorser Sir Richard Owen door een beroemd geworden skeletonderzoek dat de dodo tot de duivenfamilie behoorde.

'De bodem is hier vulkanisch,' legde Rolf uit. 'Daarom is het water zo heet.'

'Vulkanisch?? Wat betekent dat?'

'Dat betekent, dat, als je hier graaft, je ten slotte op vuur zou stuiten.'

Padde werd wit om zijn neus. 'Maar dan staan we hier... boven de hel!!'

'Ja,' zei Rolf, 'pas maar op, dat je er niet in valt.'

'Dan ben je in een ommezientje gekookte kreeft!' verzekerde Hajo met een vrolijkheid die hij alleen aan Rolfs kalmte ontleende.

'Zullen we hier maar liever niet weer weggaan?' vroeg Padde.

'Laten we eerst eens wat eieren zien machtig te worden!' stelde Rolf voor. 'Ik val om van de honger. Jullie niet? En nesten zullen hier genoeg zijn.'

Ineens voelde ook Padde zijn maag. Zuchtend gaf hij toe.

De jongens liepen de vijver eens rond, en al gauw ontdekte Hajo's geoefend oog enkele duivennesten. Hij klom erbij; na driemaal op een nest met jongen te zijn gestuit, keerde hij terug met twee witte eitjes, die tegen het licht bekeken en vers bevonden werden.

Hajo zat alweer in een andere boom. Ditmaal was hij nog gelukkiger. In drie nesten lagen schone eieren; hij vond bovendien nog een vierde nest, waarvan hij de eieren liet liggen, omdat ze, toen hij ze in de half gesloten hand tegen het licht hield, bebroed bleken. De schone borg hij op – in iedere zak één, en vier in z'n mond – en kwam met bolle wangen beneden aan. Intussen had ook Rolf een paar nesten ontdekt en ontpopte zich nu als een goed klauteraar. Padde bood aan, de wacht bij de eieren te houden, terwijl Hajo en Rolf zochten.

'Natuurlijk! Laat Padde maar op de eieren passen!' riep Rolf van boven. 'Maar ga er niet op zitten, Padde, anders wordt het al meteen een pannekoek!'

'Flauwe mop,' bromde Padde.

Toen Rolf en Hajo wat later met hun buit op de grond belandden, zagen ze hem een eindje verder met de rug naar hen toe door het loof gluren, zich voorzichtig omwenden en de vingers op de lippen leggen. Ze slopen erheen en zagen nu ook, na enig vergeefs turen, een merkwaardig hagedisachtig beest, dat zijn ronde, dikke staart stevig om een tak gekneld hield en door zijn donkergroene kleur bijna niet van zijn omgeving te onderscheiden was. De grote kantige kop hing met een scherpe hoek, als een helm, over de dunne verschrompelde hals. Een blauwe, met donkerbruine puntjes bespikkelde keelzak hing als een baard onder kin en hals. Langs het krachtige lichaam, dat door een hoge, gekartelde kam iets draakachtigs had, liep een band van roodbruine vlekken. De ogen van dit armlange beest puilden sterk uit, waren op de pupil na, geheel overtrokken met een prachtig rood en groen ooglid en loerden, onafhankelijk van elkaar, rusteloos rond. Voor op de neus prijkten twee hoornachtige knobbels.

Roerloos zat het dier. Behalve de ogen was er niets dat bewoog.

'Wacht maar eens!' fluisterde Padde. 'Dan zal je lachen!'

En de vrienden wachtten met haast evenveel geduld als het kameleon – want dat was het natuurlijk.

Daar kwam een kleine kever aanzoemen. Zwart, met gele sterretjes op de schilden. Hij danste lustig snorrend in het rond, kietelde Hajo eens onder de kin; bracht daarna een bezoek aan het kameleon. Dat wil zeggen: hij zag het hele kameleon niet; noch merkte hij er iets van, hoe twee boosaardige rooflustige ogen al zijn bewegingen bespiedden. Heel de belangstelling van de vrolijke geelgespikkelde bezoeker ging uit naar een grote rode bloem, vier handpalmen vóór de knobbelneus van de onbeweeglijke, groene draak. Die draaide beide ogen zo ver naar voren, dat ze uit de kop leken te zullen rollen, mat de afstand, opende langzaam, héél langzaam de bek... Padde stootte zijn vrienden aan... zijn ogen puilden haast even ver uit als die van het kameleon...! – Het was al gebeurd. Een tong, half zo lang als het gehele lichaam, schoot bliksemsnel naar het argeloze torretje, vloog weer terug alsof hij aan een veertje zat; toen een korte beweging van de kaak... Spoorloos verdwenen was de geelzwarte bloemenvriend.

Het kameleon had zich bij dat alles doodstil gehouden. En terwijl Hajo en Rolf verrast naar de bloem keken waarop het torretje gezeten had, dwaalden de oogjes van de geheimzinnige sluipmoordenaar al weer rond, belust op nieuwe buit.

Padde grinnikte zacht en kneep Hajo blauwe plekken.

Weer een torretje! Ditmaal een goudgroen, wispelturig torretje. Het stelt zich aan alsof het een verbazende haast heeft, vliegt van links naar rechts, van rechts naar links, strijkt overal neer – zelfs op een van de knobbels op de kop van het kameleon; vliegt meteen weer op, gaat weer ergens zitten, vliegt toch maar weer weg. Een torrenkenner zal al begrepen hebben dat het goudglanzend heertje bij al z'n schijnbare drukte een nietsnut en een leegloper is. Kijk! Daar dartelt het weer rond.

Geen enkel beweginkje ontgaat aan de spiedende blik van het kameleon. Het torretje schijnt van plan, een ogenblik op een zonbeschenen blad te gaan uitrusten. Het tilt de dekschildjes op, spreidt de dunne vleugeltjes die er onder zitten in de zon, die er allerlei kleuren in tovert; klapt dan de dekschilden weer toe en wandelt als een deftige meneer met jaspanden in een kringetje het blad rond. Het kameleon loert. Het blad is laag, de afstand groot. Daarom heel voorzichtig wat naar beneden! De lange poten, die in slechts twee vingers uitlopen, worden één voor één omlaaggebracht. Ook de staart wordt iets verlaagd, maar ogenblikkelijk weer vastgeklemd. Ziezo, nu schijnt de hoogte goed te zijn! De bek opent zich... hoepla! De jaspanden vliegen los; het torretje snort haastig een ogenblik rond, strijkt een el hoger op een ander blad neer en kijkt in diepzinnige overpeinzingen naar een gaatje, door een ander torretje in het blad geboord. Maar een rechtschapen kameleon geeft de moed nooit op. Getuigt zijn hele stilzittende bestaan niet van een rotsvast vertrouwen op zijn goed gesternte? Daarom: voorzichtig een pasje naar voren! Nog een pasje! Nog een! Het torretje bestudeert het bladopeningetje aan alle zijden, schijnt er maar half mee ingenomen, maar steekt geen poot uit om er iets aan te veranderen. Het kameleon slikt van opwinding. Zo zou de afstand wel goed zijn! Langzaam de bek open... hoepla! Het torretje besluit zich niet langer te ergeren over het slechte werk van anderen en danst weer in het rond, om twee el lager opnieuw te belanden! Flits! De ogen van het kameleon richten zich in de diepte. Komaan, dán maar weer naar beneden! Pasje voor pasje. Is zo de afstand goed? Me dunkt van wel. En dus... In een onberispelijke spiraal zwiert het torretje, over de kop van het kameleon heen, tussen de bomen weg.

Grimmig, maar zonder door een enkele beweging zijn teleurstelling lucht te geven, blijft de groene roofridder zitten. Geduld! Aha! Nieuwe hoop kiemt in zijn hart! Uit een grote bloem komt log en traag een roodzwart kevertje kruipen, zet af en snort pardoes, zonder allergeringste gratie, in een andere bloem, geen vier duim van zijn belager af. Die wacht met half geopende bek op het ogenblik dat de zespotige lummel weer voor de dag zal komen. Te drommel, dat duurt lang: hij schijnt daar in dat bloemenhart heel wat te doen te hebben!

Wie zou er met meer spanning op de komst van de bloemenvorser hebben gewacht: de jongens of het kameleon? Eindelijk, eindelijk kwam de langverbeide, likte zich de gepantserde pootjes schoon en krabbelde bedachtzaam naar buiten, om een goed afzetpunt te vinden. Het kameleon maakte zijn aanstalten...

Toen zweefde langzaam een jongenshand door de lucht en bewoog zich in de richting van het kameleon. En in hetzelfde ogenblik dat de lange tong uitschoot en het torretje gevangen was, omsloten Rolfs vingers de bandiet vlak achter de driehoekige kop. Het dier stiet een schor geluid uit. En tot Padde en Hajo's grenzeloze verbazing... veranderde het van kleur! De blauwbruine vlekkenband langs de zijden van het lichaam verbleekte tot een blauwig wit; de blauwe keelzak en de mondranden werden citroengeel!

Rolf liet zich niet afschrikken. Hij had met de linkerhand het achterlichaam gepakt en probeerde het dier van de tak te lichten. 'Drommels,' zei Rolf, 'hij houdt zich stevig vast! We zullen hem met tak en al moeten meenemen!'

Hajo sneed met zijn zakmes de tak af.

'Prachtig!' zei Rolf. 'Maar hoe krijgen we hem nu aan boord?'

Padde trok al ijverig zijn hemd uit. 'Hier stoppen we hem in!'

'Hij moet mee naar Holland!' riep Hajo opgewonden. 'Dan kan hij vliegen vangen; daar zit de kamer bij ons 's zomers vol van!'

'We zullen hem straks eerst eens aan Vader Langjas laten zien,' zei Rolf. "t Is een kameleon, maar ik ben benieuwd wat voor een soort!'

'Wou je z'n hele familie weer weten?' vroeg Padde.

Rolf lachte. 'Heb je 'm zien verkleuren toen ik hem pakte?'

'Ja!' zei Hajo. 'Hoe kwam dat?'

'Als je me het zegt, weet ik het ook! Kom, laten we onze eieren maar eens gaan oppeuzelen! We hebben er twee dozijn. Eerst gaan we ze koken. In de hete bron!'

'Ja!'

Hajo vlocht met zijn handige vingers een netje uit een paar lange smalle palmbladeren, deed er de eieren in, knoopte het netje boven dicht, liet het in het water zakken en stak onder de knoop een takje, dat hij in de wal vastduwde. Ziezo, nu maar eens zien wat er zou gebeuren.

In de tijd, dat Rolf en Padde aan de oever lagen, in afwachting dat de eieren gaar zouden worden, had Hajo alweer een nieuw avontuur. Terwijl hij, onvermoeid speurder die hij was, zoekend in de bomen loerde, viel zijn blik op een witte streep vuil, hoog tegen een stam. Was daarboven een nest? Hij ontdekte het al: een meer dan vuistgrote holte in de stam. Een spechtennest kon het niet zijn, daar was het gat te groot voor. Zie! daar verscheen voor de opening een kop met kromme snavel; een papegaai kroop naar buiten en vloog weg.

Meteen zat Hajo ook al in de boom, gluurde in de holte en zag in het halfdonker, broederlijk bijeen, twee zeldzaam lelijke kale mormels, de kop en snavel onevenredig groot. Na enig aarzelen pakte hij er een beet; hij trok zijn gevangene naar het daglicht en daalde er mee omlaag. 'Die zullen we eens netjes grootbrengen, jongens!'

De jongens keken verbaasd op van een zó lelijke vogel. 'Zou hij al voedsel aannemen?'

'Voedsel aannemen? M'n duim erbij, als ik niet oppas! – Kom maar eens hier, ouwe jongen!' En met paaien en zoete woordjes wist Hajo de naakte kromsnavel een stuk banaan in de bek te duwen.

'Wat zal Gerrit blij zijn dat hij er gezelschap bij krijgt!'

'Ik zal hem wel leren praten!' beloofde Padde.

Rolf viste de eieren op. Ze smaakten best! Alleen het zout ontbrak.

Het werd tijd om terug te gaan. Opgewonden pratend, plannen smedend voor de opvoeding van hun papegaai, waadden de jongens weer door het riviertje. Tegen de schemering kwamen ze in het kamp terug. Daar werd druk gebraden en gebakken.

'Allemachies, moet dat een papegaai worden? Hein, kom eens kijken! Wat een rare kale sallemander! Wat zit er in dat hemd?'

''n Beest met zó'n tong!' grinnikte Padde. 'Als je hem knijpt, wordt-ie geel van sjagrijn!'

'Laat kijken?'

'Op je gezicht,' zei Padde. 'Als hij wegloopt, zijn we hem kwijt.'

Vader Langjas was bezig met het onderzoeken van plantjes en bloemetjes. Hij had de gewoonte om in elk vreemd land uit onbekende kruiden drankjes te brouwen, die hij met ware doodsverachting het eerst aan eigen lijf beproefde. Als hij een enkele maal ziek was, beschouwde hij het als een erezaak om uitsluitend door middel van nieuwe zelfbedachte medicijnen te genezen. Daardoor bleef hij gewoonlijk tweemaal zo lang ziek als een ander, maar dat had hij er voor over: Vader Langjas koesterde de stille hoop, nog eens wereldberoemd te zullen worden door het ontdekken van een drankje dat alle kwalen kon genezen. Edoch, grote geleerden vinden zelden het vertrouwen dat ze verdienen; als onze ijverige barbier van zijn onderzoekingen weer aan boord terugkeerde, toonden de maats zich huiverig de medicijnen te slikken die hij hun met een stortvloed van aanbevelingen ter hand stelde. 'Ik heb het immers zelf geprobeerd!' klaagde Vader Langjas verdrietig. En dan dronken de maats uit goeiigheid het flesje maar leeg.

'Wel, vriendjes,' zei Vader Langjas, terwijl hij zich oprichtte en zijn bril recht-zette, 'jullie komt juist gelegen! Ben je bang voor spinnen?'

'Wie is er nou bang voor een spinnetje?' vroeg Padde.

'Kom dan maar eens mee!' nodigde de barbier uit. 'Och, wat heb je daar een aardig beestje, Hajo. Zeker 'n grijze roodstaart?'

''t Stomme dier heeft nog geen veer op z'n lijf,' zei Padde.

'Maar hebben jullie de ouden dan niet gezien?'

'De ene papegaai is groen, en de andere rood, net naar 't uitvalt!' wist Padde te vertellen. 'Onze buren – weet je wel, Hajo? – hebben een witte poes, en de jongen ervan zijn rood met zwarte vlekken. En de keeshond van Dobbes, de slager? Z'n vader was een bullebijter en z'n jonkies zijn pukkies met dassen-poten. Waar, Hajo?'

'Ja, dat is waar,' gaf Hajo aarzelend toe.

Vader Langjas schudde het hoofd over Paddes beweringen, die hij niet kon weerleggen. 'Dat is heel wat anders,' meende hij.

'Nee, dat is precies hetzelfde,' zei Padde.

'Kom!' stelde Hajo voor, 'laten we nou eens naar die spin gaan kijken.'

'Ga maar mee,' zuchtte de barbier. 'Ik heb er mijn hoed voorlopig even op-gelegd, want ik wilde hem zelf liever niet aanpakken. Ik wil wel bekennen dat ik er wat huiverig voor was. 't Is een grote, hoor! Denk er om!'

'Ik durf een hooiwagen over m'n tong te laten lopen!' blufte Padde.

'Nu, je moet het zelf weten,' zei de barbier. 'Hier zit hij onder.' Vader Langjas' hoofddeksel was rondom met stenen bezwaard; hij scheen zijn gevan-gene voor een gevaarlijk uitbreker te houden!

Padde legde de stenen terzijde. 'Ik zal hem maar met m'n linkerhand pakken,' zei hij, 'want m'n rechter is nog altijd dik van die smerige wesp!'

'Doe dat, kereltje. Maar denk er om, hoor: voorzichtig!'

Padde lichtte een tipje van de hoed op, schoof er bedachtzaam zijn hand on-der, tastte rond in de bol. Maar plotseling trok hij zijn hand met een hartver-scheurende kreet terug. Aan zijn pink bengelde een harig monster met een rossig lichaam zo groot als een kippeëi. Vol afschuw slingerde Padde het beest weg en stak zijn pink haastig in zijn mond.

'Ja-ja,' zei Vader Langjas verschrikt, 'daar was ik al bang voor! Die vogel-spinnen hebben lelijke wapens! Ga mee, dan zullen we er een zalfje op smeren.'

'Knap jij met je spinnen en je zalfjes!' riep Padde woedend.

'Maar kereltje,' zei de deftige barbier, verlegen zijn bril rechtzettend, 'ik heb je toch tevoren gezegd dat het een grote spin was? Ik vond hem terwijl hij bezig was dit arme vogeltje te doden.' Vader Langjas tilde zijn hoed op en toonde een mooi blauw vogeltje, dat met uitgestrekte pootjes en bebloed borst-je in het gras lag.

Een paar maats waren op Paddes gegil komen aanlopen. 'Wat is er?'

'Ze hebben m'n pink afgebeten!' jammerde Padde. 'Dat heeft hij me gelapt!'

De maats keken verbaasd naar Vader Langjas, die bleek en rood tegelijk werd en met zijn bedeesde houding weinig van een menseneter had. 'Laat kijken je pink?' vroegen ze Padde, die het 'afgebeten' lichaamsdeel nog altijd in z'n mond hield.

'Die pink is van mij!' zei Padde. 'En niet van jou.'

'Die pink is niet afgebeten!' stamelde Vader Langjas. 'Het is een onschuldige beet. De spin is niet giftig; het is er een van de familie...'

'Knap jij met je hele familie, pillendraaier!' Padde liep weg, met sprakeloze verbazing nagekeken door de omes. Tien pas verder vond hij het nodig, zich nog eens om te draaien en te schreeuwen: 'Akelige gifmenger! Ik zal je nog wel er eens vinden! Denk er maar om dat ik jou ditmaal óók van te voren gewaarschuwd heb!' En Padde verdween tussen het geboomte.

''n Zonderling karakter,' stamelde Vader Langjas.

Rolf kon zijn vrolijkheid niet onderdrukken. 'Laat hem maar lopen, Vader Langjas! En kijkt u maar liever eens wat ik hier heb!' Hij knoopte behoedzaam het hemd los.

De barbier boog er zich over en gluurde door de opening. Wat hij zag, deed hem al zijn zorgen weer vergeten. Blij als een kind, riep hij uit: ''n Panterkameleon! We zullen hem op brandewijn zetten!'

De maats sloegen bijkans tegen de grond. 'Grote griebus!' verzuchtte een maat met een neus die meer van een biet dan van een waskaars had, 'op brandewijn?! Ik wou, dat ik óók een kammelejon was!'

Ruilhandel

Padde verklaarde ronduit, dat hij het hier een beestachtig land vond en per slot van rekening dán altijd nog meer van de zee hield. Voor zijn part voeren ze op staande voet verder.

Maar hij moest zijn varensdrang nog drie volle weken intomen. Men teerde het schip van binnen en van buiten, zette alle poorten open en besprenkelde de planken vloer met azijn om de ziekenlucht te verdrijven. Terwijl een deel der bemanning zich zingend met dit werkje bezighield, waren anderen aan het drogen van vis, die ze aan lange lijnen in de zon hingen; verder had men de handen vol met het inleggen van ganzen in azijn en met het aan boord hijsen van levende schildpadden, waarvoor op het dek een grote bak zeewater werd geplaatst. Als voedsel voor deze dieren verzamelde men vele bollen zeegras, die op het strand voor het grijpen lagen.[1]

Harmen, Hajo en Rolf maakten zich verdienstelijk door een groot hok te timmeren voor de gekortwiekte ganzen en duiven, die nu nog overal het dek bevuilden.

Gerrit keek aanvankelijk ontzet en met van verbazing schuin gelegde kop

---

1 Als de maats wat beter met het zonderlinge leven van de zee-schildpadden bekend waren geweest, zouden ze geweten hebben dat die eigenaardige ronde bollen gras door de schildpadden zelf vervaardigd en vergaard worden. Schildpadjagers van beroep zoeken die 'opslagplaatsen' en wachten daar, tot de gepantserde kolossen het strand opkruipen.

naar het kale gedrocht dat zijn baas hem tot gezelschap had beschoren. Waarschijnlijk om eens te onderzoeken van wat voor stof zijn nieuwe kameraad vervaardigd was, begon hij ermee, hem een stevige pik toe te delen. Maar dat kwam hem duur te staan: tot straf hield Hajo hem even onder water – iets waaraan Gerrit geweldig het land had. Hij beschouwde de indringer als de schuldige aan deze onderdompeling, draaide hem vol minachting de staart toe en plukte zich met een overkropt gemoed de natte veren glad toen hij zag dat Hajo het naakte monster allerlei lekkere brokjes voorhield.

Dankbaar was het beestje niet: het vertikte 't, de snavel te openen. Het resultaat na lang wikken was, dat Hajo een ferme beet opliep.

'Als hij maar eerst honger krijgt!' troostte Hajo zich zelf. 'Morgen zal hij wel anders praten!' Hij stopte de vogels samen in de koperen kooi, om ze aan elkaar te doen wennen. Maar bevreesd dat er aan de vriendschap wel eens een al te krachtige wederzijdse uiteenzetting vooraf zou kunnen gaan, schoof hij een paar latjes tussen de toekomstige levensgezellen. Gerrit, beledigd, stak de kop tussen de veren telkens wanneer zijn meester naderde. De jonge roodstaart blikte met wezenloze ogen rond en hield de bek stevig dicht, als verdacht hij er Hajo van, hem vergif te willen toedienen.

'Je moet slim zijn,' raadde Harmen. 'Kietel hem eens onder z'n buik, en als ie dan woest wordt en z'n bek open doet om te bijten, douw je er gauw een stuk banaan in!'

''t Helpt toch niets!' zuchtte Hajo. 'Als hij morgen nog niet vreet, breng ik hem terug. Ik had anders al een naam voor hem. Ik wou hem Joppie noemen. Net als... weet je wel?'

Harmen knikte. 'Of ik 't weet...!'

In de namiddag begon het diertje zacht te kreunen – zo om het half uur een droevig geluidje. Hajo kon het niet aanhoren en besloot z'n 'papegaai' de volgende morgen weer terug te brengen. Maar... ook Gerrit was er door getroffen! Toen Joppie voor de eerste maal kreunde, haalde Gerrit beduusd zijn halfverslapen kop uit de veren en luisterde. Na een minuut of zo stak hij zijn kop weer weg en wilde zijn dommel voortzetten. Even later herhaalde zich het spelletje. Nog eens. Gerrit raakte overstuur, sprong wat in zijn kooi rond en wilde een slokje water nemen om zich moed in te drinken, toen Joppie opnieuw kreunde. Gerrit verslikte zich in zijn lafenis, begon aan een lange overpeinzing. Als Gerrit aan het peinzen sloeg, viel hij gewoonlijk al gauw in slaap, maar ditmaal kwam hij al peinzende tot een besluit. Hij wette zijn snavel, draaide de hals zo'n beetje los, zette zich schrap en gaf een ferme mep tegen een van de latjes. Verdikke, dat zat vast! Nog maar eens! Daar vloog een splintertje weg. Gerrit begon schik in de zaak te krijgen. Hij hakte, wette zijn snavel weer eens, hakte onvermoeid. En eindelijk... Ka! riep Gerrit. De jongens, die al in hun tent lagen, hoorden het.

'Gerrit krijgt het op z'n zemelen,' veronderstelde Padde.

Maar Hajo ging eens kijken. Vlak erop kwam hij al weer terug, opgewonden, met een stralend gezicht. 'Kom eens gauw! Gerrit voert hem!'

De jongens kropen naar buiten en geloofden hun ogen niet. Gerrit stak door een gat, dat op geheimzinnige wijze in het planken schotje gekomen was, zijn zwarte snavel en reikte Joppie een stukje banaan. 'Hap!' zei Joppie en liet het door zijn keelgat schieten. Hajo stond te springen van plezier. 'Dát is me nog er eens een kraai!'

'We kunnen nu die latjes wel wegnemen,' dacht Rolf. Maar hier was Hajo op bekend terrein. 'Daarmee zouden we alles weer bederven!' riep hij uit. 'Gerrit denkt natuurlijk dat Joppie een jonge kraai is! Het is juist goed dat hij hem niet zien kan!'

'Dan zal hij wel raar opkijken, als je op 'n goeie dag het schot wegneemt omdat Joppie zich zelf bedienen kan en dan natuurlijk ook al flink in z'n papegaaienveren steekt!' lachte Rolf.

'Gommenikke nou!' grinnikte Padde.

Zo groeide Joppie, door Gerrit met tedere zorgen omringd, tot een wolk van een papegaai op. Joppie scheen ook van zijn kant belangstelling te koesteren voor zijn trouwe verzorger; hij gluurde door het gat en begon er aan te knagen. En op een goede morgen vonden de jongens ze als twee ouwe vrienden naast elkaar op Gerrits stokje, net bruid en bruidegom: Joppie in fleurig grijs en rood, verliefd zijn kop draaiend. Gerrit ernstig, bedaard in zijn stemmig zwart. Toen zette Hajo de kooi open.

Met een vreugdekreet wipte Gerrit naar buiten. Joppie volgde hem op de voet, plofte met veel vleugelmisbaar en geschreeuw op de grond. Maar Gerrit, wiens ingekorte vleugels al lang waren aangegroeid, gaf vliegles, en Joppie bleek een goede leerling, al zou hij nooit zo bevallig en vol zwier weten neer te strijken als een hollandse torenkraai. Zag je Joppie, dan zag je Gerrit, zag je Gerrit, dan zag je Joppie. Ze deelden al wat eetbaar was: bananen, bessen... Alleen van wurmen toonde Joppie een innige afkeer: zelfs de fijnste en vetste blauwkop die Gerrit offreerde was niet in staat hem te doen toehappen. Gerrit schudde zijn wijze bol en nam de wurm dan maar alleen voor zijn rekening.

Eindelijk kwam de dag van vertrek. De watervaten werden binnen boord gehaald, de zeilen weer aan de kale raas geslagen. Een tamboer ging aan land en trommelde van heinde en ver het volk bijeen. De zieken waren genezen – op zeven na, die met bedroefde gezichten aan boord kwamen.

Tegen vier uur in de middag ratelden de ankerspillen. Langzaam zeilde de *Nieuw-Hoorn* de baai uit, aandachtig nagekeken door een rozerood eskadron flamingo's.

Men hoopte morgen, nog voor zonsopgang, Mauritius te bezeilen.

De wind was gunstig.

Maar de volgende morgen wachtte een teleurstelling: men had de koers niet zuiver genomen; het eiland lag boven de wind, en men kon er naar kijken, maar aankomen niet. Wat nu te doen? Bontekoe durfde de grote reis over de Indische Oceaan niet aan zolang niet al het volk gezond was. Er werd besloten, de koers te richten naar het eilandje Sante Marie, dat vlak bij Madagascar ligt, tegenover de grote Antongil-baai.

Het weer bleef gunstig; de zee lichtte 's nachts alsof ze louter vuur was, en overdag was de hemel zo lokkend blauw dat de bruinvissen, om er ook wat van te zien, hoog uit het water opsprongen.

Na een kleine week zeilen kwam Sante Marie in het zicht. Het schip voer westelijk het eiland om; het schietlood wees tot zeven en acht vadem. Zo helder was ook hier weer het water, dat men de bodem zien kon. Tegen de middag werd een geschikte ligplaats gevonden, op twaalf tot dertien vadem goede ankergrord. En nauwelijks waren de zeilen ingebonden, toen van de vlakke kust drie prauwen naderden vol bruine lichamen! De maats beijverden zich uit hun kisten spiegeltjes en kralen, lepels, messen met koperen heft en allerlei andere snuisterijen op te diepen. Toen renden ze weer het dek op, de zakken vol ruil-materiaal.

Intussen waren de prauwen vlakbij gekomen. Er steeg een heidens kabaal uit op; iedere roeier scheen zich admiraal over de gehele vloot te voelen en deelde naar alle zijden bevelen uit die niemand opvolgde. In plaats van twee riemen, hadden de mannen in hun bruine knuisten maar één aan weerszijden afgeplatte spaan, die ze beurtelings links en rechts door het water trokken.

Floorke luchtte z'n 'vloeiend' Maleis weer. 'Heila!' riep hij, 'hebben jullie eten? Makan? Nassi? Klappa? Pisang?'

'Koeklekoe!' schreeuwden de inboorlingen en hielden manden met kippen omhoog.

'Zie je wel dat ze me verstaan?' triomfeerde Floorke.

Bontekoe was uit de kajuit gekomen en keek omlaag naar de luidruchtige troep. 'Gooi maar eens een touw uit, jongens, en haal zo'n sinjeur aan boord.'

Een touw vloog over de verschansing. Als snoeken schoten de prauwtjes er op af. En toen werd er om gevochten wie het eerst naar boven zou gaan. Ten slotte wist een van de negers zich, na twee schreeuwende makkers te hebben ondergedompeld, vast te grijpen, en werd toen ook maar meteen door de omes naar boven getrokken. Want voorlopig bedankte men ervoor, het hele schip vol van die gasten te hebben.

Het was een prachtig gebouwde kerel, die op het dek sprong. Naakt op een kleedje om het middel na, gekroesd zwart haar, de borst en schouders getatoueerd. Hij keek een ogenblik met grenzeloze verbazing om zich heen, en begon toen te lachen. Floorke diepte een spiegeltje op en hield het hem voor de neus. De lach verstomde op 's mans gezicht; hij gluurde achter het spiegeltje, toen weer erin, vond het daarop raadzaam wat uit de buurt te gaan en bespiedde wantrouwend Floorkes grijnzend bakkes. 'Kun je krijgen!' zei Floorke. 'Maar dan moet je ons *makan* geven!' En Floorke maakte heftige kauwbewegingen. Toen kwam Padde met Truitjes rinkelbel aanzetten en toverde daarmee weer een glimlach op het bruine gezicht. De mond viel van bewondering open, een rij tanden van het zuiverste ivoor onthulde zich, gevat in rozerood tandvlees, en de zwarte glinsterende ogen wierpen begerige blikken op de mooi opgepoetste rinkelbel. 'Kun je krijgen!' zei Padde, naar Floorkes voorbeeld. 'Maar dan moet ik *makan* hebben!' En ook Padde sloeg aan het kauwen.

De man boog zich over de verschansing tot zijn makkers wier gedachten-wisseling tot een geweldig tumult was aangegroeid. Toen ze zijn hoofd zagen verschijnen, verstomden allen als bij toverslag, want niemand wilde een woord missen van wat hun in deze zaak meer ervaren kameraad hun zou mededelen. Hij had heel wat op z'n lever. De klanken rolden als een waterval uit zijn mond; hij schreeuwde alsof zijn hele stam potdoof was en gebaarde bovendien nog met armen, benen en vingers. Toen hij zijn redevoering geëindigd had, diende men hem met dezelfde breedsprakigheid van antwoord. Daarop werden gevlochten korven omhooggeheven, begeleid door een gebulk dat aan het loeien van een koe deed denken. Melk? Van de wal naderden nieuwe prauwen, beladen met meloenen, appelen en rijst. Zo snel werden ze door het water gejaagd, dat het schuim hoog langs de boeg opscheerde.

De omes lieten een lijntje neer. Hun gast op het dek lichtte een en ander luidruchtig en breedvoerig toe, en na lang redekavelen werd een mand met enkele eetwaren – waaronder een vastgebonden witte haan – aan het lijntje gebonden. Men haalde de lijn in, maar de bewoner van Sante Marie nam onmiddellijk een beschermende houding over de mand aan en maakte een gebaar, dat aan duidelijkheid niets te wensen overliet: eerst betalen!

'Hier zijn al vaker blanken geweest!' stelde Bontekoe vast. 'Kom, nu zullen we eens gaan loven en bieden!' En hij liet Hilke een paar tinnen lepels halen. Die vielen in de smaak! Zonder lang talmen bood de neger in ruil voor de lepels de gehele mand aan.

'We zullen straks aan land gaan en eens zien wat we daar vinden,' zei Bontekoe. Toen keerde hij met de koopman en de opperstuurman naar de kajuit terug. De maats kenden hun ouwe; Bontekoe gunde hun wel een ongestoord pretje; hij wist dat ze er naar hunkerden om aan het handeldrijven te slaan. De heren hadden hun hielen dan ook nog niet gelicht, of de omes probeerden hun koperen knopen, opgepoetste duiten en kralen aan de man te brengen. Al gauw zag je de een met een mand kippen wegsjouwen, de ander de armen vol meloenen...

Toen de eerste kooplust, die zijn oorzaak eerder vond in de verveling van de laatste dagen dan in werkelijke behoefte, geblust was, bedachten de omes een grap. Ze wierpen het touw waarlangs hun bezoeker naar boven was geklauterd weer over de verschansing, wachtten tot er zich een half dozijn negers had ingewerkt, en trokken het toen buiten het bereik der anderen, – een daad, die de achtergeblevenen met oprechte verontwaardiging vervulde. Eén, die juist nog het slipje grijpen kon, viel door de ruk van het onverwachts optrekken als een rijpe kokosnoot omlaag, en kwam met een plons in het water terecht.

De anderen waren vlug als apen naar boven geklauterd. Hun beweeglijke tong stokte een ogenblik; ze stootten mekaar aan en schenen alles wat ze zagen vrij bespottelijk te vinden. En toen hun het eerst aan boord gekomen makker de rinkelbel deed rammelen waarvan hij intussen de gelukkige bezitter was geworden, lieten allen hun mond openvallen en luisterden met glanzende ogen. De bootsman liet de Schele een grote schaal Spaanse wijn brengen en voor hen neerzetten. Dat zouden ze wel lusten!

Maar er werden heel wat woorden aan gewijd vóór er een bij de schaal neerknielde en voorzichtig zijn lippen in het vocht doopte. Blij-verwonderd keek hij weer op, smakte met de tong en stak toen onvervaard zijn mond, ja, zijn neus er bij, in de zoete drank. Dat was het sein voor de anderen. Ze knielden aan alle kanten om de schaal, duwden elkaar opzij, bukten zich voorover en dronken gulzig smakkend en slurpend.

Toen de schaal leeg was schonken de maats grinnikend bij. Geen van de negers wilde daarbij opzij gaan, bevreesd zijn goede plaats te zullen verliezen. De schenkende omes hadden werk om tussen de gekroesde bollen een gaatje te vinden waardoor ze de wijn konden gieten.

De bootsman hield het nu voor welletjes. De drinkebroers likten het laatste druppeltje uit de schaal, keken elkaar met blinkende ogen aan en begonnen toen te lachen, dat de tranen hun over de wangen biggelden! Ze moesten zich aan elkaar vastklemmen om van al het lachen niet op het dek neer te ploffen. Hun vrolijkheid werkte aanstekelijk; slechts weinige omes bleven zuur kijken over het verkwisten van de wijn. En toen de mannen wier wijsheid in de kan lag elkaar om het middel pakten en schreeuwend en met de duimen knippend rondhosten, moesten de omes zich de buik vasthouden.

Tegen de schemering ging men met beide boten aan land. Op het vlakke strand wachtte een groep van wel honderd inboorlingen met runderen en schapen en met manden vol kippen, fazanten, boshoenders, duiven, kleurige vruchten...

Een levendige handel begon. Floorke ruilde zijn knipmes in tegen vijftig kippen waarvoor hij wel een hokkie zou timmeren. En elke dag zou hij eitjes en kip eten. Bolle kocht voor een spiegeltje en nog wat spullen een melkkoe voor de kombuis. Ook Harmen deed geen slechte koop: hij ruilde een paar koperen knopen tegen een mand meloenen en een dozijn fazanten.

De *Nieuw-Hoorn* beloofde een tweede arke Noachs te worden.

De barbier kocht voor een opgepoetst brillemontuur de hele medicijnvoorraad van een tovenaar op, die met de glasloze bril op zijn neus stellig niet aan ontzag bij zijn stamgenoten inboette en misschien wel overtuigd was met behulp van dit geleerd uitziende brilgeraamte alle ziekten en kwade geesten te zullen verdrijven. Rolf nam een inboorling die zijn waren al aan de man gebracht had ter zijde en wees vragend op het kleedje dat hij om het middel droeg.

'Lamba,' zei de man aarzelend.

'Lamba,' zei Rolf hem na, haalde een leitje uit zijn zak en schreef het woord op. Toen deed hij zijn gordelriem af en legde die voor de inboorling neer. Die bekeek vol aandacht de blinkende gesp van de riem, bond toen na enige aarzeling het vezeltouw los dat zijn lamba ophield, en stond het kledingstuk aan Rolf af. Waarop hij vergeefse pogingen in het werk stelde om de riem om zijn middel te bevestigen. Rolf hielp er hem tenslotte maar een handje bij, en als tegendienst knoopte de man hem de lamba om. De omes schudden van de lach.

Ook Hajo deed een voordelige ruil. Hij zette Truitjes schaartje om in een grote sterke boog met een mooi besneden, gevulde pijlenkoker. De nieuwe eigenaar van het schaartje knipte wat hij maar knippen kon: zijn nagels, zijn haren, zijn wenkbrauwen... Hajo was niet minder blij met *zijn* koop. Hij plaatste op het strand een schijf: een op een stok geprikte meloen, en deed enkele dagen lang niets anders dan oefenen. De bewoners van Sante Marie vielen zowat om van verbazing dat een witte man zo slecht met pijl en boog omging. Maar Hajo zette door, gunde zich nauwelijks tijd tot eten. En de derde dag zat schot op schot. Toen ging hij als een echte inboorling met pijl en boog op jacht en kwam met drie boshoenderen terug, die dubbel zo lekker smaakten als gewone gekochte tamme kippen – al waren die misschien wat minder taai.

Padde bejammerde in lange weeklachten zijn koffiemolen, die voor Texel door het zilte nat was opgeslokt. Hij zou er nu, naar zijn overtuiging, wonderen mee hebben verricht.

Alles bij elkaar scheen het eiland echter niet zo heel veel op te leveren, wat niet te verwonderen was, want na een smalle strandzone klom de bodem steil omhoog en ging spoedig in een kaal, onvruchtbaar bergplateau over.

Enkele minuten gaans het land in lag temidden van kokosbomen een dorpje. De uit bamboe gevlochten, met bladeren afgedekte hutten hadden maar één ingang en bij nadere beschouwing bleek alles even smerig te zijn; rondom de hutten was het één mestvaalt. In de modder speelden poedelnaakte peuters met honden en aapjes. Toen de omes er aan kwamen ontstond er in die kleine vreedzame wereld een ware paniek. De aapjes zochten ijlings hun heil in de bomen; de honden keften woedend tegen de indringers; de kinderen vluchtten de hutten in. Eén, die nog wat te klein was om zich zelfstandig uit de voeten te maken, bleef met verschrikte ogen, een modderkluit in beide bruine knuistjes, zitten en zette een keel op alsof heel Sante Marie in gevaar was. Een van de vluchtende kereltjes kwam haastig terug, tilde met een schuwe blik naar de omes zijn jonger broertje op van de grond en verdween ermee.

Geen enkele vrouw vertoonde zich; de deuren werden haastig gesloten; slechts hier en daar keek een verschrikt gezicht om een kier.

'Jammer!' zei Floorke. 'Ik had de vrouwen ook wel graag eens gezien.'

'Heb maar even geduld,' zei Harmen, 'ik ben temet weer terug!' En hij maakte benen in de richting van de boten. De maats begrepen nog wel niet wat hij in zijn schild voerde, maar besloten in elk geval even te wachten. Harmen was zo'n rare! Je wist nooit waarmee hij nog op de proppen kwam.

Daar kwam Harmen terug... met z'n viool! En nu herhaalde zich de geschiedenis van de Hamelnse rattenvanger. Nauwelijks trippelden de eerste klanken de lucht in, of hier en daar opende zich heel voorzichtig een deur, en een donker meisjeskopje gluurde naar de fiedelaar. De negers, die om de omes heen stonden, konden hun voeten niet stilhouden; ze knipten met duim en vingers, of klapten, heupwiegelend, in de handen. Daar kwamen de vrouwen en meisjes, al even schaars gekleed als de mannen, schoorvoetend naar buiten. En achter moeders rok, net als alle andere kinderen op de wereld, de naakte dreumesen met hun kogelronde buikjes; ze sperden de mond zo ver open dat je er een vuist instoppen kon.

Harmen fiedelde! 'Beginnen jullie vast te dansen!' riep hij de omes toe, 'dan doen de meissies het vanzelf.'

De omes dansten. Ze sloegen de handen ineen, vormden een kring rondom de vrouwen en meisjes, die ingesloten waren vóór ze het wisten, en hosten er vrolijk op los, met grote sprongen. Bij Harmens melodie zongen ze:

> 'Zeg, nonnetjes, wilt ge wel dansen?
> Wij zullen u geven een ei!'

Eén meisje probeerde te ontvluchten. Maar toen ze onder Floorke en Gerretjes armen door wilde duiken, pakten die haar stevig vast, en ze moest meedansen, of ze wilde of niet! De andere meisjes hadden schik en probeerden ook te vluchten. Verdikkoppe, nou had Floorke, die geluksvogel, aan z'n andere hand óók al 'n meissie! Harmen werd het te machtig; hij duwde Hajo de viool in de handen en rustte niet vóór hij ook beet had en meedanste op de wijsjes die Hajo nu aan het instrument ontlokte.

Padde stond terzijde, zonder te vermoeden dat er een samenzwering tegen hem op touw werd gezet: de Neus en Gerretje duwden hem ineens midden in de kring. Verlegen wilde hij zich een uitweg banen. Maar nu greep Harmen hem beet. En zo danste Padde tegen wil en dank mee tussen Harmen en een allerliefst Sante Maries meisje...

De Neus schiet een musket af

Er werd besloten dat de grote boot onder leiding van de schipper zelf naar Madagascar zou oversteken, om eens te onderzoeken of daar misschien nog een goede voorraad vruchten zou zijn op te slaan, want alles bij mekaar had men toch nog niet genoeg vers voedsel aan boord om de grote overtocht te mogen wagen. Daar de tweede stuurman ook zou meegaan en de opperstuurman met koorts te kooi lag, was het aan Folkert Berentsz. om zo lang het bewind aan boord te voeren. Dat zag er niet mals uit voor de jongens! Want er was dagenlang niet gepoetst, en de bootsman zou stellig bij Bontekoes terugkeer de *Nieuw-Hoorn* blinkend gepoetst en geschrobd willen afleveren.

'Jongens,' zei Harmen, 'we moeten er ons zien uit te draaien, anders loopt het mis.'

'Hoe: mis?' vroeg Padde.

'Wel, de bootsman wil van de schuit een porseleinkastje maken. Door 't lange liggen is er mos aan de kiel gekomen. Dat mogen wij er met een pennemesje weer afkrabben. En de poorten uitpulken! En de ankers poetsen tot ze glimmen als vishaken! En weet je wat ie jou wil laten doen?'

'Nou?' vroeg Padde.

''t Zal je niet meevallen! Op het topje van de grote mast ligt wel een vingerdik stof, dat moet jij er met je tong aflikken! En je moet met een lantarentje het grootzeil afzoeken of er de mot in zit, en als je er een vindt, moet je hem levend vangen en aan de bootsman geven, dan kan die hem laten kielhalen.'

'Jawel!' schimpte Padde. 'Ik zal me door de bootsman laten commanderen! Ik sta vlak onder de bottelier!'

'Ja, veel plezier!' dichtte Harmen. 'En de bottelier staat vlak onder de bootsman. En als de bootsman *diksi* zegt, kun jij stof aflikken en motten vangen. Nee, we moeten zien klaar te spelen dat de schipper ons meeneemt in de boot! – Afijn, kom maar eens mee, jongens! Ik zal wel zo kletsen, dat ie toegeeft!'

Zo togen de vier in optocht naar de grote kajuit. Bontekoe was alleen. Dat trof! Want geen van hen had het erg op de koopman begrepen.

'Wat komen julle doen?'

'Schipper,' begon Harmen met een ernstig gezicht, 'we hebben er eens over nagedacht en... hm! we hebben hier morgen aan boord tóch niks te doen... eh, geloof ik, en daarom dachten we... hm!'

Er tintelde iets in Bontekoes ogen. 'Moeten jullie alle vier mee?'

'Alle vier,' haastte Padde zich te verklaren.

Harmen geloofde dat hij de zaak gewonnen had. 'Weet je waarom Padde mee moet, schipper? Omdat we wel eens op menseneters zouden kunnen stuiten!'

Padde verbleekte.

'En als dat dan eens gebeurde?' vroeg Bontekoe met heimelijke pret.

'Wel, schipper, wie van ons zouden ze uitpikken om in de pot te stoppen? Padde natuurlijk! En *wij* lopen allemaal vrij!'

'Wá-blief?' stamelde Padde.

'Nou, gráág of niet!' zei Harmen. 'Als jij liever wilt poetsen...?'

'Vooruit dan maar!' zei Bontekoe. 'Dus morgen vroeg alle vier klaar bij de jol!'

'Ik ga niet mee!' zei Padde vastbesloten.

Harmen gaf hem een stomp. 'Ben je stapel?! Bevel van de schipper!' fluisterde hij.

'Ik zal wel poetsen!' jammerde Padde.

De volgende dag bij zonsopgang vertrok de jol, en de jongens gingen mee.

Het was weer een morgen uit duizend: een droge oostenwind maakte het mogelijk het zeil te voeren. Zachtjes glijdend op een kalme golfslag koerste de jol in westelijke richting. De omes pruimden, rookten, gaven mekaar raadsels op, hakten op over hun hachelijke avonturen. Harmen zette geurige koffie; slurpend, smakkend werden de kommetjes leeggedronken.

In de middag kwam Madagascar in zicht; een blauwgroen streepje aan de horizon; later breidde de streep zich uit. Grijze gevaarten, die men voor wolken had gehouden, bleken bergen te zijn. Een gele strook in de branding duidde op een rivier, die in zee uitkwam. Daarop werd de koers gesteld, en in de avond was de branding doorworsteld en de jol op het strand getrokken.

Men nam de wapens mee en zocht in de vallende duisternis een half uur ver de omtrek af. Geen spoor van mensen.

Aan weerszijden van de rivier rees het bos op, ondoordringbaar door een net van lianen, steltwortels en doornstruiken met stekels groot en scherp als de nagels van een tijgerklauw. Ineens, zonder overgang, de ontzagwekkende meedogenloze stomme strijd van het tropische oerwoud: boomkolos naast boomkolos. Worstelend om licht, verstikt elke boom in zijn schaduw wat zich rondom bevindt. Hier, in dit rijk van de sterkere, is zwakte een schuld waarop de doodstraf staat, en kracht is recht.

Maar ook sluwheid weet er zich te handhaven. Sluw zijn de woekerplanten, de lianen, die, welbewust dat eigen kracht hen niet dragen kan, zich hechten aan de schors van een woudreus en, listig kronkelend, zich voedend met zijn krachtige bloed, hun wegen vinden naar het licht, daarboven.

Raven cirkelen met naargeestig krassen om de toppen, of hokken in een lange rij zwijgend bijeen als trieste, zwartgerokte gasten in een dodenhuis. Onder de takken door fladderen vleermuizen; zij kennen de verborgen gangen in het donkere woud, ze duiken weg en komen weer te voorschijn, onverwachts, met luimig vlerkenspel.

De maan breekt door. Van het water stijgen de avondnevelen op: ijle gestalten in lange, bleke gewaden.

Wat beklemd keren de omes naar de jol terug. Haastig, zonder veel spreken, worden een paar tenten opgeslagen voor de nacht.

In het oosten licht het rossig tegen de wolken op: de weerschijn van het vuur, dat de bij de *Nieuw-Hoorn* achtergebleven maats hebben ontstoken, in geval de mannen met de jol nog dezelfde nacht mochten willen terugkomen. Die kunnen het niet laten, hier als antwoord óók een vuur te ontsteken: het doet zo goed, te weten dat daarginds goede vrienden zijn en dat daar hun bovenste-beste schuit ligt, die met zijn opgelapte grote mast voor de drommel bij goeie wind nog twee knopen méér maakt dan elke andere kast en die hen allemaal, jongens van de Compagnie, zal terugvoeren naar dat beroerde kikkerland, waar het toch zo deksels gezellig kon zijn. Waar je in plaats van oerwouden geraniums in een pot voor je venster had staan; naar dat half ondergelopen lapje grond waar je met hard malen en ferme baggerlaarzen nog net doorheen kon modderen; naar dat boter-en-kaaslandje, waar je moei en je meissie kousen voor je breiden en je een fijn bakkie koffie voorzetten uit de ouwe gebarsten koffiepot, die boven het vuur zo lekker knussies roezemoezen kon.

Zuchtend sliepen de omes in.

Maar de volgende morgen waren ze herboren! Even een bad, dan een gloeiend bakkie op je nuchtere maag, de tenten ingepakt, een stuk rogge achter je kiezen, en zingend en kauwend tegelijk roeiden ze de jol de rivier op. De monding was breed, wel een kwart mijl, en in het midden liep een diepe vaargeul. Maar allengs werd de rivier smaller, en verspreid liggende rotsstenen bemoeilijkten de vaart. De zware donkere loofbomen op de oever begonnen langzamerhand geheel te overheersen, drongen het lichtgroen gebladerte van de palmen terug. Hier was geen zuchtje wind meer; de omes moesten de riemen uitgooien. Het zweet stroomde hun van het naakte bovenlijf.

Tussen steile wanden gleed de jol langzaam stroomopwaarts. Aan vooruitstekende rotspunten hadden zich planten gehecht, waarvan de bloemrijke stelen in sierlijke val omlaaghingen. Zwaluwen scheerden rusteloos heen en weer door de tot een kloof vernauwde rivier, doordringend tsiep-tsiep! roepend, waarschijnlijk uit bezorgdheid voor hun nestjes, waarvan de plaats door een streep vuil makkelijk te raden was. Hier en daar hing aan een boomtak een geelgrijs wespennest, omzoemd door een dichte zwerm.

Pats! Een paar stenen of noten – wat waren het? – vielen in het water! De maats keken op. Waar kwamen die dingen vandaan? Pats! Een nieuwe laag. Twee kletterden in de boot neer – het waren noten. Wat bewoog zich daarboven in de takken? 'Apen!' riepen de maats.

Pats! Een nieuwe laag. Padde kreeg een noot op zijn gezicht, juist toen hij angstig omhoog keek. 'n Ferme bloedneus – dat was gelukkig alles. Gerretje laadde een musket met ganzeschroot, mikte en drukte af. Het schot dreunde oorverdovend in die nauwe kloof. Uit hoeken en gaten tuimelden vleermuizen, tolden piepend en krijsend in het rond. Stenen, door de plotselinge luchtdruk losgemaakt, rolden het water in. Maar het schot had doel getroffen. De kop naar beneden, een lange geringde pluimstaart als een vlag omhooggestoken, suisde de aap omlaag, viel tien ellen voor de boot in het water. Een roze sneeuwval van tere bloesems dwarrelde neer en dekte zijn graf. De maats grepen het diertje toen de stroom het aan de jol voorbijvoerde. Drie, vier gaten in het lichte, zachte borstje toonden hoe bitter goed het schot was aangekomen. Het kopje was zilverwit van kleur; een zwarte vlek lag om de nu gesloten oogjes.

In de bomen daarboven waren intussen de andere notenwerpers van hun schrik bekomen: het regende weer noten. De Neus, die een noot tegen zijn wang gekregen had, waarbij zijn oor lelijk gewond was, pakte op zijn beurt grimmig een musket.

'Laat dat, Neus! Hoe meer je schiet, hoe beroerder we er aan toe zijn!'

Maar de Neus wilde niet luisteren. Hij laadde het musket, drukte af... Boem!

Toen gebeurde er iets onvoorziens. De stenen wand van de linkeroever vertoonde ineens over de gehele hoogte een scheur, er kwam beweging in; een scherp gekraak – toen zakte de wand voorover, kwam tegen de andere wand te staan, brak doormidden en stortte met donderend geweld vlak achter de jol in de rivier. In hetzelfde ogenblik werd de heftig heen en weer geslingerde boot bedolven onder het loof van een zware boom, die door de vallende steenlaag was neergedrukt. Wonder boven wonder, waren ze er niet men hun allen door verpletterd.

Lijkwit en geheel doorweekt zaten de omes in de jol, beide handen om het boord geklemd. 'Daar hadden we slechter kunnen afkomen,' zei Bontekoe alleen maar.

Een paar maats vonden hun spraak terug en begonnen de Neus de huid vol te schelden. Die zat rondom in het dichte gebaderte, als was hem een feestkrans omgehangen. Maar zijn stemming was allerminst feestelijk; wezenloos, met de ontzetting nog in de ogen, staarde hij naar zijn makkers.

'Het is een losse wand geweest,' stamelde Rolf.

'Laten we allereerst onder de boom zien weg te komen,' zei Bontekoe. 'Zometeen gaan we hier kopje-onder!'

Zo was het. Door de plotselinge stremming in de rivier wies het water zienderogen. En doordat de jol onder de boom gekneld zat, moest hij wel vollopen!

Alle hens aan dek! De maats kapten met bijlen een uitweg voor de jol, die na veel gewurm vrij kwam.

'Hoe komen we nou terug?' De weg naar achteren was afgesloten.

'We zitten als ratten in de val!'

'Doorroeien!' beval Bontekoe. 'Misschien vinden we hogerop een zijrivier, die ook in zee uitloopt.'

Dat was de enige mogelijkheid. Een zijrivier! Pats! de riemen scheerden alweer over het water. Eén voordeel: nu het water was opgelopen, roeide het vrij wat lichter. En de apen waren ze kwijt! Die kwelgeesten schenen de schrik te pakken te hebben.

Wanneer zou er eens een eind komen aan die beklemmend hoge wanden, die slechts op een musketschot schenen te wachten om voorover te vallen en een stel arme janmaats in te sluiten? Bij elke bocht hoopten ze het einde van de kloof te zien. En ten slotte... daar daalden de oevers, en het waterbed verbreedde zich. De omes ademden op.

In de kloof was het koel geweest, maar hier voelden ze de hitte weer geducht. De jol werd naar de kant in de schaduw geroeid en puffend zetten de maats zich neer op een grote rotsbank. De Neus wilde zijn zonde weer goedmaken, ging aan de oever wat hout sprokkelen. In een oogwenk had hij wat licht brandbare takken bijeen en nu werd op de bank met behulp van een paar stenen een oventje gebouwd waarop Harmen zijn koffieketel plaatste. Rolf en Gerretje sleepten een net een eindweegs langs de oever, waarbij ze een aardig partijtje vis vergaarden, die gebakken werd in kokosolie. Toen de hongerige magen gevuld waren, zette men de tocht weer voort.

Aanvankelijk hielden ze het midden van de stroom, maar al gauw dwong de brandende zon hen de schaduw weer op te zoeken, al hadden ze daar ook meer last van stenen op de bodem. Merkwaardig stil was het woud. Soms krijsten papegaaien of verscheurde een onbekende dierenroep de stilte. Maar de stilte sloot zich meteen weer en van de weeromstuit werd er in de jol ook gezwegen.

Allengs werd de rivier nauwer; ze konden nu weer in het midden varen: de bomen aan de beide oevers sloten hun kruinen over het water aaneen.

Een drinkend hert stoof verschrikt weg, het gewei achter in de nek. Steeds dichter welfden de bladerenmassa's zich over de rivier. Hier hing schemerlicht; de zon kon er niet doordringen. De jol schoof onder een boom door waarvan de takken door het water sleepten; aan de twijgen hingen grote groene vruchten, de onderste ervan half door de vissen opgegeten.

Harmen proefde er een. De vrucht smaakte wat wrang, maar koelde de dorst. En de maats plukten wat er maar te plukken viel.

Toen de jol onder de vruchtboom uitschoof, begroette hen opeens weer de volle zon. En zie: badend in die vloed van licht stond daar een boom zo heerlijk mooi, dat de omes er geen woorden voor vonden. Hij was met sneeuwwitte bloesem overdekt en ademde een bedwelmend zoete geur uit. Duizenden vlinders en bonte glanzende kevertjes dwarrelden er omheen.

De bewonderende uitroepen gingen echter in verwensingen over toen bleek, dat die prachtige boom een haast onoverkomelijke hinderpaal vormde in de waterweg. Nergens een doorgang! Er met de bijl een hakken! Dat zou weer minstens een half uur ophouden.

Hajo werd door Bontekoe uitgezonden om de rivier hogerop eens te gaan verkennen. Na zich met zijn lenig jongenslichaam door de nieuwe hindernis heengedrongen te hebben, kon hij alleen maar vaststellen dat de rivier verderop steeds meer dichtgroeide.

Men hield krijgsraad. Er zat niets anders op dan toch maar weer terug te roeien en – hoe, dat wist niemand nog! – de jol heen te helpen over de waterval, die door de gevallen rotswand zou zijn ontstaan.

Nog iets anders baarde zorg. De lucht begon te betrekken. Vooraan kwamen een paar donkere wolken, als ruiters op verkenning; daarna een zwarte drom, staag aanrukkend.

'Een regenboog!' Daar stond hij, fel en vals tegen het zwart. Maar meteen schoof een loodkleurige wolk voor de zon; de regenboog bleekte weg, en meteen werd alles in schemer gehuld. De hitte nam nog toe, een broeierige hitte die het ademen moeilijk maakte.

Kom, bleef het onweer nu nog lang uit? De spanning maakte de maats prikkelbaar, de hele natuur verlangde naar de eerste, bevrijdende donderslag. Daar kwam hij! Vlak op het weerlicht, dat alles in 't vaalgroen zette. Papegaaien krijsten.

Daar ratelde de tweede slag, een tijd lang narommelend in het bos. Flits! Boem! Driemaal achtereen. Hoor de demonen razen! Ze zitten elkaar na, daar in die zwarte wolkenwereld; ze klauteren op hun gouden rossen en slingeren bliksemstralen om zich heen. Daar komen ze, nieuwe zwarte drommen; ze stuiven voorwaarts, botsen opeen. Rondom grauwen en grommen en grimmig geweld!

Dan... de bevrijding! Daar klettert hij neer, de forse ruisende regen, bevruchtend en heilbrengend. Hij spoelt het zweet van de ruggen, roert het water tot de bruine modder naar boven wentelt.

Voorbij... De maats rekken de verstijfde leden, ademen uit volle borst. Me nieuwe moed pakken ze de riemen op en beginnen de terugtocht.

Heel wat vlugger ging het nu, met de stroom mee; al gauw waren ze weer bij de kloof. Hier werd de jol gemeerd en op een paar hens en de schipper na stapten de maats uit, om de boot zo licht mogelijk te maken , – zo hoopte men de hindernis te kunnen nemen.

Ze namen afscheid. De omes aan de oever klauterden langs de rotsen omhoog en de jol schoot met z'n kleine dappere bemanning de kloof binnen. Er moest heel wat stuurmanskunst worden aangewend om ongelukken te verhinderen. Had men voor enkele uren nog stroomopwaarts geroeid, nu zou daar geen denken meer aan zijn; zo had de regen de rivier doen zwellen. Met grote snelheid dreef de jol in de richting waar donderend geweld de door de omgevallen rotswand ontstane waterval aankondigde; men trachtte de vaart te stutten door de riemen als bomen te gebruiken... vergeefs!

De haren rezen de omes te berge.

Floorke, handig als de duivel zelf, zette zich in het dansende vaartuigje schrap, gooide een touw als een lasso om een vooruitstekende rotspunt, wikkelde toen met een bliksemsnelle slag het einde van het touw om de roerpin. Een knoop erop waar geen landrot wat van snapte, en de jol bleef met een ruk liggen. Op het nippertje! Met Floorke kon je uit vissen gaan. Er werd nog een touw om de rots geslagen, voor het geval het eerste zou afbreken. Daarna wachtten de mannen zwijgend – het geraas van de waterval maakte elk praten toch onmogelijk – op de komst van de anderen.

Die hadden heel wat meer tijd nodig om vooruit te komen en zeker niet minder moeilijkheden te overwinnen. Het was een eindeloos klauteren, een staag voortworstelen door struikgewas en over boomstammen; nu en dan moesten ze zelfs van de ene boom in de andere overklimmen. Een troep apen begeleidde hen daarbij, hield zich de buik vast bij de stumperige klimpartij van die witte monsters. De takken waren glibberig van de regen; om de haverklap gleed een ome uit en kwam wonder boven wonder zonder gebroken benen in de doornen terecht. De maats gingen tot de maatregel over die men in de bergen toepast: een gemeenschappelijk touw verbond hen. Als er nu weer een viel, bleef hij aan zijn riem hangen. Hilke en de Neus wierpen zich als voormannen op; aan hen de taak om met een bijl de versperrende lianen weg te kappen.

Eindelijk kwamen ze bij de jol. Floorke klauterde met nog vijf man over de in het water gevallen rotswand heen naar de andere oever. Meegenomen touwen werden door de maats in de jol onder de kiel doorgetrokken, zodat de boot als in een schommel kwam te hangen.

'Alles klaar?' De omes sloegen hun knuisten om de touwen; langzaam werd de kabel, die door Floorke om de rotspunt was geslagen, gevierd; een dozijn gespierde omes tilden de jol op, droegen hem over de gevaarlijke plaats en lieten hem met kleine rukjes zakken tot hij weer op het water lag. Oef...! dat was goed gegaan.

Mannetje na mannetje liet zich daarna weer in de jol glijden. Toen allen aan boord waren liet men de touwen los, en de jol gleed weer voort in de bruisende stroom. Even later schoten ze de kloof uit. Gered! Nu pas zagen ze dat de zon al achter de bergen zat. En bij het naderen van de riviermonding viel de duisternis in. De maan was vol, maar school telkens achter donkere wolken.

Heimwee bekroop de maats, heimwee naar hun schip, naar hun makkers, naar het vooronder, naar het veilige gevoel weer een Hollandse bodem onder de voeten te hebben. Hoewel de lucht er dreigend uitzag, had niemand lust om aan land te overnachten, en Bontekoe zei de mast op te zetten en het zeil te hijsen – men koos zee.

De wind stak bij vlagen op, rukte luimig aan het zeil, deed de jol soms sterk hellen. Men hield de kop van het vaartuigje zoveel mogelijk recht in de golven, maar de zee was al even luimig als de wind: telkens kwam vóór men erop verdacht was een zware zijdelingse golf die de jol hoog optilde en weer in de diepte kwakte, zodat de omes voor de zoveelste keer doorweekt waren.

Steeds woeliger werd de zee; steeds heftiger drukten de windstoten in het zeil. De jol schepte water. Baliën! Gelukkig had men putsen meegenomen. Verjoppie, daar dreigde het stuurboord voor de tweede maal onder water te schieten; de mannen lieten zich naar bakboord vallen; de mast kraakte onder de hevige druk.

'Zullen we reven, mannen?' vroeg Bontekoe.

'We kunnen het nog wel even houden, schipper!'

De maats hadden schik. De jol lag vast genoeg; ze zouden wel zorgen dat-ie niet kiepte. Hoe gauwer thuis, hoe liever! Ze hebben de putsen klaar om te baliën – jongens van stavast, wà-blief? Kennen de zee als moeders wastobbe. Hei! wat schoot de jol door die golf! Hoe smeuïg doopte die, bij het afglijden van zo'n gladde golfrug, z'n neus in de volgende!

Opeens...! Aan bakboordzij een hoge, donkere muur; de jol werd weggezogen, tegelijkertijd overkruifde hen van achteren een andere golf; een witte mantel van schuim werd hoog over de jol uitgeworpen – toen kregen de arme kerels, die van schrik overeind gevlogen waren, de volle lading binnen. Baliën!' Ze voelden nog bodem onder de voeten; de jol dreef dus, al lagen de boorden zowat met het water gelijk. Hijgend en vloekend van angst hoosden de omes. Wie geen puts had, wierp met handen en mutsen het water terug. Bontekoe greep een vaatje olie en goot dat aan bakboordzijde leeg. Daarna spande hij samen met Hilke, terwijl de anderen nog druk aan het baliën waren, een zeiltje over de plecht, om het water af te weren. En toen het hozen gedaan was, werd ook het gedeelte achter de mast overspannen; alleen voor de man aan het roer bleef een plaats vrij. 'Als we *nou* kiepen, kunnen ze tenminste zeggen: samen uit, samen thuis!' merkte een grapjas op.

'Het vuur!' riep de stuurman. De maats gluurden onder het zeiltje door en zagen de rosse schijn. Dat gaf moed!

Een golf van heb-ik-jou-daar mepte op het zeil. Als dat zeiltje er niet geweest was, nou! Ze sjorden het voor alle zekerheid nog wat steviger vast. Hopsa! Kon men ergens ter wereld lustiger dansen dan op zee? De leut was er bij de omes niet meer uit te krijgen. Ze brulden daar onder hun zeiltje alle deuntjes die ze kenden. Binnen het uur zouden ze veilig op één oor liggen!

Maar de pret dreigde lelijk verstoord te worden. Een windvlaag drukte de jol zo ver naar bakboord door, dat het water weer over de gehele breedte naar binnen stroomde. Snel als de weerlicht trok de Neus z'n mes en sneed met één ruk het strakgespannen ondertouw door, waaraan de boom met het zeil uit alle macht trok. De boom draaide weg, sloeg in het water; het zeil vloog in flarden. Maar de jol richtte zich overeind, al stond hij ook weer half vol water. De maats hoosden wat ze konden – en scholden de Neus uit voor al wat lelijk is. Want bij een ongeluk behoort een zondebok.

Maar ditmaal was de Neus terecht overtuigd, de jol en al zijn makkers voor een wisse ondergang behoed te hebben.

Geen zeil meer? Roeien dan maar! De golfslag werd minder hevig: ze naderden land. Daar dook de verlichte *Nieuw-Hoorn* achter een waterrug op!

Moed, jongens!

Een half uur later zagen ze gestalten op het dek. 'Ahoy!' riepen de omes, staken de lantaren aan en zwaaiden er mee. De wacht in 't kraaiennest antwoordde. De maats voelden zich al weer thuis. 'Blij toe, jongens!'

'Nou!' In de kombuis werd licht opgestoken. Beste, brave Bolle! Ze roeiden naar de lijzijde, grepen de touwen die hun werden toegeworpen en sloegen ze door de hijsspinnen.

Toen klauterden ze stuk voor stuk langs de valreep omhoog. Padde, meer dood dan levend, moest door twee man gesteund worden.

'En? Hoe hebben jullie 't gehad?'

"n Fijn tochie! De Neus heit half Maddegasker an puin geschoten.'

'Is 't waar, Neus?'

'Op je gezicht! Als ik er niet was geweest, waren we met z'n allen naar de haaien gedoken!'

In optocht, met van vermoeidheid knikkende knieën, begaven de teruggekeerde omes zich naar de kombuis, waar ze gretig de gloeiende koffie opslurpten die Bolle ondanks het late uur voor hen had gezet, toen de wacht hen in zee had gesignaleerd. De natte kleren van 't lijf, droog ondergoed aan en onder de wol. Hè!

Ze snurkten...! 't Was bij de varkens af, vond een maat, die twee dagen lang gepoetst had en daarbij alle levensvreugde was kwijtgeraakt.

De koopman ontving Bontekoe gekleed in de kajuit. 'En heeft de reis wat opgeleverd?' vroeg hij.

Pas nu kwam Bontekoe tot het besef dat de tocht geheel vruchteloos was geweest. In zijn vreugde over de gelukkige afloop na alle doorstane gevaren, was hem dat helemaal door het hoofd gegaan. Nu ineens stond hij voor de nuchtere vraag wat de tocht had *opgeleverd*.

'Een nat pak kleren,' zei hij.

'Daar heeft de Compagnie niet veel aan!' meende Rol glimlachend.

'De Compagnie!' Hoe langer de *Nieuw-Hoorn* op reis was, hoe dieper zich in Bontekoe onbewust het gevoel geworteld had dat het schip van hém was en van z'n tweehonderd kerels, die er elke dag hun leven voor veil hadden. Hij voelde zich, ook nu weer na die korte worsteling met de zee, heer en meester op de *Nieuw-Hoorn*. En de koopman, de bloedloze rekenaar die voor geen avontuur in gloed te zetten was, de stille potkijker die hij, schipper Bontekoe, nog als lichtmatroos niet kon gebruiken, zeurde over 'de Compagnie!'

Straks, als de schuit veilig gemeerd op de rede van Bantam lag, dan kwam 'de Compagnie' aan het woord; dan kon Rol kopen en verkopen tot hij al zijn boeken had volgekrast. Maar de taak om de *Nieuw-Hoorn* veilig daarheen te brengen was voor hém, Willem IJsbrantsz. Bontekoe, op dit ogenblik nog: naast God schipper op zijn schip!

'De Compagnie!' herhaalde hij driftig, draaide de verblufte Rol de vierkante zeemansrug toe en ging ter kooie.

Brand

De negende dag dat de *Nieuw-Hoorn* voor Sante Marie lag, was al het volk genezen en men ging welgemoed onder zeil, vertrouwende dat de voorraad vers
voedsel toereikend zou zijn. Men koerste eerst zuidoostwaarts tot op 33° en
wendde de steven daarna noordoost naar Soenda.

Het waren mooie stille dagen. De omes hadden de handen vol met het onderhoud van het pluimvee, maar heel hun leven hadden ze niet zoveel eitjes
gepeuzeld.

Padde werd in de loop der weken zelf zo rond als een ei. Men ried hem wat
beweging aan. Zuchtend besloot hij het werkje over te nemen dat tot nu toe
de Schele altijd had verricht: 's middags in de kelder af te dalen en er een
vaatje vol te pompen, om de volgende morgen alle omes een half 'mutseke' te
kunnen verstrekken.

Joppie kreeg spreeklessen. Een kreet van verrasing ging onder de omes op
toen hij duidelijk verstaanbaar Hajo! krijste. Maar nu bleek dat Joppie al niet
veel beter was dan de mensen: ook hij stelde zijn kennis in dienst van het boze.
Hij riep zijn meester de hele dag, liefst bars bevelend, zoals Berentsz. het deed,

soms ook angstig opgewonden, als wilde hij zeggen: kerel, je bent me toch niet overboord gevallen? – Zo kwam Hajo soms buiten adem aanhollen om te vragen wat de bootsman van hem wou, en vond dan in plaats van een grimmige Folkert Berentsz., een allervriendelijkste Joppie, die hem de kop toestak om gekrauwd te worden. Wie de leergierige vogel zijn naam wist in te pompen, kreeg er spijt van als haren op z'n hoofd.

Joppie leerde ook zijn eigen naam en toonde in het uitspreken ervan een grote mate van zelfingenomenheid. De maats wisten niet waar ze bleven van het lachen wanneer Joppie zijn naam in alle toonaarden uitgalmde, de een nog vleiender dan de andere.

Gerrit was tevreden over zijn pleegkind. Hij had aanvankelijk wel wat raar tegen de kromme snavel en de bonte pluimage van de jonge 'torenkraai' aangekeken, maar nu herkende hij in de wijze waarop Joppie: Ka! kon zeggen, toch duidelijk een rasgenoot.

Toen de omes vonden dat Joppie meer dan wijs genoeg was, nam Padde de taak over om Joppies leergierigheid te bevredigen.

'Vooruit!' zei Padde, 'zeg nou eens: Padde Kelemeijn!'

Joppie keek hem pienter aan. ''t Is een merakel!' meende het dier toen.

'Vooruit!' mopperde zijn leermeester. 'Padde Kelemeijn! Zeg het dan, stommeling!'

Joppie hield z'n kop schuin, luisterde vol aandacht. Toen keek hij Padde trouwhartig aan en schetterde: 'Stommeling!'

'Je bent zelf een stommeling!' gromde Padde, die rood werd van drift.

'Knap maar,' zei de vogel en keek luchthartig naar boven.

Padde staarde het dier met opengespalkte ogen sprakeloos aan, keerde zich toen om en nam zich voor, geen woord meer aan het mormel te verspillen.

Zo kwam een dag die de mannen van de *Nieuw-Hoorn* lang heugen zou: de negentiende november van het jaar 1619.

Naar gewoonte begaf Padde zich in de namiddag naar de kelder, daalde met zijn kaars het korte trapje af en plaatste het licht op een ton, om de handen vrij te hebben voor het pompen.

> 'Mallemallemootje,
> Zeven in een bootje;
> Mallemootje, mallemallemoer,
> Zes aan de riemen en één man aan het roer!'

zong Padde, welgemoed pompende. Het vaatje was vol: Padde bevrijdde met zwierige greep de kaars, die hij op de ton had vastgesmolten. Toen viel – kon het ongelukkiger? – het gloeiend eindje van de kaarsepit in het spongat; de brandewijn daarbinnen vatte vuur; de duigen scheurden met een doffe knal uiteen en de brandende vloeistof bedekte meteen de hele kelderbodem. Met een schreeuw vloog onze botteliersmaat het laddertje op, zag twee putsen water staan waarmee Hajo en Rolf aan het dekschrobben waren, greep de putsen en keerde ze boven het luik uit.

'Padde! Wat is er?!'

Hij wilde wat stamelen, maar het was niet meer nodig: het sissen, knetteren en de wolk verdampt water, die uit het luik opsloeg, zeiden genoeg.

'Brand, *Brand*!!!'

Dat werkte. Van alle kanten kwamen de maats met verschrikte gezichten aanhollen, sommigen al met volle putsen. 'Wáár is de brand?!'

'In de kelder!' Angst trilde door alle stemmen. In razende haast zocht men naar putsen. Stromen water werden door het luik gegoten.

Nadat men wel een honderd emmers water had leeggeworpen, klauterde Folkert Berentsz. de kelder in en kon daar gelukkig geen brand meer ontdekken. Intussen had Bontekoe zich naar het ruim gehaast, waar, zoals hij terecht vermoedde, plassen brandend vocht de bodem dekten. Hij riep om putsen. Na een tiental te hebben leeggegoten, scheen ook daar de brand geblust.

Een zucht van verlichting ging op toen men hoorde dat de smidskolen niet door het vuur waren aangetast. Nog hijgend van opwinding, besprak men het gevaar dat gedreigd had. Als de brand tot in de kruitkelder was doorgedrongen...!

'Padde!' werd er geroepen. 'In de kajuit komen!'

De arme jongen trilde over al zijn leden. Ongemerkt wist hij door een luik in het ruim te glippen. Daar was het stikdonker; tastend daalde hij het steile trapje af. Beneden gekomen, wankelde hij naar een hoop touw, ging zitten, borg het hoofd in de handen en huilde...

Stil! Wat hoorde hij daar! Met bonzend hart luisterde Padde. Hij durfde de ogen haast niet te openen in dit griezelig donker. Krak! Knaps! Krits! Klappertandend richtte Padde het hoofd op. Was het een koortsschim? Daar, aan de andere kant van het ruim, laaiden vlammen op! Een zwavelige lucht drong Padde in de neus. Grote God...! De kolen brandden...!!

Met een schreeuw vloog Padde het trapje weer op. 'De kolen...! De k-*kolen*!!!'

Nieuwe paniek. 'De kolen?! *Branden de kolen*?!'

Een paar maats zijn alweer het ruim in, gewapend met putsen water die ze leegkletsen over de brandende kolen. Gesis van heb-ik-jou-daar; gele zwaveldampen barsten uit de gloeiende berg te voorschijn, en in een oogwenk is de lucht in het ruim zo benauwend dat men het er geen twee minuten kan uithouden.

Maar de omes zijn taai. Altijd opnieuw dalen ze met volle putsen langs het smalle trapje in het ruim af, banen zich een weg in het verpeste zwavelhok, werpen het water over de kolen en zoeken tuimelend, vloekend, met betraande ogen de weg terug naar het trapje. Hoevelen vinden de weg? Hoevelen zakken bedwelmd in elkaar, half verstikt, na radeloos heen en weer gerend te zijn?

Bontekoe leidt zelf het werk, tot zijn stem versmoort en ook hij wankelend het trapje naar het dek opvlucht. Maar een ogenblik later is hij weer beneden. 'Moed houden, mannen!'

Men kapt gaten in het tussendek, werpt ontzaglijke hoeveelheden water in het ruim. Zou het nu helpen? De planken bodem onder de voeten wordt steeds heter; de maats springen als zandvlooien rond, moeten om de haverklap hun halfverschroeide voetzolen koelen in de putsen water die ze aandragen.

Zou men het kruit overboord werpen? De kans om in deze streken een Spaans schip te ontmoeten is bedenkelijk groot. Zonder kruit aan boord zou men verloren zijn. Met het wegwerpen van het kruit dus maar tot het uiterste gewacht.

Hou vast, mannen!

Maar er waren verraders. Wetende dat de jol en de sloep achter het schip aan-sleepten – de jol was sinds het vertrek van Sante-Marie nog niet binnengehaald en de sloep was daareven uitgezet, omdat hij bij het bluswerk in de weg stond – hadden enkelen het voor raadzaam gehouden zich overboord te laten glijden, naar de jol of de sloep te zwemmen en zich onder de banken te verbergen. De koopman, die juist naar de kajuit ging om voor alle zekerheid alvast zijn voor-naamste papieren bijeen te zoeken, zag juist een kerel de jol inkruipen. 'Wat moet dat betekenen!' schreeuwde hij.

De maats wenkten hem. 'Kom ook in de boten, koopman! Temet vliegt de hele kast de lucht in!'

'Ik waarschuw de schipper!' dreigde Rol.

'Dan kappen we de touwen door!'

'Schurken!'

'Ga je mee of niet?' werd er uit de jol geroepen.

De koopman weifelde even, maakte een onwillig gebaar. 'Wacht op me.' En hij spoedde zich naar de kajuit om zijn paperassen.

Want kostbaarder dan zijn eer, waren hem zijn papieren.

Toen hij zich langs een touw in de jol had laten glijden, kapten de maats de boten vrij. 'Roeien jullie weg?!' vroeg Rol verschrikt.

'Nee, waarachtig niet, we blijven in de buurt om te helpen. Maar als de boel zometeen ontploft, moeten wij buiten schot zijn.'

De koopman zweeg, keek bezorgd naar het schip, waaruit een vuilgele rook opwervelde die masten en want aan het oog onttrok. ''t Is gekkenwerk om nog aan blussen te denken!' zei hij, om zijn geweten te sussen. En hij blies zich in de bleke handen, die geschaafd waren door het omlaagglijden langs het touw.

Op het schip vochten de anderen. Met toegeknepen ogen gaven de mannen elkaar de volle putsen over. Hou vast, jongens!!

Daar kwam de barbier aanhollen. 'Schipper! De boten zijn weg!!'

De mannen zijn verlamd van schrik. '*De boten weg?*!!' Alles vliegt naar de verschansing. Daar drijven de boten!!

'Schipper! Wat *nou*??!'

Zó hebben ze hun schipper nog nooit gezien. Het open zeemansgezicht is nu vertrokken van toorn en verontwaardiging. 'Haal de zeilen om, mannen! We zullen ze onder de kiel stropen!'

Woede over de streek die hun makkers hun geleverd hebben doet de maats het want invliegen en, tastend in de groezelige rook, met opeengeklemde tanden de zeilen krap zetten. Zo koerst men recht op de boten af.

Daar schijnt het dreigend gevaar beseft te worden. De kerels roeien als dollen, steken drie scheepslengten voor de *Nieuw-Hoorn* over, de boeg in de wind, zodat ze niet achtervolgd kunnen worden.

'Wel, laat hun geweten hen dan straffen!' roept de schipper. 'Nu het kruit maar overboord, mannen! De schuit drijft nog! Als we er aangaan – dan met z'n allen!'

'Leve Bontekoe!!!' brullen de omes, al is het alleen maar om de lafaards daarginds te laten horen dat er nog zijn die *niet* in de boten kruipen als de schuit in gevaar is. Grimmig pakken ze met hun verweerde knuisten de tonnetjes kruit, geven ze van man tot man door en zo overboord. Op Bontekoes bevel laten de maats die met timmergerei weten om te gaan zich over de verschansing zakken, om onder het zeeoppervlak gaten in de scheepswand te boren. De schipper wil het ruim een paar vadem vol laten lopen en zo de brand van onderen blussen. Maar vergeefs zet men de boren in het hout: de wand zit vol ijzerwerk. Dan maar weer met putsen aan het werk!

Hoei!! De vlammentongen lekken al uit een van de luiken. Dat is de duivel, die er uit loert! Smijt hem de kop in!

In koortsige opwinding komen de mannen met water aandragen.

Maar hoger laait de vlam, en vreemd... het kraken en knetteren houdt op. Zachtjes loeiend steekt het vuur een lange rode tong uit de luiken.

'De olie brandt!!!'

Met verlamming geslagen laten de omes de armen zinken; dikke tranen rollen hun over de gebruinde wangen.

'Water!' roept een stem.

Flang! daar gaan de putsen weer rond. Al gietende, grienen de omes als kinderen. Maar opgeven? Ho maar! Grienen kan geen kwaad: tranen zijn óók water en helpen blussen. Met hun blote poten staan ze schrap op het gloeiend hete dek.

Een, die koppig, ogen en lippen saamgeperst, in rook en damp te ploeteren stond... was Padde.

Hij boette zijn schuld.

Tot...! Met oorverdovend gekraak spleet het achterdek open en gillend stortte een handvol dappere mannen in de vuurzee. Hoei! De vonken stoven tot hoog boven de masten uit! En de vlammen sloegen tegen de raas op, grepen de zeilen aan en zonden de blanke vleugels van de *Nieuw-Hoorn* verzengd, wijd uitlaaiend omhoog. Het gescheurde want viel slap neer in de vuurgloed en diende duizend kleine vlammetjes tot ladder.

De vlag moest veroverd worden! Op, vlammen! Haal het neer, dat dartele, bonte doek!

Hajo, Rolf en Padde stonden bij de grote mast. Vlakbij begon het dek door te buigen; er schoten bruine schroeivlekken in... Toen sleurde Rolf zijn beide makkers naar de verschansing. 'Het water in!' siste hij tussen de tanden. De verbouwereerde jongens volgden klakkeloos het bevel op.

Velen waren Rolf nagesneld en ook pardoes in zee gesprongen. Anderen hadden, verlamd van schrik, niet zo snel een besluit kunnen nemen.

Toen gebeurde het. Een ontzettende slag, een hels gekraak, een prikkelend-scherpe lucht, gesmoorde kreten, angstig geloei van het vee... Het kruit had vlam gevat.

De *Nieuw-Hoorn* scheurde uiteen; masten, planken, mensen, dieren en brokstukken ervan vlogen de lucht in. Sissend, krakend, hoog opstuwend de kolommen zwarte rook en gouden vonken, kantelden de brokstukken van het schip weer tegen elkaar en... zonken in de golven weg.

De mannen in de boten keken rillend toe.

Was het mogelijk?! Was de *Nieuw-Hoorn,* hun prachtige schip, vergaan?! Die zwarte wolk tegen de bloedrode avondhemel... was dat alles wat er van restte?! – Nee! Aan stukken mast, aan kisten en balken klemden zich levende wezens. Te hulp! De handen aan de riemen!!

Van de drie jongens vond Hajo het eerst zijn bezinning terug. Hij zag de bezaansmast drijven en werkte zich erop. Daarna gooide hij Padde, die zich aan een langzaam vollopende houten bak had vastgeklemd, een masttouw toe. Padde greep ernaar, maar kreeg het niet te pakken. Hajo trok het touw in en gooide opnieuw. Ditmaal wist Padde het te grijpen, liet zich naar zijn makker trekken en pakte hem kreunend bij de knieën. 'Hajo... o, Hajo...!'

'Klim op de mast!'

'Ik kan niet meer...!'

Met inspanning van alle krachten wist Hajo zijn vriend schrijlings op de mast te krijgen. Snikkend leunde Padde het hoofd tegen Hajo's schouder. – Rolf! Waar zou Rolf zijn! In radeloze angst keek Hajo om zich heen. Verder-op, buiten zijn bereik, worstelden een paar maats met de golven, probeerden

zich op stengen, planken, tonnen of brokken mast te werken. 'Rolf! Rolf!! Rolf!!!'

'Hajo!'

Goddank! Rolf had zich op een mastkorf gered.

Waar waren de boten? Te ver om ze te beroepen. In de halve duisternis was het niet mogelijk te zien of ze hier vandaan, dan wel hier naar toe roeiden. 'Boot ahoy! Ahoy!'

'Hajo...!' kermde Padde.

'Moed, Padde!' Hajo sloot zelf even de ogen om van een duizeling te bekomen. Langzaam vloeiden de tranen over zijn wangen. Toen hij de ogen opsloeg, was de jol tot op een vijftig voet genaderd. Dichterbij kon die niet komen door de zware brokstukken die overal ronddreven. Hajo mat de afstand tot de jol. Zou hij het halen? 'Blijf hier zitten, Padde? Hou je goed vast!'

'Hajo... je gaat toch niet weg? Hajo...?!'

Hajo beet de lippen opeen, liet zich van de mast glijden en zwom in de richting van de jol. Maar onderweg werden zijn armen zwaar als lood...

Daar werd hem een touw toegeworpen. Hij greep het en liet zich naar de jol trekken. 'Nee!' hijgde hij, toen de omes hem binnen boord wilden halen, 'ik rust maar even. Geef me het... het touw mee... ik wil... ik...' Zijn krachten begaven het; zijn handen lieten het jolboord los; men kon hem nog net bijtijds binnen halen.

Toen sprong Bokje, de trompetter, met een loodlijn overboord, zwom naar Padde en liet zich samen met hem terugtrekken. Een tweede maat ging het water in en redde de Neus. Floorke kwam proestend, op eigen kracht aan zetten en begon de kerels in de jol de huid vol te schelden. Maar toen hij ze een voor een hun huid zag wagen om de haaien een drenkeling te ontroven, zakte zijn woede. Men roeide de plaats rond, waar de *Nieuw-Hoorn* was ondergegaan. Tenslotte geloofde men alle drenkelingen te hebben opgepikt. Enkelen verloren het bewustzijn dadelijk nadat ze in de boot waren getrokken; anderen lagen nog van opwinding te grienen. Maar de schipper? Waar was de schipper!!

Daar verscheen Harmens kop aan bakboord. Hij liet zich in de jol trekken, spuwde een golf zeewater uit, wees verderop. 'De sch... schipper!'

Men zag in de aangeduide richting in het duister een wrakstuk drijven en daarop een gedaante. De jol werd zo dicht mogelijk naar de drenkeling toegeroeid. Bokje, de beste zwemmer van allen, sprong weer met een lijn overboord en ja, even later kwam hij met de schipper terug, die in de jol getild en achter in de roef werd neergelegd. God zij geprezen! 'Geef ons raad, schipper! Wat moeten we doen?!'

Met matte stem ried Bontekoe aan, deze nacht nog bij het wrak te blijven en de volgende morgen wat levensmiddelen op te hengelen, die overal ronddreven. Hevige pijnen deden hem al gauw het bewustzijn verliezen. Ze roeiden nog één keer om de ongeluksplek heen, maar vonden in het duister geen menselijk wezen, dood of levend, meer. Toen haalde men de riemen in, om de morgen af te wachten.

Maar met de verschrikking voor ogen valt wachten moeilijk. Zij die van vermoeidheid waren ingeslapen, werden met een gevoel van onrust weer wakker.

'Laten we wegroeien!' zeiden ze. 'Waarom roeien we niet weg!'

De anderen schudden het hoofd. 'We moeten morgen wat eten opvissen. Met het beetje brood dat we hebben houden we het geen dag uit.'

Maar de vragers waren niet tevreden gesteld. 'Wat hebben we aan eten als de zee gaat aanlopen en de jol aan stukken slaat? Nu is het goed weer; laten we naar land zoeken!'

'We moeten wachten! Bevel van de schipper!'

Dan werd er een tijdje gezwegen. – Maar een nacht is lang. Een kwartier later keerde de onrust terug. 'Laten we toch wegroeien! We zullen wel een paar dagen vasten! Misschien hebben we morgen al land. We zijn immers niet eens ver van Sumatra!'

'We moeten wachten. De schipper heeft het gezeid.'

'Nou ja...'

'Wát: nou ja?! Ben jij soms een van die gluiperds die er tussen uit zijn geknepen?'

'Als we dat niet gedaan hadden waren jullie met z'n allen voor de haaien geweest!'

'Toch was het smerig!'

'Weet je wat ik smerig vind? Dat jullie er ons onderdoor wilden halen!'

'Dat was je verdiende loon geweest!'

'Maar het zat jullie toch niet glad hè?'

'Kom,' zeurt een ander, 'maak geen herrie! Laten we nou wegroeien!'

'Nee,' koppen een paar omes, 'de schipper heeft gezeid: nee.'

Nieuw zwijgen. De minuten kruipen.

Ineens vloekte er een ome, steekt de riemen uit en begint te roeien. En daarmee is de ban verbroken die van 's schippers woord uitging. Allen die nog macht over hun lichaam hebben, grijpen een riem.

Waarheen? Naar land! Waar ligt dat? Niemand die het weet. Maar het roeien drukt de onrust de kop in. Roeien, mannen! Roeien!

Enkelen worden wakker, opschrikkend uit een nachtmerrie.

'Waar zijn we?!'

'In de jol.'

'In de jol?' De vrager schijnt zijn herinnering wakker te roepen. 'En waar gaan we nou naar toe?'

'Naar Sumatra.'

'Waar legt dat?'

'Vlakbij. Pas maar op, straks val je er nog over!'

Zwijgen. Stug roeien de kerels voort.

'Hein,' vraagt er een met een zwakke stem, 'ben jij daar, Hein?'

'Ja, Kalle. Waar lig je?'

'Voorin. – 'k Heb zo'n pijn...'

''t Zal wel klaren, Kalle. *Ik* heb een verbrande poot.'

'Hou hem in het water. – Zouwen we ver van land zijn, Hein?'

'Morgen, als het licht is, zien we 't misschien wel. Wacht maar, Kalle, als 't licht is, morgen...!'

De roeiers zuchten, halen de riemen aan.

Plats – Plats – Plats!

In de boten

Eindelijk klaart de morgen. Men tracht met de moede ogen de ochtendnevel te doorboren die over het water hangt. Nergens land te zien... – Ook de sloep is uit het gezicht verdwenen.

Grienend laten de omes de riemen zinken. Nu pas voelen ze hoe moe ze zijn. Als de zon opgaat, zijn ze met hun allen in slaap gevallen.

Stuurloos dobbert de jol op de stille golfslag. Een heerlijk blauw uitspansel welft zich boven de onafzienbare watermassa.

In de middag worden er een paar wakker. De slaap heeft verkwikking geschonken; ze voelen hun hoop weer opleven: de schipper is aan boord en zal wel raad weten. Fluisterend, als waren ze in de wijde stilte rondom voor hun eigen stemmen bang, bespreken ze de ondergang van hun prachtige schuit en het verlies van al hun schatten. De een had nog vijf vette ganzen gehad: die dobberden nou zo maar ergens rond! Een ander had zijn mes verloren, z'n puike fijne messie, dat ie verleden zaterdag nog zo lekker had aangezet. En z'n vrind Nelis was vast ook verzopen. Z'n vrind Nelis, waarmee d-ie al wel door een dozijn schipbreuken goed was heengerold. Z'n mes en z'n vrind weg! Zou je die beroerde botteliersmaat met z'n kaarsje niet de nek omdraaien?

Allengs werd ook de rest wakker. Men wekte Bontekoe. 'Wat moeten we doen, schipper? We zien het wrak niet meer en ook geen land.'

'Zijn jullie dan toch van het wrak weggeroeid?'

'Ja, schipper, we dachten...'

'Dan dachten jullie verkeerd. Is er een zeil in de jol?'

Ze zochten onder de plecht en de banken. 'Nee, schipper, geen stukkie zeil.'
'Trek dan de hemden uit en maakt er een zeil van.'

Vol vertrouwen gingen ze aan het werk. De schipper zou hen wel naar Sumatra brengen! De stootballen werden binnen boord gehaald en tot garen uitgeplozen. Toen ze voldoende dachten te hebben, trokken de maats hun hemden uit en begonnen ze aaneen te naaien tot een groot- en een fokzeil.

De barbier ging de toestand van de gewonden na. Haast iedereen had zich min of meer de voetzolen verbrand. Eerst werd de schipper behandeld, die twee hoofdwonden had. Vader Langjas kauwde iets van het weinige brood, dat de eerste vluchtelingen inderhaast hadden meegenomen, tot een papje en legde dit op de kwetsuren. Ook de andere gewonden werden zo behandeld. Rolf had een brandwond aan het been, die gedurende de nacht lelijk was opgelopen en de brave barbier, die vaderlijke gevoelens voor hem koesterde, bezorgd zijn grijze bol deed schudden.

Men telde met z'n hoevelen men in de boot zat en kwam tot het getal zesenveertig. De sloep bood hoogstens plaats voor tachtig man. En dus de anderen...!

Tegen de schemering waren de zeilen klaar. Men richtte de mast op, die in de jol lag, en haakte er de boom en de gaffel in. Een opgestoken roeispaan diende voor fok. Toen beide masten stonden en de 'zeilen' waren bevestigd, wendde men de steven noordoost. De bedroevend kleine voorraad brood werd bijeengelegd, en ieder kreeg er een vingerdikke snede van. Het was onrustbarend te zien, hoe zelfs het uitdelen van een zo geringe hoeveelheid de voorraad deed slinken.

Padde had de hele dag door geslapen. Toen hij in de avond wakker werd van het lawaai, dat met het oprichten van de mast gepaard ging, borg hij meteen het hoofd weer in de armen weg en hield zich slapende.

Hajo was, als alle anderen, weer vol goede moed, rekende er vast op dat, nu ze in de goede richting zeilden, morgen wel land in 't zicht zou komen.

Rolf, die de laatste paar maanden dagelijks de reis op de kaart gevolgd had, zag de toestand minder rooskleurig in. De pijn aan zijn been stemde hem ook niet vrolijker en maakte hem koortsig.

Zo viel de duisternis in.

Midden in de nacht maakte Gerretje een heidens spektakel.
'Land! *Land*!!'

Alles vliegt overeind. 'Wáár is land?!'

Aan bakboord, ver weg, pinkt een lichtje. Dolle vreugde maakt zich van de schipbreukelingen meester. Ze gooien de zeilen om, grijpen naar de riemen. Dat licht kan niet anders dan land zijn: midden op zee groeien geen lampjes als paddestoelen in een wei, wâblief? 't Zou een wallevis kunnen wezen met een lichie op z'n knikker! Neen, jongens, *land* is het! Floorke ziet al bergen. Morgen zullen ze onder de kokosbomen wandelen. Roeien, jongens!!

Maar de bergen vervagen en stijgen als wolken omhoog. En in het lichtje komt beweging; het schijnt op en neer te gaan...! Enkelen geven het roeien al bijna op, als vrezen zij hun angstig voorgevoel bewaarheid te zien. Dat lichtje daarginds is geen land! maar een hulkje met...

'De sloep...!'

De schrijning van de teleurstelling wordt verzacht door vreugde over het weerzien. De sloep voert één zeil: een lichtgrijze vlek. Men gooit de riemen weer neer en wacht de sloep af – waarom verder van de juiste koers af te wijken?

'Sloep ahoy!'

'Ahoy!'

Namen van vrienden worden heen en weer geroepen. Kreten van blijdschap wanneer twee makkers elkaars stemmen herkennen.

'Hebben jullie eten aan boord?'

'Drie twee-ponds broden. En jullie?'

'Niets.'

'Grote griebus! Welke koers varen jullie?'

'Helemaal geen koers. En jullie?'

'Wij varen op de sterren. We hebben de schipper bij ons.'

'De schipper?! Hóór je, mannen, de schipper is in de jol!! Schipper, ben jij daar? Leve de schipper, mannen!' Een schor instemmend gebrul. 'Wanneer zullen we aan land zijn, schippertje? Morgen al?'

'Moed, mannen! Vertrouw op God.'

'Amen,' zeggen een paar vrome omes.

Gezamenlijk werd de tocht voortgezet; de jol gaf de richting aan. Maar al gauw bleek dat de sloep achterbleef. Men greep daar naar de riemen en haalde de jol weer in. 'Schippertje, we zullen mekaar nog verliezen! Neem ons over; dan zetten we alle drie zeilen op de jol en varen nog ééns zo vlug. Toe, schippertje...'

Maar de omes in de jol wilden daar niets van weten. 'De jol is voor zoveel man te klein, schipper!' En toen de maats uit de sloep zich aan het jolboord vastklemden, kregen ze harde klappen op hun handen.

Een jammerklacht steeg op onder de verstotenen. 'Schipper! Niemand hier bij ons kan op de sterren varen! Moeten we dan verzuipen?'

Maar die in de jol kenden geen erbarmen. 'Als we jullie met z'n zesentwintigen overnemen, zijn we allemaal voor de haaien!'

Zuchtend grepen de arme kerels weer naar de riemen. Hun olielantaren werd op de jol overgebracht, zodat zij er zich in het donker naar konden richten.

Langzaam werd het licht. De mannen tuurden naar alle zijden over het watervlak.

'Zie jij wat, Doedesz.?'

'Net zoveel als jullie. Alleen de sloep.'

Allen zuchtten. Enkele omes luchtten hun gemoed door Padde met verwijten te overstelpen. De arme jongen begon te snikken, en een paar anderen, in de eerste plaats zijn beide vrienden, namen hem in bescherming.

Rolf voelde zich wat verlicht; zijn been stak hem minder dan de vorige avond, en met een gelukkig gezicht legde Vader Langjas een nieuw papje op de wond. Ook de kwetsuren van de anderen lieten zich gunstig aanzien.

Om de koers iets juister te kunnen bepalen, kraste men in het hout van de plecht een kaart van de eilanden Sumatra en Java en Straat Soenda – alles op het geheugen. De middag vóór het ongeluk had Bontekoe vijfeneenhalve graad zuiderbreedte gemeten; het bestek op de kaart wees toen negentig mijl tot de kust. Van dat punt uit stelde men zijn koers. Hadden ze maar een kwadrant!

'Heeft niemand een passer?' vroeg Bontekoe.

'Daar vraag je zowat, schipper,' antwoordde Teunis Sijbrandt, de kistenmaker. En hij diepte uit zijn broekzak een passer op. ''t Is boffen: meest legt ie op m'n tafel!'

'Geef hier!' zei Bontekoe verheugd. 'Dan zullen we eerst eens 'n gradenboog snijden!'

Zo gebeurde. Men trok in een plankje een zo groot mogelijke kwartcirkel, mat daarin alle graden uit, bracht daarna de wijzer aan. De volgende middag nam men er, zo goed en zo kwaad als het ging, hoogte mee en stelde de koers op Sumatra.

Zo zeilde men verder, overdag koers en hoogte nemend op de zon, 's nachts op de sterren. De derde dag was het brood op. De dag tevoren had ook de dorst zich al geducht doen gevoelen. Maar men bleef vol hoop. De wind zat achter in 't zeil; de zee bleef kalm.

De dag daarop doemden zwarte wolkgevaarten aan de horizon op. De maats kenden die wolken! In grote opwinding werden de zeilen tot watervangers opgespannen. Pikzwart was nu het gewelf, en de zee, die dagenlang een felblauwe hemel teruggekaatst had, slurpte die duisternis gretig op, leek wel een modderpoel.

Daar kletterde de regen neer.

De levenskrachten ontwaakten weer; de harten zwollen.

In een oogwenk waren beide zeilen vol. Men kon nu de twee vaatjes vullen die als bergplaats voor het brood hadden gediend.

Een koude nacht volgde. De maats bibberden in hun doorweekte kleren.

Maar de volgende morgen schroeide de zon ze weer droog en deed de huid vervellen.

Snikheet werd het. De zee was glad als een spiegel. Waar zich te bergen voor de gloeiende zon? De dorst kwam weer opzetten. Bontekoe sneed de neuzen van zijn schoenen af en liet ieder een 'beker' vol uit de vaatjes geven. Daarmee was drie-vierde van de voorraad op, want men moest delen met de makkers in de sloep, die niets hadden om het opgevangen water in te bewaren. Vreselijke dagen volgden. Als een verschrompeld stukje leer zat de tong in de mond; keel en verhemelte schroeiden; het ontberen van voedsel bracht krampen in de ingewanden teweeg. Telkens wanneer de morgen grauwde, hoopte men land te zien. Telkens weer nieuwe teleurstelling wanneer men niets dan zee zag, zover het oog reikte.

Harmen vond het nodig, de omes wat moed in te blazen. Bij gebrek aan z'n fiedel, die in de vlammen een einde had gevonden, kwam hij met een van zijn gewaagde 'verhalen' op de proppen.

'Ik zal jullie vertellen hoe het met m'n oom gegaan is, luidjes! Die heeft een tapperij voor zeelui – voor landrotten tapt-ie niet. Z'n leven lang heeft-ie gevaren, van z'n tweede tot z'n achtenzestigste. Zevenentwintig reizen heeft-ie gemaakt, waarvan drieëndertig met schipbreuk! En overal goed afgekomen op een krab op z'n wang na en da's van het baardscheren. Hij zat eens vast op een rif in de Chinese zee, waar de mensen staarten aan d'rlui knikker hebben. Goed, d'r komt een storm, de schuit vliegt aan flarden, z'n zesenveertigste schipbreuk; m'n oom en de bottelier zijn de enigsten die zich in de sloep weten te redden. Eten aan boord? Geen spiering! Hongerlijje maar! Toen ze zevenentachtig dagen niks gegeten hadden, zei de bottelier: ''k Zou wel een hapje lusten!' – 'En ik,' zei m'n oom. ''k Zou *jou* wel lusten,' zei de bottelier. 'Ik *jou* ook wel,' zei m'n oom. Goed, ze krijgen verschil van mening. 'Als jij mij jouw benen geeft, zal ik jou mijn zondagse pet geven,' zei de bottelier. 'Jawel,' zei m'n oom, 'je kunt er een por met m'n mes bij krijgen.' – 'In je mes hap ik niet,' zei de bottelier. 'Nou, laten we d'r dan om dobbelen!' zei m'n oom. Ze schudden de stenen. Allebei acht. Nog er 's! Wéér gelijk! En *weer!!* Na dertieneneenhalve dag zei m'n oom: 'Vooruit, ik heb geen aardigheid meer in speulevaren. Snij me maar aan mootjes! Groet m'n wijf en neem m'n gouwe ring maar voor de moeite.' Temet dat-ie zich afkeert om niet te zien hoe die ander 'm zal afmaken, merkt ie dat de sloep... op het strand zit! 'Land' roept-ie. Hadden ze me daar *elf* dagen aan land gelegen en er door al dat dobbelen niks van gemerkt. Wat zeg je me daarvan?'

'Mooi!' zeiden de omes.

Toen viel het zwijgen weer in.

Haaien

Zonder dat iemand iets merkte, streek een gast tussen de schipbreukelingen neer. Ze hoorden hem in hun eigen matte, schorre stem en zagen hem in elkanders fletse ogen.

Wanhoop heette de gast.

Wanneer een maat iets meende te ontdekken dat wel eens land zou kunnen zijn, greep men in koortsige haast de riemen en trok ze hijgend door het water. Maar altijd weer loste het 'land' zich in lucht en water op, en de wanhoop keerde terug. De mannen ontweken elkaars blik om het maar niet te zien, zij zeiden ook maar niets meer. Beklemmend was dit zwijgen; het snoerde de ziel toe. Als er iemand kuchte, schrokken de anderen en spitsten het oor: of er wat volgen zou.

'Wat wou je zeggen?' vroeg een ome.

'Ik? Niets. Waarom?'

'Wel, je kuchte, en toen dacht ik: hij wil zeker wat zeggen.'

'Nee, ik hoestte zo maar.'

'Nou, ik dacht het ook alleen maar.'

Dan viel het zwijgen weer in.

Op een middag grote opschudding. Uit het oosten kwamen meeuwen aanvliegen, die krijsend om de boten cirkelden en er nu en dan zo laag overheen streken dat men ze bijna grijpen kon. In de sloep lag een roestige degen; daarmee ging Hilke op de plecht staan, en onder hees gebrul van de andere maats wist hij er een mee vleugellam te slaan. Toen het duister was, hadden ze er op die manier vijf buitgemaakt. De vogels werden geplukt en verdeeld. Met van begeerte trillende handen namen de omes het kleine beetje vlees aan, dat hun was toegedacht. Ze kauwden er over zo lang het maar ging, en zogen halsstarrig aan de mer(g)loze vogelbeentjes. In de hoop dat de vogels er morgen ook nog zouden zijn, gingen ze de nacht in.

Maar toen het eerste licht schemerde, waren de meeuwen weg. Toch was er nieuwe hoop gewekt. En door de eerlijke verdeling der kleine vangst over sloep en jol was het gevoel van saamhorigheid weer versterkt: ondanks het gevaar, dat eraan verbonden was, werd besloten de makkers uit de sloep nu toch maar in de jol op te nemen. Want de olie in de lantaarn was opgebrand en daarmee de kans om 's nachts uiteen te raken belangrijk vergroot. Men kon nu ook de mast en het zeil van de sloep overnemen en voerde bijgevolg een bezaan, een fok en een blind zeil. Toen tegen de avond de wind toenam, merkte men tot algemène vreugde dat de jol, ondanks de zwaardere belasting, sneller voer.

Vreemd, men rekende nooit met de mogelijkheid van 's middags of 's avonds land in zicht te krijgen. Dat werd alleen bij zonsopgang verwacht. Overdag scheen het als schoot men in het geheel niet op: er was niets dat men naderbij zag komen of verdwijnen, en de horizon bleef gelijk altijd. Slechts de wolken trokken voorbij, maar die kwamen van achter en verdwenen weer ver vooruit, zodat men eerder het gevoel had van terug te blijven.

Maar 's nachts! Je hoorde hoe het water door de boeg opzij werd geworpen, je voelde de wind aan het zeil rukken. Wie weet, of ze nou al niet land voor de boeg hadden; wie weet, of ze morgenochtend niet vlak voor hun ogen bomen zouden zien oprijzen... Was dat het ruisen van de branding al niet?!

Dan kwam de langverbeide ochtendklaarte. – Zee. Niets dan zee.

Sedert vijf dagen hadden de omes geen druppel water meer over de lippen gehad.

Achter de boot schaarde zich een afschuwwekkend gevolg. Toen een ome de eerste witte haaienbuik in het water zag schemeren, slaakte hij een kreet van schrik en walging. Een keer stiet een maat met een huivering de degen in het water, en allen rilden van plezier toen een rode wolk bloed verried dat de stoot doel had getroffen.

Het vreselijkste van al was de dorst. De mannen kauwden op sleutels en musketkogels, om voor het dorre verhemelte nog wat speeksel af te scheiden.

Toen gebeurde weer iets dat de moed herleven deed. Een school vliegende vissen dook, waarschijnlijk uit vrees voor haaien, vlak voor de boot op. Met vieren, vijven tegelijk tuimelden ze tegen de zeilen en vielen de ijverig grabbelende omes ten buit. Ze werden rauw verslonden, en smaakten fijner dan de fijnste zalm.

En men dobberde weer verder.

De eerste december – de twaalfde dag dat men in de boten was! – begonnen enkelen, ondanks waarschuwingen van Bontekoe en Vader Langjas, zeewater te drinken. Daar het de dorst niet leste, zwolgen ze maar door, tot de maag alles weer naar buiten wierp – een geluk voor de mannen, die anders stellig ziek zouden zijn geworden. Nu brandde hun keel meer dan ooit; hun dorst was nog toegenomen. De tranen rolden de arme kerels over de wangen.

Floorke had zich een snee in de bovenarm gegeven en zoog zich het bloed uit.

Vader Langjas, uit wiens ogen alle levenskracht geweken was, stelde voor, de jol lek te stoten en zich met z'n allen te laten zinken.

'En dan de haaien tot voedsel dienen?' vroeg Bontekoe.

183

Daar voelde niemand voor. En met nieuwe bezieling, vast besloten om, zolang er nog een vonkje leven in hun uitgehongerd karkas zat, het niet als haaienvoedsel te laten dienen, keken de mannen weer uit naar het oosten...

De haaien waren geduldig – verlieten de jol niet.

Allengs zakte de moed weer. Een paar maats spraken van overboord springen.

'Wat drommel,' zei Bontekoe driftig, met schorre stem, 'als die stomme dieren het niet opgeven, zullen wij het dan doen?'

Maar bij sommigen was het laatste restje levensmoed gebroken. Het zou wel niet voor het eerst zijn dat deze haaien een jol met schipbreukelingen volgden; ze zouden wel weten wat ze deden! – Met holle koortsige ogen staarden ze in het water, ineenkrimpend wanneer daar beneden iets donkers voorbij schoot...

'Hajo,' kreunde Padde, 'ik kán niet meer, Hajo! Ik wil liever dood.'

Hajo zocht naar bemoedigende woorden. Maar woorden, dat bleven het. Padde voelde de holheid ervan en verloor zijn laatste aasje moed nu hij bemerkte dat ook zijn vriend de wanhoop nabij was.

Bontekoe ging het als Hajo. Hij moest zijn zeventig grote kinderen troosten – en zocht zelf naar troost...

Rolf zei niets, tuurde urenlang naar de oostelijke horizon. Het kwam op volhouden aan. Volhouden.

De volgende dag regende het! In zenuwachtige haast, met driftige, ruwe uitroepen, spanden de omes het bezaanzeil en het blinde zeil boven de boot, vulden de beide vaatjes weer, verzamelden het water verder in schoenen, leren mutsen, en slurpten zoveel mogelijk door de keel. Toen kropen allen weer in de holte van de jol, om wat warmte te zoeken. Hun kleren waren doorweekt; een vochtige morgenkilte hing boven het water. De lucht was troosteloos grijs, en hoewel de maats nu weer tijdelijk van hun vreselijkste foltering bevrijd waren, staarden ze onder het zeil door met hun blauwomrande ogen triest in de dikke regennevel, en het doffe zwijgen viel weer in.

Een schorre kreet... 'Land!!'

Als versteend blijven allen zitten, de ogen wijd open, angst en twijfel op het gezicht. Ze durven haast niet opstaan en zich overtuigen. Wie zou nu nog een teleurstelling kunnen dragen?

Maar de man aan het roer is zeker van zijn zaak. 'Land!! Land voor de boeg!' De tranen breken door zijn stem.

Nu krabbelen allen met hun verstijfde ledematen overeind, steken hun koppen onder het zeil door en...!! Daar, aan de oostelijke kim...!! Enkelen gillen hun blijdschap uit, anderen staren alleen maar naar het grijsblauwe streepje in de verte.

Met alle man zette men hijgend en vloekend de zeilen weer bij. Langzaam aan werd het streepje land groter. Men onderscheidde bergvormen, de lichte streep van de branding, daarachter groene bossen. Sumatra kon het niet zijn: het was een eilandje waarvan men de hele omtrek kon overzien. Maar Bontekoe wist dat westelijk van Sumatra, dicht op de kust, een rij eilanden ligt. Dit moest er een van zijn.

Toen ze het eilandje naderden, bleek de zee geducht aan te lopen.

'We moeten een landingsplaats zoeken!' zei Bontekoe.

'We kunnen *hier* toch landen, schipper? Je zult zien dat het best gaat! Wat, jongens?'!

'Ja-zeker!' brulde de hele schaar.

Maar hier werd de schipper weer schipper. 'Zullen we nu op het laatste ogenblik alles bederven? Zeg op: wie heeft jullie naar land gevoerd? Heeft de Neus dat soms gedaan? Of jij, Floorke? Jij, Gerretje? Jij, Hilke?'

'Nee, schipper, dat heb jij gedaan.'

'Geloof me dan ook als ik jullie zeg dat we hier nooit heelhuids door de branding komen. We moeten een betere plek zoeken.'

Hij werd gehoorzaamd. Ze voeren het land om en vonden aan de binnenzijde een kreek. Ze roeiden hem in, lieten de dreg vallen, klommen zo goed en kwaad de leden het nog veroorloofden de boot uit, waadden door het ondiepe water...

Huilend kusten de mannen het strand.

Joppie III

Zodra ze er de kracht voor vonden, kropen enkelen het strand over naar het bos.

Overal groeiden kokosbomen, en de noten lagen voor het grijpen. De meeste waren in de val gebroken; die konden ze met de handen verder splijten. En dan de tanden in het witte vlees gezet... Toen ze zoveel vruchten naar binnen hadden gewerkt dat er geen stukje meer in wilde, verlangden allen naar rust, naar niets anders dan rust. Ze sleepten wat dor gras en bladeren aan. En toen...! Hoe lang was het geleden dat ze zich voor het laatst behoorlijk hadden kunnen uitstrekken, en dan nog wel op zo'n zacht leger en zonder de hongerdood voor ogen? Nu zou verder alles ook wel goed gaan! De schipper was bij hen en kende de weg! Met een gevoel van oneindige dankbaarheid sliepen de mannen in.

Maar niet lang daarna werd de een na de ander met hevige buikkrampen wakker. De ingewanden bleken niet tegen zoveel voedsel opeens bestand te zijn. Allen kropen bijeen en klaagden over hun onverdraaglijke pijnen.

'Govert! Ik ga d'r an! Govert! O, m'n buik...'

'Was ik maar thuis, bij m'n wijf! Die wist er wel raad op...'

Allengs zakte de pijn wat. De mannen gingen weer slapen, tot het daglicht hen wekte.

De zon stond boven de baai, en het hemelse goud droop in het water neer. Strandlopertjes trippelden op hoge pootjes weg; meeuwen streken zwierig door het schuim van de branding of wiegden zich op de zachte deining. Allerlei bontgepluimde vogels floten en kwinkeleerden in het hoge, statige geboomte.

De mannen voelden hun krachten herleven. Ze lagen daar in het nu al warme zand met boven zich de stralende zon, die al gauw al te heet zou worden. Stil genietend, luisterden ze naar de branding.

Bontekoe liet een gezamenlijk gebed houden en een paar psalmen zingen. Zelden hadden de omes met een dieper gevoel van dankbaarheid gebeden dan op die heerlijke morgen aan het strand van het Sumatraans kusteilandje. Daarna ging men op verkenning uit. Eén groep toog naar het zuiden, het strand langs, een andere groep naar het noorden.

In de middag kwamen ze terug met kokosnoten, bananen en enkele onbekende vruchten. Mensen hadden ze niet gezien. Maar één van de twee groepen had een vlerkprauwtje gevonden, waaruit de mannen opmaakten dat het eilandje bewoond moest zijn, al zagen ze dan ook geen sterveling. Ze hadden het prauwtje, dat maar plaats voor twee bood, voor de grap eens in zee geduwd, maar toen ze er met z'n drieën in waren gaan zitten, had de half vergane bodem het begeven, en ze waren kopje-onder gegaan. Wat met dit zonnetje niet zo erg was.

Bij de plaats waar het prauwtje lag, liep een pad het woud in. Uit nieuwsgierigheid waren ze het ingeslagen, in ganzenmars, omdat er voor twee naast elkaar geen plaats was. Hilke voorop!

Al gauw hoorden ze een hond janken. Verder sluipend, zagen ze tussen de dikke bamboestelen een open plek schemeren en in het midden daarvan een bouwvallig huisje op hoge palen, aan een waarvan een magere hond was vastgebonden, die allerafgrijselijkst tekeer ging. Overigens zag het huisje er nogal vreedzaam uit: een paar duiven vlogen van het dak op; er kwam zelfs een duif uit het lage huisdeurtje fladderen, zodat het hele gebouwtje meer op een til dan op een menselijke woning geleek. Weifelend betraden de maats de open plek.

Toen de hond zijn gasten zag opdagen, staakte hij zijn jeremiades, ging van opwinding op zijn achterpoten staan en verhing zich daardoor bijna in de strik om zijn hals. En toen de omes hem over de magere, smerige kop streelden, kreunde hij zacht van geluk, kwispelstaartte en draaide dankbaar het achterlijf. Een gekorven kokosstam stond schuin tegen het huisje op en scheen als 'trap' te hebben dienst gedaan. ''t Lijkt wel een kippenren,' vond Floorke, terwijl hij naar boven balanceerde. 'Blijf jij nou beneden!' – dat was tegen Gerretje, die volgen wou. 'We kunnen er met z'n tweeën niet op: 't is geen marmeren trap!'

'Wat zie je?' vroegen ze van beneden, toen Floorke naar binnen kroop.

'Pah!' gromde Floorke en spuwde luidruchtig. ''k Heb een spin in m'n mond!'

'Kun je wat zien, of is het donker?'

'Donker? 't Dak is zo lek als de zuidwestenwind! Maar d'r is niks te zien! 'n Paar gebarsten potten! Wacht, daarachter is nog een kamertje, geloof ik.'

'Ga daar 'ns kijken?' En toen Floorke geen haast maakte, smaalden ze: 'of durref je niet?'

''t Is ijs van één nacht, die vloer,' aarzelde Floorke. 'Je kijkt d'r zó doorheen.'

'Wat een vent!' hoonde Gerretje van omlaag. 'Kom terug, dan zal ik gaan kijken!'

'Als je d'r trek in hebt, vooruit maar,' zei Floorke en klauterde naar beneden.

Gerretjes gezicht drukte nu twijfel uit. Hij wist wel dat Floorke niet voor een klein geruchtje vervaard was. Als die zei: "'t Is vuil!' dan was 't ook vuil. Maar eens gezegd bleef gezegd. Hij klauterde behendig de 'loopplank' op, zoals hij zei, en overzag, boven aangekomen, het terrein. 'Dunnetjes *is* ie, die vloer,' moest hij toegeven.

'Oh!' stelde Floorke beneden vast.

'Weet je wat ik doe?' 'Ik spring er overheen! Daarginds is wéér een dikke bamboe!'

'Ja, laat je niet kisten, Gerretje!' riepen de maats. 'Je botten zijn betaald!'

Gerretje zette af, van een-twee-dr...! Een heidens gekraak. De 'trap' sloeg neer, kletste in de modder, die alle kanten uitspatte, en het huisje viel keurig netjes om, de vier ontwortelde palen in de lucht, zodat de hond met uitpuilende ogen in de lucht kwam te bengelen. Het dak scheurde open, en daaruit buitelde, als een Sinterklaasverrassing... Gerretje.

De maats zakten bijna in elkaar van plezier. Floorke sneed haastig de hond los, die daarop half flauw op de grond tuimelde en het als zijn eerste plicht beschouwde, Floorkes blote voeten schoon te likken. Gerretje krabbelde met een vrij krasse bewering tegen de Sumatraanse huizenbouw overeind en veegde zijn handen aan zijn broek af.

'Laten we er verder maar niets over zeggen!' stelde Floorke voor. En terwijl er een paar in het omgevallen huisje snuffelden en veel stof, spinnen en kakkerlakken vonden, liepen de anderen de open plek eens rond en ontdekten een smal pad, zo verwilderd, dat je je alleen maar met de bijl een doortocht zou kunnen banen.

Ze besloten terug te gaan en namen de hond uit meelij mee. Uitgelaten van vreugde sprong het beest tegen zijn bevrijders op, die intussen allerlei veronderstellingen te berde brachten over de samenhang van de vergane prauw, het wrakke huisje en de uitgemergelde hond.

Zo kwam men met een levende ziel méér bij de jol aan. De mannen van de andere groep, die onder leiding van Folkert Berentsz. was uitgegaan, vertelden, enigszins jaloers op de vierpotige buit der anderen, een slang te zijn tegengekomen, zo dik, dat ze hem met z'n vijven niet omspannen konden. Hij had gesist dat je er koud van werd. Padde wou hem bij z'n staart pakken – nietwaar, Padde? – toen ie er van tussen ging, de bomen opzijdrukkend als grashalmen.

Maar toen wist Floorke te vertellen van een krokodil, waarvan ze de staart uit het bos hadden zien steken, en toen ze het eiland half waren omgelopen, hadden ze aan de andere kant zijn kop gevonden, een merakel klein koppie, niet groter dan de *Nieuw-Hoorn*... Gerretje had z'n kop voor een kloof aangezien, want het toeval wilde dat de krokodil juist gaapte. Gerretje was erin gelopen en had nog gezeid: 'Jongens, wat is de grond hier slappies!' – Die grond was natuurlijk de tong van die krokodil geweest. Nou, en ineens had het mormel zijn bek dichtgeslagen en Gerretje zat in het pikkedonker. Tussen de tanden was hij er weer uitgekropen, waar Gerretje?

Maar toen had Harmen nog heel wat anders te vertellen! Hij had er over willen zwijgen, maar nu Floorke zo begon, zou Harmen zijn broek ook eens in 't zonnetje hangen! Nou, ze hadden me dan een beestje gevonden, zo op het

188

eerste gezicht een regenwurm. De Schele had het bij zich gestoken voor Vader Langjas, maar ineens was het in zijn zak begonnen te praten. 'Schele', had het gezegd, 'scháám jij je niet?' Toen had de Schele het beest weggegooid; het had in zuiver Maleis: terima kassi banjak! gezeid en was in zee weggezwommen – had, met een blad boven z'n kop als blind zeil, tegen de wind in gelaveerd.

Tegen zulke avonturen voelde Floorke zich niet meer opgewassen. 'Laat je duim eens kijken?' zei hij. 'Je zult 'm wel helemaal plat gezogen hebben.'

Harmen toonde grinnikend z'n duim.

Men laadde de jol vol met kokosnoten en bananen, borg de vruchten onder de plecht, in het achterkastje, boven op het roefje... het leek wel of de jol ter markt toog. Zoet water was er niet gevonden, zodat men de vaatjes maar met kokosmelk vulde.

De tijd, die de mannen benutten om te provianderen, maakte de magere, stekelige hond zich ten nutte door een grote bosrat te vangen en die in gulzige haast te verorberen. Toen hij in de gaten kreeg dat de mannen van plan waren weg te varen, vroeg hij op hondenmanier om meegenomen te worden. Hij scheen met de zee vertrouwd te zijn.

De maats willigden zijn verzoek in. Ze klopten hem vertrouwelijk op z'n bottige flanken, stelden vast dat je z'n ribben tellen kon, dat z'n oren allergemeenst lang en steil waren, dat z'n vel bij de vilder geen duit zou opbrengen, maar dat hij naar z'n ogen te oordelen een rondborstige natuur had.

Hij werd ook gedoopt.

'Joppie' noemden ze hem – want driemaal is scheepsrecht.

En zo ging de reis dan weer verder. De maats waren weer vol goede moed. Hier konden ze toch niet blijven, en de schipper zei dat ze binnen een dag Sumatra voor de boeg zouden krijgen. Dus nog maar eens het lijf gewaagd! Het gevoel van onrust dat hen overmeesterde terwijl ze het eilandje in de schemering zagen wegzinken, werd dapper weggeslikt.

Joppie hief als afscheidsgroet een erbarmelijk gehuil aan, dat uit de verte door apengekrijs beantwoord werd. De omes stelden hem voor de keus: overboord te vliegen of met z'n gegil op te houden. Joppie verkoos het tweede, zocht achter in de roef het beste plekje op en sluimerde zuchtend in, tot Folkert Berentsz. hem deed verhuizen, omdat hij daar zelf wou liggen. Toen namen een paar maats Joppie als hoofdkussen – waarvan ze later geduchte spijt en kriebel kregen.

De maan kwam op, mild en vriendelijk, als een moederoog wakend over de zeventig brave jongens in de jol.

Sumatra

Aan de paarlemoeren hemel kwamen gouden schemeringen; een paar wolkjes boven de horizon kregen gouden randjes aan de onderkant; toen dook de zon zelf fel uit zee op.

Drie blinkend witte meeuwen zwierden tsjiepend over de jol. Joppie kefte er venijnig tegen, tot een onderdompeling hem tot kalmte bracht. Hij wilde nu wat op zijn staart gaan knabbelen – welke staart echter tot Joppies verwondering niet zo maar als een worst in de lucht hing, maar integendeel stevig aan zijn achterlijf bleef zitten en lang niet gemakkelijk met de tanden te grijpen viel. Reden waarom Joppie zó vlug rondtolde, dat hij tegen alle omes aanbotste. Eindelijk had hij z'n staart te pakken, en er daalde rust in de jol.

Bontekoe had goed voorspeld: 's middags kwam Sumatra in het zicht – een lange streep land, die langzaam-aan tot een machtige wand van dieppaarse bergen werd.

Ze besloten voorlopig de kust maar af te zeilen, om zo snel mogelijk Straat Soenda en daarna Bantam te bereiken. Aan eten was nog geen gebrek.

Dus werd in zuidoostelijke richting gekoerst. De zon ging helder onder. De wind sloeg naar het noorden om; men kon niet beter wensen.

De maan kwam op, eerst bleek, allengs aangloeiend tot zilver en de gehele hemel vullend met zijn licht.

Een prauwtje! Badend in de maneschijn danste het op de golven. Een eenzame visser stond er rechtop in, zo verdiept in zijn werk, dat hij de jol niet zag naderen. In wijde zwaai wierp hij zijn net uit, dat stil in het water viel. De man was bijna naakt; het maanlicht omlijnde zijn schouders. Als een kroon stond hem een zwierig gestrikte hoofddoek in het haar.

Ineens bemerkte hij de jol, trok vlug het net binnen boord en pagaaide uit alle macht weg, dwars door de hoge branding. 'Sobat! Sobat kras!' schreeuwde Floorke. Maar de donkere visser scheen van die vriendschap niets te geloven.

De volgende dag raakten de noten op: men moest nieuwe voorraad zien op te doen. Het ging er om, een inham te vinden. Daar de wind intussen naar het zuidoosten was omgelopen, moesten ze laveren en raakten daarbij telkens zo ver van de kust, dat ze licht een geschikte ingang ongezien voorbij zouden kunnen zeilen. Daarom werd besloten dat vier of vijf man het strand zouden aflopen en waarschuwen zodra ze op een baai zouden stuiten. Hilke, Floorke, Harmen, Hajo en Rolf sjorden hun broekriem wat steviger aan en sprongen overboord. Goede zwemmers als zij waren, wisten zij zich proestend en snuivend door de stoere branding heen te werken. En met het geruststellende gevoel dadelijk weer het ruime sop te kunnen kiezen als inboorlingen het hun lastig mochten maken, volgden zij het strand, dat aan de landzijde was begrensd door bomen en hoog gras. Zwermen meeuwen vlogen nu en dan op. Allengs werd het strand smal en modderig; hier en daar stonden de bomen zelfs met de wortels in het water, en het wemelde van slijk-springertjes.

De vijf baanden zich nu een weg door het hoge gras, waarin ze geheel kopje onder gingen. Hilke, die voorop liep, verstijfde van schrik toen vlak voor zijn voeten een aap wegsprong en zich langs een paar lianen in een grote boom werkte, vanwaar hij de omes in apentaal een reeks verwensingen naar het hoofd slingerde. De grond voor Hilkes voeten was omgewoeld en een paar planten lagen met de wortels bloot. Bovenaan de wortels zaten kleine boontjes waaraan nog aarde kleefde. Floorke veegde er een aan zijn broek af. 'Zou je ze kunnen eten?'

'Waarachtig!' meende Hilke. 'Als die aap er speciaal voor naar beneden komt?'

Aarzelend stak Floorke het boontje in de mond. 'Aan de schil is niet veel smaak. Maar de pitjes, die er in zitten, zijn best!'

De anderen proefden nu ook eens. Hilke bekeek de kleine, ovale blaadjes van het plantje en merkte na enig rondkijken, dat er overal volop groeiden. Ze propten de zakken vol boontjes, en Floorke koos er een naam voor: apenootjes.

Na een uur lopen vonden ze een rivier. Vlug de broeken uit en als seinvlaggen gebruikt! In de jol begreep men de wenk: de koers werd recht op de aangeduide plaats gesteld. Maar naderende bemerkte men dat vóór de monding van de rivier een zandbank lag, die zo'n hevige branding veroorzaakte dat landen een gewaagde zaak scheen. Bontekoe durfde de verantwoording niet aan – vroeg de maats zelf wat ze wilden.

'Landen!'

'Wel,' zei Bontekoe, 'dan waag ik er mijn huid ook aan. We zijn al door zoveel heen gerold! Gooi maar vier riemen uit, en aan elke riem twee man. Ik hou het roer. De rest klaar om te baliën!'

Hij stuurde recht op de woelende, schuimende watermassa aan.

Er kwamen een paar spannende ogenblikken. De jol werd hoog opgetild, neergekwakt; meteen volgde een zware roller en wierp hem half vol. Met

schoenen, handen, mutsen en de twee vaatjes werd gehoosd, en de maats aan de riemen trokken als dollen. Daar sloeg een tweede roller achter over de jol. Het boord stak geen handbreed meer boven het water uit. De tanden opeengeklemd, werkten de omes in razend tempo. Een derde golf stortte gelukkig achter de boot neer; een wolk van schuim vloog de mannen over het hoofd. Ze waren de branding uit.

Nog steeds hozende, legden ze eerst op de linkeroever aan, namen de vijf aan boord en staken daarna naar de rechteroever over, waar de jol aan beide dreggen werd gemeerd. Toen gingen ze aan wal.

De oevers van het riviertje waren dichtbegroeid. Waar de jol lag, schoten de stammen van kokospalmen op.

De maats keken eens rond, wat er verder nog aan proviand te vinden zou zijn. Floorke wees de schipper de boontjes, die ook hier overvloedig groeiden. Bontekoe proefde de 'apenootjes' en vermoedde, op de olieachtige smaak afgaand, dat ze wel voedzaam zouden zijn. Hij gaf de maats order zoveel mogelijk te verzamelen. In kleine groepjes snuffelden de mannen de omtrek af. Harmen en Padde, die samen al zoekende en peuzelende waren afgedwaald, stonden, vóór ze 't wisten... voor een smeulend vuurtje!

'Allemachies!' stamelde Padde.

Harmen lag al op zijn knieën en blies wat hij maar blazen kon. Vuur! Dát konden ze gebruiken! Hilke, de enige die een vuurslag in zijn zak gehad had, was zo dom geweest het in de sloep te laten liggen toen hij met de anderen in de jol was overgestapt. 'Hout!' riep Harmen, al blazende. 'Droog hout!' Nu, hout lag overal voor het grijpen. En dank zij Harmens gezonde longen, sloegen de vlammen spoedig weer uit het smeulende vuurtje op.

'Wat ligt daar?' vroeg Padde, wijzend naar een paar hoopjes tabak op een stuk pisangblad.

Als antwoord griste Harmen een handvol weg en stak het in zijn zak. Toen begon hij te schreeuwen. 'Hei! Hallo! Ho! Hier is wat te zien!' Padde gilde opgewonden mee.

Daar kwamen de maats aanhollen. En op het gezicht van twee schatten: vuur en tabak! sprongen ze een el in de lucht. Gnuivend diepten ze hun pijpjes uit de broekzak op. De tabak werd eerlijk verdeeld. Al was er niet veel, allen zouden toch een trekje kunnen doen.

'Jij hebt je zakken natuurlijk stikvol!' verweet Gerretje aan Harmen.

Harmens gelaat drukte een-en-al verbazing uit. 'Hoe kan dat?? M'n zakken zitten vol noten! Kijk maar!' Hij gaf er met de vlakke hand een klap op.

'Ook een bewijs!' smaalde Gerretje.

'Harmen heeft de tabak gevonden!' suste Hilke. 'Allicht, dat ie wat meer krijgt.'

''k Wed dat ie wel een pond in z'n zak heeft gestoken!' pruttelde Gerretje. 'Zie z'n zakken maar eens uitpuilen! Ze zullen nog barsten!'

'En jij d'r bij!' verklaarde Harmen.

De mannen legden nog een paar vuurtjes aan. Toen hurkten ze om de hoog oplaaiende vlammen en zogen stil genietend aan hun pijpjes, tot de tabak op was – behalve bij Harmen, die nog steeds dikke rookwolken de lucht in blies. Daarna verdiepten ze zich in gissingen omtrent de inboorlingen, die blijkbaar in overhaaste vlucht de tabak hadden achtergelaten. Zouden ze de arme zwervers vijandig gezind zijn? Nou ja, zorgen kwamen altijd nog vroeg genoeg! Maar toen de avond daalde, maakte zich toch onrust van de schipbreukelingen meester. Als wilden hen vannacht eens in grote getale en gewapend zouden overvallen? Een enkele maal deed een avondkoelte het gras ritselen; fluisterend bogen de lange halmen zich naar elkaar over. De omes klonk het als de sluipende voetstap van sluwe, bloeddorstige wilden. Wat was dat voor een bruin, levend wezen in die boom? Een grote aap? In de verte een vogelroep. Boven de zee kwamen kalongs aandrijven, ware spookgedaanten wanneer ze, na een ogenblik lang achter de wolken te zijn verdwenen, onverwachts weer opdoken. De maats hurkten bijeen om het vuur, keken met glanzende ogen in de vlammen en wierpen er stukken droog hout op. Pook de vlammen maar aan, jongens! Dat doet de onrust vluchten...

Bontekoe besloot wachten uit te zetten. 'Vrijwilligers?' Hajo en Rolf gaven zich meteen op; ze kregen de opdracht de eerste paar uren van de nacht bij de rivier te waken. Maar ze waren nog geen tien pas op weg, toen hijgend en blazend Padde achter hen aan kwam hollen. 'Ik ga ook mee,' verklaarde hij. '*Jij?*' – 'Ja, *ik*.' – 'Vooruit dan maar.' Met hun drieën stapten ze het donkere bos in. Padde, bibberend over al zijn leden, hield Hajo stevig vast.

Zo kwamen ze bij de rivier. Nu een goed uitkijkpunt te vinden! Een zware boom was schuin over het water gegroeid – daar zouden ze inklimmen. 'Kom, ga je mee, Padde?' vroeg Hajo.

'Ik blijf beneden.'

'Maar daar kun je niets zien!'

'Ook nergens voor nodig,' vond Padde. 'Als ze *mij* ook maar niet zien!'

'Nou, blijf dan beneden,' zei Rolf, 'dan kun je je door de krokodillen laten weghalen.'

'*Krokodillen?!*' stamelde Padde.

Haastig klauterde hij achter Rolf aan.

Van hier hadden de jongens een goed uitzicht. De rivier lag open en bloot te glanzen onder de nachtelijke hemel. Ze kozen een mooie, dikke tak om op te zitten. Ziezo, nu zouden ze het wel een hele poos uithouden!

Maar ze hadden buiten de kleine kwelgeesten gerekend die het bijna onmogelijk maken, zonder beschutting de nacht in een tropisch oerwoud door te brengen: de muskieten! Het was om er dol van te worden, zo zoemden ze om je oren. Zzzzùù... zzzinnng... zzzoeoeoe... Padde sneed een takje af en zwaaide en sloeg ermee dat hij er bijna de boom door uittuimelde. Maar het hielp wel, en de anderen volgden zijn voorbeeld.

Ineens, beneden hen, brekende takken, gestamp en gesmak in de weke modderbodem... Onwillekeurig grepen de jongens zich aan elkaar vast. Daar boog het gras ter zijde en een donker, harig beest met twee zware, rondgebogen slagtanden waadde zachtjes knorrend het water in, vol welbehagen slurpend. Nog een kwam uit het gras te voorschijn, gevolgd door twee, door vijf, acht, elf jonge knorrende vierpoters die zich in de modder wentelden en daarna ook het water inliepen. Wilde varkens!

De biggetjes hadden een in de lengte gestreepte huid – een grappig gezicht. De jongens waren zo door het familiebad van de krulstaarten in beslag genomen dat geen van hen de roering in het water bespeurde, daar verderop... Tot een der biggetjes een kreet van schrik uitstootte. Meteen smoorde het water zijn gil; het beestje werd door een onzichtbare macht weggesleept. Angstig krijsend vluchtten zijn broers en zusjes de oever op. Maar de ouden stoven met woedend snuiven en blazen naar de plaats waar hun jong in de diepte was gesleurd. Terwijl de zeug daar bleef staan, stormde het mannetje het water in, zwom zoekend rond, keerde tenslotte met een klagend geluid naar zijn wijfje terug – waarop beiden weer naar de oever baggerden en grommend tussen het gras verdwenen, de jongen achter zich aan. In hun haast en opwinding botsten de biggetjes tegen mekaar op, buitelden over de kop, maar repten zich daarna knorrend en piepend weer voort, vinnig slaand met de achterpootjes, zodat de kluiten aarde met een wijde boog in het water kletsten. Toen werd het weer stil, en de jongens ademden op.

Foei! wat staken de muskieten! Van de rivier dwarrelden vuurvliegjes omhoog en doken weg in de boomkronen. Een kikker ratelde, kreeg van de andere oever antwoord. Brèkekèkèrrr... Een watervogel vloog ineens met heidens misbaar uit het oeverriet op, tuimelde tegen de takken van de boom waarin de jongens zaten, plofte half verdoofd in de rivier neer, zocht toen vleugelklappend, de poten door het water slierend, een schuilplaats verderop in het riet. Toen een eentonig, klagend geluid, als het neuriën van een half vergeten wijsje. Zou het waar zijn dat de krokodillen zingen, om hun prooi in het water te lokken...?

Eindelijk kwamen Hilke en Harmen de jongens aflossen. Zwijgend, half dromend gingen ze naar het kamp terug, legden zich bij een der vuren neer en sliepen in.

De nacht verliep rustig.

Verkwikt stonden allen de volgende morgen op. Juist hadden ze het ontbijt naar binnen gewerkt: kokosmelk met gepofte apenootjes, warm uit het vuur, toen er uit zuidelijke richting drie mannen langs het strand kwamen aanlopen. De barbier, Bolle en Floorke, beroemd om hun vloeiend Maleis, werden hun tegemoet gezonden. Floorke beschouwde zich als leider van de deputatie en gespte als teken van waardigheid de roestige degen om.

Zo ontmoetten de twee groepjes elkaar. De bewoners van dit land maakten een beschaafde indruk. Ze waren niet getatoeëerd, hadden sluik, glanzend zwart haar en droegen om de heupen een soort rok met mooie figuren. Onbevreesd, ook niet zo erg verbaasd, keken ze de maats in de ogen en groetten in het Maleis.

Floorke nam het woord. 'Hebben jullie eten? *Makan?* We zullen betalen! *Bajar!*'

'Ada makanan, toean,' was het bevestigende antwoord.

'Makanan apa?' vroeg Bolle.

Wat voor eten? Eén somde op: 'Nasi, kambing, ajam, ikan, boewah...'

'Goed, breng maar hier. Wat is dit voor een land? Negeri apa ini?' informeerde de barbier.

'Negeri Lampong, toean.'

'Aha! De zuidelijkste provincie van Sumatra! Dat is mooi! – Mana negeri Djawa?'

Waar Java lag? De mannen wezen de kust af, in zuidelijke richting.

'Dat klopt!' zei Vader Langjas verheugd. En in het Maleis vertelde hij hoe ze hun schip hadden verloren en nu de rede van Bantam zochten.

Bantam was nog ver, verzekerden de inboorlingen, en er lag een zee tussen. Daarop gingen ze weg, beloofden spoedig met voedsel te zullen terugkomen.

Intussen zamelde Bontekoe het geld van de maats bijeen. Hier gold: botje bij botje leggen; uit mutsen en voeringen kwam het geld te voorschijn, en ten slotte lagen er tachtig realen van achten. Zou men hier weten wat geld was? Bontekoe dacht van wel: er was op deze kust vast wel enig handelsverkeer.

De Maleiers, nu 'n twintigtal sterk, kwam terug met pluimvee, rijst, vruchten en twee geiten.

Over de prijs was men het al gauw met hen eens en in zeldzaam opgewekte stemming werd het maal bereid. Bolle, met Harmen als helper, had zich nog nooit in zoveel belangstelling mogen verheugen. Allen wilden proeven: 'of het al gaar was,' en Bolle deelde met een zelfgesneden houten lepel links en rechts meppen uit.

De kampong in

Na het eten, dat zelfs Paddes verwachtingen overtrof, overlegden de schipbreukelingen hoe ze nog aan wat meer proviand voor de reis konden komen. Van een zo vreedzame bevolking zou wel alles zijn los te krijgen wat ze voorlopig nodig hadden. Ze hoorden dat een uur varens de rivier op een dorp lag; daar besloot Bontekoe zich heen te laten roeien.

Hij liet zijn neef bij zich roepen. 'Rolf, jij gaat mee als mijn tolk. De mannen zullen ons straks zelf met een prauw de rivier oproeien.'

'Wat leuk, oom! Mag Hajo ook mee?'

Zijn oom keek hem glimlachend aan. 'Jullie houdt mekaar altijd bij de broek vast, geloof ik! Heb je Jan, dan heb je Piet! Nou, vooruit dan maar.'

Stralend pakte Rolf zijn biezen.

Tien tellen later stond Harmen bij de schipper.

'Wat heb jij op je lever?'

'Ik...' Harmen slikte, 'ik heb nog nooit in zo'n Maleis sloepje gezeten, schipper!'

'Maar als ik jou óók nog meeneem, zullen ze denken dat ik met een jol vol kinderen ben aangekomen!'

Harmen verbleekte. '*Kinderen*, schipper...?! 'k Word met maart zestien!'

'Uitgerukt!' lachte Bontekoe.

Verbluft trok Harmen zich terug. Maar Rolf gaf hem een ribbestoot. 'Je mag mee!'

Harmen keek hem weifelend aan. 'Goed, als de prauw aanlegt, spring ik er in. Maar als de schipper me de benen stukslaat, komen de kosten voor jou!'

Daar kwam van achter de rivierbocht een prauw te voorschijn. Voor- en achterin zat een Maleier met een spaan in de handen. Ze meerden de prauw, en Bontekoe nam er met zijn drie begeleiders in plaats. Harmen keek met een scheel oogje naar de schipper, gereed om er als de weerlicht weer uit te wippen, maar Bontekoe scheen hem niet op te merken. Juist hadden de Maleiers hun prauw van de wal afgestoten, toen Padde buiten adem kwam aanhollen.

'Wat moet dat?!' riep Padde. 'Waar gaat dat naar toe?'

Hajo schaamde zich een beetje over Paddes optreden, dat van weinig eerbied voor de schipper getuigde. Maar hij wilde zijn vriend het antwoord toch niet schuldig blijven. 'Inkopen doen voor de kombuis, Padde!'

'Ik ga mee,' zei Padde. 'Leg maar even an.'

'Waarachtig niet', klonk het uit Bontekoes mond. 'Je gaat *niet* mee!'

'Ik ga *wel* mee,' verklaarde Padde.

Bontekoe zette grote ogen op.

'Zwem maar achter de prauw aan!' grinnikte Harmen. Weinig vermoedde hij wat zijn raad tot gevolg zou hebben... Pats! daar sprong Padde pardoes het water in en ploeterde naar de prauw. Samen met Rolf hees Hajo de roekeloze botteliersmaat binnen boord. 'Blikslagerse jongen!' mompelde de schipper, 'wil jij je door een kaaiman laten verslinden?!'

'Ik wil met m'n vrind mee,' hijgde Padde.

Bontekoe wist niet zo gauw wat te zeggen. En Padde scheen er ook weinig belang in te stellen. Hij plofte op de bodem van het vaartuigje neer en wrong nijdig zijn muts buiten boord uit.

De Maleiers begrepen dat nu niets het vertrek meer in de weg stond, en doopten de spanen in het water.

Aanvankelijk werd er gezwegen. Bontekoe keek met een half oog naar Padde, die grimmig met het uitwringen van zijn kleren doorging. Hajo en Harmen bewonderden in stilte de vaardigheid waarmee de gevaarlijke rotsblokken vermeden werden. Een enkele korte roep was de roeiers voldoende verstandhouding.

Een drukkende hitte lag nu al op het water. Hoe zou het vanmiddag worden?

Allengs werd de rivier smaller; de palmen aan de oever maakten plaats voor donkere loofbomen. Grote, bruine apen volgden de prauw; aan loshangende lianen slingerden zij zich van de ene boom in de andere. Een oud apenmannetje bewoog zich met grote sprongen over het stenen bed aan de oever, siste, nam een aanvallende houding aan, wierp met keitjes naar de prauw zonder zich te laten afschrikken door de verwensingen, die de beide roeiers hem naar het hoofd slingerden. Kleurige vogels fladderden van tak op tak, streken in grillige val neer, een lange staart achter zich aan. Wanneer er een over een zonneplek gleed, schitterde er een felle vlam, kort, terstond weer dovend.

Ze kwamen langs enkele huisjes, half achter het groen verborgen. Een paar vrouwen waren met het wassen van kleren bezig. Zij hadden een rok ('sarong', zei Rolf) boven de borst dichtgeknoopt. Naakte kindertjes met dikke rijstbuikjes zaten elkaar in het water na. De meisjes hadden het haar in een knoedeltje opgebonden, de jongens waren kaalgeschoren, op een gitzwarte lok, vóór op hun ovaal bolletje, na.

Grote verbazing onder de kleinen toen de prauw naderde! Ze bleven met open mond staan, de ogen zo wijd als de zee.

De vrouwen merkten de prauw nu ook op. Ze staakten het werk en uitten in een kreet haar verwondering: 'Tjobah...!' Het feit, dat er twee mannen die ze kenden in de prauw zaten, scheen hen gerust te stellen. En toen het vaartuigje voorbijgleed, overstelpten ze de roeiers met vragen. Ze kregen geen antwoord. De kinderen wilden de prauw volgen, maar de vrouwen riepen ze terug.

Nu overwelfden de bomen de rivier weer geheel en het werd heerlijk koel. In het groene schemerlicht daarboven schudden apen krijsend aan de takken. Er kwamen weer huisjes met kinderen, geiten, kippen en honden eronder, erop, erin, eromheen. Daarna kokostuinen met bamboe-omheiningen.

Bij een soort haventje waarin een paar boten lagen, legden de roeiers tenslotte aan. Bontekoe stapte met zijn gevolg aan wal. De Maleiers als gidsen voorop, sloegen ze een kronkelpaadje in, met aan beide zijden dichte groene bamboebossen. Toen voerde de weg over een dijkje tussen twee vijvers door waarin vissen zwommen. Kikkers plonsden bij vieren, vijven tegelijk van het aarden walletje het water in: aan de overzijde stond een witte reiger te vissen. De Maleiers gooiden een steen naar het dier. Waarop het in een boom vloog, vast besloten zijn maaltijd voort te zetten zodra die lastige mensen hun hielen hadden gelicht.

Weer een bocht om en men was bij het dorp. Het lag er alleraardigst onder geboomte en was omzoomd door een strook gras waarop een paar buffels, vervaarlijke kolossen met zware horens, vreedzaam graasden onder toezicht van een half dozijn bruine dreumessen die, toen ze de vreemden zagen, zich ijlings achter de buffels verborgen en met grote ogen tussen de poten door gluurden. Het dorp was tegen overvallers beschermd door een palissade uit dikke, gespitste bamboestokken. Het pad voerde naar een doorgang, waarvoor een man gehurkt te soezen zat. Achter hem stond een speer.

De Maleiers riepen hem bij zijn naam. Hij schrikte op, krabbelde schuw overeind, vol wantrouwen naar de vreemdelingen kijkend, en sloeg alarm op een houten blok, dat naast hem hing. Intussen wenkte de voorste Maleier Bontekoe en de zijnen, om hem verder te volgen. Ze kwamen nu op een voorplein van gestampte aarde, waarop het krioelde van pluimvee.

In de schaduw van een groepje pisang- en papajabomen was een viertal jonge meisjes met het stampen van rijst in de weer. Het mooie, glanzendzwarte haar lag in een kleine wrong achter in de hals; Harmen stelde vast dat hun dat lief stond. Terwijl ze aanhoudend werk hadden om de diefachtige kippen weg te jagen die een graantje kwamen pikken, stampten ze met lange stokken in houten kommen, waarvan er vier naast elkaar waren gehouwen in een scheepvormig stuk hout, dat op de grond stond. Ze neurieden er samen een wijsje bij.

'Tabé!' zei Harmen vriendelijk.

'Tabé, toean...' stamelden ze, verschrikt opkijkend. En een paar kwieke haantjes vielen vlug op de nu onbehoede rijst aan.

Uit enkele huizen kwamen intussen de bewoners naar buiten; dat zou de slag op 't houten blok wel hebben uitgewerkt. Op enige afstand bleven ze staan.

Harmen groette naar alle kanten. Maar op zijn vriendelijkst 'tabé' kreeg hij slechts een onverstaanbaar gemompel terug. Alle huizen waren op hoge, sterke palen gebouwd. Sommige hadden een balkon en drie, vier tralievensters. En hoe kunstig waren de bamboezen wanden gevlochten! Daar zaten allerlei figuren in! En dan dat kleurige snijwerk onder de spitse daken! Bijna bij elke woning stond aan de zijkant een paal met een kooi waarin een kleine grijze duif roekoerde. Overal scharrelde pluimvee rond. Een paar jonge haantjes oefenden zich in het kraaien en overschreeuwden met hun nog onzekere stemmen het zelfingenomen gekakel van hennen, die luid verkondigden dat ze daareven een ei hadden gelegd. Het was weer net als in het Sante-Maries dorpje: door deuren- en vensterspleten gluurden angstige gezichten van vrouwen en meisjes en ook hier krioelde het van kleine naakte dreumesen, die bij het verschijnen van de onbekende blanken hals over kop de vlucht namen.

Met een schare Maleiers op veilige afstand achter hen aan, kwamen Bontekoe en zijn mannen bij een huis, dat het grootste van alle was en dus wel aan het dorpshoofd zou toebehoren. Hun gidsen verzochten hun een ogenblik te wachten.

Harmen zette zijn verbroederingspogingen intussen voort. Hij bleef maar knikken en 'tabé!' roepen. En tenslotte scheen hij veld te winnen: er werd gemeesmuild. 'Aha!' dacht Harmen, 'ik schiet op!' En onverwachts maakte hij een prachtige luchtbuiteling. In het maken van dergelijke toeren was Harmen rijp voor het paardenspel, en ook ditmaal misten ze hun uitwerking niet. Eerst een ogenblik van verbaasd zwijgen, toen algemeen gelach. Er waren op de achtergrond nu ook vrouwen en meisjes opgedoken, wier vrolijkheid aanstekelijk werkte. Juist maakte Harmen nog eens dezelfde buiteling, maar nu achterstevoren, toen in de veranda van het grote huis een oude man verscheen, gekleed in een lange lendenrok, jasje en mooi gestrikte hoofddoek. In een brede buikgordel stak achter zijn rug een eigenaardig gevormd steekwapen met sierlijke greep.

Terwijl hij, nog verbaasd naar Harmen kijkend, die verlegen zijn broek optrok, langzaam en plechtig de trap van het bordes afdaalde om de vreemdelingen te begroeten, ging de verzamelde schare eerbiedig achteruit en hurkte zwijgend neer, de handen in de schoot. Bontekoe en de jongens voelden wel dat ze hier bij een heel ander volk terecht waren gekomen dan bij de 'zwartjes' op Sante-Marie! Ze besloten in beleefdheid niet onder te doen. Bontekoe maakte een buiging, een voorbeeld dat door de jongens kranig werd nagevolgd op Padde na, die met zijn houding niet goed raad wist en daarom maar kuchte en met zijn mouw zijn neus schoon veegde.

Het dorpshoofd beantwoordde de buiging, sprak een paar woorden van welkom, die meer begrepen dan verstaan werden, en verzocht de vreemdelingen, zijn gasten te willen zijn. Rolf, die het beste Maleis sprak, dankte het dorpshoofd. Waarop hun gastheer zich weer naar boven begaf, met hoffelijk gebaar Bontekoe en de zijnen verzoekende hem te volgen. Zo deden zij. Het buiten verzamelde volk bleef gehurkt toezien.

Op het bordes hadden enkele vrouwen tegen de wand plaats genomen. Het dorpshoofd gaf hun een wenk, waarna ze oprezen, zes matjes op de vloer spreidden en verdwenen. Vriendelijk nodigde hij zijn gasten te gaan zitten. Ze gaven er gehoor aan en zetten zich met opgetrokken knieën op de matjes neer. Het hoofd was ook gaan zitten, kruiste de benen onder het lichaam. Een nieuwe wenk, en een meisje zette een koperen schaal neer waarop enkele met grillige figuren besneden kommetjes stonden. In een ervan lag een noot, in een ander een krans van groene bladeren, in een derde witte kalk, in een vierde weer wat anders... De jongens keken er met grote ogen naar. Wat moesten ze daarmee beginnen?

Hun gastheer vouwde enkele bladeren tot een matje ineen, nam iets uit de verschillende kommetjes, legde het op het matje, stak het geheel toen in de mond en maakte een uitnodigend gebaar.

'Nadoen!' zei Bontekoe.

'Moet je dat slikken?' vroeg Hajo weifelend.

'Ik ga liever gewóón dood,' verklaarde Harmen.

'Je moet het kauwen,' zei Bontekoe. 'Het is een betelpruim. Die mag niet geweigerd worden!'

En zo goed en zo kwaad als het ging, maakten de schipper en de jongens hun pruim klaar en staken hem daarna dapper in de mond, op Padde na, die maar weer z'n neus schoonwreef. Het goedje smaakte bitter.

Al die tijd heerste er zwijgen. Bontekoe gaf Rolf een stille een wenk, met spreken te wachten, tot hun gastheer het woord genomen had. Eindelijk was het zover. Het dorpshoofd wenkte het meisje om de schalen weg te nemen en wendde zich tot Bontekoe:

'Mag ik u vragen heer, vanwaar gij komt?'

Rolf vertelde zo goed en zo kwaad als het ging wat hun was overkomen, en hoe ze hier op Sumatra geland waren om wat eten in te kopen voor de verdere reis.

Het dorpshoofd antwoordde dat er in het dorp stellig wel mensen zouden zijn die etenswaren konden leveren. Daarop verklaarde hij dat hij het zich een grote eer zou rekenen als zijn gasten zometeen bij de maaltijd zouden willen aanzitten en verder de nacht bij hem doorbrengen.

Het slapen sloeg Rolf af, omdat, zoals hij zei, de haast om bij hun makkers terug te keren hen verhinderde hier lang te vertoeven. Maar de maaltijd zouden ze graag aanvaarden.

Daarna bracht hij zijn oom het gesprek over.

Harmen was nadenkend geworden. 'Ik vertrouw hem voor geen pruim tabak,' zei hij ineens. 'Wat ik je brom: 't is een blinde klip! Hij kijkt me te uitgestreken! 'k Zal Louwtje Laurenszoon heten, als er gif in dat eten zit!'

Rolf keek Harmen aarzelend aan.

'Een gast is in deze streken heilig!' zei Bontekoe. Maar ondanks dat voelde hij Harmens wantrouwen mee. Er zat in al die hoffelijke manieren iets beklemmends – een ronde zeeman wist niet goed wat ie er aan had. En tegelijk met een zweem van argwaan kwam in hem een gevoel van spijt op dat hij, in plaats van de vier jongens, niet een dozijn volwassen maats had meegenomen...

Hajo vond hun gastheer een buitengewoon vriendelijk man. Je moest niet achter alles wat zoeken!

En Padde kon zijn ogen maar niet afwenden van het meisje, dat hem daarstraks de betelschaal had gereikt. Het kopje vormde een prachtig ovaal; de oortjes, lipjes, het neusje waren fijner dan Padde ze ooit gezien had; de sierlijk gebogen, smalle wenkbrauwen, de donkere glanzende ogen, half versluierd achter lange wimpers, de prachtige haarval, waarin een zilveren gesp en een paar sneeuwwitte bloempjes waren gestoken, de tengere armen, handjes en vingertjes... Padde vergat de hele wereld. Net een plaatje! vond hij.

Maar het meisje had ook voor de brave botteliersmaat belangstelling. Nu en dan wierp ze hem van onder haar lange wimpers een schuwe blik toe.

Dan werd Padde rood als een kool en keek vlug een andere kant uit.

Het hoofd stelde voor, het dorp eens te bekijken; intussen kon hier het eten worden opgediend. Gretig nam Rolf het voorstel aan, blij, eindelijk van de zittende houding en het betelkauwen verlost te zijn. Nauwelijks waren ze het trapje afgedaald, of de jongens maakten van de gelegenheid gebruik, zich van hun betelpruim te ontdoen.

De neergehurkte schare opende zich meteen in de richting waarheen het dorpshoofd zijn gasten geleidde. Kinderen gluurden van ter zijde de 'witte' mensen aan, zich pas weer schuchter terugtrekkend wanneer een daarvan een blik op hen liet vallen.

'Stampt men in uw land de rijst zoals wij het hier doen?' vroeg het dorpshoofd, toen ze de plek naderden waar de vier meisjes met dat werk bezig waren, maar nu verlegen ophielden.

'In ons land groeit geen rijst,' antwoordde Rolf.

Het dorpshoofd keek daar wel van op. Ook onder de omstanders werd gemurmeld.

'Mogen we het stampen eens zien?' vroeg Rolf vrolijk.

'Wel zeker!' En het dorpshoofd wenkte de meisjes hun arbeid voort te zetten. Met neergeslagen ogen voldeden ze aan het bevel.

Zij stelden zich weer aan beide zijden van het stampblok op, namen de houten stok en begonnen op een kort en zacht uitgesproken woord van een van hen te stampen. Al gauw merkten Bontekoe en de zijnen op dat er in een bepaalde maat gestampt werd. De leidster zei weer een woord, en alle vier wisselden tegelijkertijd het ritme.. Als vanzelf begonnen de meisjes te neuriën, en bij elke maatwisseling zetten ze ook meteen een ander wijsje in. En alles rondom was zo vredig; de lucht hing vol zoete bloesemgeuren; de al lage zon scheen koesterend tussen de huizen door...

'Alleraardigst!' riep Bontekoe uit.

Het was, als verstonden de ijverige stampsters hem; de jongste giechelde even, waarop ook de anderen hun vrolijkheid een ogenblik botvierden. Een oude vrouw, die gehurkt bij het blok was gaan zitten, berispte ze met krijsende stem; de meisjes wierpen elkaar en ook de omstanders een oogje toe en kozen ditmaal een bijzonder vrolijke maat – ondanks het grommen van de oude, die intussen een mandje, dat veel van een omgekeerde hoed had en met ongepelde rijst was gevuld, naar zich toe had getrokken. Met vlugge greep griste ze tussen twee stoten door met haar magere gerimpelde hand de rijst uit de kommen. verzamelde ze in een lege mand en gooide de kommen weer vol ongepelde rijst. Het dorpshoofd leidde zijn gasten weer verder.

Rolf vroeg naar de naam van de grijze duiven in de kooien. 'Boeroeng perkoetoet,' was het antwoord. De jongens verbaasden zich over de juiste klanknabootsing: ze hoorden in de roep van de vogel nu duidelijk het woord *perkoetoet!* Ze hielden stil bij een oude man, die met het versieren van een deur bezig was. Niets dan een kort mesje was zijn werktuig: daarmee – en met eindeloos geduld! – had hij vogels, vissen en bomen in fraaie lijnen uit het hout getoverd. De oude houtsnijder glimlachte vol bescheiden vreugde, toen de vreemdelingen zijn werk bewonderden.

'Kan ik ook,' zei Harmen. 'Heb jullie mijn tabaksdoos al eens gezien?'

Een strenge blik van de schipper hield hem ervan terug, dit zeldzame kunstwerk, waarop twee aaneengesmede harten prijkten, voor de dag te halen.

Na de rondgang door het dorp te hebben gemaakt, kwamen ze weer bij de woning van het dorpshoofd, waar intussen het eten wachtte. Op een over de vloer gespreide mat prijkte een keur van gerechten, alle in stukken pisangblad gewikkeld. Men zette zich rond de 'dis'. Er was rijst met scherpsmakende visjes, gekruide kip, allerlei vruchten, waarbij vooral een groene vrucht met heerlijk sappig oranje vlees de jongens in verrukking bracht. Het eten was zo gepeperd, dat ze er tranen van in de ogen kregen. 'Toch lekker,' vonden ze. Alleen Harmen aarzelde bij elk gerecht dat hem werd aangeboden.

'Smaakt het jou niet?' vroeg Bontekoe.

'Als ik maar wist dat er geen gif in zat, zou je me eens zien eten, schipper!' zuchtte Harmen.

Zijn makkers lachten. 'We hebben anders nog geen meelij met je! Als je dát allemaal opeet...!'

De soep werd tot hun verbazing over de rijst geschept! Dan waren er allerhande koekjes en gekonfijte vruchten, en na het eten werd er gegiste palmwijn geschonken! Maar nu moesten ze toch ook eens ernstig op zoek gaan naar proviand voor de jol! Ze bedankten het dorpshoofd voor het heerlijke maal. En nu Harmen geen buikkrampen of misselijkheid voelde opkomen, week ook bij hem het laatste restje wantrouwen.

Rolf vroeg de mannen die nog steeds in een grote kring voor het huis zaten, of niemand van hen iets te koop had.

'Kippen!' riep er een. 'Twee geiten!' klonk het uit een andere hoek. 'Rijst! Rijst en kippen!'

Kippen bleken in overvloed te koop te zijn. Bontekoe kocht wat rijst en pluimvee op en liet het naar de jol brengen. Daarna volgden ze de man die twee geiten te koop had. Maar ter plaatse gekomen, bleken de 'geiten' nog geen maand oud te zijn.

Zijn buurman kwam zeggen dat hij een buffel te koop had. Dat zou zoden aan de dijk zetten! Ze volgden de eigenaar, die hen het dorp uitleidde. Daar graasde zijn buffel, een mooi jong beest met een paar geduchte horens.

Rolf opende de onderhandelingen. Men werd het eens op vijfeneenhalve reaal van achten. Maar hoe nu de stier naar de jol te krijgen? 'Als we het aan die kerel overlaten, zien we het beest nooit!' meende Harmen.

'We zullen het zelf moeten doen,' zei Rolf. En hij vroeg in zijn beste Maleis: 'Is er een weg naar het strand?'

'Zeker heer, langs de rivier loopt een weg.'

'Wel,' zei Harmen, 'ga jij dan met de prauw terug, schipper, dan slaan wij dit mormel een touwtje om z'n hals en brengen het netjes naar de jol.'

Dat scheen ook Bontekoe het beste. 'Goed, zie dat jullie het klaar speelt. Tot over een paar uur dus!'

'Jawel, schipper!'

Bontekoe ging naar de woning van het dorpshoofd.

'Zo,' zei Harmen tegen de eigenaar van de buffel, 'haal jij nou er eens als de weerlicht een stukkie talie!'

De man raapte een stuk rotan van de grond op.

'Best, kassie maar aan saja,' zei Harmen. 'Dan zal ik hem dat lusje even om z'n nek leggen!' En vol vertrouwen stapte hij op de grazende kolos af.

'Kom dan?' vroeg Harmen vriendelijk, de strik als een verleidelijk lokaas voor zich uithoudend, 'kom dan, ouwe jongen?' Maar de buffel kwam niet. Zodat Harmen tot een list overging. Hij maakte van de rotan een lasso en wierp die, na alleronschuldigst nog een pasje genaderd te zijn, de buffel om de horens.

Het dier sprong achteruit, sleurde Harmen mee. Maar die hield vast. Toen een korte aarzeling, en de buffel boog snuivend de zware kop en stormde met gevelde horens op de onversaagde koksmaat af. In dit hachelijk ogenblik maakte Harmen de sprong waaraan hij het te danken had dat hij vijftig jaar later aan zijn kleinkinderen het buffelavontuur nog in geuren en kleuren kon voorschilderen. Terwijl hij er eigenlijk nog over nadacht hoe hij zich het best uit de voeten kon maken, hadden zijn armen en benen het werk al verricht; hij greep, de doodsangst in de ogen, met zijn gespierde knuisten de horens beet, zette geweldig af en... sprong haasje-over!

'Tjoba...!' stamelde de eigenaar. De anderen voelden een koude rilling door de leden gaan. De buffel stoof door tot aan de omheining van het dorp: daar bleef hij staan, klaar voor een nieuwe aanval.

'Vooruit!' riep Rolf de eigenaar driftig toe. 'Tangkep!'

De man keek schuw op. 'Wah toean, tida brani, toean...'

'Wat zeg je? Durf je niet? 't Is toch jouw stier?'

'Mijn stier, heer? Ik heb hem u toch verkocht? Dan is hij toch niet meer van mij?'

'Wat zeit ie?' vroeg Harmen.

'Hij heeft ons een koopje geleverd! Hoe krijgen we het beest in 's hemels- naam mee?'

'Wachten tot het donker is,' meende Harmen. 'Dan draai ik 'm stiekem een touwtje om z'n poten. En dan slapen we vannacht toch maar bij de radja!'

'Onmogelijk! Dan is het nog beter, zonder buffel terug te gaan.'

'De schipper zal ons zien aankomen!' smaalde Harmen. 'En hij zal nóg eens jongens meenemen! Nee, hij heeft gezegd dat we hem de stier moeten bren- gen, nou, dan moeten we hem de stier ook brengen. Over een uur is het al donker. – En dan krijgen we je wel, hè, dikkop?' – Dat laatste ging tegen de buffel. Rolf weifelde. 'Vooruit dan maar!' zei hij ten slotte. Hij had ook niet veel lust om zonder het dier in het kamp terug te keren. De schipper zou zich wel ongerust maken, maar morgen zou immers alles opgehelderd zijn.

En de jongens togen naar het dorpshoofd, dat hen weer allervriendelijkst ontving en hun een klein huisje aanbood, dat naast het zijne stond en voor het herbergen van gasten diende. Opnieuw liet hij palmwijn brengen, verzekerde dat hij het zich een eer rekende de zonen van een schipper van de Compagnie te herbergen. Daarop vroeg hij hun of ze ervoor voelden hun onderdak voor deze nacht in ogenschouw te nemen. Verrukt over de palmwijn en hun hartelijke gastheer, klommen de jongens in goed vertrouwen, Harmen vooraan, een laddertje op, gingen met gebukt hoofd een lage deur binnen en kwamen in een donkere ruimte. Padde kroop als laatste naar binnen. 'Sakkerju,' zei Harmen. ''t Is donker: we hadden wel een dievenlantarentje mee mogen brengen!'

Op dat ogenblik werden ze beetgegrepen, ondanks hun woedend verzet gekneveld – en in het duister alleen gelaten.

Verlaten

'Zie je wel, dat ie een blinde klip was!' raasde Harmen.

'We moeten ons bevrijden,' zei Rolf.

'Goeie morgen! 'k Lig als een oester zo vast! En jij, Padde?'

'O, Harmen!'

'En jij, Hajo?'

'Ik kan me wel een beetje draaien.'

'Ah!' zei Rolf. 'Draai hier eens naar toe, dan zal ik zien of ik met m'n tanden...'

'Dan kun je lang knabbelen,' meende Harmen. "t Is een rotanknoop! Ik wou dat ik m'n mes uit m'n broek kon halen, dan sneed ik jullie in drie tellen los.'

'Dan waren we nog het dorp niet uit!' klaagde Padde.

'Heb je mij wel eens zien knokken? Ik neem vijftig van die Arabieren voor mijn rekening, en als ik woest ben dubbel zoveel.'

'Wat zouden ze met ons willen?' vroeg Hajo.

'Levend opeten,' troostte Harmen. 'Gepeperd bij de rijst.'

Padde begon te jammeren. De anderen zwegen. Doffe woede maakte zich van hen meester. 'Als ze bij de jol wisten hoe het met ons staat, zouden ze ons wel bevrijden!' zei Hajo.

'Loop er effe heen,' raadde Harmen.

Buiten gonsden stemmen. Rolf spitste de oren. 'Berapa?' ving hij op. 'Toedjoeh poeloeh!'

'Zeventig!' Dat was ongeveer het getal der schipbreukelingen! Tegen hun makkers werd vast ook iets in het schild gevoerd! En wat zou er met de schipper zijn gebeurd?!

'Die is goed bij de jol aangekomen,' meende Rolf. 'Al die vriendelijkheid diende alleen maar om ons wantrouwen in slaap te sussen en vannacht ongemerkt het kamp te kunnen besluipen. Ze zouden ons vieren ook wel vrij hebben laten gaan, maar toen we hier toch wilden slapen, hebben ze ons maar meteen opgesloten.'

'Die smerige buffel!' schold Harmen. 'Had ik 'm maar dadelijk een lussie om z'n poten geslagen!'

'Konden we in het kamp maar waarschuwen !'zuchtte Rolf.

Hajo beet de tanden opeen. 'Opgesloten!'

Het was buiten stil geworden. Nu en dan ritselde iets in het dak van bladeren, waarschijnlijk een muis of een hagedis. Muskieten zoemden door het bedompte kamertje. Iemand neuriede een zangerig deuntje... – Plotseling doordringend kindergeschrei. Gejank van drie, vier honden, die hun hondenleed uitjammerden. Dan een paar hoge vrouwenstemmen. Door een spleetje in het dak drong een streep maanlicht binnen, gleed geleidelijk verder over de vloer. Hoe laat zou het al zijn? Middernacht? Werd het al morgen? Een gekko begon op lange geheimzinnige toon te ratelen: 'Krrrr! Krrrr! 'En dan helder en luid: 'Tòkeh...! Tòkeh...!'

Harmen trachtte het na te bootsen, bracht het al gauw een heel eind. 'Tòkeh...!'

Padde snikte er doorheen.

Toen... kraakte er iets op het laddertje. De deur piepte, ging open... 'Toean...!' zei een zachte meisjesstem.

De jongens voelden hun harten bonzen. 'Siapa?' vroeg Rolf.

Het meisje knielde, zocht naar de strik die Rolfs hand omsloot, wrong hem met veel moeite los. 'Nu kunt u de anderen ook bevrijden,' fluisterde ze gejaagd. 'Er *zijn geen mannen in het dorp.* Ga de poort uit, dan het kleine weggetje in – daar zullen ze niet zoeken.' Ze sloop het laddertje weer af en was weg.

De vier hadden geen aansporing tot vlug handelen nodig. Rolf knoopte in drifti *ʒe* haast Hajo's handen los: samen bevrijdden ze daarop Harmen en Padde.

'Wat een schat!' zuchtte Padde. 'Grote griebus, da's vast die ene geweest, jullie weet wel.'

Toen ze de handen eenmaal vrij hadden, konden ze zichzelf gemakkelijk van de rotan verlossen die hun voeten snoerde. Met nog stijve benen, bibberend van opwinding, lieten ze zich van het laddertje glijden. Snel hadden ze de richting naar de poort vastgesteld, en nu ging het sluipende van huis tot huis, gebruik makende van elke schaduwvlek die de bananen-, papaja- en djamboebomen boden.

Juist wilden ze het door de maan helder verlichte dorpsplein in alle haast oversteken, toen Harmen op een slapende kip trapte. Kakelend vloog het beest weg en deed een paar andere kippen, die op de nok van het dak sliepen, met veel misbaar omlaagfladderen. Tot overmaat van ramp begon een dozijn kamponghonden in koor te blaffen. Als de weerlicht dook Harmen in het struikgewas, dat het plein begrensde. De anderen volgden hem op de hielen, drukten zich zover mogelijk in het gebladerte weg. Zo wachtten ze op wat komen ging. De deur van het dichtst bij zijnde huis werd geopend en een vrouw keek naar buiten, het haar loshangend, een doek om de borst geslagen. 'Siapa?' klonk het. 'Wie is daar?'

Geen antwoord. Ook aan de overkant ging een deur open. 'Eh, Niti? Apalah?'

'Tida taoe! Ajam-ajam! Ik weet het niet! Het waren kippen!' De deur ging weer dicht en ook aan de overkant verdween de gedaante.

Toen alles rustig bleef gaf Rolf het teken van verder gaan. Vliegensvlug zorgden ze hier weg te komen. Ze volgden het door het meisje aangegeven paadje. Harmen sloop vooruit om te zien of de poort bewaakt werd; de anderen zouden wachten tot hij een teken gaf. Hij gleed geruisloos onder bananen- en papajabomen door, gluurde om het hoekje van de poort. De rug naar hem toe, zat een waker gehurkt te neuriën – een eentonig, nasaal wijsje. Harmen overlegde of hij de anderen zou wenken, om gezamenlijk de man te overvallen.

Maar nu was de kans goed; Harmen zou het zaakje alleen wel even opknappen!
Voorzichtig dus een pasje nader, de adem ingehouden! Nog een pasje...
De Maleier hield op te neuriën en hief luisterend het hoofd op. Wat zijn dat
toch voor eigenaardige ogenblikken waarin je niets ziet of hoort, maar *voelt*
dat zich in de buurt...! Langzaam wendde de man zich achterom.

Dat was voor Harmen het teken. Als een kat sprong hij toe, greep met beide
knuisten de poortwachter bij de keel, drukte hem uit alle macht neer en werkte

zijn bottige knieën op de van schrik uitgespreide armen van de overvallene.

Een gesmoorde kreet – dat was alles geweest. De man, razend van angst en benauwdheid, trapte van zich af en probeerde vergeefs zijn armen onder Harmens knieën weg te trekken en zijn kapmes te grijpen, dat hem in de gordel stak. Maar met woeste kracht drukte Harmen zijn knieën omlaag; er viel geen ontkomen aan. De spartelingen van de poortwachter werden zwakker; ten slotte vielen zijn benen slap neer; hij had het bewustzijn verloren. Harmen wilde de anderen wenken, maar die kwamen al aanlopen. 'Dood... ?!' vroeg Rolf, terwijl Hajo en Padde met verschrikte ogen naar het lichaam van de poortwachter staarden.

'Van z'n stokkie gevallen,' lichtte Harmen hun in. 'Pik z'n kapmes in! En die spies kunnen we ook gebruiken!'

De jongens grepen kapmes en speer en renden het pad af naar de rivier. Zou er nog tijd zijn om de schipper in het kamp te waarschuwen? Lopen, jongens, lopen... ! Nu stonden ze voor de rivier. *Alle boten weg!* – Dan maar het pad langs het water gevolgd! Lopen!

Nu en dan boog het pad van de rivier af, maar even later zagen ze tot hun geruststelling de glinstering van het water weer tussen het geboomte. Lopen!

Stil! daar was een huisje. Sluipen, jongens! Gelukkig! geen hond blafte. Verder maar weer! Wat is dat? Stemmen? Jawel, daar kwamen prauwen van het strand terug! Drie, vier, zes... ! Zou de overval afgeslagen zijn? Of zou de schipper met de jol... o, hemel, mét de jol!? in zee gestoken zijn? Tussen de oeverbomen door loerden de jongens of ze in een van de prauwen ook een bekend gezicht zagen. Van Bolle, van de Schele, van Hilke, Floorke, Gerretje, de Neus...

Op de voorste prauw was een matten tent geplaatst – de prauw van het dorpshoofd natuurlijk, die sluwe verrader! De roeiers schenen in hoge mate opgewonden, praatten zo druk door elkaar heen dat Rolf er niets van kon verstaan. In geen van de prauwen was een blank gezicht te bekennen. Bontekoe en zijn mannen zouden wel van zich hebben afgeslagen! De jongens holden verder. Zouden ze straks weer bij hun vrienden zijn?

Bij een verlaten huisje zagen ze een kleine prauw liggen. Een hond was nergens te bespeuren en dus... ze zaten er al in, grepen de spanen, die op de bodem lagen, en stuurden meteen naar het midden van de rivier.

Nu ging de tocht vlugger! Ze hoefden weinig meer te doen dan het prauwtje recht te houden, zo sterk was de stroom. De bomen aan de oever gleden als schimmen voorbij.

Nu, stilzittende, voelden de jongens dat een nacht op het water ook in de tropen vrij kil kon zijn. Of deed de opwinding hen rillen? Met elke minuut nam de hoop toe, hun makkers weer te zien. Dan zouden ze alles horen wat er in het kamp gebeurd was en ook zij zouden hun avonturen vertellen: van de buffel waarmee Harmen haasje-over had gespeeld, van het lieve meisje dat hen was komen bevrijden. En samen zouden ze lachen om dat sluwe dorpshoofd, dat nu het nakijken had! En dan zouden ze weer vol goede moed in zee steken. Java was immers niet ver meer!

De prauw gleed de bocht om, die de jongens de vorige nacht uit hun boom bespied hadden – ze herkenden de plek meteen. Tot zee toe overzagen ze nu de rivier...

De jol was verdwenen.

Duizelig van schrik meerden de jongens de prauw op de plaats waar nog een van de twee dreggetjes, met een doorgekapt touw eraan, in het zand lag. En daar... op het strand... Wie lag daar? *Floorke!* Doorstoken van alle kanten, in krampachtige houding, star blikkend in de nachtelijke sterrenhemel. Het bloed was hem in het rode stoppelige haar gelopen, zijn mond hing half open, zodat zijn tanden glinsterden in het maanlicht. Vol afgrijzen stonden de jongens er bij.

'Dood!' stamelde Harmen. En Padde huilde: 'Daar... nog een! En dáár...!!'

De tweede dode, al even afschuwelijk verminkt als de arme Floorke, lag voorover in het zand, dat in een grote kring was roodgeverfd. Harmen en Rolf beurden hem huiverend op: het was de Neus. – En de derde, die met opgetrokken knieën achterover op het strand lag, zodat je nog een ogenblik zou kunnen denken dat hij leefde, bleek niemand anders te zijn dan de pechvogel, die voor Ilje del Foege door de Spanjaarden gewond was. Rillend, met stomheid geslagen, liepen de jongens van de een naar de ander.

'En *wij?!*' schreeuwde Harmen ineens met schorre stem. 'Wat moet er nu van *ons* worden?!'

'Dáár!' schreeuwde hij en wees met zijn hand naar het zuiden, waar tegen de donkere horizon nog een klein grijs vlekje schemerde... de jol! Hij rukte zich de broek van de benen, zwaaide er wild mee en probeerde met hese stem de branding te overschreeuwen. 'Kameraaje! Kamerááje!!' Hij balde zijn vuist, en de wanhoop, zich uitend in snijdende hoon, trilde door zijn roep: '*Kameraaje!* Zijn jullie nou *kameraaje?*' Toen braken de tranen door zijn stem, en hij plofte in het zand neer, snikkend en vloekend.

Padde kroop op zijn knieën naar Hajo. 'O, Hajo...'

Ook Hajo rolden dikke tranen over de wangen. Toen ineens bedacht hij iets: 'Er achter aan!' riep hij. Met de prauw!'

Harmen vloog overeind. 'De prauw!' – Maar met grote ogen staarde hij naar de plaats waar de prauw... gelegen hàd!

'Had 'm dan vastgebonden!' viel Harmen woedend uit. 'Kijk, daar daar gaat ie! Wacht...!' En hij wilde de zee in lopen.

Rolf hield hem tegen. Te laat, Harmen. Kijk maar...' En Harmen, die zich trappend en schreeuwend uit Rolfs greep probeerde los te rukken, zag nu zelf ook hoe de prauw door de branding hoog werd opgetild, onder een overslaande golf schoot en zonk. ''t Zou ons niet geholpen hebben,' zei Rolf. 'We waren er nooit doorheen gekomen.'

'Wat dán!' huilde Harmen. 'Ons laten slachten? Krimmenele, dat moest m'n meisje weten!' En Harmen begon hartstochtelijk te huilen.

'We lopen naar Straat Soenda,' zei Rolf. 'We hebben onze benen toch? Van daar steken we over naar Bantam.'

'Straat Soenda ligt naast de deur!' schreeuwde Harmen en gooide zich in het zand.

'Ik ga met je mee, Rolf,' zei Hajo, zijn tranen wegvegend. 'Ik geef het niet op!' Rolf knikte. 'Goed. Maar we moeten voortmaken. Ze zullen ons misschien al zoeken.'

'Ik blijf hier liggen!' snikte Harmen. 'Ik wil hier doodgaan!' En hij woelde zijn gezicht in het zand, kromde zich van wanhoop.

'Geef me het kapmes,' beval Rolf. 'We zullen... we zullen ze begraven.'

Toen sprong Harmen overeind en begon, terwijl de tranen hem nog over de wangen rolden, het zand uit te steken. Rolf en Hajo hielpen hem met hun handen. Samen groeven ze een brede kuil.

'Leg Floorke in het midden,' zei Harmen met gesmoorde stem. 'En de Neus aan z'n rechterzij. Kijk eerst of ie z'n mes soms nog in zijn broek heeft zitten. Dat heeft ie... dat heeft ie nou niet meer nodig, en wij kunnen het gebruiken. Hier is het; pak-aan. En nou de benen recht. Hè, Floor? Moest je nou zó aan je end komen?' En toen Rolf en Hajo het zware lichaam van de derde maat links van Floorke in de kuil gelegd hadden, nam Harmen de armen vol zand en ging hardop grienend aan Floorkes voeten staan. 'Nou smijten we zand op je! Had jij gisteren nog niet gedacht, hè, dat Harmen zand op jou zou smijten!' Hij liet met gesloten ogen het zand op Floorkes dode lichaam vallen. En van nu af aan hielp hij in koortsige ijver het graf dichtwerpen.

'Dat is gebeurd,' zei Rolf met matte stem. 'Nu moeten we hier weg.'

'Waarheen?' vroeg Harmen.

'Naar Bantam. Wees niet bang, we komen er vast.'

Harmen haalde met bittere spot de schouders op.

'Ik ga niet mee!' dreinde Padde. 'Wij blijven hier, waar, Harmen?' Rolf lette er nauwelijks op. 'Klaar, Hajo?'

'Jij gaat mee, Padde!'

'Ik ga *niet* mee!'

Hajo werd wit van drift. 'Wil jij je moeder niet weer terugzien?!'

Padde krabbelde zacht snikkend overeind.

'En jij gaat ook mee, Harmen!' beval Hajo. 'Rolf kent de weg.'

'Wat je zeg!' dichtte Harmen.

'Laat hem, Hajo,' zei Rolf achteloos. 'Met lammelingen beginnen we toch niets.'

Harmen sprong met een verwensing op de been, snoof z'n tranen weg en trok z'n broek op. 'Meegaan zál ik! Maar voor dat woord lammelingen krijg je op je ziel, zodra je ons in Bantam heb gebracht!'

Rolf hoorde het niet. 'Kom!' zei Rolf. Voorlopig volgen we het strand.'

Zwijgend trok het trieste troepje in zuidoostelijke richting af. Dag, Floorke, beste Floorke! Dag Neus! Je kameraden zullen je, sapperloot! niet vergeten, hoor! En jij, Steven, arme pechvogel, rust zacht...

Het eerste eind liepen ze nog in twee groepjes: Harmen en Padde achteraan. Naar Bantam gingen ze. Naar Bantam...! Hoever was dat hier vandaan? Er lag nog een zee tussen...

Maar Rolfs wil en overtuiging werkten na een tijdje aanstekelijk. Wat drommel, ze waren toch met z'n vieren – als je Padde niet meetelde: drie fikse Hollandse jongens, allen met een zakmes gewapend en bovendien in het bezit van een kapmes en een speer, waarmee ze als het er op aankwam... nou! Bovendien bestond immers nog de kans dat ze verderop de jol weer vonden, die misschien opnieuw aan land zou gaan. En als dat *niet* zou gebeuren, dan zouden ze de Compagnie eens laten zien wat scheepsjongens van schipper Bontekoe waren!

Achter hen klonk een scherp geblaf. Dodelijk verschrikt wendden ze zich om. Daar kwam een hond aanhollen, de tong uit de bek.

'*Joppie!*'

Zo was het. Dol van vreugde, sprong het dier tegen hen op.

'Dat is de vijfde van ons verbond!' zei Rolf. 'Ga je mee naar Bantam, Joppie?'

'Wouw! Waf! Wouw!' blafte Joppie. Dat is hondentaal. Het wil zeggen: *Nou en of!*

En zo togen ze met hun vijven de onbekende toekomst tegemoet. Ze volgden het strand tot achter de bergen de morgen gloorde.

Toen strekten ze hun dodelijk vermoeide ledematen in het zand uit – en sliepen!

Tweede deel

De zwervers

De zon en de vogels wekten de jongens. Ze voelden zich uitgerust, en het heldere licht van de morgen gaf ook Harmen zijn durf terug. Ze namen een bad, lieten zich een half uur bakken in het mulle zand. Daarop klauterde Harmen in een kokospalm, draaide een paar jonge noten los – dat was hun ontbijt. Hajo zocht intussen geschikt hout voor een boog. Met Harmens veroverd kapmes hakte hij, een eindje in het bos, een stevige bamboesteel af, die hem zowel de boog als de pijlen moest leveren. De anderen besloten nu ook een boog voor zich te snijden. Hajo had er immers al zo gauw mee leren schieten?

Bij het ontbladeren van de steel merkten de jongens hoe scherp de lange smalle bladeren waren; 't was net of er fijngestampt glas op zat. Door het goed verdelen der 'knopen' in het hout, kreeg de boogsteel een gelijke spanning: daarop versterkten ze hem door een korter stuk en snoerden er een bamboeschil omheen, – het sterkste touw dat men zich denken kan. De boogpees werd van hetzelfde materiaal vervaardigd. De pijlen waren eenvoudig genoeg te maken: daar de nerven van dit hout precies evenwijdig lopen, kostte het weinig moeite om uit een enkel stuk bamboe een handvol mooie lange pijlen te splijten die alleen maar wat bijgeslepen behoefden te worden. Voor de punt werd een harde knoop van het hout genomen.

Terwijl Hajo, Rolf en Padde hun pijlen al over het strand lieten snorren, vervaardigde Harmen een paar pijlen voor 'zwaarder wild.' Hij had in zijn broekzak nog een paar ferme duimnagels gevonden, die hij met de punt naar buiten in dunne bamboerietjes wist te woelen.

Ziezo, pijl en boog hadden ze nu. En de speer van de poortwachter was een geducht wapen; er zaten weerhaken aan, en Rolf vermoedde dat de punt bovendien vergiftigd zou zijn. Maar één speer was voor hen vieren niet genoeg, en zo werden er uit een paar jonge bamboes en enkele stevige Hollandse zakmessen nog drie samengesteld. Zo uitgerust durfden ze het wel tegen heel Sumatra opnemen! Toen er een meeuw voorbij scheerde, snorden vier pijlen langs hem heen, en Paddes pijl bleek zo goed gericht, dat er een blank veertje omlaag dwarrelde.

Dit was de eerste en tevens de laatste maal dat Paddes pijlschoten voor iemand of iets anders dan voor hemzelf en zijn drie kameraden gevaarlijk werden. 'Potverdikke!' stamelde de gewezen botteliersmaat, 'ik wist niet dat ik zo goed schieten kon!' Ook de anderen stonden paf. Maar toen bij een tweede aanval op een meeuw Paddes pijl dwars door Hajo's weelderige krullendos flitste, zakte hun bewondering wat. Harmen maakte korte metten, griste Padde de boog uit de handen, brak hem op zijn knie middendoor.

'Da's geen speelgoed voor jou!' verklaarde hij.

'Kletskoek!' schreeuwde Padde woedend.

'Harmen heeft gelijk,' zei Rolf. 'Je bent er veel te onvoorzichtig mee.'

'Wie heeft daarnet die veer d'r afgeschoten?' vroeg Padde schamper.

''t Geluk is met Jan Stomkop,' stelde Harmen vast.

'Kom, geen ruzie,' zei Rolf. 'We moeten verder.'

En de jongens stapten weer op. Joppie ongewapend voorop, de staart als een vlag omhoog gestoken. Padde sloot de rij, met een gezicht als een oorwurm, de handen in de zakken, en de speer als een bezem onder de arm, zodat de punt door het zand sleepte.

'Kijk Padde eens 'n zog maken!' Harmen wees op het lijntje dat de speer in het zand getrokken had, 'je zou denken, dat er een admiraalsschoener voorbijgezeild was!'

Padde dacht nijdig over een antwoord na; vond er geen.

Na een paar uren begonnen honger, hitte en dorst de jongens te kwellen, en er werd gerust. Puffend klom Harmen in een klapperboom om weer een paar noten machtig te worden, Maar nauwelijks boven gekomen, stiet hij een kreet van verrassing uit. 'Een *kreeft!*'

'Boven in een boom? 't Zal een grote tor zijn,' meende Rolf.

Harmen deed een veelpotig ding door de lucht vliegen. Het plofte in het zand neer en probeerde een goed heenkomen te zoeken, maar Hajo greep het stevig achter de kop en dé geweldige scharen. Het wás een kreeft! En zelfs een heel grote: het gevlekte lichaam mat haast een halve el. 'Dat heb ik nog nooit gehoord: een kreeft die in een boom klimt!' zei Rolf. 'Wat zou hij er doen??'

'Noten gappen!' riep Harmen van boven.

'Maar hoe krijgt ie zo'n ding open?' vroeg Hajo.

Rolf raapte van de grond een half verrotte kokosnoot op. 'Kijk, hier heeft de steel gezeten en daaromheen zijn de bastvezels weggerukt. Ik denk dat het dier met zijn scharen de steel doorknaagt; soms splijt de noot dan natuurlijk al in het vallen. In elk geval schijnt de kreeft te weten dat de harde binnenbast juist onder de steel week is, want hier, deze noot...' – Rolf raapte een tweede op – 'is op dezelfde plaats opengeboord. Kijk, met de scharen graaft hij het vlees uit! Je moet je maar weten te behelpen! – Vinden jullie het geen mooi dier?'

'En fijn in de pan!' schreeuwde Harmen.

'Maar we hebben geen vuur.'

'We eten hem rauw, met kokosnoot!' Harmen liet zich zakken en brak, na met zijn kapmes de kreeft van zijn geduchte scharen ontdaan te hebben, zonder veel omhaal de schaal open. 'Haal jij me nou eens een stukkie pisangblad!' beval hij Padde. En toen Padde met een stuk vers pisangblad was komen aandraven, lichtte de koksmaat Harmen met vaardige hand het tere witte vlees uit de schaal, schrapte daarover een kokosnoot en begon het een en ander op te peuzelen onder luid smakken en uitroepen: 'Gommenikkie, wat fijn! Net krentemik!'

'Geef mij een stukkie?' vroeg Padde.

'Daar!' zei Harmen gul.

'Fijn!' verzekerde Padde, zich de vingers aflikkende.

'Willen jullie niet eens proeven?' wendde Harmen zich tot de anderen.

Die lieten zich toen ook verleiden. Harmens gerecht (wat was de kreeft anders dan de bekende 'palmrover' der tropen?) bleek zo best te smaken dat de jongens besloten goed uit te kijken of ze niet wéér van die uitgepulkte noten onder een boom zagen liggen.

Verder maar weer! Met wat kokosmelk hadden ze de kelen gesmeerd en Harmen kwam op de gedachte om wat te zingen: dat liep lekkerder. Terwijl de zon al begon te zakken, zongen ze met z'n vieren oudhollandse liedjes, die het hart goed deden. Zelfs Joppie deed mee!

Dik was Joppie niet – zou het ook wel nooit worden. Maar hij zorgde toch wel dat hij niet verhongerde. Zo nu en dan verdween hij ijverig snuffelend tussen het geboomte; de jongens hoorden een kort scherp geblaf, en wanneer ze er op af gingen, zich met moeite een weg banend door de lianen, vonden ze Joppie grommend gebogen over een rat of een muisje. Ook torren, kevers, hagedissen, wurmen, vliegen waren hem welkom. En als hij zich nu en dan eens in de keuze van zijn spijs vergiste, kwam het een half uur later er vanzelf wel weer uit.

Tegen de schemering bereikten de jongens een kleine baai. Het water was er stil en doorschijnend, en de vier ploften neer om hier de nacht door te brengen. Stil zaten ze bijeen en tuurden naar de in zee wegzinkende zon.

'Nu wordt het in Holland dag,' zei Rolf.

Holland! Hun stemming werd week. Ze zouden er wat voor geven om in de gezellige huiskamer, met z'n allen om de tafel, weer eens mee te mogen schransen uit moeders dampende pan bieten, dan nog wat te zitten op de bank voor het huis, de voorbijgangers goeienavond te zeggen – je kende ze immers allemaal? – en als het bedtijd was geworden naar binnen te gaan, het gewicht van de klok op te trekken en achter de bedsteegordijnen, de dekens over je hoofd, weg te duiken in de met ganzeveren gestopte bultzak, waarin in de loop der jaren een kuil was gekomen zo fijn dat je hem voor geen andere ter wereld wilde ruilen.

'Weet je, wat 't bij mij is?' vroeg Harmen. 'Als ik weg ben, heb ik verlangst naar huis. En als ik thuis ben, zie ik toch maar zo gauw mogelijk weer weg te komen. Ach ja, m'n moeder is natuurlijk ook altijd blij als ik 't zeegat weer uit ben! Nietwaar? Zo'n eter over de vloer! M'n vader werkt op de lijnbaan, hè, daar zit 'm de kneep: hij verdient niet genoeg. Da's te zeggen: wel genoeg, maar niet als ik er ook nog bijkom! De eerste twee dagen is alles botertje tot de boom. Maar dan zegt m'n vader al gauw: 'Dat je centen meebrengt, Harmen,' zegt ie, 'is best. Maar als je je moeder de oren van het hoofd vreet, zijn de centen weer gauw op!' Nou, dan ga ik liever naar ''t Sillevere Anker', niet waar, daar krijg je alles op krediet, en als je weer hebt aangemonsterd, mag je betalen. En bedriegen doen ze je niet: alles staat op een leitje, dan kun je 't zelf lezen. Nou ja, dat kan ik natuurlijk niet, hè? 'k Heb lezen kunnen leren van Joris, de binder, maar mijn vader zegt altijd: 'Van lezen, daar bederven de mensen alleen maar van!'

Allen zwegen; niemand had naar Harmen geluisterd. Alleen Joppie was, terwijl de anderen voor zich uittuurden, kwispelstaartend op Harmen afgekomen en tegen zijn dij gaan liggen. Harmen pakte hem op, legde hem in zijn schoot. 'Als ik aan ''t Sillevere Anker' denk,' ging hij zuchtend door, 'dan moet ik meteen ook weer aan Floor denken. Die had verkering met de dochter, een beste meid, eentje van houvast en erg op netjes. Denk je dat ze van een ander wat weten wou? Goeie morgen! Floor voor en Floor na! En nou te bedenken...!' Er blonk een traan in Harmens ogen. 'Ik zal haar zeggen dat ie tenminste recht leit. Omdat ze zo op netjes is, weet je!'

Onverwachts gooide Harmen Joppie weg, sprong overeind en ademde diep. 'Vooruit! We zullen voor vannacht er eens een knus huissie maken!'

Daar voelden ze allemaal voor. Tegen de boszoom staken ze hun speren schuin in de grond, verbonden ze bij tweeën, legden er een vijfde stok overheen, vervaardigden met behulp van takken en pisangbladeren de zijwanden en legden zich toen te slapen, opgetogen over hun prachtige woning.

Maar een uur later hadden ze het zo warm, dat ze stuk voor stuk de tent weer uitkropen.

De volgende morgen vonden ze daar binnen in allerbehaaglijkste houding uitgestrekt, snurkend en zacht poefend van zaligheid... Joppie.

Paddes broek

Het was weer een tropische morgen in al zijn glorie. In het bos achter het strand schetterden bij honderden de vogels.

De jongens sprongen in de baai, ze doken, spartelden, pletsten elkaar het koele, heldere water om de hoofden, zwommen om het hardst tot aan de branding... Ineens begon Padde te schreeuwen en danste met grote sprongen terug naar de plaats waar de kleren lagen.

Wat was er gebeurd? Terwijl zij in zee stoeiden, bleek uit de bomen een compagnie apen 'schuchter' te zijn neergedaald. De vermetelste was pasje voor pasje de achtergelaten kledingstukken genaderd, de zwemmende jongens daarbij scherp in de gaten houdend. Toen was Padde begonnen te schreeuwen; de aap had op goed geluk iets uit de hoop weggepakt en vluchtte nu naar de dichtstbijzijnde boom, in een van zijn achterpoten ontvoerend... Paddes blauwgespikkelde broek!

Maar Joppie was door Paddes gegil uit zijn zoete dromen gewekt en wist op het laatste ogenblik het andere eind van de broek te pakken te krijgen. De klerendief kreeg daarop hulp van zijn makkers, die met vereende krachten aan de broek rukten. Joppie, bevreesd de strijd te zullen verliezen, loerde angstig naar Padde, die zo vlug als zijn dikke beentjes het toelieten kwam aanhollen. De anderen waren te ver om nog tijdig het slagveld te bereiken. De tanden grimmig vastgeslagen in een blauwgespikkelde broekspijp, liet Joppie zich van de grond omhoogtrekken. In Paddes knipperende oogjes lichtte de hoop, zijn dierbaar kledingstuk nog te redden...

Op dat ogenblik viel Joppie met een kreet van pijn en een halve broekspijp op zijn staart, en onder een luid vreugdegegil vloog het stelletje schavuiten met het veroverd vaandel de bomen in. Paddes eerste werk was, Joppie met zijn blote voet een schop tegen het achterwerk toe te dienen; daarna raapte hij het blauwgestippelde restant op, zag dat het net groot genoeg voor een zakdoek was, en ontving zijn makkers met een stortvloed van verwensingen.

Harmen vond het geval zo erg niet. 'Meissies zijn er hier toch niet in de buurt!' troostte hij.

Maar Padde was niet te troosten. 'Als ik m'n broek niet terug krijg, doe ik geen stap meer! Of dacht je, dat ik zó in Bantam wil aankomen?'

Harmen wist raad. 'Jij krijgt je broek terug, Padde! Laat mij m'n gangetje maar d'r eens gaan!' En terwijl de anderen, met twijfel in het gemoed, toezagen, zette Harmen zijn sluw krijgsplan in, dat tot herovering van Paddes broek moest leiden. Hij opende met een woest krijgsgeschreeuw. Het had uitwerking: de bruine rovers daar in de bomen beantwoordden het op even uitdagende wijze.

'Is dat de oorlogsverklaring?' vroeg Rolf.

'Ssst!' zei Harmen. Hij maakte een sprong in de lucht. Boven werd er aan de takken gerukt, opgewonden gekrijst, en enkele apen sprongen op een andere tak over.

'Zie je wel?' juichte Harmen. 'Ze doen je alles na. Wacht maar even, in tien tellen heb je 'm, Padde!' Hij pakte nu zijn eigen broek op, gooide die met een gebaar van innige afkeer weer op de grond.

'Chrr!' zei de aap, die de buit bewaakte. En hij klemde de broek nog wat steviger vast.

'Mislukt...!' bekende Harmen. 'Ik dacht dat hij de broek nu ook zou weggooien. Affijn, Padde, dan smeer je je maar met modder in; dan denken de lui dat je óók een Arabier bent.'

'Ik wil m'n broek terug!' snauwde Padde. 'Ik wil niet voor gek lopen!'

Harmen fronste in diep gepeins de wenkbrauwen. '*Nou* heb ik 't! riep hij uit. 'In tien tellen, Padde!' Harmen sneed een dunne taaie rotan af, maakte er een lus in. ''k Heb niet voor niks konijnen gestroopt!' zei hij. 'Geef me je broek even, Hajo?'

'Waar heb je die voor nodig?' vroeg Hajo.

'Als lokaas. Kijk, de lus hang ik hier neer; ik ga daarginder staan met het ene eind in mijn fikken. Nou leg ik je broek onder de lus en als er dan een z'n jatten doorsteekt om de broek te gappen is ie er bij.'

'Maar hoe weet je dat je nou juist de aap met Paddes broek vangt?'

'Nou, dat is de brutaalste. Die zal er dus wel weer als de kippen bij zijn!'

'Maar kun je er niet iets anders voor nemen dan mijn broek?' weifelde Hajo. Harmen was beledigd. 'Wat kan er nou mee gebeuren? Niks! Wie z'n fikken door de lus steekt, is er meteen bij!'

'Ja maar, als ie nou...'

'Goed! Goed! Goed!' viel Harmen uit. 'Dan zal ik m'n eigen broek nemen! Nee, nou *wil* ik de jouwe niet eens meer!' En grimmig nam Harmen zijn broek op en legde hem tussen twee zware wortels – de strik er bovenop. Daarna verstopte hij zich met de anderen achter een struik, de rotan in de hand, gereed zijn slag te slaan.

In de bomen werd vergaderd over een mogelijk veroveren van dit nieuwe lokkende voorwerp. Allen waren overtuigd dat er gevaar aan verbonden was, maar juist dat maakte het de moeite waard. Voorzichtig daalden ze tot boven de plaats waar de broek lag. Joppie vermoedde nieuw gevaar, werd met moeite in bedwang gehouden.

Daar klauterde een aap geheel omlaag, bleef met de staart aan een tak boven de broek hangen, slingerde zowat heen en weer, de vingers over de lus slierend en tegelijkertijd aarzelend alle kanten uit spiedend. De aap die Paddes broek geroofd had en de dierbare blauwgespikkelde lap nog altijd in de linkerachterpoot omklemd hield, zat mijmerend op een tak en scheen in het gevaarlijke spelletje ditmaal niet de geringste lust te hebben. Harmen vergat dat ze er al zeer weinig baat bij zouden hebben als hij een andere aap ving dan juist die met de broek. Harmens *eer* stond op het spel; Paddes broek kon hem geen zier meer schelen. Hij loerde, loerde...

De hangende aap nam, na lang door zijn makkers te zijn aangevuurd, ten slotte een kloek besluit. Hij greep toe. Harmen trok de strik dicht, en de rover was gevangen. Op dat ogenblik wipte vliegensvlug de mijmerende aap met Paddes broek in de linker-achterpoot omlaag, greep met de rechter-achterpoot Harmens 'lokaas' en vloog met beide trofeeën krijsend tegen de stam op. Paf stond Harmen, zó paf, dat de rotan uit zijn hand glipte en de gevangen aap met strik-en-al achter zijn makkers aanvluchtte. Toen barstte Harmen in jammerklachten los. Hij voelde zich het slachtoffer van eigen edelmoedigheid; hij had zich van zijn laatste kledingstuk ontdaan om zijn naaste te helpen. En nu? Daar stond Harmen, groter dan hij geboren was, maar overigens net zo.

Voor verdere proefnemingen wilde niemand meer zijn broek lenen. Er moest dus raad geschaft worden. En er werd raad geschaft. Hajo vlocht voor de beide broeklozen een rokje van lang gras, dat door een rotangordel kon worden opgehouden. Zuchtend trok eerst Harmen en daarna ook Padde zijn nieuwe kledingstuk aan. Harmen zag er nu uit als een echte menseneter! Hij verzoende zich met zijn lot en voerde met lans en hakmes een woeste krijgsdans uit, waarbij de apen in de bomen hem krijsend aanvuurden.

Rolf raadde aan, de tocht voort te zetten. De jongens braken de tent af en gooiden de stokken en bladeren in het struikgewas, om zo min mogelijk sporen achter te laten. Ze volgden het smalle strand dat de baai begrensde, stonden, aan de overkant gekomen, onverwachts voor een pad, dat landinwaarts voerde. Zouden ze het durven inslaan? Rolf vond het veiliger het strand te volgen. Maar nauwelijks waren ze de baai geheel omgelopen, of het strand hield op; hoge rotsen liepen ver in zee uit en sloten als een granieten deur de weg af. Er zat niets anders op dan toch maar het pad te nemen.

Daar de zon begon te steken, deed de schaduw onder de bomen heerlijk koel aan. Het pad moest haast wel naar een dorp leiden; voorzichtigheid was dus geboden. Bij elke bocht ging er een vooruit en gluurde om een hoekje, voordat de anderen volgden. Zo gebeurde het dat Hajo, die ditmaal uitkijk hield, zijn makkers duidde, zich snel te verbergen. Terwijl die in een bamboebosje wegdoken, Joppie haastig meetrekkend, drukte hij zichzelf tegen een kokosstam achter een met bloemen overdekte struik.

Daar kwamen twee kleine naakte kereltjes de hoek omslenteren. Beiden hadden een klein rond bamboekooitje in de hand; Rolf hoorde hen tegenover elkaar opsnijden over de vechtkunst van hun, in kooitjes opgesloten, krekels:

'Djangkrik jang saja lebih besar!'

'Jouw djangkrik groter? Wat dan nog? Jang saja lebih brani! De mijne is dapperder!'

'Jang saja maoe menang! De mijne zal het winnen!'

'Nee, de mijne! Jang saja!' Daarop hurkten de jongens neer, zetten de kooitjes tegen elkaar, trokken de schuifdeurtjes open, plukten een grashalmpje en moedigden daarmee hun krekels tot de strijd aan. 'Kirrr! Kirrr!' klonk het uit de houten gevangenisjes. Zó waren de jeugdige dierenkwellers in hun krekeltoernooi verdiept, dat geen van beiden merkte hoe Hajo uit het struikgewas stapte en hoe het pad ook aan de andere zijde werd afgesloten door witte mensen, nog wel met speren en bogen gewapend. Tot een van de kereltjes toevallig de ogen opsloeg en van schrik over de grond rolde. De ander wilde het op een lopen zetten, bemerkte dat ze van beide zijden waren ingesloten en wierp zich toen op zijn knietjes. 'Ampoen! Vergeving...!'

Rolf trachtte de dreumessen wat op hun gemak te brengen. 'Djangan takoet! We zullen je niets doen! Je hoeft ons alleen maar te vertellen waar deze weg naar toe leidt.'

'Minta ampoen, toean besar, minta ampoen... Vergeving, grote heer...!'

Rolf hernieuwde zijn pogingen om de twee duidelijk te maken dat ze niet van plan waren hen te slachten en op te peuzelen. En zo kwam hij na veel moeite van hen te weten dat het pad naar een dorp voerde, zoals ze al gedacht hadden, maar dat ze bij een beekje een zijweg zouden vinden die ver, heel ver het bos inging...! Met hun bruine armpjes wezen ze in oostelijke richting.

'Prachtig!' zei Rolf. 'Ik dank jullie.' Daarna boog hij zich over de twee kooitjes, die nog in het gras lagen, en vroeg de eigenaars, de wedstrijd voort te zetten. Aanvankelijk nog schuchter, voldeden ze aan het verzoek. Maar, al porrende met hun grashalmpjes, vergaten ze de hele wereld. Tot ten slotte de djangkrik, die wel niet het grootst, maar het meest 'brani' was, een schitterende overwinning behaalde. Als de beste vrienden ter wereld namen de zwervers van de poedelnaakte wereldburgers afscheid.

Al gauw kwamen ze bij het beekje. Een kokosstam deed als brug dienst. Ze balanceerden er overheen en vonden aan de andere kant een zijpad dat langs het beekje liep. Ze sloegen het in.

Na een tijdje boog het pad van het beekje af. De jongens besloten de laatste gelegenheid, die zich voorlopig voor een bad bood, niet onbenut te laten. Het water was heerlijk fris.

Ook Joppie moest eraan geloven. Ondanks zijn gillend verzet werd hij ondergedompeld en met zand schoongeschrobd. 'Nou?' vroeg Harmen, 'hoe voel je je nou, zonder al die vlooien?' Joppie glipte, de staart tussen de poten, de oever op en keek Harmen weemoedig aan.

Na het bad rustten de jongens wat uit en dommelden al gauw in.

Bij het ontwaken, toen de drukkende middaghitte wat was afgenomen, merkten ze dat ze een stevige honger hadden. Ze zagen in de omtrek niets eetbaars, haalden de riem dus maar een gaatje aan en gingen verder. Maar plotseling ontdekte Rolf een boom met talloze van die groene vruchten die hun bij het dorpshoofd zo goed hadden gesmaakt: mangga!

Omhooggeklauterd en plukken, jongens! Het sap liep hun over de kin, en het duurde geruime tijd vóór ze bij Padde en Joppie terugkeerden, die beneden wachtten. Padde was er niet bekaaid afgekomen: zijn vrienden hadden hem in overvloed toegeworpen. Het oranjekleurige vruchtvlees zat hem achter de oren.

Verder! Het pad begon te stijgen, kronkelde zich tussen met hoge varens begroeide wanden voort; Ze liepen door een droge rivierbedding, die steeds dieper werd. Sinds lang lag het pad in de schaduw van de rechterwand; de linker, die nog in de volle zon stond, bood een verbijsterende aanblik van tropische rijkdom. Wondermooi geschikt lagen de varenschermen; daarboven fonkelden veel kleurige bloemen en fladderden vlinders en vogeltjes. Soms ritselde er iets tussen de varens – dan kwam Joppie in actie!

Hajo liep te dromen. Het was hem, of deze weg naar een sprookjesland moest voeren, naar de verborgen schatkamers van de tropennatuur. Nu sloten de boomkronen zich weer boven hun hoofden ineen; het pad gleed een schemering van groen binnen. Hoe stil werd het! Je hoorde je eigen adem. Hoe warm en vochtig was de lucht hier; hoe sterk rook je de bloemen...

Ineens stonden ze op een plateau; de wanden waren verdwenen en ze konden van hun hoogte vrijuit de omtrek overzien. Niets dan groene en met bloemen overdekte boomkruinen. Hè, je ademde nu weer vrij! Padde plofte neer, verklaarde geen stap meer te kunnen verzetten. En de anderen vlijden zich naast hem in het gras.

Een zware zwarte vogel, die een geweldige snavel voor zich uitdroeg, vloog met kleppend wiekengedruis over hun hoofden.

'Die mag z'n ribbenkast weleens laten smeren!' meende Harmen. 'Hij piept als een verroeste koffiemolen!'

'Een koffiemolen...!' zuchtte Padde.

'Dat was een neushoornvogel,' zei Rolf.

Na wat te hebben gerust besloten ze, ondanks Padde's protesten, toch maar weer verder te gaan.

De zon was al een flink eind gedaald; het werd nu gelukkig wat koeler. Als ganzen achter elkaar volgden ze het smalle pad. Harmen liep zingend voorop. De anderen floten mee:

'Daar komen de Spekken!
Rom-Rom.
Ze willen ons nekken!
Rom-Rom.
Slaat op de trom!!
Ze willen ons nekken,
De Spekken!
Trek nu van leer!
Rom-Rom.
Stelt u te weer!
Rom-Rom.
Sluit u in drom!!
Sla ze op hun bekken!
De Spekken!'

Opeens stonden ze voor een ravijn. Achter de zee van groen, die zich voor hen uitstrekte, zagen ze juist de zon ondergaan.

Hier besloot Rolf de nacht door te brengen. De jongens maakten een hoog en zacht bed van varens – wat veerde dat! – en zaten toen nog wat bijeen op de rand van het plateau. Het ravijn lag nu in een blauw waas gehuld. Een late vogel steeg er uit op, om de zon nog even te groeten, schitterde een ogenblik lang in al zijn felle kleuren en dwarrelde weer omlaag, gleed in de schaduw terug, een vallend herfstblad.

De hemel verbleekte; de schemering spon de wereld in een grijs waas. Zometeen zouden de krekels gaan tsjirpen in duizend hoeken en gaten. Uit het bos zouden ze geheimzinnige kreten horen... de nacht zou komen aansluipen, hijgend van moordlust.

Flakkerdeflak! Piiiiiep!

''n Vleermuis,' hakkelde Harmen.

Het laatste roze wolkje was asvaal geworden; hier en daar begon een ster te twinkelen; de nog bleke maan kreeg zijn volle glans. Uit het ravijn stegen witte spoken op, wentelden zich zuchtend omhoog. Toen zetten de krekels in, ontelbare fijne stemmetjes. Harmen stond op. ''t Is me hier een land!' gromde hij. 'We komen d'r nooit weer uit.'

Langzaam kwamen de anderen overeind. Een kille windvlaag streek over het plateau. Met moeite hun bevangenheid overwinnend, zochten de jongens hun leger op. Ze kropen zo dicht mogelijk bij mekaar.

''t Veert fijn hè, Hajo?' vroeg Harmen.

'Ja, 't veert fijn,' zei Hajo.

Ze zouden er wat liefs voor hebben gegeven, in een Hollandse bedstee et liggen en een deken over de oren te kunnen trekken. Nu hoorden ze de bomen boven hun hoofd een samenzwering houden om over de vermetele indringers ineen te storten en hen te verpletteren; ze hoorden de sluipende gang van de tijger. De langs de bomen kronkelende lianen bleken opeens slangen te zijn, die zich geluidloos omlaag lieten glijden en hen beloerden, wiegelend met de kop, waarin twee groengouden ogen fonkelden...

Tenslotte sliepen ze in.

Een nest met katten

De volgende morgen joeg de zon alle muizenissen weer weg. Kleine vogeltjes schommelden lustig aan de bloemkelken en vulden de lucht met hun vrolijk gesnater. De jongens ontwaakten met een gevoel van bevrijding.

Maar vlak erop volgde een ander gevoel: dat van een lege maag! Drommels, ze moesten wat eten zien te vinden, anders vielen ze van de graat! Ze hadden de vorige dag vrijwel niets dan vruchten gegeten; dat smaakte wel lekker, maar een hollandse jongen kon er toch niet op leven! Terwijl Hajo met zijn pijl en boog tegen de duiven te velde trok, die ze in de bomen hoorden koeren, greep Harmen speer en hakmes en beloofde met een wild varken te zullen terugkeren. Rolf ging ongewapend op ontdekking uit; Padde en Joppie begeleidden Hajo. Er was afgesproken dat allen zowat over een uur terug zouden zijn.

Hajo sloop met Joppie, op enige afstand gevolgd door Padde, door de varens. Zijn eerste schot was bijzonder gelukkig: een duif, belangrijk groter dan de 'perkoetoet', (zijn roep klonk meer als: tekoeroerr...) tuimelde neer, de pijl in de borst. Bij zijn tweede schot dwarrelden er alleen maar wat veertjes omlaag, de duif vloog weg. De pijlen waren te licht: een ijzeren punt zou beter hebben voldaan. Weliswaar had Hajo in zijn koker ook een vijftal pijlen met een spijker als punt, maar deze zwaardere projectielen wilde hij liever voor groter wild bewaren. Wacht, daar zat op een lage tak weer zo'n grote duif! Hij mikte zorgvuldig en schoot het dier.

Maar nu begonnen de vogels argwaan te koesteren en gaven elkaar in de duiventaal de raad, wat uit de buurt te blijven. Nu, twee vette duiven was ook al heel wat; Hajo zou zien, er nog wat eieren bij machtig te worden. Op goed geluk klauterde hij in een boom en vond twee nesten dicht bij elkaar; in een ervan zaten jongen, al helemaal in de veren, dus blijkbaar op punt van uitvliegen. Toen Hajo's bol zich vertoonde, rezen de soezende dikzakken – weinig jonge vogels worden door de ouden zo lang gevoerd als jonge duiven! – met verschrikte ogen overeind en wilden uit het nest opfladderen. Maar Hajo legde snel de hand op het nest en stopte de jongen in zijn broekzak. Ziezo, nu kon hij de eieren in het andere nest wel laten liggen! Beneden gekomen, liet Padde zijn buit zien, en de jagers keerden tevreden huiswaarts.

Rolf was er ongewapend op uitgegaan. Langzaam wadend door de varens, keek hij naar de duizend wonderen om hem heen, bukte zich over een goudgroene kever of bewonderde een grote gevlekte orchidee, of volgde een rode vlinder, die de verwoede aanvallen trachtte te ontduiken van een langsnavelig lilliputvogeltje, half zo groot als de vlinder die het naar het leven stond. Bij dat alles vergat Rolf dat hij eigenlijk een geduchte eetlust had – de natuurvriend won het van de mens.

Opeens stapte hij met een kreet van bewondering achteruit. Voor zijn voeten lag op de grond een bloem, zo groot als hij in zijn leven niet gedacht had dat een bloem ooit worden kon. De open kelk was vleeskleurig, wit bespikkeld; toen hij er zich over heen bukte, vloog er met luid gegons een zwerm insecten uit op, en een sterke, bedorven geur steeg hem in de neus. Lekker ruiken deed de bloem allesbehalve! De insecten die er op afkwamen zouden dan ook wel aaskevertjes en mestvliegen zijn. Rolf tilde een van de zware kelkbladen op. Het was kil in de hand. Jammer, dat Vader Langjas er niet van meegenieten kon!

Toen Rolf eindelijk op de bloem was uitgekeken, vermoedde hij dat het wel tijd voor terugkeren zou zijn; nu schoot hem te binnen dat hij toch was uitgegaan om eten te zoeken! Drommels ja, hij voelde nu zijn lege maag weer! Dan nog maar even rond gesnuffeld! Geen honderd pas verder bleef hij staan. Wat hingen daarboven voor grote stekelige vruchten? Langs de dikke gladde stam omhoogklimmen zou niet meevallen, maar een dunnere boom kruiste zijn takken met die van de reus. Rolf werkte zich in die boom, klom een eind hogerop handig in de andere over en sneed met zijn zakmes twee vruchten af. Ze ploften dof neer in de varens. Toen balanceerde hij naar de kleinere boom terug en daalde weer af, zocht de vruchten bijeen. Ze waren groter dan een mensenhoofd en met dikke kantige stekels bezet. – Zo belandde Rolf, in iedere arm een van de zware vruchten, op de plaats waar Hajo en Padde al vol toewijding bezig waren de duiven te plukken.

'Wat heb je daar voor vruchten?' vroeg Padde.

'Dat weet ik niet, maar we zullen ze eens opensnijden! Is Harmen al terug?'

'Nog niet. Kijk eens wat ik heb?' Hajo hield zijn duiven op.

'Die zien er goed uit! Jammer, dat we ze niet kunnen braden! 't Zal me verwonderen wat Harmen meebrengt! Hij blijft lang weg!'

'Ja... die zit achter grof wild aan! Zometeen komt hij nog met een koningstijger aanzetten!'

'Vast!' lachte Rolf. En met een ferme kruissnede opende hij een van de vruchten. Brrr! Er kwam een allesbehalve aanlokkelijke lucht uit, die aan uien en beschimmelde kaas herinnerde. Padde kneep zijn neus dicht, en Hajo keek Rolf vol twijfel aan. 'Hij zal bedorven zijn, Rolf.'

'Onmogelijk!' zei Rolf. 'De bast is helemaal gaaf, en kijk eens hoe mooi fris het vlees er uitziet! – Wacht! Vader Langjas had het wel eens over een vrucht die allesbehalve lekker ruikt, maar toch goed smaken moet. 't Zal een *doerian* zijn! Vooruit, ik wil hem eens proeven.' – De vrucht was door een geelwitte tussenhuid in kamertjes verdeeld en in elk daarvan lagen een paar vlezige, blanke pitten ter grootte van een ei. Met een moed waarom Hajo en Padde hem in stilte bewonderden, stak Rolf zo'n pit in de mond.

'En... ??'

'Mm', zei Rolf. 'Het smaakt als noten met room! Proef ook eens?'

Aarzelend, met opgetrokken neus, stak Hajo een pit in de mond en moest toegeven dat de vrucht lang niet kwaad smaakte. 'Wil jij niet ook eens proeven Padde?'

'Dank je feestelijk,' zei Padde. En hij ging een heel eind verderop met het plukken van de duiven door; beweerde dat hij zelfs dáár nog omviel van de stank.

Waar Harmen toch wel zolang bleef?

Met lans en kapmes gewapend en daarbij in zijn bladerenrokje, was hij als een echte menseneter de kant uitgegaan waar het plateau langzaam tegen een berghelling opliep. Door stekelige struiken en rotanslingers had hij zich baan gebroken. Hij was door nauwe holletjes gekropen en over dode woudkolossen geklauterd, waarbij hij schrammen bij de vleet opliep en honderdmaal wegzakte in vermolmd hout. Een pauw fladderde voor hem op. Harmen greep naar de lange staart, greep mis, viel in de dorens, schold de pauw uit voor al wat lelijk was, raapte droefgeestig een veer op die tussen de struiken was blijven hangen en stak ze in zijn woeste, al geducht lang geworden haren. Hij kwam voor een bamboebos te staan, hakte er met zijn kapmes op los dat de stelen links en rechts neerzonken. Bij dit werkje viel hem een slangetje op de blote schouder. Hij slingerde het kille monstertje van zich af. Brrr!

En tenslotte was Harmen al hakkende gekomen bij de gedenkwaardige plek waarvan hij later naar waarheid verklaarde dat hij er van verbazing lans en kapmes had laten vallen. Tussen hoge bamboestelen lagen op mos en bladeren een drietal... katten! Nee maar, dat had Harmen nou nooit gedacht! De katten waren al vrij groot, hadden een glanzend geel vel met zwarte dwarsstrepen; om de staart zaten zwarte ringen. Van die leuke poesjes wou Harmen er eentje meenemen, niet om op te eten, alleen maar om te laten kijken! Wat speelden ze aardig! Ze kropen over elkaar heen, sloegen elkaar met de pootjes. Wat een dikke zware pootjes voor zulke lieve beestjes! Met vlugge greep pakte hij er een op. Wat zouden ze daar wel van zeggen zometeen!

En opgewonden zocht Harmen de terugweg. Hij had de richting nog wel in het geheugen, maar de last die hij droeg hinderde hem erg bij het kappen. In zijn linkerarm hield hij de poes, die zich niet in het geringst verzette – niks eenkennig dus, zoals die gemene kater van Dobbes, die zijn nagels nooit kon thuishouden – en in de gordel bungelde zijn lans als een lang slagzwaard achter hem aan. Eindelijk ontdekte hij tussen de bomen zijn vrienden weer. 'Hallo! 'k Heb wat, jongens! 'n Kat! Hou Joppie eens vast!' En voorzichtig uitkijkend naar dorens, naderde Harmen tussen het struikgewas. 'Alsjeblieft! Daar heb je 't beessie!'

Joppies haren vlogen steil overeind.

'Maar... dat is een tijger!!' riep Rolf.

Harmen keek hem verbluft aan. 'Goeiemorrege...!'

'Een jonge koningstijger!!'

''n Jonge... wát?! Grote griebus! Dan heb ik voor een tijgerhol gestaan! Drie lagen er in! Drie koningstijgers!' En Harmen liet zijn 'poes' met een rilling op de grond vallen. Naar kattenaard kwam het dier op z'n vier poten terecht, blies en liet zijn tanden zien. 'Laat hem lopen, Hajo!' waarschuwde Rolf toen die het weer oppakte. 'We moeten hier als de drommel vandaan, vóór de ouden komen!' Maar Hajo liet zijn buit niet los. 'Vooruit, Padde, neem de duiven op; Harmen, jij die grote vrucht; ik draag de tijger.'

'Wat wou je met het mormel doen?!' vroeg Harmen ontzet.

'Temmen!' zei Hajo. 'Hij is nog jong! En dan gaat ie mee naar Hoorn.'

'Of hij vreet ons over een maand alle vier op!' gromde Harmen. Hij raapte de doerian op, keek er met een wantrouwend gezicht naar. 'Vooruit dan maar!'

Padde volgde bibberend met de duiven, een behoorlijke afstand bewarend tussen zich en het geelzwarte monster dat Hajo in de arm had. Joppie bleef nog weer achter Padde. Tot ineens ... daar sprong uit de struiken, geen twintig pas van hen af...!

De jongens hoefden er niet naar te raden wie ze voor zich hadden. Daar was hij, de wrede trotse keizer van het nachtelijke Indische woud, geheel onverwachts, terwijl de zon hoog aan de hemel stond. Zelf blijkbaar even verrast, wendde hij zijn zware stompe kop naar de jongens... Die stonden verlamd van schrik; Harmen hief onwillekeurig de doerian op, als wilde hij zich daarmee verdedigen; Rolf greep instinctief met beide handen zijn speer vast; Padde staarde wezenloos, met wijd open mond.

Er was een aarzeling. De tijger trok de lippen op, ontblootte zijn vervaarlijke hoektanden, gromde. Toen richtte hij zijn lichtgroene roversogen op Hajo – waarschijnlijk op wat deze in de armen hield, sloeg driftig de dikke ronde staart over de grond, stootte een kort gebrul uit, onheilspellend als geen ander geluid, dook ineen...! Hajo kreeg een ingeving en gaf er zonder aarzeling gehoor aan: hij slingerde met een ferme zwaai de tijger zijn jong toe.

Hij had niet beter kunnen doen. De tijger greep het jonge dier met de tanden in de nek en sprong er in prachtige, soepele boog mee weg in het struikgewas. 'Besjoer...!' stamelde Harmen met nog lijkwitte lippen.

Toen holden de jongens het pad af, zo hard ze maar konden, Harmen voorop, benen makend als een beroepshardloper; Padde als laatste, telkens angstig omziend en gillend: 'Niet zo vlug! ik kán niet zo vlug...!'

'Tabeh'

Pas een heel eind verder durfden ze hun vaart wat inhouden. 'Zou hij ons volgen?' vroeg Hajo, naar adem happend.

'Ik denk het niet,' hijgde Rolf. 'Hij zal wel naar zijn nest zijn teruggegaan. Maar laten we toch maar zo ver mogelijk uit de buurt zien te komen.'

En de jongens liepen, liepen...! – Er was een betovering over het bos gekomen sinds ze de heerser ervan hadden leren kennen. Die struiken, die groep bamboes konden hem dus bergen...!

Eindelijk waagden ze het er op te gaan zitten, achter adem en druipend van het zweet.

'Waar is Joppie?' vroeg Rolf. Joppie was weg!

''n Held!' schimpte Harmen. 'Als ie die tijger nou nog te lijf was gegaan!'

'Waarom heb jij 't eigenlijk niet gedaan?'

'Ik? Als ie even langer was gebleven, had ie dit ding' – Harmen tilde de doerian op – 'tegen z'n bast gekregen. Dan was ie van de stank wel weggelopen!'

'Goed dat Hajo er bij was,' zei Padde. 'Die heeft ons gered. *Ik* kon niks doen, ik had m'n handen vol met die duiven...' Allen lachten weer. 'Knap maar,' bromde Padde. 'Daarstraks lachten jullie niet!'

'Kom!' zei Rolf. 'Laten we nog een uurtje doorlopen, maar nu weer kalmaan.'

''k Heb al zo'n honger!' klaagde Harmen, zo eens in de duiven knijpend.

'Eten doen we straks,' besliste Rolf. 'Maar als je je wat flauw voelt, peuzel dan een stuk van die vrucht op.'

'Daar zet ik geen tand in.'

'Dan laat je het. Kom...!'

Even later stonden de jongens bij een zijpad. Waar ging dat naartoe? In de mulle grond tekende zich de indruk van een kleine naakte voet af. 'Het spoor is nog vers,' stelde Hajo vast. Misschien zijn we hier weer dicht bij een kampong.'

'Best mogelijk,' meende Harmen. 'Geef maar een duifje hier, Padde! D'r is voor ieder net één; Joppie loopt z'n deel mis.'

'Vooruit dan maar,' zei Rolf. En alle vier ontfermden zich dapper over een rauw duivenboutje. Hajo en Rolf smulden ook nog van de doerian; Padde en Harmen gingen boven de wind zitten, gaven af op mensen die zo'n vies ruikend goedje wilden eten.

Waar Joppie zo lang bleef? Hij zou toch niet door de tijger...? Ze betrapten er zich op dat ze in Joppie nog weer een kameraad zouden verliezen. 'Joppie! Joppie...!' Geen antwoord. Verder nu maar weer. Het pad werd steenachtig; ze moesten weer geducht klauteren.

Opeens stonden ze voor een natuurlijke trap. Dat is te zeggen: was het wel mogelijk dat de natuur die brede bazalten treden zo regelmatig had verdeeld? Bananenbomen overschaduwden de trap met hun grote groene bladeren, en in de spleten tussen de stenen glansde diepgroen mos. ''t Lijkt wel een trap van een oud kasteel!' vonden de jongens. Ze plukten een paar rijpe pisangs, maar de vruchten smaakten wrang. ''t Zijn *wilde* pisangs,' legde Rolf uit.

''t Zijn rotpisangs,' zei Harmen teleurgesteld.

Hajo duidde dat ze stil moesten zijn: hij hoorde iets –

'Een waterval!' riep Rolf. Met grote sprongen snelden ze de trap op, belandden hijgend op een plateau. Vol spanning baanden ze zich een weg tussen grote bergstenen, liepen een palmenbosje om – en stonden voor een meer.

Het was bedwelmend. Aan de overkant steeg een steile rotswand op; van heel in de hoogte danste water over de rotsen omlaag en stortte donderend in het meer. Een met boomvarens, palmen en bloeiende struiken begroeid eilandje spiegelde zich in het plechtig stille water, dat slechts was opgewoeld waar de waterval schuimde. Ergens aan de oever stond op één poot een reiger te vissen. Pik! daar dook de snavel weg, kwam met een spartelend zilveren visje weer boven. De rimpeling liep ver over het water uit, stootte tegen de bladeren van een drijvende lelie, keerde in dwarse bogen terug. De reiger wierp het glinsterende visje in de lucht en ving het in zijn opengespalkte snavel.

'Ik ga hier nooit meer weg!' stamelde Hajo, die er de tranen bij in de ogen kreeg, zo mooi vond hij deze natuur.

In het heldere water kon je grote vissen zien zwemmen, en lang duurde het niet, of de jongens zwommen er ook. Heerlijk koel was het water en zo doorzichtig, je kon met open ogen naar de stenen op de bodem duiken. Terwijl Padde wat aan de kant ploeterde en op de weinige kleren en de wapens paste, staken de anderen naar het eilandje over. Allen hielden een middagslaapje: zij op hun eilandje, Padde boven op het goed dat hem was toevertrouwd...

Toen de grootste hitte voorbij was, stonden de jongens alweer hongerig op. Harmen stelde voor, wat te gaan vissen.

'Ja!' riep Hajo. 'Hengelstokken hebben we hier bij de vleet, kijk maar.' Hij wees op de lange buigzame bamboestengels aan de oever.

'Ik weet nog beter!' zei Rolf. 'We *schieten* ze. Met pijl en boog!'

Dat voorstel sloeg in! De jongens doken weer in het water en zwommen om het hardst naar de kant – een wedstrijd die Hajo met een el voorsprong op de anderen won. Ze bliezen even uit en gingen toen op de vissejacht. Maar het viel niet mee: de vis verdween zodra ze naderden.

Rolf bedacht iets. Terwijl Hajo en Harmen om het hardst achter de vissen aanzwommen, bleef hij naar het voorbeeld van de reiger doodstil staan op een ondiepe plaats, de gevelde lans in de hand. Daar zwom een grote vis voorbij, en met een gelukkige worp wist hij het dier te spietsen. Dit bleek de beste wijze van jagen: hij had al gauw vier flinke vissen buitgemaakt, terwijl Harmen en Hajo niets schoten. Hun jacht werd dan ook al gauw een spelletje. Onder water zwemmend, mikten ze op de bladeren van de drijvende waterlelies, en toen hun dat ging vervelen, klommen ze in de oeverbomen en doken van

gedurfde hoogte het water in. Waarbij ze nu en dan lelijk op de stenen terechtkwamen.

Rolf had meer gespietst dan de jongens verorberen konden; Harmen sneed een vis in stukken en wierp die in het meer. Van alle zijden schoten vroegere kameraden toe en vochten gulzig om de buit – leverden een mooi kleurenspel van fonkelend wit, staalblauw, goudgroen...

Na het middagmaal dwaalden de jongens het meer nog wat rond, op zoek naar eetbare vruchten; toen ze langzaam door de struiken terugkeerden, hield Rolf zijn makkers vast. 'Kijk daar eens!' Wat ze zagen, benam hun de adem. Aan de oever stonden een paar herten te drinken. Telkens als ze daarbij de kop naar achteren wierpen, het gewei in de nek, vloeide het water ter zijde langs de lippen naar buiten. De grote schichtige ogen glansden. Wat waren de halzen mooi gebogen! Hoe sierlijk stonden de dieren op hun ranke poten! Plotseling scheen er één onraad te speuren. Het snoof de lucht op, stootte een geluid uit als het blaffen van een hond. En... wat klonk daar in de verte? Een echo? De herten sprongen weg in het groen.

De jongens staarden nog sprakeloos naar de plaats waar ze gedronken hadden. En toen... wie kwam daar aanhollen, de tong uit de bek? Joppie! Dát was de echo geweest! Jankend van blijdschap sprong hij tegen zijn meesters op, draaide half dol in het rond, kermend en kwispelstaartend onder hun aanhaling en likkend waar hij maar likken kon. 'Wauw! Wauw!'

'We wisten wel, dat je ons niet in de steek zou laten!' zei Hajo. 'Ga je mee, ouwe jongen?'

Daar zei Joppie geen nee op! Maar nu zag hij restanten vis liggen. Hij vloog er op af, sloeg in zenuwachtige haast koppen en staarten en graten naar binnen, met een half oogje omhoog kijkend, of de jongens bijgeval niet weggingen. Maar die wachtten geduldig tot alles op was en Joppie, na zowat gestikt te zijn, de laatste graten weer uitspuwde. Joppie snuffelde nog wat rond, vond niets meer.

En de karavaan volgde het pad weer, vrolijk gestemd dat ze nu allen samen waren. Tussen de oeverpalmen door, wierpen ze een laatste blik op het meer. Het was het mooiste, wat ze zich in hun leven herinnerden gezien te hebben. Nog wel een half uur lang hoorden ze, wanneer ze even stil stonden, het ruisen van de waterval.

De weg daalde, werd nauw en kronkelig. Harmen, die voorop ging, liep telkens met het hoofd in een spinneweb. Het pad scheen zo weinig gebruikt te worden, dat het hier en daar geheel was dichtgegroeid en ze zich met het lijf een weg moesten banen. 'Hé!' zei Harmen ineens. 'Hier is iemand langs gekomen! Kijk maar: deze tak is vers gebroken! Misschien wel dezelfde waarvan we vanmorgen die voetstappen hebben gezien!'

Zwijgend liepen de jongens zo een paar uur achtereen, tot het ging schemeren en er aan een legerplaats gedacht moest worden. Ze kozen er weer een open plek voor, tussen bamboebossen. Ze waren met z'n vieren, met lansen bewapend, en Joppie zou wel blaffen als er onraad dreigde...!

Eensklaps richtte Hajo zich op. 'Ik hoor wat!'

De jongens luisterden. Door het krekelgesjirp mengde zich een dof geluid als van een trommel. 'Mensen!' fluisterde Hajo. 'Ik hoor ook een fluit!'

Ze sprongen op, liepen zo stil mogelijk langs het donkere, smalle pad op het geluid af. Na een tijdje hield het bos op en aan hun voeten strekte zich een wijd *in vijvers verdeeld* dal uit. En in het midden, omringd door kokostuinen, lag een dorpje, waaruit een gele lichtschijn opstraalde. Hoe het te naderen zonder gezien te worden? Het dal sidderde in blauwe maneschijn; de vijvers zogen het licht gretig in en straalden het weer uit. Kom! ze zouden maar op hun goed gesternte vertrouwen! Er werd in het dorp blijkbaar feestgevierd, en dan zou men wel niet zo waakzaam zijn. Ze daalden over een tussen de vijvers kronkelend dijkje de helling af.

'Sawah's' zei Rolf.

'Sawah's?'

'Rijstvelden! 'Kijk maar, de halmen steken boven het water uit.' Meteen sprong Harmen met een kreet achteruit: van het dijkje gleed een slang weg en kronkelde, de kop boven water, tussen de halmen door. 'Goed, dat ik er niet op getrapt heb!' zei Harmen, nog verschrikt.

'Is 't hier niet prachtig?' vroeg Rolf. De jongens stonden weer even stil, lieten de ogen rondweiden over de sawahs om hen heen, waarin duizenden sterren star te fonkelen stonden. Hoe wijd en groot was alles hier! Hoe klein voelde je je!

Verder maar weer! Bij dozijnen plonsden kikkers van het dijkje de sawahs in, zwommen een eindje weg en bleven dan met uitgestrekte achterpoten liggen, nieuwsgierig boven het water uitglurend. Zo kwamen de jongens bij de eerste kokostuin; de slanke stammen en de lange, gebogen bladstelen glansden in het maanlicht.

Voorzichtig! Pasje voor pasje slopen ze voort. Glurend langs een bamboebosje konden ze de poort zien. Er stond een wachthuisje met weer zo'n hangend, uitgehold stuk boomstam. Maar van een waker was niets te bespeuren. Zou de lokking van het feest te groot zijn geweest? De jongens doken vlug achter de bamboe-palissade weg en konden nu door de spleten daarvan naar binnen gluren. De dorpsbewoners zaten in wijde kring op het voorplein gehurkt, en in het midden van de kring dansten mannen met potsierlijke bewegingen dooreen. Ze droegen op het hoofd gruwelijke monsterkoppen met wilde haren en grote glasogen. Rondom de dansers zaten met gekruiste benen de muzikanten. Sommigen sloegen met de vlakke hand op eigenaardige, langwerpige trommels, die dwars op hun knieën lagen; anderen bliezen op houten fluiten. Eén bespeelde een eensnarige, op de grond geplaatste viool. Achter hen zaten mannen met walmende flambouwen, en daar weer achter hurkten de omstanders, klapten met de handen de maat mee.

'Kermis!' fluisterde Padde.

Harmen keek maar naar de vioolspeler. 'Hij kan er niks van! Fout! Wéér fout! Is dat nou spelen?' En even later kon hij het haast niet meer uithouden. 'Zal ik naar binnen gaan? Om ze eens te laten horen hoe het moet?'

'Als je 't maar laat!' dreigde Rolf.

'Wat zullen ze me doen?' vroeg Harmen. 'Ze zullen blij zijn, als ze eens goed horen spelen.'

En even later begon hij weer te zeuren: 'Ze hebben daar ook allerlei lekkere rommel... Ruik maar eens! En ik zou zo drommels graag weer eens een viool in m'n vingers hebben... Hoe lang heb ik nou al niet kunnen spelen? Hoor? Vals! Wéér vals!'

Met een kordaat besluit gooide Harmen zijn speer op de grond, liep de poort binnen en riep op een toon van: daar ben ik dan toch eindelijk! de vergaderden toe: '*Tabeh!*'

Padde is zoek

De trommels verstomden, de dansers staakten hun dans; allen staarden met grote ogen naar de onverwachte bezoeker in zijn rokje van gras. Daarop sprongen enkele mannen toe en grepen Harmen, die te laat op de gedachte kwam om er weer tussen uit te gaan. Er ontstond een groot geschreeuw.

De jongens buiten de poort vluchtten, na Harmens speer te hebben opgepakt, met Joppie in het bamboebos. Vlak daarop renden gewapende Maleiers langs hen heen, blijkbaar op zoek of er nog meer blanken in de buurt waren. Toen ze niemand vonden, keerden ze weer terug, en het rumoer daarbinnen bedaarde wat.

'We moeten hem bevrijden,' zei Rolf. 'Maar hoe?!'

Padde begon jammerend zijn mening te uiten over mensen die door hun stommiteiten ook anderen in gevaar brachten.

'Hajo,' zei Rolf. 'Jij kunt van daar de poort zien. Staat er een wacht voor?'

'Nee! Ik zal kijken, wat ik binnen zie.' Hajo sloop naar de palissade, loerde door de spleten. 'Het plein is nu leeg, en van achter de huizen komt licht.'

'Volg me dan,' fluisterde Rolf. 'Jij blijft hier, Padde. Zorg dat Joppie zich stil houdt.'

'Wat gaan jullie beginnen?' jammerde Padde. 'Je komt hier toch terug, hè, Hajo?'

'Natuurlijk,' gromde Rolf. En Hajo en hij slopen weg, het halve dorp om, tot waar door de spleten van de omheining licht naar buiten straalde, en stemmengedruis hen bereikte. Tussen de bamboes door glurend, zagen ze juist hoe Harmen, de handen op de rug gebonden, een trapje werd opgeleid naar een hutje. De deur ging achter hem dicht; daarna schenen de dorpelingen te vergaderen. De afstand was te groot om iets te kunnen verstaan.

'Wachten,' zei Rolf. 'Voorlopig kunnen we niets beginnen.'

En zo wachtten de twee dus, gekweld door de muskieten. Eindelijk verspreidden de mannen zich, nog druk napratend, en verdwenen in hun woningen.

'Kom mee!' zei Rolf, 'misschien vinden we een achteringang. De poort zal nu wel bewaakt zijn.'

Op dat ogenblik hadden ze, ondanks het hachelijke van het geval, toch moeite hun lachen te bedwingen: Harmen hief de eerste maten van het geuzenlied aan:

> 'Slaet opten trommele, van dirredomdijne!
> Slaet opten trommele, van dirredomdoes!'

Het deed in deze Indische maannacht vol krekelzang zonderling aan. Zijn vrienden begrepen dat het niet Harmens lust tot trommelen was die hem dit lied uit de ziel perste. Het moest hun aanduiden waar hij zat opgesloten!

Zonder een ingang te vinden, slopen ze het dorp om. Zo kwamen ze weer bij de poort, maar nu aan de andere zijde dan waar Padde en Joppie zich bevonden. Hajo gluurde om een hoekje. Een schildwacht hurkte, eentonig neuriënd, voor het huisje. Als je 's nachts alleen buiten bent, verdrijft het neuriën de boze gedachten die zich, in het duister, van 's mensen ziel willen meester maken.

Wat te doen? De man overvallen? Hajo wist iets beters. Hij raapte een steentje op, gooide het tussen de struiken, waar het ritselend neerkwam. De schildwacht hief het hoofd op.

Stilte. Krekelzang.

Hajo keilde nog een steentje achter het eerste aan. Ditmaal werd het verlangde resultaat bereikt. De man greep zijn speer en liep in de richting van waar het geluid kwam. Hij had zijn rug nog niet gekeerd, of Rolf en Hajo schoven geruisloos achter het wachthuisje om en glipten de poort binnen. Ze durfden het voorplein niet over te steken, slopen er dus omheen, van boom tot boom.

'Luister...!' zei Hajo opeens.

De jongens hielden de adem in.

'Ik hoor niets!'

'Ik nu ook niet meer. Ik dacht daarnet...'

'Het zal Harmen zijn geweest. Ja, hoor maar: hij zingt nu van het Volendammer vissertje!'

'Ja-ha!'

Verder weer! Geen van beiden vermoedde iets van het bloedig drama dat zich intussen buiten de poort afspeelde...

Padde had onverwachts vlak voor zijn neus een steentje horen neervallen. Waar kwam dat vandaan? Daar viel er nog een! En zie... de waker stond op... en kwam op hem af! Met bonzend hart door de takken glurend, zag Padde hoe de man overal rondkeek, om daarna met zijn lans in het struikgewas te porren. Padde kroop een eindje achteruit. De man bleef doodstil staan, kwam toen recht op de plek af waar hij zat, stak zijn lans met kracht tussen de bamboes. Dat werd Joppie te machtig: hij bevrijdde zich met een gesmoord jankgeluid uit Paddes greep en vloog de man naar de benen. Met een verwensing trapte de Maleier de hond weg, sprong toe en...! Padde had in radeloze angst, zonder te weten wat hij deed, zijn lans naar voren gestoken. De lans kraakte, een doffe kreet; rochelen, het geluid van een vallend lichaam...! Huiverend sprong Padde overeind, zag hoe de man, met de speerpunt diep in de borst, krimpend op de grond lag. Alles begon voor Paddes ogen te draaien; hij sloeg de handen voor het gezicht. Weg van hier! Weg! Weg!...!

En met Joppie op de hielen, was Padde weggehold...

'Dat Volendammer vissertje,
Dat voer naar Zierikzee...' zong Harmen.

236

Sluipend van huis tot huis, waren Rolf en Hajo zijn schuilplaats genaderd.

'Dat Volendammer vissertje,
Dat voer naar Zierikzee.
Bracht zeven varkens en een wijf,
Een poez'lig wijf weer mee!
Van z'n varkens kreeg die nooit geen spijt,
Maar 't wijf wou ie weer kwijt.
Weer kwijt, wééééér kwijt...'

Met een prachtige uithaal besloot het lied.

Zijn vrienden waren vlug onder het huisje weggekropen waarin hij gevangen zat.

'Harmen...!'

'Hallo...! Jullie zijn er dus toch nog! Ik was al bang dat jullie me...'

'Sssst! Ik kom bij je! Rolf klauterde vlug langs het laddertje omhoog; gelukkig stond het aan de schaduwzijde. De deur zat met rotan vast. Het mes er op... rits! Krak... krak...! Stil, stomme deur! – 'Harmen, waar lig je?'

'Hier! Grote griebus, Rolf... de schurken!'

Rolf knielde bij hem neer, begon de boeien door te snijden.

'Au!'

'Los?'

'Ja!'

'Kom dan!'

Zachtjes schimpend daalde Harmen de ladder af. – 'Hajo!'

'Stil dan toch!' fluisterde Rolf.

Even later waren ze het dorp weer door, het plein omgelopen, stonden nu bij de poort. Rolf raapte een steentje op, gooide het over de palissade heen, een flink eindje bezijden de poort. Er gebeurde niets.

'Wat doe je *nou!*' vroeg Harmen.

'Ssst!' Rolf nam nog een steentje, ditmaal iets groter, gooide het achter het andere aan.

Doodse stilte.

'Misschien staat de wachter verderop!' zei Hajo.

'Laten we hem gewoon smeren,' stelde Harmen voor. 'Voor ie de lui op de been heeft, zijn we allang een eind weg.'

Rolf sloop vooruit, de anderen volgden. De poort bleek onbewaakt! Wacht! Wat... wie ligt daar?!

Voorzichtig er op af. Een kreet van ontzetting als ze het lijk van de schildwacht, overdekt met bloed, op de grond vinden.

'Padde...?!'

Padde is weg! Daar liggen zijn speer en die van Harmen nog.

Rolf knielt bij het lijk neer. 'Dood!'

'Zou Padde met zijn lans...?!'

'Vlug! Weg van hier!' zegt Rolf, overeind springend.

De andere twee volgen, Hajo radeloos over Paddes verdwijnen.

'Wacht even!' hijgt Harmen. Hij rent terug, grist de door Padde in de struiken achtergelaten wapens weg, neemt de Malaier speer en kris af. Dan holt hij weer achter de anderen aan.

'Rolf!' snikt Hajo. 'Moeten we Padde niet gaan zoeken?'

'We moeten hier weg!' beveelt Rolf. 'Uit het dal weg! Als ze ons *nu* zouden vinden...!

Harmen bukt zich, raapt van de grond een grasschortje op dat alleen maar van Padde kan zijn.

'Goddank!' zegt Rolf, 'dan is hij de goeie kant uitgevlucht! Neem het mee, dat ze 't niet vinden!'

De jongens rennen langs een dijkje tussen de terrasvormig oplopende sawahs omhoog, glijden in de modder uit, krabbelen weer overeind en staan tenslotte hijgend aan de andere zijde van het in maanlicht gedrenkte dal...

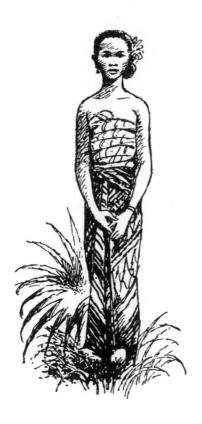

Dolimah

Hier loopt het pad weer het bos in. Grillige schaduwen kronkelen op de grond. Honderdmaal struikelt Harmen, die voorop loopt, over zware wortels. Hush... wat springt daar voor een dier weg?!

Verder! Verder! Hajo kan op het laatst niet meer, tuimelt tegen de struiken. 'Padde...! Waar is Padde...?'

'Kom, Hajo,' dringt Rolf aan. 'Hier is alles nog zo open.'

Zo strompelen de jongens voort, tot ze bij een plaats komen waar dichte varens groeien. Voorzichtig, om geen varenstelen te knakken en zodoende een spoor na te laten, waden ze er door. Als ze ver van de weg af zijn, zinken ze neer, aan het eind van hun krachten nu. Ze horen nauwelijks het driftig zoemen van de muskieten.

De sterren verdwijnen al. De maan verbleekt. De krekels zwijgen.

Met een beklemd gevoel op de borst werd Hajo als eerste weer wakker. 'Padde! Waar is Padde!'

De zon stond al hoog, glinsterend in de boomkruinen, daarboven, waar de vogels schetterden. 'Rolf...! Slaap je nog? We moeten Padde zoeken!'

'Ja...' stamelde Rolf en richtte zich op.

Ook Harmen werd wakker, rekte zich, geeuwde, krabde aan enkele rode muskietenbeten.

'Padde zoeken? Waar?' vroeg Rolf na een ogenblik zwijgen.

Hajo keek met betraande ogen in het groen rondom. Harmen wentelde zich op zijn buik, plukte een grashalmpje, kauwde er op en zuchtte:

'Je kunt net zo goed naar m'n viool gaan zoeken, die met de *Nieuw-Hoorn* kopje onder is gegaan!'

'Padde *moet* gevonden worden,' zei Hajo met gesmoorde stem.

'Ja...' viel Rolf hem bij. 'Natuurlijk moet hij gevonden worden. Dat spreekt vanzelf.'

Zwijgen. Drukkend zwijgen.

Harmen sprong overeind, spuwde het grashalmpje uit, dat hij half had binnengekauwd, streek over zijn zitvlak en zei: ''k Ga eens op de weg kijken, of de sloebers ons gevolgd hebben.'

Het hoofd omlaag, waadde hij tussen de varens door.

Even later kwam Harmen met grote sprongen weer aanhollen; hij moest even naar lucht happen vóór hij het eruit kreeg: 'Daarginder zit ie! Met Joppie en een zwart meisje! En vuur heeft hij ook!'

De anderen sprongen overeind. 'En... en waarom is hij niet met je meegekomen??'

'Hij heeft *mij* niet gezien!'

'Ben je dan niet naar hem toegegaan?'

''k Zal daar in m'n blote billen voor de dag komen!' zei Harmen verontwaardigd. En haastig schoot hij zijn 'rokje' aan.

Nog ademloos volgden ze Harmen. 'Zie je daar die rook?' vroeg Harmen. 'Bij die kokosboom? Daar zit ie met 't zwarte meisje, de smakker!'

'Padde! Hallo, Padde!' riepen de jongens.

'Wauw!' Daar kwam Joppie hen al tegemoet, sprong jankend van vreugde tegen hen op.

Maar Padde keek bij het weerzien bijna bedrukt. 'Zo!' zei hij, stapte in het kostuum waarin hij geboren was schuchter naar voren, kuchte en vroeg: 'Heb jullie mijn schortje soms?'

'Hier!' zei Hajo. 'Maar vertel op: hoe...'

Met een zucht trok Padde zijn rokje aan. 'Ziezo! – Ja, 't is dat meisje, weet je wel, van bij de radja! Ze is ons nagelopen. Nietwaar?' wendde hij zich tot het meisje, dat met neergeslagen ogen achter hem stond. 'Jij wou met ons mee? Sama saja? – Ik kwam haar achterop! Vannacht, toen ik wegliep om...' Padde huiverde.

'Dus *jij* hebt hem doodgestoken?'

'Is ie d-dood?' vroeg Padde stamelend. 'Ik kon er niks aan doen. Hij kwam op me af...!'

De jongens zwegen, en Padde veegde met de onderarm over zijn neus.
'Apa nama moe? Hoe heet je?' wendde Rolf zich tot het meisje.
'Dolimah, toean...'
''t Is dat lieve meisje dat ons dat smerige goedje gaf dat we kauwen moesten!'
zei Padde. 'Weet je 't nog, Harmen?'
Harmen maakte een gebaar van weerzin. 'Of ik het nog weet!'
'Ze kende me dadelijk weer,' vervolgde Padde. 'Nou, en toen heeft ze een
vuurtje gemaakt, lekker! Moet je eens kijken hoe ze dat doet! Met een paar
houtjes! En wrijven maar! 'k Heb geslapen; 'k ben net wakker.'
'En heb je er geen ogenblik over gedacht, waar... *wij* bleven?' vroeg Rolf.
'Nou, ik wist toch dat jullie wel zouden komen!' zei Padde luchthartig. 'Ik
dacht: ze zullen wel zoeken.'
Rolf knikte. 'Zo.' Toen wendde hij zich tot het meisje: 'Dolimah, vertel me
eens waarom je je dorp verlaten hebt...?'
'Ik was zo bang! Loentar had gezien dat ik 's nachts was opgestaan... Loen-
tar verklapt altijd alles.'
'Wie is Loentar?'
'Loentar is mijn broertje. Ik heb nog twee broertjes: Dajik en Oeng. Kari-
din is al groot. Hij is bijna een man en zo sterk...! En mijn zusters: Siti en
Roekmini zijn al getrouwd.'
'En...' Rolf aarzelde even, 'wilde je nu met ons meegaan?'
'Ik durf niet terug,' fluisterde het meisje.
'En waar heb je in die dagen van geleefd?'
'Ik heb niet gegeten. Ik was zo bang. Ik heb gelopen, gelopen...' Het meisje
scheen opeens wat duizelig te worden, streek met de hand over de ogen.
'Wat heeft ze?' vroeg Harmen verschrikt.
'Ze heeft al die tijd niets gegeten!'
'Grote griebus!' Harmen keek in het rond, zag een kokosboom vlabij en
klom als een aap naar boven. 'Hajo 'schreeuwde hij van uit de hoogte. 'Schiet
als de weerlicht een paar duiven!' Maar Hajo had de pees van zijn boog al ge-
spannen. 'Wat ik onder schot krijg, is er bij!'
'Kom, ga hier zitten,' zei Rolf tot het meisje, dat verlegen werd onder al die
zorgen. 'Je zult moe zijn.'
Dolimah aarzelde. Maar toen Rolf haar nog eens aanmoedigend toeknikte,
trok ze haar sarong wat op en hurkte neer.
'Ziezo!' zei Padde, die, om ook wat te doen, geheel overbodig in het vuur
porde. En hij wees naar Harmen, die boven in de boom ijverig noten zat los te
draaien. 'Zie je? Hij haalt *makan!*'
Daar kwam Harmen weer omlaagzakken, laadde de armen vol noten.
'Da's dat! Waar blijft Hajo nou met zijn duiven? Als ik maar wist of hier ergens een kampong in de buurt was, zou ik wel wat rijst voor haar gappen. En
dan nam ik meteen voor mezelf wat beters mee als dat smerige rokkie dat ik
nou aanheb. 't Lijkt wel of ik moet optreden in 't paardenspul!' Hij nam zijn
kapmes op en spleet met een paar ferme slagen een noot open. 'Alsjeblieft, lieve
kleine Dalo... Dola... hoe heet je?'

'Dolimah,' zei Rolf. Het meisje glimlachte bedeesd en nam met haar fijne vingertjes het stuk kokos aan dat Harmen offreerde.

'Wat een dot, hè?' zuchtte Harmen. 'Hier, kleine snoes, Harremen is dol op je – neem dit er nog bij.'

'Geef op!' snauwde Padde, jaloers. 'Denk je dat ze dat zó kan eten? Dat moet eerst in kleine brokjes!' Hij probeerde het met de handen te breken, werd rood van inspanning... vergeefs.

'Nou moet jij het met je smerige vingers vooral pikzwart maken!' schold Harmen, die anders toch zo nauw niet keek. 'Hier d'r mee!' En Harmen zette er zijn potige vingers in. Knap! 'Een schip in brand laten vliegen, dat kan je, maar een nootje knappen, daar moet Harremen eerst bij komen!'

'Kletskoek!' schreeuwde Padde.

Harmen grinnikte, kapte juist met een geweldige mep weer een kokosnoot in tweeën en loerde met een schuin oogje, of het meisje wel zag hoe mooi hij dat deed. Maar Dolimah liet juist een schuwe blik vol medelijden op Padde vallen, in wiens ogen zij een traan zag blinken. Padde veegde snel die sporen van onmannelijke zwakte weg, snoof en keek een andere kant uit.

Daar kwam Hajo opgewonden uit de struiken. 'Alsjeblieft!' riep hij en hield een kakelend boshoen omhoog.

'Geef hier!' beval Harmen. En het bevoelend, prees hij: ''n Mooi beest! Vet aan de borst!'

'Ik trapte er haast bovenop!' zei Hajo.

''t Stomme dier!' zuchtte Harmen. En terwijl hij het de nek omdraaide, beval hij Padde, hout voor het vuur te zoeken, en Hajo droeg hij op, een puntige stok te snijden om er de boskip aan te braden. 'Zo, ben je dood, beessie? Hij zegt niks meer, dan zal 't wel zo wezen.' Meteen stoven de veren ook al in 't rond. In een ommezien was de mooie, gespikkelde, mollig bepluimde kip een kaal, geel monster geworden. Met verbluffende vaardigheid sneed de vroegere koksmaat het open, spietste het 'schoongemaakte' boshoen, gooide de houtjes op het vuur wat op elkaar en keek met glinsterende ogen toe hoe het boutje gaandeweg bruin werd, en het vet sissend in de vlammen droop. 'Deze mag ji, opeten, hè, Dolimaatje?' zei hij.

'Daar heeft ze genoeg aan,' meende Rolf.

'Oh! Wou jij d'r soms óók wat van!' schimpte Harmen. 'Zie liever, dat je nog wat schiet!'

'Dat is een goede gedachte,' zei Rolf opgewekt. 'Ga je mee, Hajo?' En de beide jongens pakten hun boog en verdwenen tussen de bomen. Joppie sprong om hen heen.

'Liefst boskippen!' schreeuwde Harmen hun nog na.

'Je hebt maar voor het kiezen!' zei Rolf.

'Nou, een paar duiven vind ik ook goed! Als ze maar vet zijn.'

Langzaam wandelden onze vrienden tussen de bomen voort. 'Leuk, hè?' zei Hajo.

Rolf aarzelde. 'Leuk?'

'Dat dat meisje meegaat! Ik vind alles nu ineens veel prettiger! – Wat zullen ze opkijken, als we met haar in Bantam komen! En later in Hoorn!'

Rolf liep peinzend naar de grond te kijken. 'Ik geloof, Hajo,' zei hij tenslotte, 'dat we haar moeten aanraden, toch maar naar huis terug te gaan.'

'Waarom??' vroeg Hajo verschrikt.

Rolf zweeg, en Hajo liet zijn lip hangen.

Zonder iets onder schot te hebben gekregen, kwamen ze weer bij de anderen terug.

'Platzak?' hoonde Harmen. 'Nou, dan kunnen we met z'n vieren die ene kip afkluiven: die is toch al zowat verbrand.'

'De kip? Heeft Dolimah er niets van gegeten??'

'Ze kan naar de pomp lopen!' mopperde Harmen. ''k Had een fijn boutje voor d'r gebraden! Je wordt bedankt – zegt dat juffie – vreet die rommel zelf maar: *ik* zet er geen tand in. – Best – zeg ik – als jou dat niet fijn genoeg is, juffie, dan zal Harremen 't wel...' Harmens stem werd verdacht hees, 'zal Harremen het wel opbikken. – En nou is ie pikzwart. Nou lust *ik* 'm ook niet meer.'

Het meisje scheen te begrijpen waarover gesproken werd.

'Ik mag het niet eten, heer,' wendde zij zich aarzelend tot Rolf. Die keek haar even verbaasd aan. Toen begreep hij: 'Ik denk, dat haar geloof het verbiedt,' zei hij.

'Zit 'm dáár de kneep!' verzuchtte Harmen. 'Ze had het *hier* toch gerust kunnen doen! Geen mens die het ziet!' Hij sneed het aangebrande hoen in stukken. 'Hier, Hajo, daar heb jij een poot. En voor jou, Padde, alsjeblieft, een stuk van de borst en een vleugeltje toe, en voor jou, pennelikker, pak aan, 'k ben je knechtje niet! ook een vleugel en een stuk borst. Zo, dan schiet er voor Harremen nog net een poot over en voor Joppie – gris 't niet uit m'n vingers, mormel! – hier, voor jou de ribbenkast, dan kun je kluiven! Of lust jij ook alleen wat je mag eten van je geloof? Hè, sallemander, jij denkt: spek is spek, en hap! in m'n bek! niet waar?'

Zo dacht Joppie er werkelijk over. Grommend en grauwend begon hij aan het karkas te knagen, dat de beentjes knapten als visgraten.

'Kijk hem eens smullen, de gannef!' zei Harmen, die zelf glom tot achter zijn oren. 'Zeg, Rolf, vraag nou eens aan Dolimah wat ze dan wél mag eten?'

'Ik mag wel kip eten,' antwoordde het meisje op Rolfs vraag. 'Maar alleen als die met het mes geslacht is.'

'Wat een fratsen,' verklaarde Harmen, toen Rolf hem voor hem vertaalde. 'Zou je niet toch nog een stukje nemen, hè, Dolimaatje, hè?' En Harmen offreerde haar vol verleiding de poot die hij nog in de vetbesmeurde hand hield.

Het meisje schudde glimlachend het hoofd. 'Ik heb na die noot geen honger meer...'

En toen moest er eens aan opbreken worden gedacht! Harmen schopte morrend het vuur uiteen. 'Konden we het maar op de rug meenemen! Vraag haar eens, hoe ze het gemaakt heeft?'

'Heb jij dat vuurtje gemaakt, Dolimah?' vroeg Rolf.

Het meisje knikte. 'Als u het nodig hebt, zal ik het wel weer voor u maken.'

'Ja...!' Rolf keek haar weifelend aan. 'Is het nou heus niet beter dat je naar je dorp teruggaat?' vroeg hij zacht. Haastig voegde hij er aan toe: '*Wij* vinden het erg leuk als je met ons meegaat! Maar we zijn bang dat je er later spijt an hebt.'

Dolimah schudde het hoofd. 'Ik durf niet terug,' fluisterde ze in weer op-komende angst. 'Ik durf niet...'

Rolf maakte een beslist gebaar. 'Dan ga je met ons mee! – Ben je nog moe?'

'Nee,' zei het meisje verheugd, 'ik ben niet moe!'

'Ik zou wel eens willen weten wat Rolf allemaal met haar afsmoest!' gromde Padde, alweer jaloers.

'Laat hem kletsen, Padde!' troostte Harmen. 'Hij wil alleen maar leftrappen met z'n Maleis!'

'We hebben afgesproken dat ze met ons meegaat!' zei Rolf vrolijk. 'Kom, jongens, pak de rommel dan maar weer op. Als we goed koers houden, *moeten* we in Bantam komen!'

Opgewekt gingen ze verder, voelden zich ineens heel andere kerels! Er was nu iemand die hun steun, hun bescherming nodig had; ze moesten nu tonen dat ze *mannen* waren!

Drommels, Dolimah had het slechter kunnen treffen! Waren ze soms niet stuk voor stuk bereid, voor haar hun leven op het spel te zetten?

Harmen ging voorop, keek telkens even achterom en wierp Dolimah dan een blik toe van: 'Vertrouw maar gerust op mij: alles komt in orde!'

Joppie liep parmantig, de staart in de lucht, nog weer voor Harmen uit, snuffelde uit plichtsbesef hier en daar, lichtte even het pootje op om een boom voor omvallen te behoeden en sjouwde weer door, ook al met een gezicht van: 'Volg mij maar gerust! Als ik wat verdachts ruik, zal ik jullie wel waar-schuwen!'

Dolimah, met zachte, snelle schreden tussen hen inlopend, werd allengs vertrouwelijker, wees hun onderweg allerlei. 'Kijk, van deze plant hier kun je de wortels eten. Maar ze moeten eerst geklopt en gezeefd worden! Ik zal van het meel wel eens koekjes maken – als ik maar iets heb om ze in te bakken! En dit is *djamboe!* Die zijn heerlijk. Proef maar eens!' En met haar rappe vin-gertjes plukte ze een glazige doorschijnende vrucht af en gaf die aan Padde. – Maar terwijl hij er nog naar keek, griste Harmen ze hem uit de vingers en zette er de tanden in. 'Fijn!' riep hij uit, zonder zich van Paddes woedend 'Die was voor mij!' al te veel aan te trekken. Een eindje verder wees het meisje op een klimplant met lange trossen groene bloemen. 'Daar staat *gadoeng*! Daar kun je de knol van eten.' Hajo rukte aan de plant en ja, er zat een knol aan. 'Nou, *zij* weet het!' zei Harmen opgetogen. 'Met haar bij ons, zullen we niet verhonge-ren!'

'Als de oogst mislukt is, eten we niets anders dan gadoeng,' vertelde het meisje.

Zo drentelde ze babbelend tussen de jongens in, die vandaag maar voort-liepen zonder zelf te merken dat ze liepen. Maar Dolimah scheen moe te worden. 'Nou, dán gaan we zitten!' zei Harmen, die anders nooit aan rusten dacht vóór hem de tong uit de mond hing. 'Daarginds is een lichte plek, daar zitten we fijn!' En hij baande met zijn stoere lichaam de anderen een weg door de struiken.

Flits! daar schemerde iets roodbruins door de takken; met luchtige sprongen, als veerde de grond, danste een dwerghertje de open plek over, draaide even het kopje met de grote, glanzende ogen en stoof toen op zijn tengere pootjes weg.

'Een *kantjil!*' zei het meisje. 'Hij is de zwakste, maar ook de slimste van alle dieren! Weet u dat de kantjil door zijn slimheid zelfs eens een grote olifant op de vlucht heeft gejaagd?'

'Hoe heeft hij dat klaargespeeld?' vroeg Rolf.

'Dat zal ik vertellen,' zei het meisje. En terwijl de jongens er bij gingen liggen en soezend luisterden naar Dolimahs zangerig stemmetje, begon ze: 'In een bos leefden de dieren vreedzaam bijeen. Tot er opeens een olifant kwam, die dadelijk de bomen begon om te schoppen. Daar schrokken de andere dieren lelijk van! Er was nog nooit een olifant in het bos geweest en ze vergaderden erover hoe ze hem weer kwijt konden raken. '*Ik* zal hem wegjagen!' zei de tijger. Nu, die praalt altijd. De olifant ving hem op zijn witte slagtanden, die rood waren toen de tijger machteloos ter aarde viel. Nu durfde geen der dieren hem meer aan. '*Ik* zal hem wegjagen!' beloofde de kantjil. Natuurlijk lachten alle dieren hem uit. 'Als hij *jou* ziet aankomen, loopt hij van angst al weg!' Maar de kantjil zei tot het stekelvarken: 'Geef me een van je pennen!' 'Wat wil je er dan mee doen?' vroeg het stekelvarken. 'Hij wil er de olifant mee op de vlucht jagen!' lachten de anderen. Nu begon ook het stekelvarken te schudden van het lachen. 'Trek me er dan maar een uit het lijf,' proestte hij. Terwijl de ande-ten lachten en het stekelvarken even knorde van pijn, trok de kantjil hem de langste en dikste pen uit die hij maar vinden kon. En daarmee huppelde hij naar het bos waar de olifant huisde. 'Wil jij wel eens gauw maken dat je wegkomt!' zei de kantjil. De olifant was juist bezig een paar bomen te ontwortelen. 'Wat piept daar?' vroeg hij. 'Een muisje?' – 'Oh, ben je nog half blind ook!' zei de kantjil. 'Dan mag je je zeker wel uit de voeten maken vóór de *kantjil* komt!' – 'Wie is dat: de kantjil?' vroeg de olifant, terwijl hij kalm een nieuwe boom begon kaal te vreten. 'Een beest dat wel tweemaal zo groot en zo sterk is als jij!' zei de kantjil. 'Dat kan niet,' zei de olifant, 'ik ben de grootste en sterkste van alle dieren.' – 'Dat zou je wel willen!' zei de kantjil weer. 'Als de *kantjil* komt, schudden de bergen, en als hij in zee gaat om te baden, loopt het hele strand onder water.' Van verbazing ging de olifant tegen een waringinboom zitten, die met de wortels in de lucht omviel. 'Je wilt me zeker wat wijsmaken!' 'Wat? Geloof je me niet?' vroeg de kantjil. 'Neen, ik geloof je niet,' antwoordde de olifant. 'Dan zal ik je eens wat laten zien!' zei de kantjil. En hij hield hem de pen van het stekelvarken voor de neus. 'Alsjeblieft! zó dik zijn z'n haren!' Toen zei de olifant niets meer; hij beefde over al zijn leden, stak de slurf in de lucht, liep trompettend weg, zo hard hij maar kon, en is nooit meer teruggekomen in het bos waar die verschrikkelijk grote en sterke *kantjil* huisde!'

'Ziet u wel, hoe slim de kantjil is?' zei Dolimah.

Hajo had het verhaal maar half kunnen verstaan. Maar terwijl Dolimah vertelde, leek het net of de natuur hem vertrouwder werd. Wat klonk dat zangerige stemmetje mooi! Het was, alsof de kantjil zelf hem dat verhaaltje van slimheid en goedige domheid in het oor had gefluisterd. Als je dit land zó kende...

'Waar ging het over?' vroeg Harmen, op een djamboe zuigend en wezenloos voor zich uitkijkend.

Rolf noch Hajo kon zo gauw de rechte woorden vinden om zijn vraag te beantwoorden. En Harmen vroeg ook geen tweede maal, stak peinzend een nieuwe vrucht in de mond.

De vogels in de bomen waren verstomd. Padde was in slaap gevallen en vulde met zijn zacht gesnurk de stilte.

Zwaar drukte de middaghitte.

De strijd om het hol

Na een korte middagslaap stonden de zwervers vermoeid en onverkwikt op. Wat lag er in de lucht, dat hen zo loom maakte? Bij de minste beweging parelde hun het zweet op het voorhoofd.

Dolimah had niet geslapen: zij zat tegen een boomstam geleund en keek voor zich uit.

'Denk je nog aan de kantjil?' vroeg Rolf.

Het meisje zweeg even. Toen zei ze: 'Ik denk er aan... dat we nooit aan de zee zullen komen. Deze kant uit kom je nooit aan de zee. De zee is in het Westen waar de zon ondergaat.'

Rolf was even geschrokken. 'Straat Soenda ligt toch in het zuiden?'

'Jawel,' antwoordde Dolimah, 'maar dat is zo ver weg dat je er toch nooit komt. Je wordt onderweg door de geesten betoverd die in de oude waringinbomen huizen. Overal zijn ze! In de bloemen wonen geesten, in de stenen en in de schelpen, in de stille meren, in de bergen, onder de watervallen... En wie eenmaal in de macht der geesten is, kan niet meer weg...'

Rolf haalde diep adem, zich verzettend tegen een gevoel van beklemming dat over hem kwam.

'Je zult nooit aan de zee komen,' ging Dolimah dromerig voort. 'Eerst zul je nog vol moed zijn, maar dan... Er zullen bamboebossen en djatiwouden komen, bergen en moerassen en wijde vlakten zonder schaduw. En eindelijk kun je niet verder... wil je ook niet verder... je gaat maar aan de kant van de weg zitten – dan hebben de geesten je overwonnen...'

Rolf zweeg een ogenblik. 'Kom!' zei hij toen, overeind springend, 'we zullen toch maar weer op weg gaan!' Maar onder zijn uiterlijke fermheid was een aarzeling.

Padde stond loom op. ''k Heb koppijn,' zei hij.

'D'r zit broeiing in de lucht,' stelde Harmen vast. Zwijgend zochten de jongens het pad weer op, en verder ging het.

Hajo hoorde wiekengerucht, ging er op af en schoot een duif.

Harmen sneed het nog fladderende dier de keel af. 'Nou mag ze 't dan toch eten,' zei hij, terwijl hij zich het rode bloed van de vingers likte. De anderen wendden zich af: Harmen kon soms zo ruw zijn.

Hijzelf voelde er weinig van. 'Die zullen we straks braaien!' zei hij. 'Je braait anders zó al wel.'

Het begon donker te worden; de zon stond als een spet klatergoud tussen de zwarte wolken. 'Laten we hier wat uitrusten,' stelde Harmen voor.

De anderen aarzelden nog even; Padde liet zich meteen tegen de wegberm vallen, hijgend met gesloten ogen.

Wat was dat?! Onweer? De grond dreunde; het was of er in de verte drommen ruiters galoppeerden. 'Olifanten,' zei Dolimah.

'Olifanten...?!'

'Ze zijn ver weg.'

'Nou, Dolimah, nou een vuurtje!' zei Harmen, die zich over het gedreun weinig zorgen maakte.

Dolimah begreep, haalde uit haar sarong twee stukjes droog bamboe. In een ervan was een gat.

'Maak je dáár vuur mee??'

'Ja, maar ik moet eerst nog wat droog bamboeschraapsel hebben, van binnen uit een oude steel.'

Rolf vertaalde het en Harmen greep meteen zijn kapmes. Even later kreeg Dolimah het zaagsel waarom ze had gevraagd. Ze legde het op een hoopje, stak er een paar splinters in, zette het stukje bamboe met het gat erin op de grond en begon er verbazend snel het andere stukje bamboe in heen en weer te wrijven.

''k Zie nog niks,' zei Harmen.

'Mag ik het doen?' vroeg Rolf voor. 'Ik zie nu hoe het moet.' Hij nam het instrumentje over en begon op zijn beurt uit alle macht te wrijven. Maar er kwam geen vuur. Wel droop hem het zweet van voorhoofd en polsen.

'Schei maar uit met je gepruts,' zei Harmen. 'Wedden, dat *ik* in tien tellen vuur heb?' Rolf reikte hem de houtjes en Harmen begon te werken. De tien tellen waren spoedig verstreken. ''k Word er lam van!' hijgde Harmen.

Het meisje zag glimlachend toe hoe de jongens zich inspanden. 'Laat mij nog eens?' vroeg ze. 'Als mijn broertjes zagen hoe slecht ik het doe, zouden ze me uitlachen!' En met vaardige hand wreef ze, minder heftig, maar veel vlugger dan de jongens, en zie... daar vloog een vonkje van het droge scherpe hout naar het schraapsel over. Nog een! Harmen wierp zich op de knieën, begon te blazen... daar lekte een vlammetje op! Vlug! Blazen en nog een paar splintertjes erbij, nu zou het bij Harmen niet meer uitgaan. 'Hé, Padde, zit niet te maffen! Zoek hout bij elkaar!'

Padde bleef zitten. ''k Heb koppijn,' gromde hij.

'Een andere kop halen,' raadde Harmen hem aan.

Hajo zocht wat droog hout bijeen. En nu laaide een knetterend vuurtje op. Of 't wou branden, dat droge bamboe! Tevreden grinnikend, begon Harmen de duif te plukken.

De hemel werd zo donker dat de bomen er licht tegen afstaken. Het was, als bogen de takken onder de zware druk door; in de doodse stilte kraakte het onverwachts, of er dwarrelde een twijgje omlaag. 'Dat zijn de geesten,' verzekerde Dolimah zacht en ernstig.

'Hoor!' Ze hief haar vingertje op. In de verte gromde het onweer.

Ineens stond de wereld in lichtelaaie. Het zwarte hemeldak werd in flarden gescheurd; onder de bomen spookten blauwgroene schaduwen en de vlammen van Harmens vuurtje werden even neergedrukt.

Padde stopte de oren dicht... daar daverde de slag, wentelde over de boomkruinen, deed de bladeren verontrust ruisen... Stil was het weer. Dolimah zat met grote ogen te luisteren. Harmen was met het plukken klaar, sneed de duif open. Zijn mes glinsterde als dat van de rover uit het sprookje. Padde lag, het hoofd in de armen, tegen een stam.

Niemand zei iets. Hajo en Rolf, die naast elkaar op het mos waren neergevallen, staarden, op de buik liggend, naar een groen kevertje dat, klauterend over steentjes en grassprietjes, zich ijverig een weg baande. Wanneer het bliksemde, glansde het diertje ineens van het goud. Dan ratelde de donder, en het torretje dook ineen. Zodra het weer stil was, stak de gepantserde ridder voorzichtig zijn voelhorentjes uit, krabbelde overeind en strompelde weer verder tussen takjes en blaadjes door het ontzaglijke woud...

Was het verschil tussen hen en dat torretje zo groot? vroeg Hajo zich stilletjes af. Hoe groot en eindeloos was hier alles, hoe klein en onmachtig waren zij. – Wie eenmaal in de macht der geesten is, kan niet meer weg, had Dolimah gezegd... – Geen dromerijen! Wakker blijven!

'Zo,' zei Harmen, als dat nou geen fijn boutje is, weet ik het niet!' En hij begon de duif te verdelen. Maar Padde wilde niet eten. 'Wat zullen we *nou* beleven??' vroeg Harmen.

Ook de anderen keken vreemd op. 'Scheelt er wat aan, Padde?'

'Knap maar,' zei Padde.

Toen lekten dikke warme druppels uit de hemel neer. Geheimzinnig tikten ze op de bladeren. Ping! – Pong! – Pang! – Ping – Ping... De bliksem laaide weer uit, vulde de lucht opeens met blauw-lichtende diamanten. Toen sloeg de regen neer. De takken bogen krakend door onder de waterval; bladeren dwarrelden omlaag en dreven weg in de beekjes die zich vormden tussen het drassige mos. Onder de boom waar de jongens zaten begon het ook te lekken... het vuurtje doofde sissend uit. Zouden ze verder gaan en een beter onderdak zoeken? Ze pakten speren en bogen op en baggerden langs de nu modderige weg, Padde droefgeestig en loom achteraan. Het weggetje werd al gauw een goot, waardoor het bruine water, met grote bellen erop, voortjoeg. Harmen kwam door die opwekkend ruisende regen in een bovenstebeste stemming; hij stapte met grote passen door het water en zong uit volle borst:

'Des winters als het reghent,
Dan sijn de paetjes diep, ja, diep,
Dan komt dat lose visschertjen
Visschen al inne dat riet, ja riet!
Met sinen rijfstoc, met sinen strijcstoc,
Met sinen lapsac, met sinen cnapsac,
Met sinen leere, von dirre dom deere,
Met sine leere laersjes aen...'

Hajo en Rolf waren halverwege ingevallen. Padde gaf Joppie een trap, toen die van berm tot berm springend om de jongens bij te blijven, hem voor de voeten kwam. Het water voerde bladeren en bloemen mee en twijgjes en stukjes schors. Dolimah ving de bloemen op, stak ze in haar zwartglanzend haar, in haar sarong boven de borst en tussen de vingers.

'Wat een fijn juffie, hè?' schreeuwde Harmen.

'Zing jij ook eens wat, Dolimah?' vroeg Rolf.

'Ja!' zei Dolimah. En terwijl ze sierlijk haar sarong ophield, zong ze:

> 'Oedjan dateng, kambing lari!
> 'Oedjan dateng, soeka menari!'[1]

En ze stelde voor, een pisangblad boven het hoofd te houden als een pajong.

In Harmen, Rolf en Hajo's hart was alles licht; ze voelden zich echte bosmannetjes toen ze met de grote bladeren boven het hoofd onder de glimmendzwarte bomen doorliepen. Ze waren hier ineens thuis in het woud. Zouden ze verbaasd zijn, als hun zo meteen een tijger tegemoet zou stappen en in zuiver Maleis zou vragen: 'Waar komen jullie vandaan... Dari mááááána?' en: 'Waar gaan jullie naar toe... Pigi mááááána?'

'Tabé!' zouden ze zeggen.

Of wanneer er een kabouter een eindje met hen zou oplopen? Of wanneer ze een kantjil en een stekelvarken gearmd zouden tegenkomen, dikke vrinden nog vanwege het gezamenlijk te velde trekken tegen de olifant? Of wanneer ze een boom zouden horen fluisteren: 'Help me uit de knoei – die smerige witte mieren zijn bezig me dwars door te zagen?' – Daar flitste de bliksem weer, verscheurde het duister; een paar kokosbomen rezen vliegensvlug uit de grond op, spatten daarboven uiteen als zwarte inktvlekken op geel perkament. 'Een klappertuin!' fluisterde Dolimah.' Dan moet er een kampong in de buurt zijn!'

Onverwachts begon Padde achter hen te huilen. ''k Heb zo'n koppijn! En m'n benen zijn zo moe...'

De jongens schrokken. 'Je zult toch niet ziek worden, Padde?'

'Weet ik dat?' zei Padde tussen twee snikken in.

'Dia sakit?' vroeg Dolimah. 'Is hij ziek?'

Rolf knikte. En tot de anderen zei hij: 'Jongens, als we vlak bij een dorp zijn, kunnen we hier niet blijven! 't Is nu donker, we moeten het zien te omsluipen. – Kun je heus niet meer lopen, Padde?'

'Laat mij hier maar liggen...' snikte Padde.

'Wat een onzin!' viel Hajo driftig uit. 'Kom, Padde! Misschien ben je morgen weer zo fris als een hoentje!'

'Ja... misschien wel,' zei Padde droefgeestig.

Weer bliksemde het. Tussen de stammen van de kokospalmen door zagen ze de omtrek van een paar puntige daken. De donder bulderde – stierf weg in het klagend loeien van een buffel, daarginds in het dorp. – Een nieuwe bliksemflits. Acht, tien, twaalf, veertien, vijftien huisjes op hoge palen.

Dolimah was bij Padde gaan zitten. 'Dimana sakit? – Waar doet het pijn?' vroeg ze.

---

1 Als het gaat regenen, vluchten de geiten!
Als het gaat regenen, dans ik graag!

'Hier!' zei Padde vertederd en wees op zijn arme bol.

'Biar-lah!' troostte het meisje. 'Wacht maar: morgen zal ik kruiden voor je zoeken.'

Padde knikte. 'Verstaan doe ik je niet,' zei hij. 'Maar lief ben je, da's vast!' En met een wat vrolijker gezicht stond hij weer op.

Zonder moeite wisten de jongens om het dorpje heen te sluipen dat boven aan een helling van sawahs lag. Maar het afdalen aan de andere zijde viel niet mee. Onophoudelijk gleden ze in de modder uit. Alleen Dolimah was dit balanceren over smalle sawahdijkjes wel gewend. Ze wandelde ook even kalmpjesweg over een boomstam, die bij wijze van brug over een beekje was gelegd, waarin het water van de sawahs uitvloeide. De jongens gingen er twee aan twee over en hielden elkaar goed vast, zodat Harmen en Hajo *tegelijk* het water intuimelden, met de kokosnoten die ze in de klappertuin hadden opgeraapt en die weer opgevist moesten worden. Joppie zat achter een vette rat aan, en de rat en hij gilden samen zo, dat het daarginds in de kampong te horen moest zijn. 'Stil, Joppie, laat dat beest lopen!' Maar Joppie kwam al als overwinnaar uit het strijdperk en toonde trots het rattelijk, waaraan een lange kale staart bungelde.

Aan de overkant van het beekje kronkelde het pad weer tussen de bomen voort. 'Kun je nog, Padde?'

Padde bromde wat.

Na misschien nog 'n twee uur lopen en waden door het onafgebroken neerstromende water, stonden ze weer boven aan een ravijn. 'Hier zullen we maar blijven.' zei Rolf. 'Een droog onderdak vinden we toch niet.'

Padde liet zich alweer op de grond zakken.

'Ik wil eens langs het ravijn zoeken,' zei Harmen. 'Ga je mee, Hajo? Hier, neem jij ook een speer!' En de twee togen de zwarte nacht in.

Rolf en Dolimah gingen, ieder aan een kant, aan Paddes zijde zitten. Een wat kille windvlaag streek over het plateau. 'Heb je het koud, Padde?' vroeg Rolf bezorgd.

Padde klappertandde.

'Kom dan dicht tussen ons in.'

En het bleef maar regenen, regenen.

Hajo en Harmen volgden de rand van het plateau. Aan hun voeten gaapte, onheilspellend zwart, het ravijn. 'Wees voorzichtig, Harmen! Als je er in valt...!'

'Zal *mij* niet gebeuren!' zei Harmen. Meteen zakte de grond onder zijn voeten weg. Hajo bleef star van ontzetting staan, maar Harmen wist zich net bijtijds aan een naar buiten stekende wortel te grijpen, werkte zich naar boven en sprong weer op de begane grond. 'Daar *ligt* m'n speer!' schold hij. 'Foetsji! Naar de haaien!'

'Hè...!' stamelde Hajo, nog niet van de schrik bekomen.

'De grond is wat slappies van die smerige regen!' legde Harmen uit. En zich aan de boom vasthoudend die hem het leven had gered, leunde hij over de afgrond. 'Alles zo zwart als een pot teer! Is 't niet zonde, zo'n mooie spies?'

Daar zette de bliksem het ravijn in het felste licht, en Harmen riep: 'Ik zie hem! Geen drie vadem hier vandaan!

'Nou, wat dan nog?' vroeg Hajo. 'Je bent toch zeker niet van plan om...?

'Ik ga hem halen,' kondigde Harmen aan.

'Als je 't maar laat!'

'Ja, 'k zal daar m'n mooie spies laten liggen, als ik hem zo grijpen kan!'

'Wil je je nek breken?'

'Nee. Jij?' vroeg Harmen. 'Daar zit ergens een boompje in de wand vast – daar laat ik me op zakken!' En zonder verder Hajo's goedkeuring af te wachten, liet hij zich langs de wortels van een zware boom, die op de rand van het plateau stond, zakken.

Van angst de adem inhoudend, wachtte Hajo boven. 'Ik ben er bijna,' hoorde hij eindelijk, 'nou alleen nog...' Toen een luid gekraak, een plof...! en Harmens stem klonk alweer: 'Da's nog vlugger dan ik dacht! 'k *Zit* op m'n spies!'

'Kun je... kun je weer boven komen, dacht je?'

'Langs deze koers zo best niet meer. Die rotboom is afgeknapt. Maar hier loopt een soortement weggetje omhoog. Wacht maar 's effe.

'Harmen, wat heb je gedaan!' zuchtte Hajo.

'Nou, grien maar niet. 'k Zou er hier beneden maar nat van worden.'

Weinig op zijn gemak stond Hajo te wachten. 'Een bést weggetje!' prees Harmen daar beneden. 'Hier is ie wat minder, maar met m'n spies bij me kan ik me wel hou...' – Daar tuimelde iets zwaars de diepte in.

'Harmen...?!'

Even niets. Toen Harmens stem, hijgend: 'Ik h-hang nog! Ik hang op m'n spies!' Een stilte. 'Ziezo, daar sta ik alweer! – Verduiveld, Hajo, daar zie ik een hol!'

'Een hol?!'

'Spreek ik Chinees?'

'Ga er niet in, Harmen!'

'En waarom niet? 't Is net wat we hebben moeten! Droog!'

'Harmen! Harmen dan toch...!'

Harmen zweeg in zeven talen. Ook in het Chinees.

Eindelijk gaf hij weer tekenen van leven. ''k Ben er een eindje in gekropen!'

'En...?!'

'Er zit een beest in. Kom ook maar eens kijken: twee gloeiende ogen!'

'Harmen! Kom boven!'

'Kán ik niet beloven!' dichtte Harmen. 'Kom jij liever beneje, dan ben ik tevreje. En neem jij ook je speer mee. Dan prikken we hem eraan.'

'En als 't nou eens een *tijger* was?!'

''t Is geen tijger,' zei Harmen, even beduusd.

'Hoe weet je dat?'

'Heit ie me zelf verteld.' Harmen begon te grinniken. 'Nou, kom je, of kom je niet?' riep hij daarop ongeduldig. 'Spring maar gerust; ik zal je wel vangen. – Of dúrref je niet?'

Dat was een gevaarlijke vraag. 'Vang je me?'

'Natuurlijk! Ik zie je wel staan tegen de lucht aan; spring maar gerust. En hou de punt van je speer naar boven alsjeblieft, want die lust ik niet.'

Hajo sprong.

'Pijn gedaan?'

'Vertel op: waar is dat hol?'

'Kom maar mee. Voorzichtig aan. 't Is hier glibberig.' Harmen voorop, kropen de twee tot aan een hol met bijna manshoge ingang. 'Blijf bij me en hou je spies klaar,' zei Harmen.

De adem ingehouden, met bonzend hart, kropen de jongens het hol binnen. Er hing een vunzige, warme lucht. Daar, in het donker, gloeiden twee starre gele ogen. 'Zie je wel?' fluisterde Harmen. 'Hij doet niks.'

Hajo's keel zat toegeschroefd. Hij voelde zelf hoe hij beefde.

'Nou...' fluisterde Harmen. 'Nou gaat ie beginnen! Ik zal hem mijn spies kedoo doen en als ie dan keet gaat schoppen, vang jij hem in de jouwe!'

'Ja-a,' stotterde Hajo, verbouwereerd door Harmens koelbloedigheid.

Toen richtte Harmen zich half op, haalde zijn rechterarm ver naar achteren uit en slingerde zijn speer met alle kracht in de richting waar de starre gele ogen gloeiden. – Een kort, schor gebrul. Een zwaar dier sprong overeind, het hout van de speer kraakte en brak.

Een scherpe lucht sloeg de jongens tegen het gezicht. Tegelijkertijd omklemden beiden Hajo's nog gevelde speer. De gewonde holbewoner dook blazend ineen, sprong op hen toe. Ze voelden het zware gewicht op hun lans neerkomen, zagen vaag de gestalte van een dier gekromd om het lemmet, stootten met een schreeuw van opwinding het wapen nog meer naar voren, zodat het dier in een boog terugsmakte in de hoek waar het gelegen had.

'Hou vast!' siste Harmen.

Toen brak de speerschacht; de jongens tuimelden naar voren, voelden een hete adem langs het gezicht strijken, vlogen met een rilling weer overeind, bonsden met de hoofden tegen de stenen bovenwand van het hol dat ze haast het bewustzijn verloren. Beduusd, verward, wilden ze naar buiten vluchten, maar vonden door een floers voor hun ogen de uitgang niet.

Het was ook niet meer nodig.

Het dier had zich weer opgericht toen Hajo's lans brak, maar viel daarna opnieuw om, rolde op zijn rug, sloeg met de klauwen in de lucht, brulde hees, rochelde...

En terwijl de jongens zich nog, in een hoek gedrukt. stilhielden, werd het rochelen zwakker. Tot het geheel verstomde.

'Hij is dood!' fluisterde Harmen. 'Ik zal...'

'P-pas op, Harmen! Niet te dicht bij!'

'Als ie nou toch d-dood is!' Hijgend kroop Harmen naar het dier toe. 'Mmorsdood,' stelde hij vast. 'Hier heb ik zijn staart! 'k Zal hem naar buiten slepen.' En nog zwaar ademend, begon hij aan het lichaam te rukken. Toen werd hij de oude Harmen weer. 'Grote griebus, wat is dat mormel zwaar! Help eens een handje, Hajo?'

Samen sleepten de jongens, Hajo nog bevend over al zijn leden, het dier naar buiten.

Het was een panter.

De regen

'Hoe komen we nou weer bij de anderen?' vroeg Hajo.

'We zullen dat weggetje maar eens verder opkruipen,' zei Harmen. 'En dan mag ik lijjen, dat we niet wéér zo'n beessie tegen het lijf lopen, want zonder m'n spies bij me zou ik niet weten wat ik tegen 'm zeggen moest.'

'Ja,' zei Hajo bezorgd, 'ze zijn gewoonlijk met z'n tweeën, hè?'

Harmen grinnikte. '*Nou* zijn ze in elk geval *niet* meer met z'n tweeën! – Hierlangs, Hajo, en hou wat bakboord aan.'

Zo kropen ze voort, zich vastklemmend aan wortels en steenpunten. En na veel geklauter belandden ze met geschaafde handen en knieën weer op het plateau en zochten de anderen op, die triest bijeenzaten in de stromende regen.

'Een *fijn* hol gevonden!' schreeuwde Harmen. 'Er lag een tijger in, maar die doet niks. Waar, Hajo?'

'Een *tijger?!*'

'Een tijger met vlekkies! Maar ik en Hajo hebben 'm even bij z'n staart gepakt en nou zegt ie geen *ba* meer en geen *boe*. Kom maar gauw mee. 't Is er kurkdroog en lekker warm!'

Rolf sprong overeind. 'Kom, Padde! Harmen heeft een droog hol gevonden.'

Padde richtte zich loom op en huiverde. 'Is 't hier ver vandaan?'

'Vlak bij,' zei Harmen. En terwijl Hajo in geuren en kleuren het verhaal over de panter opdiste, begaf het troepje zich naar de plek waar Harmens speer in de diepte gevallen was. 'Ziezo, we zijn er,' zei Harmen. 'Als het bliksemt, spring ik naar beneden.' – Meteen zette het weerlicht het dal alweer in felle gloed; Harmen berekende vliegensvlug zijn sprong en dook de diepte in.

'Harmen...?!'

'Ja, 'k leef nog,' klonk het van omlaag. ''k Ben alleen maar op m'n billen gevallen! Spring maar, Hajo!'

Hajo, die voor Harmen niet wilde onderdoen waar Dolimah bij was, sprong. Harmen ving hem.

'Nu ik,' zei Rolf. 'Maar vang je eerst de noten op?'

'Gooi ze maar naar beneden,' zei Harmen. 'Maar niet allemaal tegelijk: ik héb al een buil op m'n kop.'

Een voor een gooide Rolf de noten omlaag. Harmen had katteogen: hij ving ze allemaal. 'Nog meer?'

'Nee. Nu kom ikzelf.' En Rolf sprong in Harmens armen. 'Nu jij, Padde!'

'Springen?' vroeg Padde.

'Nee, vliegen!' zei Harmen. 'Kom maar: we vangen je met z'n drieën.'

'En als ik nou te ver spring?!'

'Dan springen we je na. Kom!'

Padde gromde wat. Maar tenslotte sprong hij. – 'Au! O, Au!'
'Gaat wel over,' troostte Harmen, 'Denk je soms dat *ik* zo lekker terecht ben gekomen? M'n billen branden als helse steen. – Nou jij, Dolimaatje?'
Na enig aarzelen sprong het meisje omlaag. "k Heb 'r!' riep Harmen verrukt. En voorzichtig zette hij haar neer. 'Nou Joppie nog. Kom, gil niet als een mager varken! Joppie!'
Piepend en jankend zocht Joppie langs de rand naar een geschikte plaats om af te dalen.
'Hij durreft niet, de smakker!' smaalde Harmen. 'Nou, die komt wel na, hoor. Kom mee, jongens! En voorzichtig-aan! Er staat beneden niemand om je te vangen!'
Zo kropen ze naar het hol. 'Zie je? zei Harmen, 'hier zijn we thuis! De hond ligt voor de deur, maar bijten doet -ie niet. Veeg je voeten – d'r is pas gestoft.'
Met een huivering stapten de jongens over de dode panter. Er hing een doordringende bloedlucht in het hol. 'Ja... dat 't hier lekker ruikt, heb ik niet gezegd,' verontschuldigde Harmen zich. 'Maar droog is het wel! En warm!'
Zwijgend zochten de anderen een zacht plekje op, stonden Dolimah de beste plaats af, het diepst in het hol.
'Als er nou nóg een tijger komen mocht, moet hij eerst over ons heen,' zei Hajo.
Als er nóg een tijger kwam... – Met een vaag gevoel van onrust luisterden de jongens nog even naar de regen, daarbuiten. Het ruisen klonk nu vaag en ver. Hierbinnen zaten ze droog; het vocht verdampte ook al uit hun kleren. Daar bliksemde het weer. Door het paarsglanzende regenfloers konden ze het ravijn helemaal overzien. Voor de grot lag, als een op zijn post gestorven schildwacht, de panter. Een gebroken speerschacht stak uit zijn gevlekt lichaam omhoog.

Toen de jongens wakker werden, regende het nog. Joppie lag tussen hen in te snurken, scheen dus een weg te hebben gevonden. Erg mooi kon die weg niet zijn, te oordelen naar de modder waar Joppie tot achter zijn oren mee vol zat.
Ze kropen naar buiten om de panter bij daglicht te bekijken. Daar lag de rover. Met de staart mee mat hij ruim twee ellen. Harmens speer was hem in de zijde gedrongen en kort bij de punt afgebroken. De andere speer was dwars door het lichaam gegaan en stak er achter het rechterschouderblad weer uit. De bek met de vervaarlijke tanden stond half open was vol gestold bloed; de zware poten lagen krampachtig van het lichaam gestrekt, de gebroken ogen staarden de grauwe regenhemel in.
'We zullen hem maar in de diepte gooien,' stelde Hajo voor. 'Dan zijn we hem kwijt.'
'Dan zijn we hem zeker kwijt,' zei Harmen. 'Daarom zullen we het dan ook maar *niet* doen. We zullen hem z'n jasje uittrekken: daar heeft ie maar last van, en wij kunnen zo'n stukkie leer best gebruiken! Waar, Rolf?'
'Al was het alleen al om op te slapen!' zei Rolf. 'Daar dringt geen vocht door!'

'Dan krijg je ook geen rimmetiek,' merkte Harmen op. 'Weet je waar ie ook best voor is! Om een broek uit te snijden. In dat rokkie van mij lijk ik wel een pias.'

'Die zou je wel staan, zo'n panterbroek,' lachte Rolf. 'Kun je goed brullen.'

Harmen brulde dat het hele dal ervan sidderde.

'Nou, we zullen mosjeu eens uitkleden,' zei hij daarna. 'Geef me je mes even Rolf?'

'Weet je hoe je hem stropen moet?'

Harmen nam werktuiglijk het mes, staarde Rolf met grote ogen aan. ''k Zal nog nooit een konijn gevild hebben!'

'Ja maar dit is geen konijn!'

'Nee!' zei Harmen. 'Een tijger is geen konijn! Maar in 't villen zal het toch wel gelijk blijven! Een rits om z'n achterpoten, één door 't kruis...' Grimmig trok hij de panter beide speerpunten uit het lichaam.

'Kon ik z'n achterpoten maar ergens aan vastbinden!'

'We zullen hem straks wel naar boven slepen,' zei Rolf. 'Hier zou je nog met vel en al in het ravijn tuimelen.'

Harmen gaf zwijgend toe.

Toen de jongens het hol weer inkropen, maakte de lucht hen bijna onpasselijk. 'Zodra de regen ophoudt, gaan we er uit!' zei Rolf. 'Hoe voel jij je, Padde?'

''k Heb koppijn,' zei Padde flauw.

'We hebben nóg niet gebikt,' stelde Harmen vast. ''k Val om van de honger.' Hij hakte een paar noten open, en allen – op Padde na – smulden of ze veertien dagen hadden gevast. Rolf voelde Paddes hoofd eens. Zijn gezicht werd zorgelijk. 'Padde heeft koorts,' zei hij. 'Geef me je pols eens, Padde.'

Steunend reikte Padde hem zijn pols. 'En... wat heb ik?' vroeg hij angstig.

Rolf moest tegen wil en dank weer lachen. 'Ik denk dat je kou hebt gevat, Padde. 'n Geluk dat het hier tenminste droog is.' Rolf keek naar buiten. 'Ik geloof niet dat de regen gauw zal ophouden. Dan moeten we aan de lucht hier maar zien te wennen.'

'Welja,' zei Harmen, ik ruik er nou al niks meer van. Kom Hajo, we gaan op wat eten uit, voor straks.'

'Zullen jullie voorzichtig zijn?'

'We zullen mekaar bij 't handje houden,' beloofde Harmen. 'Neem je kapotte speer mee, Hajo, daar steken we wel even een nieuw eind hout in. 'k Heb de mijne ook bij me.'

En samen klauterden ze het paadje weer op. Hun eerste werk was een paar stevige bamboestengels te snijden en die in de ijzeren speerpunten te wringen.

'Nu naar die kampong!' zei Harmen. 'Zien wat er te graaien valt.' – En in de plassende regen liepen de twee het pad af naar het dorpje. Bij het dal met de sawahs gekomen, waar aan de overzijde de geelgrijze bamboehuisjes met de donkerbruine daken stonden, omgeven door bananenbomen met van de regen glimmendgroene bladeren, zagen ze dat uit het beekje daar beneden een bruine modderige rivier geworden was en dat het bruggetje was weggespoeld. Er bleef hun niets anders over dan om het dal heen te lopen, langs de bosrand.

257

Dat viel niet mee; ze haalden zich de voeten open aan wilde ananasplanten en schramden hun handen aan de doornstruiken. Zo duurde het een hele tijd vóór ze bij de kokostuin kwamen. Door het ruisen van de regen heen klonk, klagend, droefgeestig fluitspel. Harmen liet zich tegen de pagger vallen. 'Wil je wel geloven dat ik nog geen muziek kan horen, of ik denk weer aan m'n viool?'

'En ik dan?' vroeg Hajo en ging naast hem zitten. 'Ik kon het ook al goed!'

'Dat van die begrafenis kon je nog niet goed.'

'Daar waren ook zoveel van die moeilijke lange trillers in.'

'Die maken juist het treurige eraan! 't Heet niet voor niets begrafenis! Of dacht jij dat een begrafenis zo iets lolligs was? Misschien voor de lijk-aanzegger – die z'n broodje is 't, hè? Maar voor de fermilie is het een duur grapje, hoor! Je moet een natje en een droogje geven en...' Harmen keek eens omhoog. – 'Zal ik die mooie grote noten daar boven eens plukken?'

'Harmen!!! Ze zien je vast!'

''k Wou dat ze blind waren,' zei Harmen. 'Nou, misschien liggen er op de grond wat noten!' Harmen wipte op de schutting, maar liet zich weer neer-ploffen. 'Er komt juist zo'n nikker de tuin in!' fluisterde hij.

Hajo gluurde door de bamboes. ''t Is een jongetje! Hij is alleen.'

'Zouden ze het horen in 't dorp, als dat knulletje gaat gillen?' vroeg Harmen.

'Wat wou je dan doen?'

'Niks. 'k Ga eens met hem praten.' En met een ferme sprong was Harmen de pagger over.

Tegen Harmens verwachting in, begon het jochie niet te gillen. Het drukte zich met beide handjes tegen de pagger aan de overzijde, werd vaalbleek in het bruine gezichtje en maakte van zijn ogen rijksdaalders.

'Tabé!' zei Harmen. 'Haal me eens als de weerlicht een paar noten! Makan! Daar!' En Harmen wees in de bomen en daarna op zijn maag. Het kereltje begreep. Bevend over al zijn leden, maar vlug als een eekhoorntje vloog het tegen een stam op, rustte halverwege even om zijn angst uit te hijgen en klau-terde verder, de voetzolen plat tegen de bast. Nu zat hij al boven, leek zelf wel een kokosnoot.

De eerste vrucht tuimelde omlaag. 'Goed zo,' prees Harmen. 'Vang ze maar op, Hajo, en bind ze met de stelen aan mekaar. We zullen wel zien hoeveel we ervan kunnen dragen.' En hij begon de noten over de pagger te gooien.

De door Harmen aangewezen boom leverde ruim een dozijn noten op. Toen er onder de kruin niets meer te ontdekken viel, kwam het ventje aarzelend weer omlaag, maar Harmen had slechts even te knikken en de ijverige plukker zat alweer in een andere boom. 'Dat mag ik zien,' zei Harmen.

Hajo bond de noten intussen bijeen. Toen er drie bomen leeggeplukt waren, vond Harmen het genoeg en wipte weer over de pagger. 'Ben je klaar, Hajo?'

De noten vielen nog smakkend neer. 'Hij zal de hele tuin leegplukken!' grin-nikte Harmen. ''t Is een handig mormel, hoor, hij verstond me direct. Kom, pak op die noten!'

Een paar uur later waren ze op het plateau. Toen ze weer omlaag wilden springen, viel hun oog op... een touwladder! 'Daar hangt een *valreep*!' stotterde Harmen.

'Hallo!' klonk het van omlaag. Rolf stond in de ingang van de grot.

'Hoe komt dat ding daar, Rolf??'

'Bevalt ie jullie?'

'Heb jij 'm gemaakt?!' vroeg Harmen vol ontzag. 'Da's nog eens werk! Hoe heb je 'm in mekaar geflanst?'

'Dat zie je. Stukjes bamboe, met rotan verbonden. Met de stok halen we de ladder 's avonds binnen, dan valt geen mens ons lastig. - Waar hebben jullie die noten vandaan?'

'Heb ik voor me laten plukken,' grinnikte Harmen. 'Waar of niet, Hajo?' En samen vertelden ze het avontuur.

'Jij bent brutaal als de beul, Harmen!' zei Rolf. 'Vandaag of morgen vlieg je weer tegen de lamp!'

Harmen trok een leep gezicht. ''t Is met Harremen als met een vlooi! Kom je d'r aan - wip! zegt ie. En de beet heb je te pakken!'

'Hoe is het met Padde?' vroeg Hajo.

Rolfs gezicht betrok. 'Hij ijlt. Dolimah zoekt kruiden. Misschien helpen die.'

Zwijgend, ineens weer bedrukt, gingen de jongens het hol binnen. De regen ruiste.

Si Kampret

Die middag togen de jongens aan het werk met de panter. Ze sloegen hem een paar dunne rotanstengels om de poten en hesen hem met hun drieën omhoog. Een vrachtje!

Het dier werd aan een lage boomtak opgehangen en nu begon Harmen zijn vilderswerk. Na een half uur hijgen, mopperen en trekken, vloog hij met huid en al tegen de grond, en de panter hing naakt, met puilende ogen, aan de tak te schommelen. 'Mooier ben je er niet op geworden!' zei Harmen, terwijl hij overeind krabbelde en zijn zitvak wreef. Hij sleepte het karkas een eind verderop naar de rand van het ravijn en liet daar het in de diepte tuimelen. De panter buitelde over de stenen, gleed over een met varens begroeid stuk helling en sloeg daarna weer over de kop. Tot hij tenslotte in het dichte groen verdween.

Harmen had hem in zijn val nageoogd, wendde zich nu om en zocht een open plek tussen de struiken, waar hij de huid uitspande, de binnenkant naar boven. 'Ziezo,' zei Harmen, 'laat nu het zonnetje maar schijnen.'

Voorlopig leek het daar nog weinig op! Altijd maar door dreven uit het westen zware grauwe wolken aan, schoven de vage randen ineen, werden in die samenvoeging roeterig zwart, stortten hun waterlast uit en vloeiden weer uiteen zodat er een lichte plek door schemerde die de rest van de hemel nog triester deed schijnen. De bergen in het oosten bleven verborgen achter het regengordijn. Als er een paar wolken braken en er een blik op doorlieten, rezen de pieken zo dreigend zwart op dat hun aanblik beklemde.

Harmen dwaalde op zijn eentje wat rond, op zoek naar wild, maar vond niets van zijn gading. Met in zijn voet een grote doorn, die hij er pas na lang peuteren met zijn zakmes weer uitkreeg, daalde hij de 'valreep' af.

In het hol was het al donker. Padde lag te ijlen en gaf nergens antwoord op. Hoewel niemand er iets van verwachtte, probeerden ze vuur te maken met wat hout en kokosvezels die ze in het hol te drogen hadden gelegd. Het was te vochtig. Toen gingen ze voor de ingang zitten, staarden zwijgend over het ravijn.

Uit de diepte steeg de schemering op, tot de jongens tegen een hoge grauwe wand opkeken. Steeds dichter kwam de wand; er zat in die langzame nadering iets beklemmends. Nu konden ze nog twintig vadem voor zich uit zien, nu nog vijftien, nog twaalf, nog tien... 't Was net of je moeilijker ademde...

Een grote raaf werkte zich met lome wiekslag door de duisternis, gleed laag over de hoofden der jongens voort en kraste. Net een lijk-aanzegger, vond Harmen.

Achter, in de duisternis van het hol, zat Dolimah bij Padde. Het hoofd naar

hem toegebogen, vertelde ze een oud sprookje van de regen en de rijstkorrel. Onder de invloed van haar zacht, zangerig stemmetje kalmeerde Padde en sliep in.

De volgende dag regen, regen, regen.

Rolf zocht samen met Dolimah in de buurt naar wat kruiden.

'Ziet u dit plantje?' vroeg Dolimah. 'Als je daar de stengels van eet, word je sterk! Het is de *sidagoeri lelaki*. En dat daar is de *daoen tidoer-tidoeran*! Als je niet slapen kunt, moet je daarvan een takje onder je hoofd leggen. – Maar ik ken maar weinig medicijnen. De *doekoen* kent ze allemaal! De doekoen kan ook de boze geesten op de vlucht jagen.'

Rolf luisterde met beide oren. Van alles wat Dolimah vertelde, ging een grote bekoring uit.

Harmen verveelde zich in het hol, trok er maar eens met Hajo op uit. Ze volgden het pad nu in de andere richting, kwamen aan een zijpaadje. Harmen liep het een eind in, hield stil en staarde aandachtig naar de grond.

Hajo kwam er bij. In de bruine modder stonden diepe voetsporen geprent van een tweehoevig dier. 'Zou het een hert zijn, Harmen?'

'Wat anders?' vroeg Harmen. 'Een duizendpoot? – Alsjeblieft!' En hij liet Hajo een bosje zijig haar zien dat aan een doornstruik was blijven hangen. 'Dit is hertehaar.'

'Zeg, zouden we het niet kunnen vangen?'

'Daar zit ik al over te prakkizeren,' zei Harmen, in diepe gedachten.

Langzaam slenterden de jongens weer terug. Vóór ze de ladder afdaalden, sneed Harmen een paar dunne rotans af.

De stemming in het hol was die avond verre van rooskleurig. Paddes voorhoofd gloeide koortsig; zijn adem ging kort en hijgend. Rolf en Hajo staarden triest naar buiten in de grauwe regensluiers. Zelfs Joppie zat met een droevige uitdrukking in zijn glanzende hondeogen bij de ingang van het hol, huiverde en ging naar binnen, waar hij zich met een diepe zucht neervlijde, de kop tegen Hajo's knie. Dolimah wreef op een platte steen wat kruiden tot een papje en legde dat Padde op de borst. Harmen was de enige die er de vrolijkheid in hield. Tevreden neuriënd, was hij bezig, uit zijn rotanstengels een paar strikken te vlechten.

'Wat wil je strikken?' vroeg Rolf.

'Kleine kindervraag,' zei Harmen met een knipoogje naar Hajo: om er zijn mond over te houden.

Rolf zweeg, wat geprikkeld.

'Je zult het wel zien,' begon Harmen na een tijdje.

'Niets nieuwsgierig,' stelde Rolf hem gerust.

Harmen gromde wat. Maar even later begon hij weer zachtjes te zingen. 'Daar waren drie matroosjes...'

Het werd Hajo week om het hart bij die vaderlandse wijsjes. En toen Harmen weer een strik klaar had, vol zelfvoldoening voor zich uithield en zei: 'Steek er je kop eens door, Hajo, dan kan ik zien of ie goed aantrekt!' kon Hajo geen antwoord geven. Hij stond op en ging naar Padde. 'Padde... slaap je?'

'Hajo!' snikte Padde. 'Ik ben zo ziek, Hajo...'

Hajo ademde diep. 'Flink zijn, Padde! Als de zon weer schijnt...'

'Die zie ik nooit meer,' snikte Padde.

'Zeg toch niet zoiets onzinnigs.'

Alom zong de regen. Soms leek het ruisen wat minder te worden, ging in tikken over. Maar dan sloeg het water weer fel neer, en de hoop dat morgen eindelijk de zon weer stralend aan de kim zou rijzen, werd weer vernietigd. – Ze gingen nu allemaal slapen. Maar midden in de nacht sprong Harmen overeind en wierp zijn kapmes naar een glinsterend ding, dat over de grond kronkelde en sissend een goed heenkomen zocht. Joppie vloog, de haren steil overeind, tegen de achterwand.

Een slang was het hol ingeslopen.

Vermoeid stonden de jongens de volgende morgen weer op: geen van hen had na de ontdekking van de nachtelijke bezoeker nog erg rustig geslapen.

'Ja, die slang zocht hier natuurlijk de warmte,' zei Rolf. 'Wat zou er tegen te doen zijn?'

'Doodslaan,' stelde Harmen voor. 'Dan krijgen ze de aardigheid er wel af.'

De anderen keken bezorgd voor zich uit.

Na een pover ontbijt van kokosnoten, gingen de jongens er weer op uit. Rolf wilde wat knollen en vruchten en eetbare wortels zoeken, en Hajo zou Harmen helpen bij het zetten van zijn strikken. Bij het zijweggetje gekomen, slaakte Harmen een kreet van verrassing. 'Hij is er weer geweest! Kijk maar! En hij wees op hoefsporen, die nog niet eens geheel vol water waren gelopen. 'Geen minuut geleden moet ie hier langs zijn gekomen! Had ik m'n strikken maar een kwartiertje vroeger uitgezet – dan zat ie er nou al in!'

'Jammer!' zuchtte Hajo. 'Hoe wou je de strikken hangen?'

'Een voet of vijf van de grond,' zei Harmen. 'Dan moet ie zelf weten of ie er in wil lopen!' En Harmen volbracht zijn stroperswerk met een vaardigheid, die vermoeden deed dat hij dergelijke zaken al eens eerder had opgeknapt.

'Als ik zo strikken zet,' begon Harmen in gedachten, terwijl ze weer terug-slenterden, 'dan moet ik ineens weer denken aan m'n strikkies achter de dijk bij Hoorn. Eenmaal had ik er zeven op één dag! 'k Zal 't nooit vergeten: 't was herfst 1616, de zevende van Slachtmaand – zeg nou eens dat zeven geen geluks-getal is. Zeven vette konijnen, en Harremen centen op zak! De volgende dag een haas van twaalf pond, die had zich meteen doodgelopen! Ja, je moet de loopjes kennen, hè? Een ander zet ook strikken en vangt er nog geen pier in! Lange Lijs heeft me eens een strikkie gelicht! De haas er keurig uitgelicht en 't strikkie weer netjes recht gezet. Jawel! Goeiemorrege! Op tien pas zei ik al: daar heeft me die uitgetrokken pijpesteel van een Lijs met z'n wrattige gap-jatten aangezeten! De hele grond onder de wol en 't strikkie netjes open, ja, Harmen is gaargestoofd! Ik heb hem zijn ogen dichtgeslagen en hem laten be-talen voor een haas van twaalf en een half pond. Later zei Roeffie dat *hij* m'n strik gelicht had. 'Nou,' zei ik, 'die uitgezemelde Lijs kan zo'n pak op z'n falie toch best gebruiken, dan weet ie tenminste wat ie krijgt als ie ooit eens trek mocht hebben met z'n mottige fikken aan mijn strikkies te komen!' Van Roef-fie kun je wat velen, nietwaar, maar als ik dat platgemangelde tronie van Lijs maar zie, word ik al kriebelig. Laatst ging ie met vissen vlak naast me liggen. 'Ga je weg, hoepelstok!!' zeg ik. En hij smeert hem. Haalt ie me aan het andere eind van de sloot niet de snoek op waar *ik* op lag te loeren?! – Nou, ik kom zo eens achter hem staan. 'Mooi snoekkie heb je daar!' zeg ik. 'Nou!' zegt die kaaswurm. Meteen geef ik hem een douw dat ie de sloot in vliegt. 'Dat heb *jij* gedaan!' zegt ie woest. 'Kan ik me niet herinneren,' zeg ik. 'Lijs, moet ik je nou nog leren dat je met vissen niet vlak naast een ander gaat liggen?' – ''k Lig toch ommers niet naast je?' vraagt de slampamper. 'Nee, *nou* niet,' zeg ik, 'maar die snoek heb je eerst bij mij weggehaald.' – 'Bewijs dat eens,' zegt die lintwurm. 'Dat hoef ik niet te bewijzen,' zeg ik, 'zo'n vis zwemt achter jou aan, omdat jij net zulke visseogen hebt! Geef hier m'n snoek! En als je nog praatjes maakt, is het ineens uit met de vrindschap, begrepen?' – Nou, toen smeerde ie 'm, de zandloper!'

De jongens waren weer op het plateau aangeland. Rolf kwam hen tegemoet. 'Heb jullie Dolimah gezien?'

Hun verbaasde gezichten maakten elk antwoord overbodig.

'Begrijp ik niets van,' zei Rolf. 'Daareven kwam ik terug en vond Padde al-leen. Misschien is ze wel weer op kruiden uit, maar dan snap ik niet waarom ze me niet even heeft gewaarschuwd. Ik was hier toch in de buurt...'

Zwijgend, de handen om de knieën, zaten de jongens die hele middag voor in het hol en staarden naar buiten. Zou Dolimah hen werkelijk verlaten hebben? Dat zou vreselijk zijn. Vol weemoed dachten ze aan Dolimahs zangerig stemmetje, aan haar fijn kopje met de grote glanzende ogen...

Met elk uur zakte hun moed. Dolimah was weg en daarmee alles wat hun in dit land lief was. Waren ze maar weer aan het strand! De zee kende ze! Ze zouden een prauw gappen en weg waren. Waarheen? Het deed er niet toe, maar weg, weg uit dit land!

Ineens!... Wie was dat? De jongens vlogen naar buiten. Dolimah! *Dolimah!*
– En wie had ze bij zich? Daar stond een tenger kereltje met grote uitstaande oren. In zijn wijdopengesperde ogen lag nameloze verbazing uitgedrukt toen hij de jongens zag. Hij maakte een beweging van het op een lopen te willen zetten.

'Ikoet sadjah, Saleiman,' zei Dolimah.

'Eh-eh, mari,' viel Rolf haar bij. 'Djangan takoet... Wees niet bang.'

Het bruine ventje met de trotse naam Saleiman aarzelde, snoof zo er eens en daalde toen omzichtig, na zijn sarong naar binnen te hebben geslagen, het laddertje af.

Mooi was Saleiman niet: zijn schale armen en benen waren als uit donker hout gehakt en zijn knieën en ellebogen leken wel dikke knoesten in dat hout. Ook zijn ruggetje was hoekig en bottig, en voor de rest zat Saleiman van top tot teen vol littekens.

Rolf keek Dolimah vragend aan.

'Saleiman is met me mee gekomen om vuur te maken,' legde ze uit.

De kleine broodmagere vuurgod wrong bedeesd een paar houtjes uit zijn sarong.

De jongens knikten het manneke vriendelijk toe. Alleen Joppie gromde wantrouwend, een wantrouwen dat nog aangroeide toe hij Saleiman besnuffelde en die hem met zijn mager, knokig been een schop toedeelde waarop Joppie bij zo'n ventje allerminst gerekend had. Saleiman had het trouwens als vanzelfsprekend gedaan, zonder er een blik aan te verspillen, en de ogen waarmee hij nog even schuchter als tevoren de witte mensen aankeek, hadden zelfs niet geknipt.

'En Saleiman heeft me beloofd, ons wat eten te brengen, niet waar, Saleiman?' vroeg Dolimah.

'Eh-eh,' bevestigde Saleiman.

'Nu, maak dan eerst maar vuur,' zei Dolimah.

'Eh-eh.' Saleiman bukte zich over de kokosvezels die de jongens de vorige dag nog vergeefs getracht hadden te doen ontvlammen, en begon te wrijven. Zijn neus raakte daarbij zowat de grond en zijn mager en bottig zitvlak stak fier omhoog.

Na een paàr minuten hard weren begon Saleiman te blazen – er gloeide iets. ''k Zal helpen blazen!' riep Harmen en bukte zich naast Saleiman. Saleiman stokte; een seconde lang keken de twee elkaar zwijgend in de ogen. Toen ging Saleiman haastig weer door met wrijven. Daar sprong een eerste vonkje over. Saleiman en Harmen bliezen elkaar zowat weg, maar... uit het zaagsel lekte een vlammetje! Blazen, jongens! Nog een stukje droge kokosbast erop; een wolkje blauwe rook steeg op tussen de hoofden van de blazers en bleef er als een zegekrans om hangen... Er was vuur!

De jongens keken ernaar alsof ze een schat hadden gevonden. Hè, wat een vrolijkheid brachten die vlammetjes opeens! Hou er je hand eens boven! Lekker warm, hè? Het hol was nu in eens tot in de verste hoek verlicht.

'Dank je wel, Saleiman!'

Uit deze woorden maakte Saleiman op dat hij nu wel weer kon opstappen. Hij stak de houtjes weer in zijn sarong, sloeg zijn gebatikt kledingstuk naar binnen en klauterde het laddertje op.

'Kom je morgen terug, Saleiman?' vroeg Dolimah.

'Eh-eh,' beloofde Saleiman. En na nog een schuwe blik naar achteren te hebben geworpen, verdween hij in de regen.

'Hoe kwam je dááraan??' vroeg Rolf aan Dolimah.

Het meisje glimlachte. 'Hij was met zijn vriendjes aan het spelen. Toen heb ik hem gevraagd, even met mij mee te gaan om vuur te maken. Ze zullen er allemaal over zwijgen. – Weet u hoe ze hem noemen?'

'Saleiman heet hij toch?'

'Ja, maar ze noemen hem: Si Kampret! De Vleermuis! Omdat hij zulke grote oren heeft, net als een vleermuis. Maar dat wil hij natuurlijk niet horen! 'Hoe heet je?' vroeg ik hem. 'Si Kampret!' riepen de anderen. Maar hij zelf zei: 'Saleiman'. Toen deed ik net of ik de anderen niet hoorde. – Ja... voor een meisje wil hij natuurlijk flink zijn!'

'Eh-eh,' zei Rolf.

En Dolimah lachte.

Saleiman en zijn fluit

De jongens werden door een soort vuurkoorts bevangen: ze sleepten zoveel hout bijeen, als moest er een brandstapel worden opgericht. En toen voor de ingang het vuur hoog oplaaide, gingen ze dieper in het hol gezellig bij elkaar zitten. Hoe veilig voelde je je achter die wand van vuur! Maar Padde lag hijgend te staren naar de spookachtige schimmen tegen de achterwand van het hol.

Dolimah keek dromend in de vlammen. Opeens begon ze weer te vertellen, en de jongens luisterden ernaar zoals ze naar muziek zouden hebben geluisterd. 'Behalve in de kraters van de vulkanen was er vroeger op de aarde geen vuur. De mensen wisten niet, hoe het op te wekken en kenden er de macht niet van. Nu was er eens een arme man, die zo vroom leefde, dat de geesten medelijden met hem kregen. Ze zeiden tot hem: 'Omdat je zo vroom bent, zullen we je tot de rijkste van alle mensen maken. Wij zullen je het *vuur* geven.' – 'Het vuur?' vroeg de man verbaasd, 'wat is dat?' – 'Dat zul je wel zien,' antwoordden de geesten. 'Je hebt niets anders te doen dan twee stukjes bamboe tegen elkaar te tikken – en er deze toverspreuk bij te zeggen.' En de geesten noemden de toverspreuk. – Nu, toen de man twee bamboetjes tegen elkaar getikt had en de spreuk had gezegd, vlogen de stokjes in brand. 'Nu zie je wat vuur is,' zeiden de geesten. 'Wend het ten goede aan: bereid er je eten mee en steek het aan wanneer de duisternis invalt, – dan vluchten de kwade gedachten.' – Verheugd keek de vrome man naar de vlam die uit het hout opsloeg. 'Hoe warm is hij! En hoe vrolijk! Kom, ik wil dit aan alle mensen laten zien!' En hij ijlde naar zijn kampong. Daar kwam hij zijn buurman tegen. Die was rijk en wilde hem, de arme, nauwelijks zien. – 'Goedendag, Dajik!' wenste de vrome man hem toe. Maar de rijke ging zonder groet voorbij. – Dat verbitterde de arme. En nu kwam hij op een boze gedachte. 'Als dit bamboe branden wil,' – zo dacht hij, 'dan zal het huis van mijn rijke, trotse buurman óók wel willen branden! Ik zal de vlam onder het atapdak houden. En hij ging naar het grote mooie huis van Dajik en tikte haastig de bamboetjes tegen elkaar. Maar ditmaal kwam er geen vuur...! 'Dat is waar ook,' dacht hij, 'ik moet eerst de spreuk zeggen! Hoe luidt die nog maar weer? Bismillah... Was het niet: Bismillah... en dan? Hoe hij ook dacht, hij kon niet weer op de juiste woorden komen. 'Dat is de straf voor mijn boze gedachte!' zei hij tot zichzelf. 'Nu hebben de geesten mij de spreuk weer afgenomen en ik ben even arm als voorheen. Maar Dajik zal óók weten wat ermoede beduidt! Ik *wil* vuur maken!' En hij begon het hout te wrijven, te wrijven...! 'Het wordt al warm!' dacht hij na een poos, 'het vuur kan niet ver meer weg zijn! Nu is het 'hout al zo heet, dat ik het nauwelijks nog kan vasthouden. Hu! dat is werken! Ik ben nu al zo moe, alsof ik de hele dag gespit heb in mijn kleine akker. Wacht... daar is het vuur!' – Toen vloog een

vonk uit het bamboe op zijn sarong, de sarong vatte vlam...! En de man verbrandde! – Maar de rijke had uit zijn venster gezien hoe de arme het vuur verkregen had. En hij beval zijn dienaar twee bamboestokjes net zo lang tegen elkaar te wrijven tot er een vonk uitsprong. Zo leerden de mensen het geheim kennen. Maar de spreuk kent niemand...'

Dolimah was uitverteld.

Het werd stil in het hol. Harmen gooide nog flink wat hout op het vuur; het knapte en knetterde; de vlammen lekten tot aan de bovenrand van het hol. Daarbinnen smoorde je van de warmte.

'Toch lekker!' vonden de jongens. En weer wat hoopvoller, sliepen ze in.

De volgende dag regende het bij vlagen, maar de lucht bleef nog zo grijs als een rattevel. Al vroeg in de morgen verscheen Saleiman boven aan het laddertje.

'Ben je daar al, Saleiman? Kom maar hier!' nodigde Dolimah uit.

Saleiman toonde zijn schatten. Het waren: een gescheurde aarden pot, een klomp gekookte rijst in een pisangblad gevouwen, wat kruiden en een paar bananen.

'Wat lief van je, Saleiman!' prees Dolimah hem. 'Kom je morgen weer terug?'

'Eh-eh,' beloofde Saleiman.

'Heb je daar een soeling bij je? Een bamboefluit?'

Saleiman knikte.

'Kun je er ook op spelen?'

Instemmende hoofdknik van Saleiman.

'Fluit er dan eens op?'

Saleiman aarzelt, veegt over zijn neus.

'Durf je niet?'

Saleiman wendt zich af en kijkt naar de lucht.

'Durf je vanavond voor me te spelen, als het donker is?'

'Eh-eh,' stemt Saleiman toe. En hij klimt het laddertje weer op, de sarong netjes tussen de benen. Even tekent zijn bol zich daarboven tegen de lucht af: een bos rommelig haar op een schraal halsje. Terzijde twee flaporen. Ze zijn doorzichtig.

Harmen en Hajo gingen die morgen vol verwachting naar hun strikken kijken, en hun teleurstelling was groot toen er niets bleek te zijn ingelopen.

In het hol terugkerend, vonden ze Dolimah bezig te braden. Ze had uit vastgestampte klei een fornuis gemaakt, dat door het vuurtje daarbinnen allengs tot steen gebakken werd; daarop had ze de aarden pot geplaatst waarmee Saleiman de grondslag voor het huisraad der zwervers had gelegd. Zo kookte ze een soort soepje van allerlei kruiden, gooide er de rijst in, die nu groengeel van kleur werd, sneed er een paar schijfjes banaan in en zette Padde het hele geval voor zijn neus.

Maar de arme jongen kon er niets van binnenkrijgen.

'Padde dan toch!' zei Hajo. ''t Ruikt zo fijn! Jij doet maar niets dan drinken... je moet toch ook wat eten!'

Padde greep Hajo's hand. 'Hajo... Het is zo slecht met me, Hajo... Ik weet het wel: jullie wilt verder en moet om mij hier blijven... 'k Wou dat ik maar dood ging – dan konden jullie... dan konden jullie...' De tranen smoorden Paddes stem. 'Ik ben lastig voor jullie; ik ben jou ook altijd tot last geweest...'

'Wat een onzin, Padde!' gromde Hajo, wie de tranen nu ook in de keel schoten. 'Jij bent niemand tot last en *mij* vast en zeker niet! Hoe vaak zijn we samen geen appelen gaan rapen in 't Sinte Clarens? En denk je dat ik maar half zo'n lol zou hebben gehad, als jij niet bij me was geweest?'

Padde kuste Hajo's hand. 'Hajo! Ja, dat is het hem ook: in dit land, in dit vreselijke land, hoor ik niet thuis. Ik wil terug naar Hoorn... Daar kan ik misschien nog wat verdienen voor m'n moeder en m'n zusjes en broertjes. Als m'n oom me nog wil hebben voor de bierbrouwerij... 'k Had ook gehoopt wat geld mee naar huis te brengen, en nou is alles de lucht in...'

'Welnee, Padde!' zei Hajo. 'Op de terugweg verdienen we wel weer geld, dan komen we toch niet platzak thuis. Als we maar eerst in Bantam zijn! Als Dolimah zo aan het vertellen is, is het net of we hier nooit weg zullen komen; dan wordt alles zo groot, en je voelt jezelf zo klein en zo vreemd in dit land... Maar wij, Padde, wij verlaten mekaar niet, hoor! Samen uit, samen thuis!'

'Hajo,' snikte Padde, 'zoals jij is er maar één! Dat heb ik altijd gezegd, als die lamzakken wat op je aan te merken hadden. Lange Leen heb ik op z'n gezicht getimmerd!'

'Nou, heb je nou weer wat moed?'

'Ja, hoor!' zei Padde. 'Wij komen wel weer in Hoorn, hè?'

'Wees daar maar zeker van!'

Tegen de schemering kwam Saleiman weer. Ditmaal had hij nog meer weten te kapen: een paar eieren, nog een aarden potje, drie gedroogde vissen en acht maïskolven.

'Doe het maar niet weer, Saleiman,' zei Dolimah. 'Ik wil niet dat ze het merken en je een dief noemen.'

Saleiman keek beschaamd een andere kant uit.

'Heb je je soeling weer bij je?'

'Eh-eh.'

'Speel dan wat voor ons, wil je?'

Saleiman knikte, hurkte omzichtig neer en haalde zijn fluit voor de dag. Het was een hol stuk bamboe met gaatjes erin gebrand: het mondstuk was gevormd door een van de schotjes uit het bamboe, waarin een smalle spleet was gesneden. Saleiman keek schuchter om naar de jongens, die er omheen waren komen staan.

'Ja, speel maar, Saleiman,' zei Rolf vriendelijk, de anderen duidend te gaan zitten. Saleiman aarzelde nog even, snoof, keek in de grijze lucht en zette toen vol ernst de fluit aan zijn vooruitgestoken lippen.

Daar kwam, als een verre roep van een nachtvogel, een langgerekte toon uit het instrument. Op de toon volgde een wat hogere, even langgerekt en droefgeestig. Toen zonk de fluit terug op de eerste toon, ging weer omhoog, liep met een weke stap over de tweede heen en zong de derde geheimzinnig uit, met een korte zucht na. Toen weer de diepte in, lang en klagend. En zo geleidelijk weer omhoog. Ineens... tiereliet! tiereliet! tiereliet! heel in de hoogte en verschrikkelijk vals. Toch weer niet vals... kan een vogel vals zingen, ook al schettert hij nog zo hoog? Saleimans gezicht stond ernstig. Nu toverde hij tedere roepen uit de nevel en... hoor! een wijsje, zacht wiegend, vleiend... een wijsje, maar toch zou geen van de jongens het kunnen nafluiten. Zo vlug liepen de tonen achter elkaar aan, dat je er geen van grijpen kon – ze verstomden meteen weer. Toen een lange droeve triller, een olijk loopje omlaag en weer een doffe eindeloze toon, waarin een trilling als een lichtveeg op een nachtelijk meer... Saleiman hield op.

'Was dat de maan?' vroeg Dolimah.

'Eh-eh.' Saleiman keek peinzend in de regenlucht.

'Kun je het beekje ook nafluiten?'

'Eh-eh.'

'En de krokodil? En de slang? Doe de slang eens na?'

De kleine kunstenaar dacht even na, bracht de fluit toen weer aan de lippen. Hoor! Daar komt de slang! Met onverwachte, listige wendingen schuifelen de noten voort; Saleiman beweegt op de maat zijn mager ruggetje heen en weer. – De slang houdt stil. Lispelt even met het fijne, gespleten tongetje, wendt een paar maal spiedend de kop, kronkelt dan langzaam ineen...

'Daarmee kun je de slangen lokken, nietwaar, Saleiman?' vraagt Dolimah.

'Eh-eh.'

'Maak nu het vuur eens na?'

Saleiman richt zijn ogen in het vuur, brengt de fluit aan zijn lippen en... hoor! daar dansen de vlammetjes al. Een windvlaag doet ze wat hoger oplaaien. De fluit volgt. Nu is het weer stil; de vlammen worden kalm. De fluit volgt. – En dan gaat Saleiman fantaseren. Hij houdt zijn ogen star in het vuur gericht; zij puilen naar buiten en het oogwit blinkt in het bruine gezicht, dat van inspanning nog donkerder wordt. Saleiman roept een woeste brand op. Rode vlammen laaien omhoog, worden helgeel en eindigen in een lange kronkelende punt. Hoei...! Hoei...! Hoei...! – Eindelijk houdt Saleiman op, een triomfantelijke glimlach om de lippen. Dan slikt hij iets weg, kijkt schuchter naar zijn fluit.

'Nu de twee vogels!' zegt Dolimah. 'Ken je de twee vogels ook?'

'Eh-eh.'

Hoor! daar zingt de ene vogel al! Omlaag, omhoog, een kristalheldere triller. Een lange, lokkende roep... Er gaat een betovering uit van dit magere lelijke jochie met zijn flaporen en zijn littekens. – Nu de andere vogel! O, die wil de eerste nadoen... maar het lukt niet! Hij krabbelt van de ene noot naar de andere, zwelt van eigenliefde als de triller hem zowat gelukt, maakt er nog een fraai haaltje aan. Dan de lokroep aan het slot: schor en onzeker.

Dolimah lacht. 'Je kunt het goed, hoor! Wie heeft het je geleerd?'

Saleiman zwijgt, kijkt naar boven en snuift.

'Speel nu eens het allermooiste wat je kent, Saleiman?'

Saleiman ziet Dolimah schuchter, aarzelend aan. Dan brengt hij de fluit aan de lippen, sluit de ogen. Zacht en droevig zet hij in; moeizaam slepen de tonen zich voort. Dan even een pauze, en opeens klimmen de tonen omhoog, als om naar iets uit te zien. En nu volgt een tere melodie, met zachte lichte schreden voortgaand, hoger, steeds hoger, tot in de wolken van Saleimans verbeeldingskracht. Saleiman houdt van dit wijsje; hij laat het weer vallen en dan weer klimmen... Onverwachts stokt het wijsje in een schrille toon; Saleiman laat de fluit zinken, haalt diep adem, brengt hem dan weer aan de lippen en zet weer de droeve wijze van daarstraks in. Steeds weker en zachter, tot eindelijk de laatste klank wegsterft... Dan opent Saleiman de ogen en staart de hemel in.

Dolimah vraagt zacht: 'Wat was dat, Saleiman?'

Saleiman zwijgt. – Een grote traan welt in zijn ogen op.

'Nu, hoe heet het wijsje?' dringt Dolimah aan. 'Heet het... *Saleiman?*'

Saleiman krabbelt haastig overeind.

'Moet je weg?'

Saleiman knikt met afgewend gelaat. Dan scharrelt hij uit zijn sarong een doosje op en schuift het open. Op de bodem zit een vuurvliegje gekleefd. Dat zal Saleiman onderweg tegen de boze geesten beschermen.

De jongens zien de kleine flapoor nu met heel andere ogen vertrekken. Als hij zijn sarong opslaat, om het laddertje te bestijgen, ritselt een slang tussen de struiken omlaag, de helling van het ravijn af. 'Eh, tjilaka!' roept Saleiman ontzet en vliegt met zijn soeling en dievenlantaarntje omhoog.

Harmen heeft een diepe zucht geslaakt. 'Had ik m'n viool maar, dan konden we samen eens een mooi moppie spelen.' Maar geen van de anderen loopt erg warm op die wens. Gelukkig merkt Harmen het niet.

Joppie ligt tegen Padde aan te snurken. Hij wou daarstraks met de fluit instemmen, kreeg daarvoor van Harmen een schop, zocht zoals gewoonlijk in de slaap vergetelheid en vond die ook.

'Zullen wij nog wat bikken voor we gaan slapen?' vraagt Harmen. 'Door die fluit heb ik alles vergeten: ik had de maïs willen poffen.'

Niemand heeft eetlust.

De jongens gooien nog wat hout op het vuur – en gaan slapen.

Harmen vindt een geitje

De volgende morgen vloog Harmen met een schreeuw overeind: 'De zon! *De zon schijnt!!*'

Daar stond ze, net boven de bergen. Laaiend goud. Haar koesterende warmte vulde het dal, waaruit de dampen opstegen. De hele hemel was blauw gepenseeld, glansde nog van de natte verf. Over de bomen was een kwastje fris groen gegaan; de bloemen stonden als gemorste spatjes rood en wit en geel en blauw op de struiken. – En hoor het schetteren in de bomen! Daar duikelen ze, de groene parkieten met hun grijze kopjes en kromme snaveltjes; daar fladderen ze en koekeloeren ze, de bronsgroene glansduiven, de koekoe-koerrr... roepende tortels, de vruchtduiven met de parelgrijze onderkanten van de vleugels en met de roodbruine manteltjes waarover een purperglans ligt. Als ze van de ene tak op de andere fladderen, druppelen er diamanten van de bomen. En een honingdiefje zwiert in een boog naar zo'n fladderend edelsteentje en vangt het in de vlucht...

Grote vlinders dwalen van bloem naar bloem, maken voor elke kelk een révérence op vlindermanier – door het even neerslaan en daarna statig weer rechtop zetten van de prachtig getekende, oneindig tere vleugels, spreken – om de bloem genoegen te doen – kwaad over andere bloemen, koketteren met het zonlicht op hun wieken en kussen het bloemenhart.

Hoe weldadig brandt de zon op de natte kleren! De jongens staren in verrukking over het ravijn. Hoe mooi zijn nu die groene hellingen met de grote grijze steenvlekken die gisteren nog zo triest schenen. Hoe mooi is het nu ook op het plateau! Waar komt ineens al dat leven vandaan? Waar scholen al die vogels en vogeltjes die nu de wereld vullen met hun zang en gesnater? Waar scholen die bonte kevertjes en torren die nu in grote, snel en sierlijk getrokken spiralen voortsuizen? Kijk, daar zweeft een vliegend draakje onder de bomen door, de rode valschermen wijd open, de staart als een roer achter zich aan. Het diertje slaat plat tegen een stam neer en schiet dan omhoog.

De jongens rekken zich in de zon. Ook de bomen rekken zich; het is alsof hun wortels zich straffer spannen en hun takken zich uitstrekken naar de zon. Ook de bloemen, gisteren nog slap en met gebogen kelken, rekken zich; het is een strijd wie de meeste kevertjes en vlinders lokt.

Padde is naar buiten gekropen. De anderen schrikken als ze zien hoe bleek en mager zijn gezicht geworden is en hoe flets zijn ogen staan. – 'Kom, ga wat in 't zonnetje zitten, Padde! Het is nu nog best te verdragen. Is het niet lekker zo?'

'Fijn...' zucht Padde. Dan sluit hij, vermoeid ademend, de ogen. Van verder trekken zal voorlopig geen sprake kunnen zijn.

Hajo en Harmen gingen weer naar hun strik kijken, maar vonden nog steeds geen gevangen hert. 'Als ik dáár wat van snap!' riep Harmen spijtig uit. Tegelijkertijd struikelde hij bijna over een argusfazant, die krijgsgevangen was vóór hij het zelf wist. Het was een haan, een prachtig dier; de twee zwarte staartveren maten wel anderhalve el.

Toen ze thuiskwamen, was Rolf druk in de weer, het hol wat bewoonbaarder te maken. Hij sneed droog gras en bedekte er de bodem mee, die nu veerde als een mollig tapijt, – spande de panterhuid voor het hol op een paar stokken uit: een zonnetent waaronder Padde beschut lag en toch de verkwikkende buitenlucht inademde.

Rolf bewonderde de vangst. 'De fazant wordt straks de hoofdschotel. En Dolimah zoekt wat vruchten en kruiden; daarvan zal ze ook wel weer iets fijns weten te koken. Dan hebben we nog rijst, een paar gedroogde vissen, maïskolven, voor Padde twee eieren...'

Harmen sloeg zich van plezier op de knieën. Hè! die zon deed je ook zo goed, daar werd je weer een ander mens van!! Kijk, Harmens armen en nek begonnen al te vervellen.

'Als we hier toch nog wat moeten blijven, konden we ook wel wat huisraad maken,' zei Rolf. 'Wat zou jullie zeggen van een paar bankjes en van een tafel?'

'Wel ja,' zei Harmen. 'En een paar kasten in de muur waarin ik 's avonds m'n japon kan uithangen!' De laatste woorden waren galbitter uitgesproken.

''k Zal er voor zorgen,' beloofde Rolf glimlachend. 'Help je me een handje, Hajo?'

'Nou,' zei Harmen, 'dan ga ik er nog eens alleen op uit! Zien of ik nog niet wat bij de pluimen kan pakken!' En met zijn speer gewapend, ging Harmen op pad. De onrust had hem te pakken – dat deed 'm de zon!

Op goed geluk af baande hij zich een weg. Rits! daar schoot een hagedis weg. En daar... een soort patrijs dribbelde onder de lage struiken weg. Harmen liet er zich bovenop vallen. Ja, goeie morgen! Schrammen in zijn gezicht, een doorn in zijn vingers. En de patrijs? 't Nakijken had Harmen!

Hij kwam aan een open plek. Wat was het hier stil! Als in een kerk! Wacht, zat daar geen duivennest? Harmen de boom in. Wel ja, mevrouw zat zelf op 't nest! De duif merkte het naderend onraad, vloog met veel misbaar op. Twee eitjes! Zouden ze vers zijn? De duif had er al op gezeten...! – Harmen bekeek de eieren tegen het licht. 'Ik gelóóf... Maar laat ik ze straks even in het water leggen, dan weet ik het.' Hij borg de eieren in zijn mond en daalde met bolle wangen af. Kra...k! daar knapte een tak; Harmen greep zich net bijtijds aan een andere, hing even in de lucht, sloeg toen zijn benen weer om de stam, braakte een gele vloed eierstruif omlaag.

'Tóch bedorven!' gromde hij en belandde al spuwend weer op de begane grond, rukte de eerste de beste vrucht af die hij maar zag hangen – een groen langwerpig vruchtje dat onderaan in een punt eindigde – en hapte erin, om de smaak van vuile eieren althans kwijt te zijn. Maar de tranen sprongen de arme jongen in de ogen, en vol afkeer spuwde hij het groene goedje uit.

Spaanse peper!

Stil! Wat hoorde hij daar? Een schaap?? Harmen drong omzichtig door in de richting waar het geluid vandaan kwam. Daar...! – tussen de bomen glurend kon hij het zien – een geitje! En... 't zat vast! Aan een paaltje. En... in een soort gangetje stond het! Aan beide zijden waren zware balken in de grond gedreven. Als Harmen dáár wat van snapte... een vastgebonden geitje hier in het bos, waar het om zo te zeggen aan de tijgers was overgeleverd...? Waar diende dat gangetje voor? En waarom was het touw zo kort? Het diertje kon nauwelijks grazen! Wacht! Het zou... het zou toch geéh *tijgerval* zijn? Ja hoor, naar boven kijkend, zag Harmen tussen het groen een valdeur! En aan het eind van het gangetje nóg een! Als de tijger binnenkwam om het geitje op te peuzelen, zeiden die deuren: klap! en de tijger zat veilig opgeborgen!

'Mè-è-è-èh!' blaatte het geitje.

'Stil maar, ik kom bij je!' zei Harmen medelijdend. 'Harmen zal je niet door de tijgers laten verslinden, hoor! Wacht maar, je mag met Harremen mee naar het hol, en als de nood aan de man komt... Sjonge-jonge, wat een dikke valdeuren! Als die dichtslaan...! Stil nou maar, ik kom ommers al!

'Mè-è-è-èh!' begroette het geitje Harmen met een vreugdevolle trilling in de stem.

'Goeiemorgen!' zei Harmen. 'Tja, kameraad, hoe bind ik je nou los, zonder zelf in de fuik te zwemmen? – Wacht!' Harmen stak zijn speer naar voren en begon met het scherpe lemmet het touw door te zagen. Nietwaar? Zo kon er niets gebeuren!

Het geitje hielp, door – waarschijnlijk uit angst voor de speer! – de rotan strak te spannen waaraan het vast gebonden zat. Maar toch wilde het doorzagen nog niet vlotten.

'Sta dan toch stil, sik! Je ziet ommers zelf wel dat ik er zo nooit doorkom!' mopperde Harmen.

'Mè-è-è-èh!' blaatte het geitje.

'Ja, met mè-roepen komen we er niet!' zei Harmen.

'Mè-è-è-èh!' Het dier zette zich schrap, rukte uit alle macht. Toen opeens vloog het met de kleine horen knopjes tegen de houten zijwand. Het touw was gebroken.

'Da's mijn kop niet,' zuchtte Harmen voldaan. 'Kom, sikkie?'

Het geitje lag op de knieën tegen het houten beschot, krabbelde overeind en nam in zijn beduusdheid een aanvallende houding tegen Harmen aan, de kop gebogen, de horenstompjes geveld. Toen draaide het zich onverwachts om en wilde ervandoor gaan.

'*Hier!*' schreeuwde Harmen verontwaardigd, sprong uit zijn geknielde houding overeind en ging achter het geitje aan. Maar eenmaal in de kooi, zakte een plank onder hem weg; Harmen struikelde en twee zware slagen volgden. Toen hij verward en nog niet begrijpend opkeek, waren de deuren dichtgevallen.

'Smerige sik!' schreeuwde Harmen met tranen in de stem het buiten de kooi weghuppelende geitje na. 'Daar wil ik 'm helpen en...!' Woedend nam hij zijn speer op, slingerde die uit alle macht in een van de deuren. Er vloog een splintertje af; de speer viel neer. De deuren waren van djati – het hout waarop zelfs de witte mieren vergeefs hun krachten beproeven.

Daar stond Harmen, hijgend, met trillende lippen. De tranen stroomden over zijn bruine wangen. Hij *moest* er uit, dat stond vast. Maar hoe? De wand was aan alle zijden wel vijf ellen hoog; de grond was, evenals de wanden, uit dikke planken gevormd, waarvan de uiteinden onder de zijwand lagen, zodat er van uitlichten geen sprake kon zijn. Harmen wierp zich op de knieën en begon in het hout te kerven. Maar na een half uur razend werken zag hij het hopeloze er van in en liet zich luid griend in een hoek neervallen.

Toen hij zo'n beetje was uitgehuild en het hem zelf begon te vervelen, keek hij weer op. *Iets* moest hij doen! Als hij eens ging schreeuwen? – 'Hoy! Hèllep!' klonk Harmens schorre stem. Hoor, hoe het geluid echode in het stille woud.

Geen antwoord. 'Ja, toch, heel uit de verte: 'Mè-è-è-èh!'

Hij schreeuwde opnieuw. Toen vlug achtereen, om zijn eigen echo niet te horen. Eindelijk zweeg hij, hees geschreeuwd. 'Hoy...' klonk het van alle zijden. 'Hèllep! Op-ge-sloten...'

Harmen stopte de vingers in de oren. Hij ging met de rug tegen een van de deuren staan en duwde uit alle macht. Geen beweging te bespeuren. Tegen de andere deur! Zat al even rotsvast. In dolle woede begon Harmen met de hielen te schoppen, tot ze paars en blauw werden. 'Ik wil er uit! Ik wil hier uit!' gilde hij.

'Uit-uit-uit-uit-uit...' klonk het van alle zijden.

Harmen verbleekte. Hij baadde in het zweet. De zon flonkerde tussen de bladeren boven zijn hoofd.

Wacht! Hij zou de speer als polsstok gebruiken en met een ferme sprong...! Kalm nu! Harmen stelde zich aan het einde van de kooi op, de rug tegen de deur om een zo groot mogelijke aanloop te hebben. Bij die spleet daar zou hij de speerpunt planten en dan, met een geduchte afzet, boven op de andere deur belanden.

Daar ging Harmen! Hij klemde de handen om de top van de speerschacht, zwaaide met wijde boog de lucht in...!

Toen brak de speerschacht. Met een doffe smak kwam Harmen op de planken terecht. Duizelend stond hij op, trachtte zich ergens aan vast te grijpen, wankelde, viel weer neer en bleef liggen...

Toen hij met een loodzwaar gevoel in zijn hoofd de ogen weer opsloeg, was het laat in de middag, en de vogels, die daarstraks in de uren van de grootste hitte gezwegen hadden, schetterden nu alle dooreen. Harmen was aanvankelijk alleen maar verwonderd. Zéér verwonderd. Daarna kwam onverwachts een vaag gevoel van onrust in hem op; hij greep met de handen naar zijn hoofd, probeerde zich iets te herinneren. Hij krabbelde overeind, leunde met gesloten ogen tegen de wand, hoorde het vogelgerucht heel heel ver weg. Toen werd het wat beter. Hij opende zijn ogen, zag de balken van zijn hok.

Opgesloten zat hij. Aan zijn pijnlijke ogen voelde hij, dat hij gegriend had.

Dat hielp dus niet veel. Straks, of anders morgen, zouden ze wel komen, die smerige kannibalen die de val hadden neergezet, en hem oppeuzelen.

'Hèllep!' schreeuwde Harmen. 'Hèllep!' En luisterde met ingehouden adem. De vogels in de buurt hielden verbaasd met hun geschetter op. Toen gingen ze weer door, overstemden de echo van Harmens roep.

Harmen vond dat alles zich tegen hem keerde. De bomen in hun harteloos zwijgen, de vogels in hun inhoudloze schettering. Hij nam de afgebroken speerschacht op en mikte ermee op een papegaai die, zich vastklemmend met bek en poten, langs een twijgje naar een langwerpige vrucht scharrelde. Verschrikt krijsend fladderde de papegaai weg.

Harmen ging zitten, staarde naar de wand tegenover hem. Zouden zijn vrienden hem zoeken? Hij dacht eens na hoe ver hij wel van het hol was. Hij was in westelijke richting gegaan: eerst had hij achter de patrijs aangezeten en toen... Natuurlijk zouden ze hem nu missen en op zoek gaan. Onwillekeurig dacht hij er al over na hoe hij dit avontuur zou kunnen opsmukken met allerlei tierelantijntjes. Een tijger was over de houten wand heen pardoes in het hok gesprongen en met Harmen een gevecht op leven en dood begonnen. Natuurlijk overwon Harmen, anders zou-d-ie het niet kunnen navertellen, nietwaar? Hij had het monster bij z'n strot gepakt en het de slagtanden uitgebroken. Toen was het zo mak als een lammetje geworden. Het had Harmen een poot gegeven en gezeid: 'Dat lap je 'm, Harmen! Tegen jou kan ik niet op...' – Harmen sprong overeind, haalde diep adem. Was het mogelijk dat hij er zich *nu* mee bezig hield hoe hij later dit bitter ernstige geval met fraaie krulletjes zou opsieren? Had hij niets beters te doen? Ach, de wereld was een poppenkast; de mensen wisten zelf geen ernst van zotheid te onderscheiden...

Het was wel ver met Harmen gekomen, dat hij er de mensen en de wereld de schuld gaf dat hij, Harmen, zo dom was geweest in een val te verzeilen, die niet eens voor hem was neergezet.

De schemering viel in, en nieuwe angst bekroop hem. Zijn verbeelding toverde hem de gruwelijkste dingen voor. Hij kroop in een hoek, borg het hoofd in zijn arm weg.

Toen hij de ogen weer opende, was het donker geworden. Maar boven de andere deur, aan de overzijde, keek de maan door de stelen van het bamboe. Bleek, nog zonder glans. De rust die er van uitstraalde maakte dat hij wat kalmer werd.

Na er een tijd lang naar te hebben gekeken, begon Harmen te dichten. Hij maakte er overeenstemmende gebaren bij, stelde zich met het gezicht naar de maan als een declamator op.

> 'Ik zit hier in een hokkie!
> Eerst viel ik van m'n stokkie,
> Maar nou is de maan
> Aan het schijnen gegaan
> En om me te verlichten

Sla ik wat aan het dichten.
Ik heb een sik bevrijd
En leef in eenzaamheid...'

De maan werd vloeibaar zilver. Krekels tsjirpten. Muskieten gonsden om Harmens hoofd.

Rikketikketikketik! Een boomkikvors. Het krekelconcert nam gedurig in toonsterkte toe; steeds nieuwe muzikanten stemden in. Stilletjes zat Harmen te luisteren naar de dromerige zingzang van de Indische nacht, weerde nu en dan met de hand de muskieten af. Soms deed een windvlaag de bomen zuchten.

Opeens spitste Harmen de oren, richtte zich overeind. Daarbuiten werkte zich... *een dier*... tegen de houten wand op! Rillend over het hele lijf greep Harmen het stuk schacht met de speerpunt en wachtte...

Daar stak iets boven de palissade uit. Een bruin kindergezicht met grote, verschrikte ogen en wijd uitstaande flaporen stond als een uitgeknipt portretje in de omlijsting van de maan.

Pak Samirah, de doekoen

Toen Harmen die morgen zijn makkers verlaten had, waren Hajo en Rolf aan het vervaardigen van de 'meubels' geslagen. Gemakkelijk ging dat niet met de gebrekkige werktuigen waarover ze beschikten!

Na lang ploeteren stond er een tafel van bamboe. De jongens bekeken hem vol trots. 'Wat zullen we *nou* maken, Rolf!'

'Lepels,' zei Rolf. 'En kommen en bekers en een kan...'

Inderdaad: het bamboe leende zich voor alles. Bekers waren al eenvoudig genoeg te maken: de schotten in het hout dienden voor bodem, en met het mes werd de bovenkant netjes bijgesneden. Voor lepels namen ze halve kokosnoten: je haalde er de vezels af, wrong er een bamboetje in, en klaar was Kees!

Terwijl Dolimah die morgen kruiden en voedsel aan het zoeken was, kwam Saleiman aandrentelen, een kip onder de arm. 'Dag, Dolimah!' zei hij schuchter en bleef op een afstand staan.

'Eh, Saleiman? – Heb je nu toch weer gestolen?'

Saleiman zweeg.

'Merken ze er niets van dat je voor ons steelt?' vroeg Dolimah.

'Jawel,' zei Saleiman, 'maar ze denken, dat het een boze geest is. Er is er een in de klappertuin geweest en heeft aan Karto gezegd, noten voor hem te plukken. En een tijger heeft Towikromo's hond weggesleept. Ze hebben nu in het bos, niet ver hier vandaan, de val weer klaargemaakt. En morgen gaan we kijken of hij er al in zit, de rover.'

'Zeg, Saleiman,' vroeg Dolimah, 'hoe heet jullie doekoen?'

'Onze doekoen heet: Pak Samirah.'

'Hij heeft goede toverspreuken?'

Saleiman knikte. 'Hij heeft zó sterke ilmoe's, dat je de muizen er mee de sawahs kunt uitdrijven! En oude poesaka's heeft hij, wel duizend jaar oud: daar is een kris bij waarvoor alle spoken bang zijn.'

'Dan is de doekoen zelf zeker ook al héél oud?'

'Hij weet zelf niet meer hoe oud hij is!' bevestigde Saleiman trots.

'Zeg, Saleiman...' – Dolimah aarzelde een ogenblik – 'zou je... toe, probeer eens of je hem hier kunt laten komen.'

Saleimans ogen werden groot.

'Zeg hem... zeg hem dat hij een panterhuid als beloning krijgt.'

Saleiman boog het hoofd. 'Ik zal het proberen,' beloofde hij. En hij wilde weggaan.

'Eh, Saleiman,' vroeg Dolimah, 'heb je daar een djangkrik bij je? Mag ik hem eens zien?'

'Eh-eh,' zei Saleiman vereerd en hield het krekelkooitje zó, dat het licht door de tralietjes naar binnen viel. 'Daarachter zit hij. Zie je hem wel?'

'Wat een grote! Hij kan zeker erg goed vechten?'

'Als híj wil, wint hij het van alle djangkriks in de wereld,' verzekerde Saleiman. En met een halmpje begon hij de krekel aan te porren. 'Krrrr! Krrrr! Kom eens voor den dag? – Ik geef hem niets dan droge rijst en spaanse peper om hem vurig te houden. – Krrr! – Hij is altijd nog schuw, omdat Sanip hem laatst een halmpje met trasi heeft toegestoken. Nu zit hem de stank nog in de neus. Sanip is altijd zo vals: als een ander een sterkere krekel dan hij heeft, laat hij hem trasi ruiken.'

'Wat een valsaard!' vond ook Dolimah.

'Hij mag nu ook niet meer mee doen, als we onze krekels laten vechten!' zei Saleiman.

'Zijn verdiende loon,' was Dolimahs oordeel. 'Dus... je denkt om de doekoen, Saleiman?'

'Eh-eh,' beloofde Saleiman. En hij drentelde weg.

'Hé, waar blijft Harmen?' vroeg Hajo, toen Dolimah met haar kruiden en met Saleimans gediefde kip in het hol terugkeerde.

'Laten wij maar vast beginnen het eten klaar te maken, stelde Rolf voor. 'Als hij de lucht daarvan in zijn neus krijgt...! – We hebben vandaag de keus!'

'En we hebben een tafel!' stelde Hajo vast. 'En eetgerei! En potten om in te koken!'

'En een hongerige maag – dat helpt ook!' lachte Rolf. 'Laten we de fazant maar eens plukken. 't Is haast zonde, zo'n mooi dier! Wat een prachtige veren!'

Dolimah blies het vuur in de oven aan en kookte voor Padde wat rijst in kokosmelk.

Maar Padde weerde het af. Hij was vuurrood in het gezicht, zijn ogen waren gezwollen. 'Ik kan niet...' kreunde hij.

De jongens droegen hem in het hol. Daar was het koel, en Padde zuchtte toen hij op een vers leger van varens lag uitgestrekt. 'Zo is het lekker...!'

'Misschien komt er een doekoen,' zei Dolimah zacht.

'Een doekoen...??'

'Saleiman zal vragen of hij komen wil. Hij is heel oud en heel wijs en hij kent alle ziekten.'

Een warm gevoel voor Dolimah doortintelde Hajo en Rolf.

'Ik heb hem het pantervel beloofd, zei Dolimah. 'Was dat goed...?'

'Natuurlijk was dat goed! Nu zal hij wel komen.'

De jongens gingen de fazant plukken. Dolimah was in haar schik met het zelfvervaardigde huisraad, nam meteen alles voor haar 'keuken' in bezit.

Al gauw kon de fazant aan het spit. De kip kreeg een lang touw om haar poot en mocht 'vrij' rondlopen. Verheugd begon ze naar wurmpjes te pikken en wanneer ze er een te pakken had, zette ze zich met gestrekte hals schrap en rukte aan de worm tot ze het glibberige naakte slachtoffer geheel uit de grond had getrokken. Vanaf dat ogenblik kon het beestje alle hoop op een rooskleurige toekomst laten varen: het werd, al naar gelang van zijn dikte, ineens verslonden of eerst in stukjes gehakt.

In de drukte van het koken en braden hadden de jongens de hele Harmen vergeten. Maar nu ze 'aan tafel' wilden gaan, dachten ze ineens met schrik aan hem. 'Harmen is er nog niet!'

Dolimah keek hen onrustig aan.

'Nu, Harmen loopt niet in zeven sloten tegelijk,' stelde Rolf zichzelf en Hajo gerust. 'Hij zal zometeen wel komen! Laten wij maar vast gaan eten, anders wordt alles koud.'

Toch maar half gerust begonnen de jongens aan de maaltijd. Die was rijker dan ze in lange tijd hadden gekend, maar ze waren niet in de stemming om Dolimahs kookkunst vandaag te waarderen zoals zij het verdiende. Toen de laatste hap binnen was, sprong Rolf overeind. 'Kom mee, Hajo, we gaan de omtrek eens afzoeken!

Ze hadden gezien in welke richting Harmen verdwenen was. Zich een weg banend door het dichte gewas, zaten ze in een ommezien onder de bloedige schrammen.

'Harmen! Hááááármen...!' – Geen antwoord. Echo's van alle zijden.

'Het bos is overal gelijk,' zuchtte Hajo. 'Waar moeten we zoeken?'

'Misschien is Harmen al lang weer thuis,' veronderstelde Rolf. 'We zullen maar teruggaan...'

Bij het naderen van het hol versnelden ze in hoopvolle verwachting hun pas. Maar Harmen was nog niet terug...

Dolimah keek hen zorgelijk aan. 'Uw vriend is erg ziek!' fluisterde ze.

Uit het hol kwam een gesmoorde kreet: 'Brand! Brand!'

Verschrikt gingen de jongens naar binnen. 'Padde! Wat heb je, Padde?'

Padde ademde kort en stotend; hij hield de gebalde vuisten onder de kin; het zweet parelde hem op het vuurrode voorhoofd. 'Brand!' gilde Padde en trok van angst de knieën op. 'Brand!!'

Rolf knielde bij hem neer. 'Word wakker, Padde! Je droomt!' En hij schudde hem bij de schouder.

Padde sloeg de ogen op, keek Rolf wezenloos aan. Toen begon hij weer te gillen en liet het hoofd met een smak achterover vallen. – Rolf bette zijn voorhoofd met water. Padde zuchtte, scheen een ogenblik iets rustiger. Maar lang duurde dat niet, zijn angst keerde terug; hij kromp ineen.

Hajo bukte zich over hem heen, zei troostend, de tranen in de ogen: 'Wacht maar, Padde, wij blijven bij mekaar, hoor! *Wij* verlaten mekaar niet!'

'Brand!' gilde Padde en sloeg uit alle macht van zich af.

Radeloos keken Hajo en Rolf elkaar aan. Dolimah staarde zwijgend naar hen, de ogen groot van schrik.

Op dat ogenblik... kuchte er buiten iemand, en Dolimah prevelde: 'De *doekoen!*'

Voor de ingang van het hol, een donkere schim in de schemering, stond een oude man met een wit sikje en mager als een skelet. – De jongens wisten zo gauw met hun houding geen raad. Rolf wilde wat zeggen, maar verslikte zich al in het eerste woord.

Gelukkig wist Dolimah beter met de doekoen om te gaan. 'Wij zijn blij dat u gekomen is, goede Pak Samirah! U zult ons wel uit de nood helpen. Tot in de verste dorpen wordt uw kunst geroemd!'

Pak Samirah knikte en spoog bedachtzaam een straal rood sirihsap op de grond. 'Waar is de zieke?'

'Hier binnen, Pak Samirah.'

'Waar is het pantervel?'

'U staat eronder, goede Pak Samirah.'

De doekoen keek omhoog, knikte goedkeurend, spoog nog eens vol aandacht. 'Laat de blanken heengaan en blijf jij hier, om mij te helpen,' beval hij met een krakende stem.

Zonder dat Dolimah hun zijn wens hoefde over te brengen, gaven de jongens er gehoor aan. Buiten zagen ze pas dat achter Pak Samirah een jochie verdekt stond opgesteld, dat nu zijn biezen pakte. Aan zijn oren herkenden ze hem. Si Kampret!

Beteuterd stonden de jongens buiten te wachten. Dolimah was bij de doekoen gebleven.

'Zou het wel vertrouwd zijn, Rolf?'

'Dolimah is er immers bij?'

Hajo zweeg. Meer dan ooit voelden ze zich vreemdelingen in dit grote land. De doekoen, Dolimah, Saleiman hoorden hier thuis, kenden de bomen, de bloemen, de dieren en... en de geesten! – Geesten...! Als Dolimah erover sprak, voelden ze ineens, dat ze er waren. En nu was Pak Samirah gekomen om uit Paddes zieke lichaam de boze geesten te verdrijven...! Wat was dat toch, dat merkwaardig gevoel van... ontzag, dat hen daareven, vóór ze het zelf wisten, het hol had doen verlaten, op een vragende oogopslag van een klein meisje, om plaats te maken voor dat verschrompelde, spuwende mannetje met een stem als een oud molenrad? Hij beheerste ze, de geesten! Pak Samirah beheerste ze! Zij, hollandse kwajongens, voelden zich zo klein worden dat een muizenholletje nog te groot voor hen was. Saleiman, 'Si Kampret!' kende ook alles wat hun vreemd was. Hij kende de ziel van het vuur, van de wind, de regen, het beekje, en dieren verstonden hem, tot de slang toe die, onweerstaanbaar aangetrokken, tegen de helling van het ravijn was opgekronkeld om te luisteren naar Si Kamprets fluittonen...

Daar klonk Paddes gillende stem weer uit het hol. Hajo wilde er op af, maar Dolimah verscheen voor de opening. 'Stil!' fluisterde ze. 'De doekoen is bezig!'

Hajo kon zich niet meer in bedwang houden en ging het hol binnen.

De oude doekoen wendde het hoofd naar hem om. En een blik uit de oude lichtloze ogen, die zich, schijnbaar zonder te zien, op hem richtten, was voldoende om Hajo te doen terugdeinzen. Binnensmonds prevelend, keerde de doekoen het hoofd weer af. De oude nek leek wel een verschrompelde wortel.

'Wat heb je gezien?' vroeg Rolf.

Hajo haalde, wezenloos voor zich uitstarend, de schouders op.

'Ik weet het niet...' zei hij, als in diepe gedachten.

Het gegil in het hol verminderde. Onafgebroken klonk het eentonig, klankloos prevelen van de oude man. Na een tijd, die een eeuwigheid scheen, kwam Dolimah op de tenen naar buiten en fluisterde: 'De geesten zijn al op de vlucht! Ik heb kruiden gewreven, die de doekoen me gaf. Geduld...!'

Rolf en Hajo gingen naast elkaar zitten, staarden zwijgend in de maannacht. Uit het hol kwam de rosse schijn van het vuurtje. Nu en dan vloog er een schaduw door de lucht, de schaduw van Dolimah, die voor het vuur langs liep. En eindelijk... ze wisten zelf niet hoe lang ze zo wel bijeen gezeten hadden, eindelijk kwam, als een oude berggeest, de doekoen naar buiten.

Dolimah volgde. 'Hij slaapt rustig!' zei ze.

Weer voelden de jongens de aarzeling van daarstraks. Wat weerhield hen er van, de handen van hun redder te grijpen? Op de tenen gingen ze naar binnen. Padde sliep; zijn ademhaling was diep en rustig. De koortskleur was weg.

Buiten stond de wonderman, die dit bewerkt had, op zijn pantervel te wachten. Terwijl Hajo het ineenrolde, trachtte Rolf woorden van dank te vinden. Maar wanneer hij in het oude afgeleefde gezicht keek, stokten de woorden hem in de keel.

De doekoen spoog langzaam een straal donkerrood sirihsap uit – in het licht van de vlammen leek het bloed. Slap hingen de mondhoeken, de onderlip lag op de oude skeletkin en onthulde een tandeloze mond; de grijze wenkbrauwen waren door het gerimpelde voorhoofd hoog opgetrokken; zijn hele huid zat vol roestvlekken. Zwijgend nam hij het pantervel onder de arm, sloeg zijn sarong naar binnen en klom de touwladder op. Boven gekomen, leek hij tegen het maanlicht wel een vogelverschrikker. Dolimah deed hem uitgeleide.

'*Begrijp* jij er iets van, Rolf?' vroeg Hajo.

'Geen laars. De drommel zal weten hoe hij... maar, zeg, Hajo! *Harmen* is nog niet terug!'

'Dat is waar ook...!!' stotterde Hajo. 'Dat had ik helemaal vergeten!' En in nieuwe schrik keken de jongens elkaar aan.

Toen Si Kampret zijn plicht vervuld had, ging hij ervandoor in de overtuiging dat hij de rest veilig aan de krachtige ilmoe's en ontzag inboezemende poesaka's van Pak Samirah mocht overlaten. Plotseling hoorde hij een klagend gemekker. Verwonderd liep hij er op af en stond voor een geitje! 'Tjoba...!' stamelde Saleiman, vol verbazing naar een afgescheurde rotanstrik om de hals van het diertje kijkend. 'Het is het geitje uit de tijgerval...!'

Hij dacht even na; toen was zijn besluit genomen. Wat er ook met de val gebeurd mocht zijn, Saleiman moest er het zijne van hebben. Zou er een of andere geest in het spel zijn? Nu, Saleiman had om zijn bruine vingertjes een djimat zitten waartegen de bosgeesten tóch niets konden uitrichten, zelfs de meest kwaadaardige niet! En dus ging hij op pad. De rechte weg naar de val kende hij van hier uit niet; hij moest eerst weer een eind de weg naar het dorp terug volgen en dan in schuinse richting weer omkeren. Maar Saleiman had geen zolen te verslijten; de zijne werden alleen maar dikker naarmate hij er meer op liep. En de maan scheen zo helder...

Alom zongen de krekels, en de krekel in Saleimans kooitje ried zijn soortgenoten daarbuiten met luider stem aan om zich vooral goed verborgen te houden als ze zo'n jongetje als Saleiman in de buurt zagen. Hij liep er over te denken hoe fijn het zou zijn als hij alle krekels die hij nu hoorde, ja, alle krekels van de wereld in een bamboekooitje had: hij zou de kleintjes aan zijn vrienden geven, en de groten zou hij zelf houden. Maar ze waren zo lastig te vinden; vooral de goede kampvechters sprongen het hardste weg...

Saleiman dacht er ook over na wat hij morgen weer voor Dolimah gappen zou. Ma Satia had altijd zoveel eieren – daarvan kon ze er best een paar missen. En Niti had op haar dak *dendeng* te drogen, daar zou Saleiman ook een stukje weghalen. En Si Amat had zoveel rijst, wel een hele loemboeng vol – daar hadden de glatiks al zoveel van gegeten, dat het niet zou hinderen wanneer Saleiman er ook nog een handje van kaapte.

De maan stond achter hem en al neuriënde richtte Saleiman zijn blik op de lopende schaduw voor zich. Zijn toch al gedrongen lichaampje leek in die schim, die met potsierlijke beentrekkingen voortstapte, nog gedrongener. Ter zijde van het hoofd staken twee zwarte vlekken uit.

Saleiman hield op met neuriën. Met iets grimmigs om de mond staarde hij naar de mismaakte gestalte daar voor hem op de grond. Een vleermuis fladderde over de weg, en de beide schaduwen streken over elkaar. Saleiman zond het dier een verwensing na en ging onder de bomen lopen, waar de maan niet kwam. – Als hij in de val een tijger vond, zou hij... zou hij hem met een puntige bamboe steken tot hij brulde van pijn. Hij zou buiten eerst een vuurtje maken en daar de punt van het bamboe in laten gloeien en de tijger dan het vlammende einde in de muil steken en in zijn neusgaten en in de ogen! 'Si Kampret!' Allemaal noemden ze hem: 'Si Kampret!'

Maar na een tijdje kwam hij weer tot blijder gedachten. Dolimah zei altijd: 'Saleiman!' Zij had het natuurlijk wel gehoord dat de anderen: 'Si Kampret!' geschreeuwd hadden, en toch zei ze altijd Saleiman tegen hem. Wacht: straks zou hij nog wat op zijn soeling spelen. En zijn djangkrik was toch lekker de sterkste van allemaal! Hij zou hem nog wat meer spaanse peper geven en wel oppassen voor Sanip met zijn smerige trasi!

Hij was weer bij de plaats gekomen waar hij moest teruglopen. Nu scheen de maan hem vol in het gezicht, zodat die gehate schaduw niet langer voor hem uitdanste. Hij werd trots en dapper en liep rechtop.

Zat daar geen uiltje in de boom? Ja! Het gluurde naar hem. Saleiman raapte een steen op en... een doffe slag; het uiltje tuimelde omlaag. Saleiman greep het achter de kop. Onder het bekje bloedde het.

'Goed gegooid,' prees Saleiman zichzelf. 'Ik zal muizen voor je vangen, jonge muisjes uit de nesten onder galangans. En een kooitje zal ik voor je maken, een kooitje voor jou alleen, want anders vreet je mijn glatiks en mijn koetilang toch maar op.'

Het uiltje siste, sperde de bek half open en keek Saleiman met zijn starre gele spleetogen aan.

'Misschien ben je wel een boze geest,' zei Saleiman. 'Maar ik heb immers mijn djimat. En als je een geest mocht zijn, ben je in elk geval een domme geest, om je van die tak te laten gooien!'

Zijn gevangene in de hand omsloten, kwam hij bij de dichtgeslagen val. Saleiman legde het uiltje met omwonden vleugels op de grond, klom langs een stam, schuin naast de kooi, omhoog en keek over de rand.

Van verbazing viel hij weer omlaag.

'Saleiman!' schreeuwde Harmen van binnen. 'Waar zit je? Hier, hak een bamboesteel om en steek die naar binnen!' En Harmen gooide zijn mes naar buiten, zodat Saleiman het haast op zijn bol kreeg.

Maar Saleiman had zelf al een plan. Hij klauterde weer in de boom, sneed een rotan af, ontdeed die van de dorens, knoopte het boveneind stevig om een tak en gooide het ondereind in de val. In een ommezien werkte Harmen er zich uit en sprong van de palissade op de begane grond, terwijl Saleiman nog trachtte zonder scheur in zijn sarong af te dalen.

Harmen zuchtte diep, streek over zijn zitvlak, zag het gebonden uiltje liggen en raapte het op. 'Is ie van jou?' vroeg hij, toen hij zag dat Saleiman er weifelend naar keek. 'Alsjeblieft! 'k Wil je niks afhalen.' Hij reikte Saleiman het uiltje en nam hem het mes uit de handen. 'Lekker bot geworden, zeg! Ajuus en... eh, trima kassi, hoor! Bedankt!'

En Harmen maakte zich uit de voeten, met moeite een weg banend door de dichte struiken.

Maar even later hield hij aarzelend stil. Waar was hij nog maar weer vandaan gekomen? Het zweet brak hem uit. Zou de zaak nou *weer* scheef gaan? Woest brak Harmen zich baan. Hij had op weg hierheen de maan aan bakboord gehad, die koers zou hij dus maar houden. – En eindelijk... ja! Daar schemerde een weggetje tussen de bomen. Met reuzenkracht worstelde Harmen zich verder. Ziezo, hij was er! Nu herkende hij het ook! Aan de ene kant bamboebos, aan de andere kant zwarte zuilen met rafelige woeste kronen tegen de bleke lucht.

Wat was dat? Harmen dook vlug in de struiken en weg: daar kwam iemand. Een Maleier! En... en... wat hiel hij onder de arm, glanzend in het licht van de maan? Harmen snoof van woede: het was het pantervel!

De man stond stil. Hoekig en bottig en als met een knuppel schots en scheef geslagen vlekte de gestalte tegen het maanlicht. 'Siapa?' vroeg de Maleier.

'*Ikke*,' zei Harmen. Hij sprong naar voren, ontrukte de oude Pak Samirah het pantervel en rende er mee weg in de richting vanwaar die kerel gekomen was. Immers: daar moest het hol zijn! Want dat de man het vel gestolen had, stond voor Harmen vast.

Hij vond het plateau terug, liet zich langs het laddertje glijden, kwam op zijn achterwerk beneden terecht, krabbelde weer overeind en stapte het hol binnen.

'Harmen...?'

Harmen snoof, gooide het vel voor zich neer op de grond. 'Alsjeblieft, daar hebben jullie dit ook terug! Is er nog wat te bikken?'

Met grote ogen staarden de anderen hem aan.

De vlucht

'Zo gauw mogelijk onze biezen pakken,' verzuchtte Rolf toen Harmen zijn heldhaftig avontuur had opgedist. En hij legde hem in twee woorden uit hoe de vork in de steel zat. 'De doekoen zal het er niet bij laten zitten!'

'Wat een akelige gifmenger!' gromde Harmen, zich inderhaast over het fazantenboutje ontfermend, dat voor hem bewaard gebleven was. 'Hoe moeten we nou met Padde aan?'

'We dragen hem.'

'Goeiemorrege!'

'Het *moet*. We spannen het pantervel tussen twee stokken – dan hebben we een draagbaar. Vooruit jongens!'

Hajo en Harmen hakten aan de andere kant van het plateau, waar de bamboebossen stonden, twee stelen van gelijke lengte af, knoopten er met rotan het vel tussen. Rolf maakte uit een van de bamboes, die daarstraks nog voor de 'zonnetent' dienden, een 'pikoelan,' om het huisraad en de levende proviand eraan te vervoeren. 'Zijn jullie klaar?' vroeg hij. 'Dan moet Padde naar boven!'

Daar kwam in het maanlicht een kereltje aanhollen: Saleiman! Hijgend vloog hij op de jongens af. 'De doekoen is boos! En nu zijn ze met velen, met velen op weg hier naar toe!'

'Daar heb je het al,' stamelde Rolf.

Harmen vloog het laddertje af, het hol in, nam Padde op.

'Hou je goed vast, Padde. Ik zal je naar boven dragen!'

Geen antwoord. Paddes hoofd hing slap neer.

Met behulp van de anderen droeg Harmen de slapende Padde de ladder op en vlijde hem op de baar. Hajo legde de zieke nog wat zachte varens onder het hoofd. Toen tilde hij samen met Rolf de baar op... en daar ging het heen! Saleiman voorop, de pikoelan over de schouder. 'Ikoet sadjah,' zei hij bemoe-

digend, terwijl hij in een soepel drafje de weg insloeg die van het dorp weg-
leidde, 'volg mij maar...'

Zo deden ze. Dolimah en Harmen torsten de wapens. Joppie had gedurende
het verblijf in het hol een lui en droefgeestig bestaan gevoerd, maar nu de tocht
weer verder ging, kwam er ook in hem nieuw leven, en met fier opgerichte
staart dribbelde hij nog weer voor Saleiman uit. Het was een zonderlinge karavaan daar in het maanlicht...

Ineens hoorden ze, links voor zich uit, het gillen van een of ander dier. Verschrikt hielden ze hun gang in – behalve Joppie, die met gestrekte hals meteen
vooruit stoof.

'Tjelleng!' stelde Saleiman vast. 'Een wild varken...'

Maar Harmen verstond het niet. 'M'n *hert!*' riep hij in vervoering uit. En
met grote sprongen rende hij achter Joppie aan, dwars door de struiken en met
beide armen de takken en twijgen afwerend. Wat was dat? De bovenste strik
hing nog onberoerd; aan de onderste rukte uit alle macht een wild biggetje.
Keffend en grommend sprong Joppie eromheen.

'Een varken...!!' mompelde Harmen, teleurgesteld. 'Kom hier, mormel,
dan zal ik je helpen.'

Maar de gevangene scheen van Harmens hulp weinig goeds te verwachten,
rukte aan de rotan om zijn hals dat hij bijna stikte. Harmen greep het diertje,
bevrijdde het van de rotanstrik, bond met een slag de achterpoten samen. 'Ziezo, nou mag je met Harremen mee!'

De anderen kwamen er nu ook bij. 'Laat eens kijken je hert!?'

'Een hert is het niet,' zei Harmen. 'Maar aan het spit is ie toch beter dan een
bijbel met gouden slotje! – Blijf af, Joppie!'

En de jongens gingen weer verder, nu en dan stilhoudend om te luisteren of
hun vervolgers hun al op de hielen zaten. Na een tijdje wisselde Harmen met
Hajo als drager; later loste Hajo Rolf af. Padde sliep nog even rustig.

'Ben jij nog niet moe, Dolimah?' vroeg Rolf. 'Anders rusten we even.'

Saleiman keek ontsteld.

Dolimah wendde zich tot hem. 'Moeten we nog verder, Saleiman?'

'Eh-eh!'

'Hoever nog?'

'Niet ver meer. Dan kunnen ze ons niet meer volgen.'

Na een tijdje hield het bos op; de grond werd rotsachtig. Hier en daar nog
wat struiken, dat was alles. En opeens stonden de jongens voor een kloof. In
de diepte schitterde een stroompje. Aan de andere zijde strekte zich een kale
vlakte uit, heel ver weg begrensd door in maanlicht gedrenkte bergen. Er lag
een roerloze rust over.

'Kijk!' en Saleiman wees met zijn bruine arm, 'daar is de brug.'

Waar de kloof het smalst was, hing een soort rotanhangmat. Moest dat een
brug voorstellen?

'Als u over de brug is, moet u die loskappen!' zei Saleiman.

Zijn raad was overbodig: allen hadden hetzelfde al gedacht. – Nu stonden
ze voor de brug. Zou het wel vertrouwd zijn?

Toen Harmen er een paar passen op deed, zwiepte het ding geducht door. Dolimah zag zijn aarzeling. 'De brug is sterk,' verzekerde ze.

'We zullen het er maar op wagen!' zei Harmen. 'Als we met z'n allen het water in donderen, kunnen ze tenminste niet zeggen dat we van dorst gestorven zijn!'

'Jij blijft nu zeker hier, Saleiman?' vroeg Rolf.

'Ja! Hij zou immers niet meer terug kunnen, als we de brug kappen!' antwoordde Dolimah.

Rolf keek haar even aan. 'En jij ook niet, Dolimah...!'

Saleiman toonde ineens grote belangstelling, keek gespannen naar Dolimah. 'Ik kan immers tóch niet terug...' zei het meisje zacht.

Toen kwam Saleiman met een vraag die men van zo'n schuchter kereltje niet verwachten zou en die hij er dan ook met onvaste stem uitbracht: 'Waarom niet, Dolimah?'

'Oh!' zei Dolimah, hem lief en verrast aankijkend, 'het is al zo ver naar mijn kampong, Saleiman.'

'Ik wil je er brengen, Dolimah!' beloofde Saleiman haastig. Zij bleef hem lief, met droeve ogen aanzien. 'Ik dank je, Saleiman! Ik dank je voor alles... maar ik kan niet terug.'

Saleiman zei niets meer – hield het hoofd rechtop. Een traan blonk in zijn grote ogen.

De anderen gingen de brug over. Het was met Paddes baar moeilijk balanceren. Dat die brug ook zo zwaaide! – Toen ze aan de andere kant waren, kapte Harmen de hoofdstrengen los. Daar viel de vloer uit de brug; een paar bamboes gleden eruit en schoten als pijlen naar beneden. De weg was afgesneden!

Aan de overkant stond Saleiman in het maanlicht. Hij scheen schraler en magerder dan ooit: het was alsof je door hem heen kon zien, en zijn oren leken nog groter dan anders.

'Dag, Saleiman!'

Geen antwoord. Pas toen de jongens zich hadden omgekeerd en, koers nemend op de sterren, in zuidelijke richting hun weg vervolgen wilden, riep Saleiman: 'Tot nieuwe maan, Dolimah... Tot het begin van de poeasa – vastenmaand – zal ik iedere avond hier wachten...!'

'Maar ik zal niet komen, Saleiman.. '

Saleiman zweeg. Zolang de jongens in de maannacht de plaats konden zien waar de brug gehangen had, zolang ook zagen ze Saleiman staan, eenzaam, star als een beeldje.

Nu de angst voor vervolging voorbij was, voelden ze hoe moe ze waren.

Bij een paar struiken legden ze zich neer en sliepen in onder de met sterren bezaaide hemel.

De volgende morgen bij het wakker worden scheen de zon hun recht in het gezicht. De jongens keken eens om zich heen. Geen vogel, geen vlinder, geen eekhoorntje, een schaars begroeit plateau. Daar, ver vooruit, de blauwe bergen. Padde sliep nog altijd! Ze dekten hem met varens het gezicht tegen de zon af.

Verder maar weer! Ze aten een handjevol rijst met gedroogde vis, pakten hun boeltje op. Het biggetje kwam nu met de pootjes naar beneden in de pikoelan te hangen en trachtte in de lucht weg te zwemmen.

Hajo en Rolf namen de baar voor hun rekening. 'Drommels, hij slaapt vast!' zei Rolf, tevreden dat Padde nog altijd zo rustig ademhaalde en er niets van merkte toen ze hem opnamen.

'Ja, die doekoen is een duivelskunstenaar!' vond Hajo. 'We hebben hem voor zijn diensten slecht beloond!'

'Sjonge-jonge, 't zal warm worden vandaag,' voorspelde Harmen luidruchtig. De anderen keken eens omhoog, aan de hemel viel geen wolkje te bespeuren. De zon brandde al geducht.

Dolimah was die morgen erg stil. Ze neuriede niet, zoals anders wanneer ze met de jongens meetrippelde.

'Je bent zo stil, Dolimah?' vroeg Rolf. 'Denk je ergens aan?'

Het meisje, opgeschrikt uit haar overpeinzingen, schudde het hoofd. Maar na enige tijd zei ze uit zichzelf, de ogen naar de grond gericht: 'Ik denk er aan wat mijn zusjes en broertjes nu doen. Ze zullen al wel gebaad hebben in de rivier, en Dajik en Oeng zijn met Karidin mee in de velden om te ploegen met onze karbouw. Straks, als de bibit uit de kweekbedden naar de sawah wordt overgeplant, helpen zij ook. En later weer, om de gèdèngs te binden... nou, ja, Kartini niet: die kan zo mooi batikken, dat ze niets anders doet en nooit meegaat in de sawah'. Dolimah zuchtte. 'Dajik, m'n jongste broertje, zal bedroefd zijn dat ik weg ben. Hij houdt van alle mensen en ook van alle dieren en vogels. Van de bomen houdt hij en van de bloemen; hij kent ze allemaal. Toen hij heel klein was en ik hem soms op mijn armen droeg, was hij al zo.' Dolimah staarde peinzend naar de bergen in de verte. 'Als... als ik ooit weer in mijn dorp terugkwam, zou Dajik zeggen: Ik wist het wel...'

De zon begon zo te steken dat de jongens het niet langer uithielden en met gloeiende hoofden en kloppende slapen onder een paar eenzame struiken gingen liggen, er zorg voor dragend dat vooral Padde zoveel mogelijk schaduw had. De lucht trilde van hitte; als ze over de vlakte staarden, zagen ze de bergomtrekken sidderen.

Geen van hen had lust in eten. Met een droge keel sliepen ze in.

Toen ze weer wakker werden was het iets minder heet geworden. Harmen stond op, werkte de kip los van de pikoelan, sneed het dier de keel af en sloeg aan het plukken.

Dolimah slaagde er na enige moeite in, een vuurtje te doen ontvlammen; de kip werd gebraden en was heerlijk mals.

Wat verkwikt, zetten de jongens de tocht weer voort. Padde sliep nog altijd. Harmen verdacht er hem van dat hij zijn ogen maar dicht hield om niet te hoeven lopen.

Aan het rotsplateau scheen geen einde te zullen komen: de bergen leken nog even ver als vanmorgen. Ze liepen tot de schemering door, in de hoop een zachtere bodem te vinden om die nacht op te slapen. Vergeefs. Steen en nog eens steen. En mocht de bodem overdag zo gloeiend heet zijn dat ze er hun voeten haast aan brandden, nu was hij kil en leverde een allesbehalve lekker bed op.

Harmen maakte een groot vuur. Door de rosse schijn gelokt, kwamen vleermuizen aanfladderen; stilletjes bijeenhokkend, volgden de jongens met de ogen het grillig wiekenspel.

'Saleiman heeft gezegd,' begon Dolimah onverwachts, 'dat met nieuwe maan de poeasa begint. Dan is er feest in ons dorpje. En Dajik zal vragen: Waar is Dolimah? Weet ze niet, dat het poeasa is?'

De jongens hadden nauwelijks verstaan wat Dolimah zei; ze hadden nu geen lust zich tot luisteren in te spannen. Maar allen hoorden in haar stem wat ook hen vanavond weer sterker dan ooit kwelde...

'Ze heeft verlangst,' zei Harmen. – De anderen zwegen, knikten even. Maar opeens wees Hajo met de hand naar het Westen. 'Kijk daar eens! *Meeuwen!*'

Verrast keken de anderen om: de klank van het woord roerde in hen een gevoelige snaar aan. Meeuwen...! Ja, daar in het westen zweefden ze, maakten hun avondvlucht. Stil! Als je de adem inhield, kon je ze horen. Tsjie... iep!' Een kwam er nader, achten aaneenrijgend tot een lange keten, en met zijn vleugel wenkte hij de jongens. 'Tsjiep!–... de zee is er nog! Ze laat groeten en vraagt... tsjiep! waar jullie blijven!' Nog eens wenkte de meeuw, toen dreef hij weer weg... tsjiep...!

De nacht was sluipend nader gekomen en had zijn mantel wijd over de hemel uitgeworpen. De blankgevederde boden van de zee vervaagden tot schimmen en verdwenen.

Maar in de harten der jongens hadden ze een grote blijdschap achtergelaten. De zee! Daar in het westen, niet veraf, was de zee! Nu voelden ze hoe vaak ze naar de zee verlangd hadden wanneer ze, beklemd door de muur van groen rondom, zwijgend bijeengezeten hadden. Soms waren ze, ernaar snakkend om weer eens vrijuit te kunnen ademen, met verbeten woede tegen dat groen voorwaarts gedrongen, wegkappend de bloemen, takken, wortels, slingerplanten, en wanneer ze er tenslotte hijgend bij neervielen, waren ze weer door een nieuwe muur omsloten, even beklemmend en onverbreekbaar als de vorige. En terwijl ze tussen het geboomte geesten spottend hoorden fluisteren, hadden ze stilletjes, zonder het elkaar te laten merken, van verlangen naar huis gegriend...

Maar nu... had de *zee* zich weer aangemeld! Morgen zouden ze niet meer naar het zuiden, maar naar het westen lopen, nietwaar Rolf? Ze zouden de frisse, zoute lucht van de zee weer met volle teugen opsnuiven!

Morgen naar het westen! Morgen naar de zee! Soms streek een windvlaag over het plateau aan, werd in hun verbeelding tot het ruisen van de branding en voerde in het wijken hun zielen mee, als een terugvloeiende golf de schelpjes die op het strand zijn aangespoeld.

De biawak

Toen ze al vroeg in de volgende morgen de draagbaar weer oppakten, werd Padde wakker, keek verbaasd, met matte oogopslag naar boven. 'W-wat zal ik n-nou beleven...?'

'Padde...?! Ben je weer beter? Hoe is het met je?'

'Best. 'k Heb fijn geslapen. Maar ik voel me nog... zo moe. Dragen jullie me?'

'We zullen je later alles nog wel vertellen, als je weer helemaal beter bent! We gaan nou naar zee, Padde! Naar 't westen, dan is het niet ver!'

Padde knikte toestemmend.

'Nou, ik vind het best, zeg! Ik zal blij zijn als ik de zee weer zie!'

En genoeglijk liet hij zich voortdragen. ''t Is me hier 't zonnetje wel! Ik zal maar een takje boven m'n kop houden, dan heb ik er niet zo'n last van.' En tegen Harmen: 'Nou mag *jij* wel weer eens een eindje dragen, Harmen! Kijk Hajo eens zweten op zijn rug!'

'Als we je om de tien passen zouden overtakelen, lagen we in een ommezien allemaal in katzwijm!' meende Harmen.

'Om de tien passen!' smaalde Padde. 'Hoe lang draag jij nou al wel, Hajo? Toch minstens een uur?'

'Ik kan nog best!' gromde Hajo, wrevelig over Paddes ongewenste deelneming in zijn lot.

'Ja, dat zie ik aan je rug! Vooruit, Harmen, nou jij eens. Jij loopt maar niks te doen!'

'Goeiemorrege: niks doen!' gromde Harmen. En grinnikend duidend op het biggetje aan zijn pikoelan: ''k Dráág ommers al een varken?'

Padde zocht grimmig naar een vlijmscherp antwoord. Hij vond er geen.

Maar al gauw was Padde de belediging weer vergeten. Hij begon zachtjes te fluiten, de ogen dicht tegen de zon. ''k Lig hier fijn!' stelde hij de anderen gerust. 'Als in een koets! Jij bent de palfrenier, Rolf! En Harmen is het paard. Hu, paard!'

Padde klikte met de tong.

Harmen, die Hajo's taak nu toch maar had overgenomen, keerde zich om. 'Zeg er eens, jij ligt daar zo'n lawaai te schoppen – kun je nog niet lopen?'

Padde keek sip. ''k Zal eens kijken!' zuchtte hij en richtte zich op. Maar alleen die beweging kostte hem al zoveel inspanning dat hij lijkwit, met gesloten ogen, weer achterover viel. Harmen zag dat het niet geveinsd was. 'Nou vooruit dan maar weer...' zuchtte hij. – En Rolf berispte: 'Je moet stil blijven, Padde, en ook niet praten! Hoe gauwer je beter bent, hoe prettiger het voor ons allemaal is.'

Onverwachts vertoonde zich voor hun ogen een brede scheur in de rotsen, en, naderende, hoorden ze dat in de diepte een beekje stroomde, misschien wel hetzelfde als waarover de rotanbrug gelegen had. Ook hier was de kloof onheilspellend diep en van er overheen te komen geen sprake. Nu, als ze het beekje maar volgden, kwamen ze immers vanzelf aan zee!

Uit de kloof steeg een aangename koelte op. Ook het heldere stroompje daar beneden lokte; de kokosnoten, die ze vooral ter wille van de melk meedroegen, waren bijna op!

''t Zou daar in de schaduw beter zijn dan hierboven,' zei Rolf, terwijl hij over de rand keek. 'Misschien kunnen we verderop ergens omlaagklauteren!'

'Ja, laten we nog wat doorlopen!' stelde Padde uit zijn draagstoel voor. 'Misschien vinden we nog een goeie plek!'

Harmen keek hem met grenzeloze verachting aan. 'Zeker, koning Knolraap, je zegt het maar, hoor. Als je voeten er vuil van worden, zal Harmen ze wel schoonlikken!'

Padde gromde wat. – Zwijgend, nu en dan een blik in de kloof werpend, gingen de jongens verder. En... ! ze hadden nog geen half uur gelopen, of van deze zijde van de kloof daalde een ruwe, door de natuur gevormde trap af. In alle voorzichtigheid, vergezeld van honderd waarschuwingen en raadgevingen van Padde, die met zijn hoofd schuin uit zijn draagstoel hing, klauterden de jongens omlaag in de heerlijke koelte. Hun eerste werk was, van hun handen een bekertje te maken en gretig het frisse heldere bergwater op te slurpen.

Daarna werd beraadslaagd wat er nu gebeuren moest. Wanneer de jongens door de kloof hun tocht wilden vervolgen, moesten ze door het riviertje waden! Nu, alles beter dan daar boven in de gloeiende zon te tippelen! Hier was ook plantengroei; verderop scheen het zelfs alsof ze zich door de overhangende struiken baan moesten breken.

Kom! Ze namen Padde weer op en vervolgden hun weg. Het ging beter dan ze verwacht hadden. Wel lagen in het water stenen, die vervelend drukten in de voetholten, maar ze waren door de stroom afgerond en hadden geen scherpe kanten.

Op een grote, platte bergsteen legden ze Padde een ogenblik neer en namen een bad. Ook Joppie deed mee: hij was tóch al kletsnat.

Na een uurtje gingen ze weer verder, en zie! hier liep een pad langs het water!

Langzaam-aan begon het te schemeren, zodat ze naar een plaats moesten uitkijken waar ze de nacht konden doorbrengen.

'We moeten maar ergens aan de kant gaan liggen!' zei Harmen.

Het was niet erg aanlokkelijk, zo op stenen. Aarzelend hielden de jongens stil en keken de nu in de schemering wat angstig geheimzinnige kloof door.

'Als we nog eens doorliepen tot aan de bocht?' vroeg Hajo.

Zonder veel hoop liepen ze nog even door en... en nadat ze zich door dicht en stekelig struikgewas hadden heen geworsteld, stonden ze ineens voor een prachtig zandig plekje. De rotswanden waren hier geheel begroeid; manshoge varens spreidden hun bladschermen vertrouwelijk over dit knusse kamertje in de natuur.

'Dá's andere koek!' riep Harmen.

Padde rekte zich de hals uit. 'Ga opzij! Ik kan niets zien!'

'Jawel, radja Boendersteel!' zei Harmen. 'Kan uwes zo beter zien?'

'Ja. – Wat ligt daar voor een beest?! Een... een *krokodil!*'

'Waar...?!'

'Onder die boom!'

Harmen rende er op af. En... daar schoot, met vlugge lichaamswendingen, een enorm grote hagedis weg. Het beest gleed, daar hem geen andere uitweg bleef, tussen Harmens benen door en deed hem door een geduchte zwaai met de staart in het zand ploffen. Nu wilde Hajo het dier de weg versperren, maar het richtte zich op; een geelwitte buik glansde Hajo tegen, en toen hij als het weerlicht opzij sprong, scheerde een zware poot met lange scherpe nagels hem rakelings langs het gezicht. Met een plons stortte het dier zich in het water, dat hoog opspatte... en was verdwenen.

De jongens waren beduusd. 'Een biawak!' stamelde Dolimah.

'Was het geen krokodil?' vroeg Rolf.

'Nee,' zei Dolimah, 'het was maar een biawak, maar wel een heel grote! Hij rooft veel kippen en eieren!'

'Laat hem naar z'n moer lopen!' pruttelde Harmen, die weer overeind gekrabbeld was. 'Kom, jongens, 't is hier fijn, da's vast!' En de jongens namen het idyllische plekje voor de nacht in het bezit. Een bed van varens was gauw gemaakt; Dolimah slaagde erin, een paar droge takjes vuur te doen vatten. Veel dood hout was er niet te vinden – de regen zou het wel hebben weggespoeld. Ze moesten dus maar palmtakken branden, die hevig knapten maar tenslotte toch vlam vatten.

'Tja!' zei Harmen, 'we hebben het niet voor het uitzoeken en van de lucht kunnen we niet leven, dus... hou je maar klaar, ouwe jongen!' Harmen had het tegen het biggetje. 'Dat je het niet lollig vindt, zie ik zo wel aan je snoet, maar je moet maar denken: beter goed gebraje als half gaar-gekookt!'

'Chrrr...!' knorde het arme dier.

'Geduld!' zei Harmen. En hij begon op een vlakke steen zijn mes te wetten. De krulstaart wachtte met slaperige, halfdichte oogjes.

Dolimah vertelde met zachte, trage stem van een biawak die in haar dorpje gevangen was en in de hete as gepoft en opgegeten. De jongens luisterden er dromerig naar. De maan scheen nu van boven recht de kloof binnen. Roerloos als orgelpijpen stonden de stralenbundels. In een ervan daalde zachtjes wiegelend een dood blad omlaag, wentelend om het steeltje.

Harmens mes was nu gewet en blonk. 'Zo!' zei onze koksmaat, overeind springend en wat hout op het vuur gooiend, zodat het weer hoog oplaaide. 'Kom jij nou maar eens bij Harremen, ouwe heer, hij zal je niks doen.'

'Harmen,' zei Rolf geprikkeld, 'dat dat beestje geslacht moet worden spreekt vanzelf, maar ik wou dat je er die redevoeringen bij achterwege liet. En ga er wat mee opzij, dat Dolimah het niet ziet.'

Harmen staarde Rolf met grenzeloze verbazing aan. 'Zeker, Majesteit!' stamelde hij toen, want Harmens gedachten schenen zich vandaag in vorstelijke kringen te bewegen, 'uwes heeft maar te bevelen! – 'k Zou anders wel eens willen weten wie zulke zaakjes moest opknappen, als Harmen het niet deed!'

'Ik!' zei Rolf kortaf.

''k Hoor het je zeggen!' hoonde Harmen. 'Nee, wees maar blij dat Harremen zich over je ontfermt, stom dier, want zíj zouden je samen liever doodpesten dan je even een ritsje te geven! Ja, als je uit de kombuis komt! Dan staan ze met hun petje klaar! Ze denken zeker dat je vanzelf de pan bent ingevlogen...' En Harmen ging met zijn beschermeling grommend de hoek om.

Maar toen hij even later met een al gevild biggetje terugkwam, was hij zijn boosheid vergeten. 'Daar heb je mosjeu!' riep hij vergenoegd uit. 'We hebben er voor morgen ook nog zat aan. Hij zei nog dat z'n pootjes het lekkerst bennen. Nou, geef m'n spies dan maar eens hier, Hajo, dan zullen we eens kijken of hij de waarheid heeft gesproken!'

De rode weerschijn van de oplaaiende vlammen tegen het naakte bovenlichaam, stond Harmen zijn biggetje te braden; hij scheen een ware duivel zoals hij grinnikend de speer, met aan het uiteinde de sissende vetdruipende bout, in de vlammen draaide.

Grotesk elke beweging nabootsend, stond zijn schaduw fantastisch-groot tegen de kale rotswand aan de overzijde.

De dans ontsprongen

Al vroeg in de volgende ochtend werden de zwervers wakker door het verwoed gekrijs van een paar dozijn kleine apen, die de rotswand aan de overzijde op- en afvlogen, met handen en voeten steun vindend bij de steenpunten. Ook in de bomen daarboven krioelde het. De jongens schenen midden in een apenkolonie te zijn verzeild.

De zon was nog niet op. Tegen de lichtblauwe hemel gloeiden een paar roodgrijze wolkjes. In het zuiden trokken kalongs voorbij in de richting van de kust. Nog trager dan 's avonds, wanneer ze op plundertocht uitgaan, vlogen de reusachtige vleermuizen, nu verzadigd, naar hun dagslaapplaatsen terug. Nog een paar achtergebleven schrok-ops, die van de vruchten niet hadden kunnen scheiden! – voorbij was de stoet.

Nu kwamen van het westen, in tegenovergestelde richting, donkere wolken aandrijven. Onheilspellend doemden ze achter de rotswand aan de overzijde op, tot er langzaam een zware, zwarte wand over de kloof neerzonk, die nu iets van een lange, griezelige grafkelder kreeg.

De jongens lagen achterover op hun bed van varens en staarden nog wat slaperig naar boven. Alles was even duister en geheimzinnig: die zwarte lijkdoek hoog boven de kloof, de grijze rotswand voor hen, waartegen nu en dan een licht buikje van een aap glansde, die donkere bomen daar heel in de hoogte... Het schuimende water schitterde hel op uit al die donkerte, en het geruis scheen sterker te worden naarmate de druk in de natuur de andere geluiden deed verstommen. De aapjes krijsten nu niet meer, sprongen haastig op en neer, soms vanaf een rotspunt als boosaardige duiveltjes naar de jongens loerend met vinnige ogen, of de bek opensperrend, zodat de hoektanden geheel bloot kwamen.

Onverwachts, alsof er ineens een reusachtige dievenlantaarn geopend werd, sloeg een vals goud licht van onderen tegen de zwarte wolken op. Het werd nog stiller. Het ruisen van het water kreeg zo'n macht over de jongens, dat het hun toescheen, of ze nooit meer iets anders horen zouden; in de ban daarvan lagen ze futloos neer.

Maar daar begon het uit de hemel te lekken. Warme regendroppels vielen op hen neer en wekten hen uit hun versuft luisteren. Terwijl het apenvolkje haastig naar z'n nesten hoog in de bomen vluchtte, sprong Rolf overeind en keek de anderen verschrikt aan. 'Jongens! het gaat *regenen*! En de rivier... zal vollopen!!'

Harmen, Hajo en Joppie waren meteen op de been. Ze moesten hier weg, dat begrepen ze, en hals over kop werd alles bijeengepakt. De overgebleven varkensbout was spoorloos verdwenen – Harmen vond nog juist even tijd de biawak van de roof te verdenken en in het algemeen zijn mening over biawaks uiteen te zetten. Toen werd Padde opgenomen, en daar ging het...!

't Zou niks lollig zijn als we verdronken!' vond Harmen. 'Alle moeite en kosten voor niks geweest hè?'

Uit de vallende druppels werd een regen. Langs beide rotswanden vloeide het water omlaag.

Na een half uur was het pad naast het riviertje al overstroomd; de jongens moesten goed uitkijken waar ze hun voeten neerzetten.

Joppie plaste met grote sprongen door het water, dat hem al bijna tot aan de borst reikte. En ineens dreef hij af, probeerde nog tegen de snelle stroom in te zwemmen, maar werd meegesleurd. Tot hij zich op een hoge steen in veiligheid wist te brengen. Zacht jankend, wachtte hij de jongens op.

'Waren we maar nooit in die smerige kloof gegaan!' jammerde Padde. 'Ik hád al zo iets gedacht!'

De anderen luisterden niet naar Paddes wijsheid achteraf. 'Kom dan maar hier, mormel!' zei Harmen en nam Joppie onder de arm. 'Jij bent ook een mens!' Joppie begon Harmens gezicht dankbaar te likken, waartegen Harmen zich niet anders dan door een reeks verwensingen kon verweren, want hij had beide armen vol.

Dolimah waadde zwijgend tussen de anderen voort, nu en dan angstig omhoogkijkend.

De hemel werd minder donker; de regen nam in hevigheid af. Maar het water steeg, steeg tergend zeker. Het reikte hun al boven de knieën en Paddes draagstoel dompelde onder, telkens wanneer Hajo of Rolf in een kuil trapte: Dan stak Padde vlug zijn hoofd op, om dát althans boven water te houden. Gewoonlijk deed hij het te laat.

Het ging er om spannen! Nog altijd rezen de meedogenloze stenen wanden even steil en onbeklimbaar omhoog, en het water begon tot aan de buik te reiken, zodat Padde rechtop moest gaan zitten.

''k Heb zo'n honger...' klaagde Harmen. Geen der anderen leed in dit hachelijke ogenblik aan honger.

Ze kwamen aan stroomversnellingen. Dat werd lastig. Onstuimig danste het water tussen de stenen voort. Terwijl ze voorzichtig trachtten, Padde over de gevaarlijke plaats heen te helpen, gleed Rolf uit; daardoor ontglipte de draagstoel aan Hajo's vingers, en Padde ging samen met Rolf kopje onder. Ze kwamen weer boven, tolden in het water voort. Rolf tornde tegen een steen op, wist zich erop te werken en keek verward naar de anderen uit. Padde dreef door, ploeterend met armen en benen... ! – Maar op hetzelfde ogenblik had Hajo zich voorover in het water geworpen en zwom nu achter Padde aan, met krachtige armslagen. Hij won terrein, kreeg de spartelende Padde bij zijn benen te pakken, trok hem al zwemmende naar links, waar het water het ondiepst was, kwam daar overeind te staan en hielp Padde ook op de been. Hulpeloos, zich nog moeilijk staande houdend, klemde Padde zich aan zijn makker vast.

'Pak ons maar bij de arm, Padde!' zei Rolf, die hijgend kwam aanwaden. 'Het loopt niet moeilijk met de stroom mee. De draagstoel is weggedreven.'

De angst in het hart, vervolgden de jongens hun tocht, Padde strompelend en vallend, maar de anderen hielden hem stevig vast, al liepen ze zelf ook al met knikkende knieën.

Ze gingen een bocht om, en Harmen stootte een verschrikte kreet uit... de kloof sloot zich van boven; het water stroomde een donkere grot binnen. Wat te doen?! Nergens konden ze naar boven; er was maar één uitweg... 'De grot in!' beval Rolf.

'Ik durf niet...!' snikte Padde.

'Kom mee!' zei Rolf onverbiddelijk.

Hij werd gehoorzaamd. Dolimah aarzelde even; toen stuwde de stroom haar vanzelf de grot in. Joppie in Harmens armen kreeg het te kwaad van angst. 'Ja, nou moet jij nog gaan gillen ook!' mopperde Harmen. 'Dan ga je meteen overboord, begrepen?'

Joppie begreep.

De boven- en zijwanden van de grot waren glinsterend zwart van het water dat er langs neervloeide; hier en daar was de grot zo laag dat de jongens met gebukt hoofd moest lopen. Overigens scheen hij als vergaderzaal voor vleermuizen te dienen, die piepend protesteerden tegen het onverwachte bezoek. Maar de jongens merkten ze nauwelijks op, schrokken hoogstens even wanneer er hun een vlak langs het gelaat fladderde. Verder! Gejaagd, nu en dan het hoofd stotend in de duisternis, strompelden ze door het water, de blik star vooruit: of nog geen lichtschemering het einde van de grot zou aankondigen. Padde kon zich niet meer op de been houden, werd half gedragen. Hij leunde zijn hoofd op Hajo's schouder en verzette nauwelijks meer zijn benen, toen...!

'Licht!' riep Hajo. 'Het wordt weer licht!!!'

Dat staalde de spieren. Met opgetrokken schouders, als drukte de duisternis op hen, ontvluchtten de jongens de griezelige grot met z'n muffe lucht en z'n vleermuizen. Ja! daar was het daglicht weer, heerlijk, heerlijk daglicht!

Ze kwamen de grot uitwaden, keken om zich heen en haalden diep adem. De steile rotswanden waren verdwenen; de rivier verbreedde zich, stroomde tussen zacht glooiende oevers. Met een vreugdesnik wierpen de jongens zich voorover in het water en zwommen naar de wal, Rolf en Hajo met Padde aan de hand. Harmen hield Joppie in zijn nekvel voor zich uit.

Ze kropen aan de oever, hielpen Dolimah op de kant. Toen zochten ze, nog wankelend, een zacht plekje op en lieten zich neervallen.

'Hè, Joppie, morremel, zou je nou niet eens: dankje, Harmen zeggen?'

Joppie lag met de kop op de voorpoten. Hij zuchtte diep, kroop naderbij en vlijde zich tegen Harmens dampende lichaam aan.

Oververmoeid sliepen de jongens in.

De regen ruiste neer.

Harmen en Padde op de visvangst

Toen ze wakker werden, was het droog. De zon scheen weer. Van de grond stegen opwekkende geuren op. De natte, nog glimmende bomen, de zwart-geregende takken straalden weer felgroene plekken uit; de lucht was vol vogel-gerucht.

Kijk! daar kwam het stroompje de kloof uitdansen, holderdebolder over de stenen, dat het water hoog opschuimde, fel blinkend nu de zon er op scheen. De ingang van de grot, feestelijk getooid met bloemen en varens, zag er zo lokkend geheimzinnig uit dat je nog bijna lust zou krijgen er weer in te gaan. Brr!

Terwijl Dolimah bij Padde bleef zitten, keken de anderen naar iets als een pad uit waarlangs ze hun weg zouden kunnen vervolgen. Maar alles was met dicht struikgewas begroeid.

Harmen dacht voorlopig alleen maar aan zijn maag, vond enkele eetbare vruchten en kwam daarmee dadelijk terug om een vuurtje te maken waarin hij ze zou kunnen poffen. Na veel moeite wist hij uit een paar splinters een vlammetje te toveren. 'Hajo!' riep hij, 'zou je voor de kombuis niet een paar vette duiven kunnen provianderen? Ze zitten hier zat, je hoeft ze maar te flui-ten!'

Hajo kwam juist met Rolf aanlopen. 'Ik heb nu geen tijd!' zei hij opgewon-den. 'Rolf weet er wat op om naar zee te komen. We laten ons de rivier afzak-ken! Met een vlot!'

Harmen vergat de duiven, sperde verrast zijn mond open. 'Daar krijg je me voor!' En meteen ging hij met de anderen aan het werk.

Ze kapten eerst een twintigtal stevige bamboes, die ze op een lengte van vijftien voet terugbrachten, nog evenveel stelen van tien voet, en maakten daaruit de onderbouw. Gelukkig tierde er welig rotan – waar eigenlijk *niet?* Ze ontdeden de buigzame taaie stengels van de dorens en gebruikten ze om de dwarse bamboes stevig over de andere te snoeren.

Dolimah was komen kijken. 'Bikin apah?' vroeg ze. 'Wat maken jullie?'

'We maken een vlot om de rivier mee af te zakken!'

Terwijl de jongens hijgend over het vlotgeraamte kropen en trokken en zwoegden dat het zweet hun onder de haren wegdroop, keek ze peinzend toe. 'De rivier gaat naar zee,' zei ze na enig zwijgen. 'Alle rivieren gaan naar zee.'

'Nu, dat willen we immers ook!' zei Rolf.

'En dan?' vroeg Dolimah zacht. 'Als u bij de zee is aangekomen...?'

'Dan varen we naar Bantam! We zullen wel ergens een boot vinden.'

Dolimah zei niets meer, ging zwijgend weer bij Padde zitten.

Na een paar uur was het geraamte voor het vlot klaar. Drie vaardige scheepsjongens die drie knopen sloegen in de tijd dat een landrot nog nadacht hoe hij beginnen zou! Harmen liep de knopen nog even af, alsof hij de bootsman zelf was. 'Als de boel gaat wrikken, is de schuit geen pruim meer waard!' stelde hij vol vakkennis vast.

'Nu moeten we eens aan een bovenbedekking gaan denken,' zei Rolf. 'Als we er eens half gespleten bamboes overheen bonden?'

'Je kan er voor mijn part net op binden wat je maar wilt,' verzekerde Harmen. 'Al wou je er acht dozijn ouderlingen op binden, met de neuzen naar boven en de bijbel in de hand. Maar *Harremen* zal eerst eens zien of er niks te bikken valt!'

'We kunnen wat gaan vissen!' zei Padde vanaf de plek waar hij zat.

Padde was soms toch nog snuggerder dan je dacht. Vooral in het oplossen van etensproblemen.

'Zou hier in het water vis zitten?' vroeg Hajo.

'In het water eerder as op de bomen.' nam Harmen aan. 'Je kunt eens een lijntje uitgooien, hè? En als 't niet wil bijten, spuug je maar eens naar je dobber, dan komen ze. Ga daar maar in dat kreekje liggen, Padde, daar lig je goed.'

'Hoe kom ik aan een simmetje?' vroeg Padde.

'Had ik m'n broek nog maar,' zuchtte Harmen. 'Daar zaten haakjes zat in; ik kon m'n hand niet in m'n zak steken, of er bleven er een paar aan m'n vingers hangen. 'k Heb altijd graag mogen vissen.'

'Een bamboe haakje is ook hard genoeg,' meende Rolf.

'En ik heb nog wat pikdraad in m'n zak!' zei Hajo.

'Hier d'r mee!' beval Padde, die kwam aansukkelen en ineens weer vrij aardig ter been scheen te zijn. Vissen was altijd zijn lievelingswerkje geweest. 'Ziezo. Gaan jullie maar door met dat vlot, dan zal ik wel voor een lekker maaltje vis zorgen.'

'Laat mij eerst 't goede plekkie zoeken,' zei Harmen. 'Anders vang je nog niks.'

'Ik weet de goeie plekjes zelf wel te vinden!'

'Ja, om te maffen,' schimpte Harmen. 'Kom mee!'

Terwijl Padde en Harmen ter visvangst togen, Padde zich mopperend verwerend tegen Harmens bazigheid, spleten Hajo en Rolf dunne bamboetjes doormidden en legden die met de bolle kant naar boven over het vlotgeraamte. Met rotanstengels werden ze vastgesjord.

Het werkje vroeg veel tijd. Na een paar uren was pas de helft van het vlot bekleed. 'Kom,' zei Rolf, 'de zon gaat al onder! Zullen we eens gaan kijken, wat de visserij heeft opgeleverd?'

'Padde kan het goed,' verzekerde Hajo. 'Hij kwam altijd met de meeste vis thuis.'

'Nou, m'n maag kriebelt al!' zei Rolf. Samen liepen ze naar de kreek, waar Harmen en Padde zwijgend naar een bamboedobber zaten te turen. Padde was kletsnat.

'Wil 't wat bijten?' vroeg Hajo.

Eerst geen antwoord. Toen pruttelde Padde: 'Als Harmen zijn vingers maar thuis hield!'

'Wil je 't water weer invliegen?' vroeg Harmen.

Padde zweeg, woest.

Toen de beide vissers naar de kreek waren getogen, had Harmen eerst een hengelstok gesneden, er een fijn 'simmetje' aan gemaakt, met aan het bamboe-haakje een vette dauwpier, die ze uit de grond hadden geklopt. 'Ziezo, nou nog een goed plekkie! Daar onder die boom lig je goed: onder een boom lig je altijd goed,' zei Harmen.

'*Ik* wil vissen,' verklaarde Padde. 'Ik ben op de gedachte gekomen!'

'Zien, dat je er weer afkomt,' raadde Harmen hem aan. 'Jij kunt met je knip-ogen ommers geeneens zien of je tuk hebt?'

'Misschien beter dan jij!' zei Padde verontwaardigd. ''k Ben al eens met vijf-tien vette palingen thuis gekomen!'

'Dan had je zeker een fuikje gelicht,' meende Harmen. 'Nou, hou je gemak maar, baron, we zullen hier eens netjes gaan liggen. Niet te diep en tegen de kant – daar zitten ze.'

Er werd enige tijd gezwegen. Beide jongens tuurden naar de dobber, Padde stug, jaloers dat Harmen de hengel hield; Harmen vol rustig vertrouwen dat hij wel gauw 'tuk' zou krijgen.

Maar er kwam geen tuk. De dobber tolde wat rond, dreef langzaam tegen de oever. Harmen trok hem weer wat van de kant, gooide een handjevol zand en kiezel in het water. 'Daar komen ze op af,' lichtte hij toe.

'Of ze zwemmen er voor weg,' zei Padde.

''k Wou, dat jij ook maar wegzwom!'

Zwijgen. De dobber dreef weer langzaam tegen de kant.

'Spuug eens in het water?' vroeg Harmen. 'Om ze te lokken?'

Padde spuwde een bijzonder verlokkende witte vlok op het water.

'Spuug nog eens?'

''k Heb geen spuug meer,' zei Padde, onwillig om bij te dragen tot Harmens succes.

'Wat een vent!' smaalde Harmen. Hij schraapte zijn keel en spuwde vijfmaal achtereen in verschillende richtingen over het water, zodat de vissen zelf waar-schijnlijk niet wisten naar welke kant zij zich gelokt voelden.

'Weet je wáár vis zit?' vroeg Harmen.

'Jawel,' zei Padde, 'daarginds, waar de kreek in het riviertje loopt.'

'Nee, bij Lubbes. Achter 't dijkje, bij de molen van Stoppel.'

'Zal ik niet weten! Wurmen zijn er daar ook zat. Laatst was ik m'n flessie verloren, en toen moest ik daar verse wurmen zoeken. Zoveel als je maar lustte, hoor!'

'Je flessie verloren?' vroeg Harmen na enig turend zwijgen, (de jongens spraken met grote pauzes en staakten het gesprek zodra er enige beweging in de dobber scheen te willen komen) 'je flessie verloren? Bewaar jij je wurremen in een flessie?'

'En jij dan?' vroeg Padde.

Pauze. Zwijgen. Turen.

'In m'n mond natuurlijk,' zei Harmen. 'Dan blijven ze lekker vers. – Weet je wat me laatst overkomen is?'

'Nou?'

Lange pauze.

'Toen is me zo'n mormel in m'n strot gekro...' Pauze.

'In m'n strot gekro...'

Lange pauze.

'In m'n strot gekropen, de sallemander! Van schrik slikte ik de anderen ook nog in. 'k Had juist een reuze-tuk, anders had ik 't natuurlijk wel gemorken. – Laatst gooi ik in. Wip! schiet er een bleitje op, een klein pestdingetje. Maar meteen dat ik opsla, zit er een snoek bovenop. Ik laat vieren...'

'Harmen! Je hebt tuk...!' fluisterde Padde.

Het dobbertje wipte even omhoog. Bleef weer stil liggen. Twee paar ogen blikten star op het houten schijfje daar in het water.

'Zal ik niet merken als ik tuk heb!' smaalde Harmen na een diepe zucht. 'Nou, die snoek zat er dus bovenop, hè? Ik liet vieren...'

Maar Harmens snoekverhaal had geen geluk: weer scharrelde het dobbertje heen en weer en deed Harmen verstommen.

'Haal op!' gilde Padde met onderdrukte stem.

Harmen schudde het hoofd zonder één ogenblik zijn blik van de dobber af te wenden. 'Hij zuigt ommers pas!'

'Haal op!' raasde Padde. 'Hij vreet je hele haak schoon!'

''t Is geen vreten,' verklaarde Harmen, koppig. ''t Is zuigen.'

Lang zwijgen. Nu en dan roerde zich het dobbertje bijna onmerkbaar. De ogen deden pijn van het staren. Harmen had zijn snoek al zover gevierd, minstens tot China of Japan, dat hem tenslotte de lust verging het langdradige verhaal nog verder te vieren en hij de snoek dus maar zwemmen liet. – Het dobbertje roerde zich nu helemaal niet meer en lag weer tegen de kant.

'Wat een sjagrijn was dat!' zei Harmen. 'Zuigen maar, anders kon ie niks.'

'Wedden dat ie je haak heeft schoongevreten?'

Harmen aarzelde nog even, haalde toen met een verwensing een 'schone' haak op.

'Zie je nou wel?' vroeg Padde zegevierend. 'Ik zag het wel dat ie 'm schepte! Als je hem had opgehaald toen ik het je zei, hadden we hem gehad.'

'Vooruit, vang jij 'm dan!' Harmen reikte Padde de hengelstok.

Padde zweeg, wurmde een pier aan de haak. 'Ik ga daarginder liggen!' verklaarde hij. 'Waar jij lag, is 't een rotplekkie.'

'Jij zoekt zeker weer naar 't zeeziekvrije plekkie?' hoonde Harmen.

De jongens waren op Paddes uitverkoren plekje aangeland. Met overleg peilde Padde de diepte van het water, ging toen een handbreedte boven de grond 'liggen'. De jongens wachtten enige tijd. In de dobber viel nog geen beweging te bespeuren.

'Op dat rotplekkie van mij had ik tenminste nog tuk,' merkte Harmen op.

'Ik heb liever helemaal geen tuk als zo'n smerige tuk als jij had!' verklaarde Padde.

'Wat mankeerde er dan aan die tuk van mij?' vroeg Harmen beledigd.

'Nou, je hebt toch zelf gezien, dat ie alleen maar zoog?'

'Wel allemachies!' stamelde Harmen. 'En daarnet zei je...'

"'t Kan dáárom al geen goeie tuk geweest zijn,' zei Padde, 'omdat je veel te hoog lag. Die tuk van jou was zeker een katterige vis, die naar boven ging om lucht te scheppen. Daarom beet ie ook zo slecht!'

'Toch wou je dat je hem had, die katterige zuigvis!' zei Harmen.

Zwijgen. Turen.

Eindelijk... daar roert zich iets! Harmen grijpt, starend naar het dobbertje, de hengel beet.

'Laat je *los!?*' beet Padde hem toe.

'Ssst! Ik help je alleen maar wat.'

'Je zei dat ik alleen mocht vissen!'

'Nou goed dan, we vissen allebei alleen!' En Harmen rukte Padde de hengel uit de handen. 'Nou heb je je zin. Vis nou maar alleen.'

Pats! Die had Harmen te pakken. Zijn wang zwol er van op. 'Die is voor jou!' verklaarde Padde ten overvloede.

Harmens ogen rolden. Hij kon vanwege de tuk zijn hengel niet loslaten en daaruit maakte Padde wat voorbarig op dat Harmen de mep in dank aanvaard had en slechts zweeg omdat tranen van aandoening hem de keel snoerden. Paddes eigen gemoed was gelucht en daarmede zijn boosheid geweken.' ''t Is een grote!' fluisterde hij Harmen vertrouwelijk toe. 'Haal niet te vroeg op: ik zie aan je tuk dat het een grote is!'

Harmen zweeg, staarde naar de dobber als naar een doodsvijand.

Floep! daar schoot het ding omlaag. Harmen sloeg op, trok een grote vis te voorschijn, maar halverwege wist de schrandere waterbewoner zich nog juist van het haakje te oevrijden, plaste weer terug in zijn element, en de jongens hadden het nakijken.

'Veel te woest opgehaald!' stelde Padde vast. 'Je had...'

Het was Harmens eigen schuld dat hij niet meer vernam wat hij had moeten doen om de vis aan de wal te krijgen. Want nog vóór Padde was uitgesproken, gooide Harmen de hengel neer, sprong op Padde toe, hief hem half boven het hoofd en slingerde de arme, zich van de prins geen kwaad bewuste jongen achter de vis aan. Ellenhoog spatte het water op; Padde ging kopje-onder, kwam weer boven, keek verward tussen zijn lange haren door, die voor zijn gezicht hingen, en krabbelde toen naar de oever, waar hij in grimmig zwijgen vergeefs naar een kledingstuk zocht om uit te wringen.

Ditmaal was het Harmen die zijn gemoed gelucht voelde. 'Ja, Padde, als jij in het water gaat spartelen en alle vissen de stuipen op het lijf jaagt, moeten we wel een ander plekkie zoeken!' verweet hij hem vriendelijk, terwijl hij een verse dauwpier een bamboe ruggegraat schonk. ''k Had 'm anders op een haartje na, zeg! Zou het een karper zijn geweest?'

Padde kookte inwendig nog. Bij gebrek aan beter was hij zijn haar gaan uitwringen, dat daarna in Vesuvius-vorm op zijn hoofd bleef staan. ''t Was geen karper!' snauwde hij. ''t Was een doodgewone rot-blei.'

'Nou, jij kunt het weten!' zei Harmen. 'Jij hebt hem van *dichtbij* gezien, hè?' En Harmen begon te grinniken. 'Kijk, zo heb ik met Lange Lijs nou ook gedaan, toen ie me dat snoekje afkaapte. Maar die trof het niet zo goed als jij: 't was midden in de winter, weet je, en dan heb ik liever warme soep als slootwater in m'n maag. Was jij je 's winters? Ik alleen als ik vuil ben. Je krijgt er rimmetiek van!'

Harmen liep een eindje de kreek om. Padde aarzelde even, wilde teruggaan naar de anderen, maar zijn vissershart maakte hem zwak: hij ging triest zwijgend bij Harmen zitten.

Zo vonden Hajo en Rolf hen. En zij schenen het geluk mee te brengen: de dobber schoot weg; Harmen haalde op, en aan de haak spartelde een grote karperachtige vis.

'Voorzichtig inhalen!' raadde Padde, in hoogste opwinding. En zo belandde de vis onder algemene hoede op het droge.

En half uur later siste en knapte hij in de vlammen. Want toen Harmen wat te braden had, won de kok het van de visser, en Padde kon op zijn eentje rustig doorhengelen.

'Zo,' zei Harmen, 'nou kunnen we gaan bikken! Vet zullen we er niet van worden, maar als de maag maar weet dat we 'm niet vergeten, is ie al half tevreden, de slobber.'

'Misschien vangt Padde er nog wat bij,' hoopte Hajo.

'Laat ie maar oppassen,' zei Harmen bezorgd. 'Straks valt ie 't water nog in!'

Maar even later kwam Padde met twee zware vissen aanzetten.

'Die heb je zeker met je knipoogjes beduveld!' zei Harmen, pakte de vissen aan en woog ze in de hand. 'Samen wel acht pond!' En de schubben vlogen al in het rond, plakten hem op de polsen, in het gezicht, op de wangen, in de wenkbrauwen. Tot Harmen tenslotte zelf veel van een vis had.

'Ze smaken fijn!' stelde hij vast toen de vissen even later 'op tafel' kwamen. 'Ze smaken net als... fijne, dure vis, als...'

'Als zalm, bedoel je?' vroeg Rolf.

'Dat ken. De schipper en de heren hebben het gegeten, toen we uitzeilden.'

Rolf keek hem lachend aan. 'Zeg, Harmen, hoe weet *jij* nou hoe die vissen smaakten? Op dat afscheidsdiner was jij toch niet gevraagd?'

'Nou, als je het nou weten wilt,' zei Harmen, 'deze vis *smaakt* zoals die van de schipper *rook!*'

Ze lachten allemaal. Harmen brulde er boven uit.

Dolimahs heimwee

Na het eten gingen de jongens genoeglijk bijeen zitten; zij konden over hun dag tevreden zijn.

'Morgenochtend komen we met het dek klaar,' zei Rolf. 'Dan moeten we er nog een of ander roer aan zien te maken!'

'En vóórop komt de kombuis!' riep Harmen uit.

'En dan laten we 'm van stapel lopen!' zei Hajo. 'Zou het gaan?'

'Welja,' zei Rolf. 'Als Padde ook een handje helpt...'

'Ja, als Padde helpt, krijgen we het ding *zeker* wel het water in!' hoonde Harmen.

'Weet je wat leuk zou zijn?' vroeg Hajo. 'Als we er voor Dolimah een roefje op bouwden!'

Het meisje schrikte op toen ze haar naam hoorde.

'Waar denk je aan?' vroeg Rolf. 'Je bent de hele avond al zo stil?' Dolimah zei eerst niets. Toen trilde het om haar mond; ze wilde wat zeggen, kwam niet uit haar woorden.

Harmen keek haar medelijdend aan. 'Ze wil weer naar d'r menseneters-dorp terug,' zei hij.

'Wil je naar je kampong terug, Dolimah?' vroeg Rolf zacht.

Zij sloeg de lange wimpers neer en knikte.

Even zwijgen. De vrolijke stemming was met één slag verbroken.

'Hoe wou je teruggaan?' vroeg Rolf met onvaste stem, maar als een man de feiten aanvaardend zoals ze nu eenmaal lagen. 'Toch niet weer door de kloof?'

'Nee,' zei Dolimah. 'Ik steek hier het water over en volg dan de kloof aan de andere kant. Saleiman heeft beloofd, mij verder te brengen.'

'En als je thuis komt, wat zal er dan met je gebeuren?'

'Ik weet het niet. Ik durf er niet aan te denken.'

Rolf keek peinzend voor zich uit, wendde zich tot de anderen. 'Jongens, we... we moeten haar terugbrengen.'

'Goeiemorrege...!' stamelde Harmen.

'Ja, het gaat er niet om of we het plezierig vinden of niet,' zei Rolf, driftig ineens. 'We kunnen haar niet alleen laten gaan! En als jij er geen zin in hebt, blijf je maar hier.'

'Geen zin...!' schimpte Harmen. 'Dat we haar niet aan haar lot kunnen overlaten, nu ze óns eerst uit de knoei heeft geholpen, hoef je *Harremen* niet te vertellen! Maar daarom hoef je nog niet te vragen of ik er zo'n *zin* in heb...!' Harmens stem versmoorde; hij sloeg met de vuist op de grond.

Toen zei Padde zacht, met afgewend gelaat: 'Ik ga niet mee.'

'Spuit nommer elf!' schimpte Harmen. 'Scháám jij je niet?'

Padde gaf geen antwoord, ademde diep. Tenslotte zei hij: "'k Zou wel willen, maar ik... ik kan niet meer terug.' En opeens in snikken uitbarstend: "'k Wil naar huis!'

'Oh! Daar mot er een naar z'n moesje! Zou je geen zuigdot meenemen?' Maar Harmens stem klonk verdacht hees.

Dolimah had verschrikt gezien wat haar woorden uitwerkten. 'Ik wil niet dat u mee teruggaat!' stamelde ze. 'Dat wil ik niet! Ik vind de weg alleen...!'

Rolf schudde het hoofd. 'We brengen je tot Saleiman, Dolimah.'

'Oh, maar, dan... dan ga ik niet weg! Dan blijf ik bij u!'

'Wees niet onverstandig, Dolimah,' zei Rolf. 'Je zou je het teruggaan alleen maar moeilijker maken als je nog verder met ons meekwam.'

Dolimah begon zacht te snikken.

'Tja, wat doen we nou?' vroeg Harmen droefgeestig.

Rolf haalde de schouders op. 'Vanavond kunnen we hier in geen geval weg. We zullen morgenochtend eens zien...'

Zwijgend bleven de jongens zitten. Ze voelden wel dat Dolimahs heengaan onvermijdelijk was. Wanneer ze ook al besloten had morgen met hen verder te trekken, dan zou toch het ogenblik komen dat het verlangen naar huis haar te machtig werd. Zij voelden het als hun ridderplicht, haar terug te brengen, maar de gedachte weer van zee weg te gaan, waar ze nu al zo dicht bij moesten zijn, – dit land weer binnen te dringen, dat hun nog even vreemd was als toen ze het voor het eerst zagen en dat hun met de dag angstwekkender en meedogenlozer scheen, joeg hun een rilling door de leden.

Maar langzamerhand werden bij het gezang van de krekels en het ruisen van het bergstroompje die zwarte gedachten in slaap gewiegd. Harmen stond op, gooide wat vochtig hout op het vuur, om door de rook de muskieten te verdrijven. Wacht maar, morgen zou Dolimah wel weer vol moed zijn! Ze had haar verlangen naar huis nu uitgesproken, dat deed een mens goed! Ze zouden allemaal lief voor haar zijn, dan vergat ze haar dorpje wel! En morgen zouden ze op het vlot een keurig roefje voor haar bouwen, krek of zij de schipper was aan boord!

Met die plannen sliepen de jongens in.

Dolimah lag heel stil; zachtjes vloeiden de tranen haar over de wangen; nu en dan ging er even een schok door de tengere schoudertjes.

Eindelijk had ze al haar opgekropt leed en verlangen uitgesnikt en kwam ze tot rust. Ze hoorde dat de jongens sliepen, alle vier. Duidelijk onderscheidde ze Rolf en Hajo's rustige ademhaling, Harmens gesnurk, Paddes kortademig geblaas.

De maan kwam tussen de bomen op.

Rustig overdacht Dolimah nu wat haar te doen stond. Ze had haar besluit genomen. Voorzichtig stond ze op, spiedde even rond en begaf zich toen naar de bosrand, waar witte bloemen glansden. Ze plukte de mooiste die ze vond en kwam even later met de armen vol bloemen terug.

En nu volvoerde ze haar plan: ze legde naast Harmens gezicht een bloem neer, zo, dat de geur hem in de neus moest dringen. Na enig weifelen wie ze daarna bedelen zou, legde ze er een voor Padde neer en toen voor de anderen.

De maan was intussen wat geklommen en bescheen de slapenden. Dolimah keek lang naar hen, van de een naar de ander en de ander naar de een, en haar ogen vulden zich weer met tranen. Toen deed de schorre roep van een boskip haar uit haar mijmering wakker schrikken; ze opende haar armen, zodat de bloemen, die ze nog omklemde, aan de voeten van de jongens neervielen.

'Zul je me geleiden, lieve zoete maan?' vroeg Dolimah. 'Zul je me tegen boze geesten beschermen?'

Ze trok haar sarong tot boven de knieën op en waadde, tastend met de voeten, als een kleine waterfee door een ondiepe plaats van het stroompje. Voor ze aan de overkant de helling opging, keek ze nog even om naar de jongens. 'Jou, lieve goede Dajik, zal ik alles vertellen,' prevelde Dolimah.

Daarna begon zij met vlugge passen aan haar lange tocht terug.

Boven haar stond de sterrenhemel; zij wandelde in een schatkamer, tot aan de nok gevuld met diamanten, smaragden en robijnen...

Padde stuit op een menseneter

Toen de jongens de volgende morgen merkten dat ze temidden van bloemen lagen en Dolimahs slaapplaats verlaten zagen, begrepen ze. Ze konden hun tranen niet bedwingen en schaamden er zich niet voor.

'Wat moeten we nu doen?' vroeg Harmen.

'Niets,' zei Rolf mat. 'Ze wilde het zo. En we kunnen haar toch niet meer inhalen.'

De jongens waren even stil. 'Wat een schat van een meid, hè?' viel Harmen ineens uit. 'Om die bloemen neer te leggen!'

Rolf haalde diep adem. 'We gaan hier gauw weg,' zei hij. 'Ik hou het hier niet meer uit!'

'Rolf!' snikte Padde. 'Ik óók niet!'

Met een ruk sprongen de jongens overeind. Vooruit! Niet meer stilzitten!

Verwoed gingen ze verder met de bouw van het vlot. Het was of hun strijd ineens grimmiger was geworden. Met opeengeklemde tanden werkten ze. Ze *moesten* Bantam bereiken, – de handen ineen, jongens! Geef de moed niet op! Padde ging weer vissen in de kreek, om proviand op te doen; Hajo sneed rotankoorden voor het vlot; Harmen en Rolf spleten bamboetjes en snoerden ze vast op het houten geraamte.

Tegen de middag kwam het vlot klaar. Achterin was een opening gelaten om een bamboesteel door te steken, die als roer gebruikt zou worden. 'Nu moeten we het in het water zien te krijgen!' zei Rolf. 'Kom jongens!'

Met vereende krachten en na veel wrikken en duwen kregen ze het vlot drijvend, meerden het met een paar rotankoorden aan de oever. Toen de jongens aan boord sprongen, scheen het er nauwelijks iets door te zinken.

'Ziezo, dat is gelukt,' zuchtte Rolf. 'Heb jij nog wat gevangen, Padde?'

'Een heel zootje,' zei Padde. 'Ze zitten er wel, als je ze maar vangen kunt.'

'Wacht! Laten we het vuur niet vergeten!' riep Harmen. Voor op het dek werd een laagje klei in het bamboe vastgestampt, en Harmen bracht een paar brandende stukken hout over, waarmee hij een nieuw vuurtje aanlegde. Toen hakten de jongens nog een paar bamboestelen af, om als afzetbomen te gebruiken.

'Alles klaar?'

'Ja! Kom, Joppie!'

Joppie sprong aan boord, en de kabels vlogen los. De jongens stuurden naar het midden van de rivier; Harmen ging met een boom voorop staan, Hajo en Rolf achterop, zo hadden ze het vlot goed in bedwang. Padde en Joppie keken toe, of alles wel ging zoals het moest.

De stroom was sterk, maar gelukkig lagen er geen rotsblokken in het water. Per slot van rekening was het vlot toch maar met touwen vastgeknoopt, en het zou er bedenkelijk uitzien wanneer het in een stevig vaartje tegen een bergsteen zou oprammen.

Maar nu gleed het snel en veilig voort op de rivier, die zich bij een bocht nog meer verbreedde. Zonnehitte zengde de jongens rug en schouders.

Geen van hen had gelegenheid gehad, nog even om te zien en afscheid te nemen van de plaats waar ze gisteravond nog met Dolimah hadden gezeten. Ze *wilden* immers ook niet omzien? Vooruit! Naar Bantam! Naar de zee!

De rivier bood een grootse aanblik. Machtige oerwoudreuzen torenden aan beide oevers op; van hun breed uitgespreide takken hingen als feestelijke guirlandes de bloemranken van de slingerplanten.

Bij een nieuwe bocht schoot het vlot onverwachts onder een boom door, die half over het water hing. De jongens zagen geen kans meer de vaart in te houden en wisten niet beter te doen dan zich maar plat op het dek te gooien of vlug over de takken heen te klauteren. Allemaal, ook Joppie, stonden weer op het vlot vóór het onder de boom was doorgegleden. Allemaal – behalve Padde. Die kwam te laat. Uit kameraadschap trok Harmen zich maar weer aan een tak op. Het vlot gleed met de anderen verder. Die stuurden het naar de kant en meerden het.

Padde, zenuwachtig van schrik, ontving Harmen met schimpscheuten. 'Daar!' zei hij verwijtend, 'daar zitten we nou! Kon jij dat vlot niet even tegenhouden?'

'Ik geloof dat jij het water weer in wilt, lelijke pepernoot!' schold Harmen. 'Alleen om jou te helpen ben ik in die boom geklommen! Ik stond alweer *uren* op het vlot!'

'Ik wou, dat je d'r nog stond! 'mopperde Padde. "k Heb die hulp van jou niet nodig. Ik kom wel alleen aan wal.' – Padde snoof de lucht op. 'Vind je niet dat 't hier weer erg naar die vrucht stinkt, weet je wel: die Hajo en Rolf hebben gegeten?'

"k Ruik hier niks. Maar 'k mag lijden dat 't daar bij jou zo stinkt dat je van katterigheid de boom uitrolt. – Wat heb je?' vroeg Harmen verbaasd, toen hij zag dat Padde met ontzette ogen naar iets staarde.

Geen antwoord. Harmen gluurde in de richting die Paddes blik aanduidde en...! Op een dikke tak, behaaglijk achterover geleund, zat een roodbruine staartloze aap, zo groot als Harmen niet geloofd had dat een aap ooit kon worden. Het dier, dat in zijn harige arm een doerian klemde en daaruit smakelijk zat te eten, had de kauwende, griezelig menselijke kop naar de jongens gekeerd, alsof hij wilde zeggen: 'Zo zijn jullie daar óók weer?' In zijn zwarte leerachtige vingers hield hij een roomwit stuk doerianvlees.

Het duizelde Harmen.

Hij wilde 'tabé!' zeggen, slikte het woord weer in en staarde, net als Padde, naar de genoeglijk smakkende mensaap.

Opeens scheen het dier vertoornd te worden; het trok grimmig de bovenlip op, zodat de zware tanden bloot kwamen. Toen stootte het monster een diep, schor gebrul uit, richtte zich in volle lengte op!... en twee Hollandse jongens tuimelden achterover het water in.

De aap klom met zijn doerian traag en log langs de zware takken omhoog naar de kruin van de boom.

'Een orang-oetan!' riep Rolf, terwijl hij samen met Hajo de drenkelingen op het vlot hees.

'Gchoskrimmeneel!' stamelde Harmen.

Paddes tong was van de schrik nog verlamd.

'Wou hij jullie wat doen?' vroeg Hajo.

'Hij kwam een handje geven!' zei Harmen.

Padde rilde.

"k Had hem nog wel even een mep kunnen verkopen voor ik naar beneden dook!' hakte Harmen op, 'maar ik was bang dat Padde dan het kind van de rekening zou worden! Wil je geloven dat ik hem eerst voor een *vent* hield?'

Padde vond zijn spraak terug. '*Was 't dan geen vent?!*' stamelde hij. 'Ik dacht... een m-menseneter!'

"n Menseneter!' schimpte Harmen. 'Een doodgewone rot-aap!'

'Had ik dat geweten...!' zuchtte Padde.

'Als je het geweten had, wat dan?' vroeg Harmen. 'Had je hem dan je broek teruggevraagd?'

'Kom, jongens! We moeten verder!' maande Rolf.

Ze stootten het vlot weer van de wal en voeren de rivier af tot de zon onderging en ze voor de nacht een geschikte 'ankerplaats' hadden gevonden. Terwijl de drie andere jongens hun krachten gingen wijden aan de vervaardiging van nog een paar vissnoeren, schrapte Harmen Paddes vangst van die morgen schoon.

Na het eten zaten ze als gewoonlijk nog even bij elkaar. Maar Dolimahs afwezigheid schrijnde. Ze sprongen op, zochten wat gras bij elkaar tot een hoofdkussen, gooiden hout op het vuur en gingen liggen. Dicht bij het vuur, waar de muskieten niet zo gonsden.

Pas laat sliepen ze in. Hoe ver zou Dolimah al op weg zijn? Ze zagen haar tenger figuurtje eenzaam dwalen over het in zonnebrand gloeiende plateau. Een lieve duit hadden ze er voor over om te weten, of hun kleine beschermelinge veilig en wel bij Saleiman zou belanden.

Hun hart schoot vol. In droevig peinzen vielen ze in slaap.

De morgen wekte nieuwe levensvreugde in hen. Er hing een lichte nevel over het water, het was nog wat fris. Maar na een fikse onderdompeling waren ze lekker warm geworden. Padde, die zijn vistuig in orde had gemaakt met de bedoeling voor een ontbijt te zorgen, verlangde rust om zich heen, en de andere jongens gingen op het land wat speerwerpen. Harmen gooide het minst zuiver van alle drie, maar haalde met zo'n kracht uit dat zijn speer dwars door de stam van een dikke pisangboom vloog.

Ze hadden honger gekregen, en die honger kon bevredigd worden dank zij Padde, die rillend op de kant van het vlot was gaan zitten en, turend naar zijn dobber, kort achtereen vier ferme vissen op het dek had laten spartelen. Schrappen en schoonmaken was het werk van een ogenblik. De boven het vuur geroosterde vis smaakte op de nuchtere maag alsof hij in de boter was gebakken. 'Ze moeten van het water in ene in je maag zwemmen, dan zijn ze lekker!' legde Harmen uit.

Toen gooiden ze het vlot los en stuurden naar het midden van de rivier.

De zon fonkelde al tussen de bomen; het was nu heerlijk op het water. Harmen begon te zingen; Hajo en Rolf stemden er mee in, en Padde, die op het midden van het vlot met opgetrokken knieën languit naar de hemel lag te staren, deed een zware bas na en trommelde met de vuisten op het dek. Toen kon Joppie zijn zanglust ook niet meer bedwingen. Met Harmens medewerking vloog hij overboord, krabbelde druipend weer op het dek en begon zich uit te schudden, waarbij Padde met een verwensing overeind wipte en hem een trap uitdeelde. Dit waardeerde Joppie zo, dat hij met dankbare oogopslag naar Padde toekroop en zijn voeten schoonlikte. Toen was de vrede weer gesloten, en de twee vlijden zich als beproefde vrienden naast elkaar in het zonnetje.

'Zo'n vlot is je ware!' verzuchtte Padde. 'Je komt vooruit zonder dat je er wat voor doet. En 't ligt hier nog wel zo lekker als in die smerige draagstoel van jullie. Daar hing zo'n allerberoerdst luchtje aan!'

De anderen vonden Padde wel wat ondankbaar. Maar ze konden hem dat nu niet onder het oog brengen doordat ze tijdelijk geheel in beslag waren genomen: de rivier maakte weer een bocht en hier en daar lagen grote stenen die alleen met veel stuurmanskunst ontweken konden worden.

''k Wou dat het maar weer eens ging regenen en het water wat steeg!' zei Harmen. Maar meteen liet hij, krachtig duwend, het vlot naar de wal koersen. 'Ziezo!' zuchtte hij, toen het veilig gemeerd lag, 'kijk nu die kant eens uit!'

De anderen volgden met de ogen de aangeduide richting. Tussen de bomen, een eind verder aan de overzijde, steeg een blauwig tuiltje rook op, en toen ze scherp toekeken, zagen ze een atap-dak tussen de bladeren schemeren.

Hoe er langs te komen zonder te worden opgemerkt? 'Zullen we tot het donker wachten?' stelde Rolf voor.

'En hier de hele dag zitten koekeloeren?' Harmen trok verachtelijk de neus op.

'Als we het vlot eens op z'n eentje voorbij lieten drijven?' vroeg Hajo. 'Dan zullen ze het niet zo gauw opmerken! En als ze het zien, zullen ze denken dat het ergens hogerop losgeslagen is, en er verder niets achter zoeken. Het loopt vanzelf wel ergens vast. Ik ben alleen bang, dat het te vroeg tegen de kant stoot, vóór het voorbij het dorp is, bedoel ik.'

'Dat kunnen we van te voren zien!' zei Rolf. 'We zullen eens een tak in het water gooien!'

'Ja!' Op Padde na, doorzagen ze Rolfs plan. Harmen slingerde een stuk hout de rivier in. De jongens volgden het met de ogen. Het kwam tot aan het dorp, raakte daar in een zijstroming, dreef dicht langs de kant en bleef tenslotte steken.

'Niet ver genoeg,' zei Rolf. 'Gooi eens naar het midden van het water?'

Nu scheen het stuk hout de goede weg te zullen nemen— Maar opeens schoot het toch weer in dezelfde zijstroming. De rivier schitterde in het zonlicht; de ogen deden er pijn van. Harmen nam een derde stuk hout en gooide het uit alle macht tot vlak aan de overkant van de rivier. Dit scheen de plaats te zijn om het vlot af te stoten, want zolang de ogen het stuk bamboe konden volgen, bleef het vrij van de kant. 'Nou, dan zijn we klaar!' zei Harmen. 'We steken op het vlot over, laten het daar afdrijven en volgen het! Kom, Hajo, wij nemen samen de kant van de kampong, dan zie je nog eens wat. Als jij met Padde deze oever afloopt, Rolf, hoeft er niemand over te zwemmen om het vlot weer op te pikken!'

'Als jij langs die kampong moet, Harmen, gebeuren er ongelukken!' zei Rolf.

'Larie! 'k ben zo voorzichtig als m'n tante – die loopt de hele dag met haar slaapmuts op, uit angst dat ze 'm 's avonds vergeten zal.'

'In elk geval wil ik bij je zijn!' stelde Rolf als voorwaarde. 'Ga jij met Padde langs deze oever, Hajo.'

Zo werd de afspraak. Joppie besloot na enig aarzelen bij Rolf en Harmen zijn diensten aan te bieden.

Die sleepten het vlot een eind stroomopwaarts, zodat het bij het oversturen ongeveer zou landen op de plaats waar het stuk bamboe zijn reis begonnen was.

'Als ze 't maar niet inpikken!' zuchtte Rolf.

Harmen had in gepeinzen een ogenblik gezwegen. 'Weet je wat?' zei hij: 'Ik ga met het vlot mee! Om het weer los te binden, als ze het soms 'ns zouden kapen!'

'Harmen...?!'

'Val niet van je stokkie! Ik ga er niet op zitten! Ik kruip *er onder*, dan zien ze me niet!'

'Daar heb je immers geen lucht.'

'Harremen heit geen lucht nodig,' stelde Harmen vast. 'Het vlot ligt hoog; als ik m'n kop tussen de onderste bamboes steek, heb ik lucht zat. Ga je mee, Joppie?' Harmen stootte het vlot los, liet Joppie met een ferme zwaai op het bamboezen dek verhuizen, sprong zelf in het water en dook onder het vlot weg. 'Ajuus!' klonk het even later onder het afdrijvende gevaarte, en om de plaats aan te duiden waar hij lag, spoot Harmen door een spleet van het dek een straaltje water omhoog. Zodat Joppie, die toch al in de war was, er verschrikt van achteruitsprong.

Terwijl Rolf de vierpotige schipper zag wegvaren, bekende hij zichzelf, door Harmen overrompeld te zijn. Het gedurfde van Harmens dolle inval had hem bekoord, en door het vlot nu nog na te springen en weer aan wal te brengen zou hij het gevaar van opgemerkt te worden alleen maar vergroten.

Joppie jammerde klagend. 'Hou je bek, Joppie!' klonk het onder het bamboezen dek. 'Harremen is ommers bij je?'

Maar Joppie bleef droef gestemd. Hij snuffelde angstig langs alle kanten het vlot af, ging tenslotte op zijn achterpoten zitten, sperde de bek open en begon met omhooggeheven kop erbarmelijk te huilen in één langgerekte toon, zoals alleen een Indische kampong-gladakker in zijn droefste stemming huilen kan.

Verre van gerust, volgde Rolf met de ogen het vlot. Kijk, daar gleed het langs het dorp en... grote genade! achter de bomen aan de oever stak een prauw vol naakte jongens van wal. Ze pagaaiden, opgewonden schreeuwend, naar het vlot... en sprongen erop.

Boeng van Bapak Loleh

Vol goede moed was Harmen 'uitgezeild'. Hij hield de onderarmen over twee bamboestelen, klemde de handen behaaglijk in elkaar. Door de hoge ligging van het dek had hij lucht genoeg. ''t Zal me benieuwen hoe het zaakje afloopt,' zei hij. 'Gebeuren doet er vast wat, als Joppie z'n falie niet houdt!'

Nu, daar leek het weinig op: Joppie jammerde onverdroten voort. 'Dat is zeker een hondeliedje!' dacht Harmen. 'Zoiets als: varen varen over de baren! – Zouden we het dorp al voorbij zijn? – Hé, waarom houdt dat beest nou ineens z'n bek dicht?' Harmen loerde door de spleten van het dek. 'Hij staat te kwispelstaarten, het mormel!' Harmen spitste het oor, ving stemmen op, hoorde het plassen van een spaan; er stootte iets tegen het vlot, en wip! daar sprong er een jongen op. Spiernaakt! En Joppie, die sallemander, wrong zich in duizend bochten en likte het bruine joch de enkels schoon! Hopla, daar sprong er nog een op het dek. En nog een. In een ommezien stond het vlot vol bruine lichamen. 'Nou,' dacht Harmen, 'nou zullen we eens kijken wat ze doen, die smerige zeeschuimers! Zouwe ze tegen kietelen kunnen? Als ik m'n vinger maar tussen die bamboetjes kon doorwurmen, zou ik er eens een onder z'n voeten kriebelen. Dan zou-d-ie raar springen!' En Harmen begon zachtjes te grinniken.

Maar zijn vrolijkheid nam een einde toen ze ineens allemaal aan zijn kant kwamen staan. Voor hij het wist, grinnikte hij, inplaats van lucht, water naar binnen. Dat werd hem te kras. Hij dook onder het vlot weg, klemde zijn handen om het boord, stak zijn druipende hoofd, dat paars van benauwdheid geworden was, uit het water op en brulde woedend: *'Potverrrrblomme!'* Het leek Folkert Berentsz. wel!

Als aan het dek genageld, staarde de hele troep daarboven naar het gruwelijke watermonster. Toen vluchtten ze met z'n allen naar de andere kant van het vlot en plonsden als kikkers het water in.

En Harmen dook weer weg naar zijn oude plaatsje, waar nu weer zoveel lucht was als hij maar inademen kon.

En juist dat plotselinge weer verdwijnen versterkte het bruine gezelschap in de mening dat dit vlot van de duivel bezeten was. Ze werkten zich in hun prauwtje – waar Joppie hen vriendelijk ontving –, pakten de satanshond in zijn nek en deden hem met een zwaai weer op het behekste vlot verhuizen, waar hij thuishoorde. Toen pagaaiden ze in allerijl terug naar de wal.

Harmen was van zijn woede en schrik bekomen en kon tevreden zijn over de gang van zaken. Na verloop van tijd begon hij zich af te vragen hoe ver hij nu al van het dorp zou zijn en of de jongens het vlot gevolgd zouden hebben. Hij dook weer even te voorschijn en loerde over het dek. Daar in de verte, bij de huisjes en het blauwe kolommetje rook, stonden ze het vlot na te kijken.

Joppie zat met de rug naar Harmen gekeerd, staarde weemoedig stroomop-waarts. Gelukkig, nu was het dorpje aan het oog onttrokken. En wip, zat Harmen weer op het vlot, werd kwispelstaartend verwelkomd door Joppie en beantwoordde de groet vrij levendig met zijn voet, zodat Joppie schuw wat verder weg ging zitten.

'Nou, ik zal nog maar niet aanleggen!' zei Harmen. 'Laten de anderen maar een eindje lopen, daar zullen ze niet van bederven.' En nogal met zichzelf ingenomen, ging hij zitten en keek in het groen van de oevers, luisterde naar het vogelgerucht, dat zo helder klonk temidden van de stilte, en ademde de geuren in, die over het water hingen. Zo ongeveer moest het er in het para-dijs van Adam en Eva ook hebben uitgezien, dacht Harmen. Kijk die reiger daar eens statig staan te vissen! Hoe blank was dat bepluimde lichaam tegen al het donkere groen! Hoe sierlijk die lange buigzame hals met dat kroontje van veren! Het dier stond in de schaduw, maar toch straalde het nog licht uit, en in het water sidderde de witte spiegeling ervan. Harmen deed zijn ogen dicht en droomde. 't Kon hier op Sumatra toch soms ook wel fijn zijn!

Joppie kwam weer bij hem, en nu was Harmen vertederd – sloot de verra-der in zijn armen.

Bons! Het vlot stootte tegen de wal. Harmen sprong overeind en legde het vast. Het lag in de schaduw, lekker koel, temidden van waterlelies. 'Nou, ze zullen me wel vinden,' dacht hij, strekte zich languit op het dek neer en sliep.

Hajo en Padde waren aan de overkant ooggetuige geweest van de uitwerking die Harmens onverwacht opduiken op de bende bruine kapers had. Die Harmen toch! Die wist niet wat hij maar verzinnen zou om de boel in de war te sturen! Gelukkig was het nog weer eens goed gegaan!

Toen begonnen ze hun tocht, zich met moeite een weg banend door het kreupelhout. Wat een lelijke dorens zaten er overal! Ze kwamen bij een dwars-weggetje, dat naar de rivier leidde. Na het even te hebben afgespied, staken ze vlug over en drongen weer door de struiken verder, op enige afstand de rivier volgend. Nu en dan gingen ze naar de oever om naar het vlot uit te kijken, en toen ze tenslotte een sliertje rook tussen de bomen omhoog zagen kringelen, maakten ze eruit op dat het Harmens vuurtje wel zou zijn. Zo was het dan ook, en het vlot lag aan hun kant. Ze vlijden zich naast Harmen neer en wachtten al gauw ook slapend op Rolfs komst. Harmen snurkte dat het vlot ervan schudde en de dode bladeren van de bomen vielen. Joppie hielp hem nog een handje.

Maar opeens schrokken ze wakker. Wat was dat voor een gil, daar aan de overkant...?!

Rolf had na de wonderbaarlijk gelukkige afloop van Harmens zeeschui-mers-avontuur een smal, kronkelig paadje gevonden, dat naar het dorp leidde. In alle voorzichtigheid volgde hij het, van struik tot struik. Kijk! – Rolf ver-borg zich vlug – daar kwam in logge gang een karbouw de hoek om, en boven op de grijze kolos troonde een naakt kereltje. Nog een karbouw volgde, de kop met de zware, naar achteren gebogen horens heen en weer zwaaiend en even-eens op zijn brede rug een 'katjong'.

'Eh, Simin, weet jij wat Boeng van Bapak Loleh zegt?' riep de achterste ruiter.

'Nee, maar het zal wel een leugen zijn,' dacht de ander. 'Nu, wat zegt hij?'

'Dat hij wil gaan kijken waar het vlot gebleven is.'

'Dat durft hij toch niet. Eens zei hij ook dat hij een badak gadjah wilde zoeken en hem betoveren. Hij snijdt altijd op.'

'Ja, maar hij is toch heus gegaan om het vlot te zoeken! Hij heeft gisteren de huid van een oelar welang gevonden. Met zo'n djimat durft hij alles, zei hij.'

'En waarom is hij dan niet op het vlot gebleven toen de geest uit het water opdook?'

De karbouwen gingen een nieuwe bocht om, en de stemmen van de jongetjes werden zwakker.

Rolf kwam voorzichtig weer te voorschijn. 'Die Boeng van Bapak Loleh zou nog veel kwaad kunnen stichten met zijn djimat!' dacht hij. 'Daar moeten we een stokje voor zien te steken!'

Hij stond voor een kokostuin. In een wijde boog sloop hij het dorp om. Ergens was een oude man aan het grassnijden. Misschien was hij al wat doof: hij merkte niets.

'Ze zullen hier wel voornamelijk van de visserij leven,' dacht Rolf toen hij weer bij de rivier stond, waar netten te drogen hingen. Hij volgde nu weer een smal paadje langs de oever, ontdekte eindelijk het vlot aan de overzijde, wilde zich door de struiken een weg naar de oever banen...

Daar stond, met de rug naar hem toe, een Maleise jongen naar het vlot te loeren. De bruine spion had niets horen aankomen.

'Eh, Boeng!' riep Rolf met een luide stem, die echode in de stilte.

De jongen zou niet méér geschrokken zijn als de bliksem naast hem was ingeslagen. Hij kromp ineen, wendde zich om, staarde wezenloos de blanke tegenover hem in het gezicht. Toen wilde hij het op een lopen zetten, maar Rolf haalde hem met een paar sprongen in en greep hem stevig vast. Boeng beet, schopte en gilde dat het een aard had. 'Diam! Stil!' morde Rolf. 'Je ziet wel, dat tegen de blanken geen djimat helpt, al is het ook een oelar welang!'

'Ampoen! Vergeving!' smeekte Boeng.

'Zul je goed luisteren naar wat ik je zeg?'

'Saja, toean!'

'Nu dan...' Rolf liet hem los, 'dan ga je straks naar Bapak Loleh en je zegt hem dat jullie kampong in gevaar is. Stroomopwaarts zwerft een bende djahats. Zeg eens na?'

Bevend over al zijn leden gehoorzaamde Boeng.

'Goed zo. Zeg aan Bapak Loleh dat de bende uit tachtig man bestaat en goed bewapend is. Zul je het doen?'

'Saja, toean...'

'Dan nog iets: is de zee hier ver vandaan?'

'Niet ver, heer...'

'Hoe ver?'

'Van zonsopgang tot duister, heer...'

'Zijn er nog meer kampongs aan de rivier?'

'Nog één, heer. Een grote kampong. Dicht bij de zee.'

Op dat ogenblik klonken van dicht bij de stemmen der andere jongens. En vóór de arme Boeng het wist, had Harmen hem een beentje gelicht en zijn enkels met rotan samengesnoerd. 'We nemen hem mee!' zei Harmen.

'Waarom wou je dat doen?'

'Nogal glad. Als ie in z'n kampong vertelt wat ie gezien heeft, zijn we er bij!'

'Wees niet bang,' zei Rolf. 'Ik heb hem wijsgemaakt dat stropende benden de kampong willen overvallen. Ze hebben nu wel wat beters te doen dan ons na te zitten.'

Harmen trok grinnikend de knoop weer los. 'Vooruit dan maar.'

Boeng sprong haastig overeind, keek schuw naar Harmen om en wilde zich uit de voeten maken.

'Wacht nog even, Boeng,' zei Rolf. 'Heb je wel eens van Java gehoord? En van Bantam?'

Boeng knikte. 'Ze komen van Bantam met koopwaar hier.'

Rolf keek zijn vrienden aan. 'Hoor jullie dat?! Jongens, Bantam *kan* niet ver meer zijn!'

'Dan maar weer gauw aan boord!' zei Harmen met een vreugdetrilling in zijn stem.

En overmoedig sprongen de jongens weer op het vlot en stootten af. Boeng maakte dat hij wegkwam, rennend als een haas wie de honden op de hielen zitten.

Ze stuurden het vlot meteen naar het midden van de stroom. Naar Bantam! Het was vrij laat geworden en bij Harmen deed zich de honger voelen. 'Zullen we eens aanleggen?' vroeg hij. ''k Heb zo'n kriebel in m'n maag.'

'Wachten tot de zon onder is,' zei Rolf.

'Dan ben ik een lijk.'

'Als we vis gaan bakken, word je wel weer levend!' stelde Rolf hem gerust.

Zo was het ook. Toen ze tegen schemeren het vlot gemeerd hadden en lustig knappende vissen boven de vlammen rondwentelden, herrees Harmen uit zijn hongerdood. De jongens smulden van de malse visruggen, en Joppie vond de koppen nog lekkerder.

Na het eten bleven ze bij elkaar zitten en staarden over het donkere water.

Ineens viel er een glans over, doordat de maan achter een wolk te voorschijn kwam. Nu was het alsof de rivier, die daareven roerloos scheen als een vijver, weer te stromen begon.

Zouden ze verbaasd geweest zijn wanneer uit het zilveren water elfjes zouden opstijgen en hand aan hand rondzwieren in wonderlijke dans? Kijk! op een lelieblad zat de kikkerkoning toe te zien, een gouden kroon op zijn blinkend groene kop; zijn geelwitte buik glom van de ridderorden. De elfjes dansten in een kring om hem heen; hun ijle gewaden zwierden omhoog en zonken gespreid weer neer, en zó luchtig drukten de kleine tere voetjes het watervlak, dat er niet meer dan drie pareltjes opspatten.

Ineens... uit is het sprookje. De elfjes, de kikkerkoning zijn naar hun vochtig rijk teruggekeerd. Harmen stoot zijn makkers aan: een donker ding in de rivier koerst recht op het vlot af waarop ze zitten. Drie knobbels steken boven het water uit; het zwemmend gevaarte houdt nu en dan stil, zodat de lijnen, die het door het zilveren oppervlak kerft, zich kruisen. Dan komt hij weer nader... de krokodil! De adem ingehouden, zien de jongens toe. Geen van hen zegt een woord. Joppie slaapt, geen kwaad vermoedend.

De krokodil, aan het uiteinde van het vlot gekomen, is even niet te zien, omdat het bamboe dek vrij hoog boven het water uitsteekt. De jongens, die in spanning, maar eigenlijk zonder een zweem van angst hebben toegekeken, voelen nu plotseling onrust in zich opkomen. Waar is het beest gebleven?! Onder het vlot?! Ze willen opspringen... Maar daar schuift aan het andere einde een platte monsterkop met groengele ogen en een half geopende bek vol kromme tanden op het dek. En met de voorpoten, die hoog naast de rug uitsteken, probeert de krokodil zich naar boven te werken.

Met een sprong staan de jongens overeind, grijpen hun speren. Maar de krokodil, die op het vlot een rustig ligplaatsje zocht om naar de dansende elfjes te kijken, glijdt al, dodelijk verschrikt, in het water terug. Kijk! daarginds zwemt de rakker! Nu verdwijnt hij onder overhangende takken; het duister slokt hem op.

De jongens pakken Joppie op die zich half slapend laat vervoeren. In het bos, een flink eind van de wal, zoeken ze een zacht plekje. Maar de muskieten beletten het inslapen. 't Is om er dol van te worden. Boven hun hoofd speelt de

maan een griezelig spel met takken en twijgen. Hoor... ! Wat klinkt daar in de verte? Ding-dang-dong-ding-kloeng...

Het dorp waar Boeng over sprak! Daar moesten ze vannacht nog langs zien te komen!

De jongens staan weer op, wrijven de jeukende muskietenbeten. 'Kom, Joppie!' zegt Harmen, en voor de argeloze Joppie het weet vliegt hij al door de lucht en verhuist naar het vlot. Hij komt op vier poten terecht, zwikt door op zijn zitvlak, kijkt met lodderige ogen in het rond, tolt dan om... en snurkt alweer.

''n Waaks beestje!' prijst Harmen.

Samen gooien ze het vlot los, sturen weer naar het midden van de stroom. Na een tijdje zien ze aan de rechteroever een lichtschijn tussen de bomen. Ze houden dus links aan, zo dicht mogelijk aan de kant en in de schaduw het geboomte. Telkens haakt het vlot in de waterplanten. 'Padde, ga jij voor het vuur zitten, zodat ze het niet zien. En gooi er wat hout uit, tot het smeult!' – Padde aarzelt even, onwillig door slaap, dan kruipt hij van de plaats, waar hij al was neergevallen, zuchtend naar het vuurtje. Joppie sleept zich over het dek voort en legt zich tegen Paddes dijen.

'Gooi er nou *alles* niet uit!' gromt Harmen als hij Padde bezig ziet, het hele vuur overboord te werken. 'Wel allemachies! Als je er nou nog één stuk uitgooit, vlieg jij er achteraan! Begrepen?'

Padde begrijpt, al is hij niet klaar wakker.

De jongens doen hun best, zo min mogelijk met de stuurbomen te plonzen. De klanken van de muziek worden luider, hier op het water buitelen ze van plezier over elkaar. Ding-dong-dang-kloeng-ping-tok-dak-doeng-doeng...

'M'n viool...' zucht Harmen. 'Van m'n eerste centen koop ik weer een viool! Bij Roeffies vader, weet je wel: dat zaakje van alles, achter de kerk? Daar heb ik m'n vorige ook gekocht, en dat was een puike, nietwaar, Hajo?'

'Sssst!'

'Een harde gulden heeft ie gekost,' zei Harmen. 'En de snaren toe. – Pas op met zeewater, daar kan ie niet tegen, zei de vent.' Harmens stem werd bitter. 'Pas op met zeewater. Jawel!'

'Nou, en mijn mooie koffiemolen dan...?' vroeg Padde.

Hajo en Rolf konden, ondanks het hachelijke van het ogenblik, geen van beiden hun lachen bedwingen.

'Ja, lach maar,' gromde Padde. 'Maar daarmee is de ellende begonnen! Wie weet: als die koffiemolen niet overboord gevallen was...' Padde zweeg, zocht naar het verband tussen zijn koffiemolen, die voor Texel op zo droevige wijze verongelukt was, en de latere rampen die de *Nieuw-Hoorn* geteisterd hadden.

Harmen had zwijgend geluisterd. 'Is er een koffiemolen overboord gevallen?' vroeg hij.

'Ja!' zei Padde, blij met Harmens belangstelling. En fluisterend vertelde hij hoe de vork in de steel zat.

Harmen knikte bedachtzaam toen Padde zijn gemoed gelucht had. Daarop zei hij peinzend: 'Ik geloof óók dat het voor ons allemaal het beste was geweest, als jij achter je koffiemolen was aangesprongen.'

'Maar ik kan immers haast niet zwemmen!'

'Dat weet ik wel,' zei Harmen.

Padde dacht even over Harmens woorden na, tot hij de zin ervan gevat had. Toen wendde hij het gezicht af en ging, het hoofd in de armen, naast Joppie liggen.

'Daar gaat er een grienen!' hoonde Harmen. 'Afijn, 't is maar schoon water; d'r zal hier niks van bederven.'

Met een grimmige kreet sprong Padde op Harmen af. Die lichtte hem een beentje, zodat Padde op zijn zitvlak terecht kwam. Hij pakte Harmen woedend bij de benen, wilde hem omver rukken. Maar Rolf kwam tussenbeide. 'Zijn jullie dol! Hier nog wel, vlak bij het dorp!'

'Wat doet ie te beginnen!' siste Padde met tranen in zijn stem.

'Wéér wat nieuws!' merkte Harmen droogjes op. 'Wie heeft me aangevlogen? Hij heeft me in m'n kuiten gebeten, de smakker! Wacht maar, morgen krijg je nog wat van me en dan mag je: dankje, Harremen! zeggen.'

''k Heb je niet gebeten!' snauwde Padde en ging met de rug naar hem toe bij het vuur zitten.

'Welles!' zei Harmen.

'Nietes!'

Zo kwamen de jongens wonder boven wonder onopgemerkt de kampong voorbij. Nu durfden ze het vlot weer naar het midden van de rivier te sturen.

Paddes drift bekoelde, en hij werd benauwd voor de dag van morgen en in het bijzonder voor dat waarvoor hij: dankje Harmen! zou mogen zeggen. Om medelijden te wekken, ging hij weer liggen en snikte verder.

En werkelijk werd Harmen hierdoor vertederd. 'Kom, lig nou niet meer te janken,' zei hij, terwijl hij zijn vuurtje aanblies. 'Help me liever een handje blazen!'

Padde, blij dat zich een gelegenheid tot verzoening voordeed, richtte zich steunend op, snikte nog even na en blies.

'Je spuugt meer als dat je blaast,' stelde Harmen vast. 'En alles in m'n gezicht!'

'Ik zal van de andere kant blazen,' beloofde Padde.

'Ja, graag.' – Zo bliezen ze in eendracht tot de vlammetjes weer dartel speelden.

'Nou afijn,' zei Harmen, opstaande, 'zul je dan nooit geen schip meer in de lucht laten vliegen?'

Hajo en Rolf lachten, tenslotte Padde ook zo half en half. Harmen nam zijn stuurboom weer op. "k Zou er anders niks van zeggen, maar hij hoeft me niet in m'n benen te bijten.'

'Ik heb je niet in je benen gebeten,' zei Padde, die weer moed had gekregen.

'Je hebt me wél in m'n benen gebeten!'

'Nietes.'

'Ssst!' suste Rolf.

Harmen zweeg en Padde voelde zich overwinnaar. Hij nam Joppie in zijn armen en even later snurkten ze om het hardst.

Na een half uur meerden de jongens het vlot in een holte van de oever, tussen de waterplanten.

'Padde! word wakker! We gaan aan wal!'

Geen antwoord. Padde was in diepe slaap.

'Hei, Padde!' riep Harmen. "n *Krokodil!*'

Wip! stond Padde overeind. Ook Joppie krabbelde op z'n vier slaperige poten. '*Waar?!*' stamelde Padde.

'In m'n neus,' zei Harmen. 'Kom mee, we moeten aan land slapen.

En ze gingen aan wal, dekten zich met bladeren toe.

De muskieten vierden feest.

Joppie doet een ontdekking

Toen Joppie de volgende morgen een paar slokken van het frisse rivierwater binnen wilde slobberen, spuwde hij alles weer uit, duidelijk van een innige afkeer blijk gevend. 'Wat zou hij hebben?' vroegen de jongens zich af. Maar Harmen vloog overeind, wierp zich op het dek van het vlot en stak de lippen in het water. ''t Is *brak!*'

De anderen proefden er ook gauw van. En terwijl zij het slecht smakende water weer uitspuwden, keken ze elkaar stralend aan. ''t Is brak, jongens! We zijn bij de *zee!*' – Hajo gooide het vlot los en Harmen pakte al een boom om af te stoten, toen Rolf hen tegenhield. 'Jongens, laten we niets hals over kop doen. We moeten eerst zelf weten wat we willen.'

'Nou, dat weten we toch? We willen naar zee!'

'Zonder zeilen? Zonder proviand?'

'Wat...? Wou jij dan *met dit vlot in zee* steken??'

'Dat wou ik. Ik maak me sterk, dat we bij niet al te slecht weer wel zee kunnen houden.'

'Toe maar...!' stamelde Harmen – Maar het avontuur kittelde hem.

'En als er nou storm komt?' vroeg Padde.

'Er komt geen storm,' besliste Harmen.

'Zullen we dan maar dadelijk aan het werk gaan?' stelde Hajo opgewonden voor.

'Laten we eerst eens gaan kijken hoe ver we nog van de zee zijn,' zei Rolf. 'Dan doen we goed, het vlot zolang met takken te bedekken – we liggen hier zo in 't zicht!'

Ze gooiden flink wat takken op het vlot, tot het aan het oog onttrokken was; daarna kapten ze zich een weg langs de oever om aan zee te komen.

'We moeten het vlot nog flink wat versterken en verhogen!' bedacht Rolf. 'Een mast kunnen we gemakkelijk zelf maken. Maar een zeil?'

'Ik zal er een gappen!' beloofde Harmen.

'Gappen? Waar?'

'Kijk dan. Daar in die kampong!'

Tussen de bomen zagen ze de daken van een paar kleine huisjes schemeren. Een vissersdorp! Daar zouden ook wel zeilen te drogen hangen.

In een wijde boog slopen ze om het dorp heen. Tot Hajo ineens het hoofd ophief. 'Luister eens goed? Ik hoor... de *zee!*'

Toen baanden ze zich als dollen een weg door de struiken, schramden zich aan de dorens, dat het bloed langs hun huid droop, stonden hijgend stil en staarden...

Daar lag wijd en blauw de oceaan! Diep ademend snoven ze de zoute wind in, bedwelmd door het heerlijke geweld van de blinkende schuimende branding.

Kijk, hoe de golven kwamen aanrollen! Ze braken in scherven, vloeiden weer terug in de armen van de zee, die nieuwe krachten schonk, altijd weer nieuwe golven opstuwde...

Lang stonden de jongens stil en lieten hun blik dwalen over hun grote, vertrouwde vriend. Hij zou hen op zijn sterke armen veilig dragen. Hij zou hen naar Bantam en dan weer naar Holland voeren... – Ze liepen de branding in, zuchtten van diepgevoeld geluk. Hoe vrij voelden ze zich weer met de wijde zee voor zich!

'We zijn hier in een baai,' stelde Rolf vast. 'Zover je zien kunt, loopt het strand in een boog. En dat komt ook uit: aan de zuidkant van Sumatra liggen twee grote baaien.'

'En wanneer zouden we in Bantam kunnen zijn?' vroeg Hajo.

'Als we de wind mee hebben... misschien in een week.'

Ze moesten het even verwerken. In een week...! In een week zouden ze hun schipper misschien weer de hand drukken?' Dat Bontekoe met zijn mannen allang in Bantam was aangekomen, stond voor hen vast. 'Maar... dan mogen we toch wel voor twee weken proviand meenemen, Rolf!'

'We zullen meenemen wat we maar machtig worden. Kijk eens om: kokosbomen bij de vleet. Kom, jongens, aan het werk! We hebben de hele dag nog voor ons!'

'Ik ga vissen!' zei Padde. 'Bij die zijkreek van de rivier, waar we langs zijn gekomen. Dat zijn altijd goeie plekkies.'

'Leg een paar zethaken uit,' raadde Harmen hem aan. 'Dan vang je misschien nog paling ook!'

'Ik weet nog beter,' zei Padde. 'Ik loop de holletjes langs de kant af. Daar zitten ze. Als je je handen er van beide kanten tegelijk insteekt, kunnen ze 'm niet smeren.'

''t Is anders zo dom niet, ook een paar zethaken uit te leggen,' meende Rolf.

'Dat is zeker zo dom nog niet!' vond Harmen zelf ook. 'Maar als je tegen Padde erwtensoep zegt, dan zegt Padde: rooie kool. En zeg je rooie kool, dan zegt Padde: bonen met spek.'

Hajo was een kokosboom ingeklauterd en begon noten los te draaien.

'We zullen een opslagplaats maken bij dat kreekje!' zei Rolf. 'Hajo en ik zorgen voor noten. Padde gaat vissen, en jij, Harmen, zou hout kunnen kappen om het vlot te versterken, – dan schieten we flink op.'

'Ja,' zei Harmen. 'Ik zal dikke stelen uitzoeken! Zou Hajo nog niet wat kunnen schieten? Dan hebben we nog wat anders dan vis en kokosnoten.'

'Best,' zei Rolf. 'Dan zorg ik wel alleen voor de noten.'

Harmen, Hajo en Padde trokken dus naar de kreek af.

Rolf klauterde de ene boom na de andere in, gooide de noten omlaag en liet ze voorlopig liggen. Tenslotte dwongen hitte en vermoeidheid hem, op te houden. Hij bond de noten bijeen en sleepte ze naar de kreek.

Daar wilde Harmen juist met hakken beginnen. 'Ik heb drie zethaakjes uit-

323

gezet,' zei hij. 'Vette pieren, dat hier in de grond zitten! Allemaal blauwkoppen! Niet van die gele, uitgetrokken dooie dienders als bij ons achter de bleek, waar geen vis in bijt.'

'Hak eens een jonge noot open?' vroeg Rolf. 'Ik verga van dorst.'

Harmen hakte met een ferme slag het bovenstuk van een bast af, zodat Rolf met de vingers de weke plek onder de steel kon induwen en de koele flauw-zoete melk in zijn keel laten klokken.

Harmen bediende zichzelf ook. 'Lekker!' Hij smakte met de lippen, begon toen opeens te grinniken.

'Wat heb je?' vroeg Rolf.

'Daarstraks stond ik me hier ziek te lachen! Padde was daarginds de holletjes aan 't afzoeken. Hap! Had ie een krabbetje aan z'n vinger hangen! Hij wou niet schreeuwen, omdat ie bang was, dat ik het zou horen. Maar hij stond te dansen, en niet van plezier!'

Samen gingen de jongens naar Padde, die geduldig zat te vissen.

'Al wat gevangen, Padde?'

'Al twee. Ze liggen daar in het gras.'

''t Is haast zonde van die mooie wurmen, als je er zulke pietertjes mee vangt,' zei Harmen. 'Zoek liever eens in de holletjes, Padde, daar zitten grote.'

'Och...' meende Padde, 'zo krijg ik ze ook wel.'

'Als je maar lang genoeg wacht,' zei Harmen. 'Zouden er hier in het water krabbetjes zitten, Rolf?'

Padde verschikte een eindje en schraapte zijn keel.

'Ja, 'k zou het anders niet vragen,' legde Harmen uit, 'maar als Padde de holletjes nog mocht willen afzoeken, mag ie wat oppassen met die mormels! Ze bijten gemeen!'

Padde keek grimmig naar zijn dobber.

'Je hebt tuk!' zei Harmen. – Inderdaad: er zat leven in de dobber. Padde sloeg op; een visje ter lengte van een vinger spartelde aan de haak. 'Wallevis!' hoonde Harmen.

''k Wou dat je nou maar ophoepelde!' beet Padde hem toe.

'Geheel tot uwes bevelen,' zei Harmen. En terwijl hij met Rolf weer terug-slenterde, stond Padde verdrietig op en legde een eindje verder weer in.

''k Zal eerst maar van die dikke, gele stelen kappen,' zei Harmen. 'Die dragen het beste.'

'Ja, daarvan zullen we er ook een paar nemen om ze met water te vullen! Kom, ik ga maar weer eens een vrachtje noten halen.'

Tegen middagtijd lag er al een hele stapel noten; Padde had acht grote en twaalf kleinere vissen gevangen, waarvan er een paar gebraden werden. Hajo kwam met twee duiven terug.

'Dat zet geen zoden aan de dijk,' vond Harmen. 'Dan kan je vanmiddag beter met Padde gaan vissen. En dan hangen we ze straks te drogen – de jasjes open, dat de wind er in blaast.'

Rolf stond op. 'Snijden jullie nog wat rotan voor de masttouwen?'

'Zeker, bootsman,' zei Harmen beleefd.

En het werk werd voortgezet. Harmen zocht een mooie bamboe uit om die als mast te gebruiken, hakte een gaffel en een boom voor het zeil dat nog gekaapt moest worden.

Toen ging hij de vissen schoonmaken, sneed ze open, spalkte er een stokje tussen, hing ze zo 'met open jasje' aan een lijntje op en legde daaronder een vuurtje aan, zodat de vis rondtolde in de rook.

Toen kwam Hajo aanhollen. 'Trap dat vuur uit! Vlug!'

'Ja, goeie morrege!' zei Harmen.

'Vlug, Harmen! Er komt een prauw aan! Zometeen zien ze de rook!' En Hajo schopte het vuur uiteen, waarbij hij zich lelijk de voeten brandde. 'Heb je nu ooit, daar zit Padde nog te vissen! – Padde!'

'Ssst! Ik heb tuk!' fluisterde Padde.

Harmen pakte de ijverige visser in zijn nek en sleurde hem mee.

Een prauw kwam de stroom afzakken. Het was een klein hulkje met een hoog, gelapt zeil er op. Voorin zat, met de rug naar de boeg, een man een net te ontwarren; in het midden lag iemand van wie alleen de benen te zien waren, hoog tegen de mast opgestrekt. De derde man zat aan het roer half te knikkebollen. Een eentonig, neuriënd gezang steeg uit de prauw op.

'Als we ze eens aan wal lokten en ze dan het zeil afkaapten?' vroeg Harmen. 'Wil ik eens fluiten?'

'Harmen... ?!'

'Nou, laat ik het maar niet doen ook,' zei Harmen. ''t Is een rotzeil, dat zie ik van hier wel.'

Hij oogde het schuitje na. 'Ze gaan naar zee. 't Zijn vissers, zie je wel?'

'Nou, ik zal maar weer op hetzelfde plekkie ingooien!' zei Padde. ''t Is doodzonde van m'n tuk!'

'Doe tegen die vis net of je niet bent weggelopen!' raadde Harmen hem. Hij stak zijn vuurtje weer aan. Hajo en Padde visten. Ze hadden nu een gunstig plaatsje gevonden, bij de ingang van de kreek. De ene vis na de andere liet zich door een 'fijne' blauwkop verleiden, en er waren kerels bij van wel een voet lengte, die de jongens slechts met veel kunst en vliegwerk aan wal kregen.

Toen de schemering inviel, hadden ze voor lange tijd proviand: meer dan honderd kokosnoten, stevig aaneengebonden in partijtjes van twaalf stuks, en ruim zestig ferme vissen. Er waren kokers voor drinkwater, stapels rotan en bamboe voor de versterking van het vlot en voor 'het want'...

En nu maakten de jongens zich op om, gebruikmakend van de duisternis, het vlot naar de kreek te brengen, waar de proviand was opgeslagen. Ze namen de bamboekokers mee om ze hogerop met zoet water te vullen. In optocht ging het langs het pad, dat ze zich die morgen hadden gebaand, terug naar het vlot. In een ommezien waren de takken opgeruimd, en ze stootten van wal. De lucht was vanavond bewolkt – dat kwam hun van pas! In het midden van de rivier vulden ze de bamboekokers met water, ze konden de zware dingen nauwelijks meer optillen. Een kwartier later koersten ze stilletjes de kreek binnen.

'Nou,' zei Harmen, 'als jullie nou het vlot klaar maken, ga ik even op m'n zeiltje uit.'

'Zul je geen gevaarlijke dingen uithalen?'

'Dat kan ik niet beloven,' zei Harmen. 'Maar als jullie me weer zien, heb ik een zeiltje bij me – of ik zal pluimen krijgen en eieren leggen.'

'Nou, kras dan maar op!' lachte Rolf.

En Harmen kraste op.

Harmen kaapt een zeiltje

'Waarmee zullen we beginnen?' vroeg Rolf. 'Kom, laten we eerst nog een stelletje dikke bamboes onder het vlot door steken. Ze passen net mooi in de gleuven van de andere bamboes! Straks sjorren we de hele zaak stevig vast!'

Het vlot rees merkbaar toen er nog weer een stuk of tien zware bamboes onder waren geschoven. De jongens snoerden er rotankoorden omheen, rukten ze goed vast – dat werkje hadden ze aan boord van de *Nieuw-Hoorn* geleerd!

Intussen was het vlot wel een voet boven het wateroppervlak gestegen.

'Nu is het voldoende,' meende Rolf. 'Als we storm krijgen, worden we er toch afgeslagen, en het vlot is sterk genoeg om een stevig golfje te verdragen. Laten we eens kijken hoe we de mast in het dek woelen. 't Lijkt me het beste, hem beneden in een lus te wringen die we naar vier zijden vast slaan. **Maar** dat doen we beter op zee! We zullen hem nu maar op het vlot binden en wachten of Harmen werkelijk slaagt met z'n zeiltje.'

''k Ben er niets bang voor,' zei Hajo. 'Maar als hij het hele dorp erbij op de hielen heeft, zal het me ook niet verwonderen!'

'In elk geval zouden we dan dadelijk kunnen vluchten: we zijn zeewaardig! Ga je mee aan land? Padde slaapt – hoor je hem snurken?'

Harmen volgde intussen het pad langs de oever. Het dorp lag aan deze kant, hij hoefde dus gelukkig niet over te zwemmen. Toen hij de vroegere ligplaats van het vlot voorbij was, moest hij zich een weg door het geboomte banen – in de zwarte nacht een griezelig werkje, waarbij Harmens bloed sneller klopte en het klamme zweet hem op de polsen stond.

Eindelijk kwam hij bij een weggetje en vlak daarop zag hij tussen de bomen het dorp. Aan de oever lagen prauwen, wel twintig bij mekaar, de zeilen om de mast gesjord. Hoe het te naderen? Alles was hier open terrein: de kampong lag dicht aan de oever.

Harmen keek eens naar de lucht. Tussen de wolken waren lichte plekken,

waar de maan telkens doorscheen. Daar – nu was het weer even licht! Maar zometeen dekte die zware wolk wel het licht weer af, – daar zou Harmen partij
van trekken. Toen het goede ogenblik er voor gekomen was, kroop hij vlug als
een rat naar de naastbijzijnde prauw.

Hijgend bleef hij zitten. Ziezo: hier achter dit 'sloepie' was hij veilig!

Welk zeil zou hij nemen? Daarginds lag er een los; dat was makkelijk te kapen. Hij sloop er heen, trok het zeil naar zich toe, neusde het af. 'Hm! Berentsz.
moest het niet in z'n vingers krijgen. Afijn, we zullen het er maar mee doen.'
En Harmen wilde zich met zijn buit uit de voeten maken. – Verdikke! Daar
kwam zo'n sloeber aanzetten! Wat moest die hier? Hij had een mes in z'n gordel
zitten. Harremen ook.

De man kwam, met een lantaren in de hand, recht op hem af. Maar, al vlakbij,
boog hij naar rechts om, zodat Harmen kon blijven zitten. Glurend langs de
mast van het vaartuigje, waarachter hij zich verborgen hield, zag Harmen dat
de man aan een van de prauwtjes morrelde en zijn lantaren op de grond zette.

'Van die lantaren ben ik niet vies,' dacht Harmen. 'Die kunnen we gebruiken!
Weet je wat Harremen doet? Hij kruipt er naar toe, blaast 't licht uit en is er
meteen van tussen. Met 'n zeil en 'n lantaren!' – En terwijl de Maleier, die op
de visvangst scheen te willen gaan, de mast opzette, sloop Harmen naar de
lantaren. Hè, daar was die lamme maan weer! Even wachten dus. Dat die nou
ook net moest gaan schijnen als Harmen... kwam er nou nooit een wolk
voor? Ah! Eindelijk!

Hij sloop nader tot hij bij de lantaren was, en toen de visser zich afwendde,
blies Harmen het olievlammetje uit. Maar als de drommel trok hij zijn hoofd
weer terug: de man had gemerkt dat de lantaren was uitgegaan, bukte zich er
grommend over. Toen hoorde Harmen, die geheel in de schaduw teruggekro-
pen was, vuur slaan en zag het lichtschijnsel van de lantaren weer. Hij deed
zichzelf bittere verwijten dat hij niet ineens met de lantaarn was weggehold
vóór de man zich weer had omgewend. 'Nou, ergens is het goed voor geweest,'
troostte Harmen zichzelf, 'ik weet nu dat ie een tondeldoos heeft, die kan Harremen óók gebruiken. Weet je wat? Ik gooi m'n zeiltje over hem heen – dan
heb ik hem!' En met meer haast dan voorzichtigheid sloop Harmen weer naar
z'n zeiltje.

De Maleier hief het hoofd op, luisterde even, nam zijn lantaren en liep op het
geruis af dat hij vernomen had. Floep! Harmen zat onder z'n zeil weggescholen.
De man zag hem niet, keerde weer terug, zette de lantaren op de voorsteven
van zijn prauwtje en begon het lichte vaartuigje in het water te duwen.

'Wacht, daar zal ik je bij helpen,' mompelde Harmen. Hij richtte zich op en
sloop, het zeil voor zich uithoudend, geruisloos achter de Maleier aan, die uit
alle macht duwde en niets merkte van het dreigend spook dat in de zwarte
nacht achter hem stond.

De voorsteven van het prauwtje schoof het water in. Nu ging het duwen
gemakkelijker, de man schoot ineens vooruit. En in dezelfde seconde wierp
Harmen zich als een grote vleermuis op zijn rug, zodat de prauw van de wal
werd gestoten en de visser voorover in het water sloeg. Harmen bovenop

hem. 'Dat moest ik hebben!' hijgde Harmen. 'Onder water kan ie niet schreeuwen.'

Zelf half in het water zittend, drukte hij zijn knieën op de naar voren gestrekte armen van zijn slachtoffer. Zijn eerste werk was, de man het mes uit de gordel te rukken en het op de wal te werpen. Daarna liet hij zijn gevangene opstaan, want zo was het niet eerlijk, vond Harmen. De Maleier sprong meteen overeind en op het strand ontstond een nieuwe worsteling, waarbij Harmen het niet gemakkelijk had. Het zag er een ogenblik lelijk voor hem uit: de Maleier beet hem als een razend dier in de hand. In stomme woede drukte Harmen hem achterover, bevrijdde zijn hand door de man met de andere vuist een paar geduchte slagen toe te dienen. Daarop stopte hij hem een grote prop zeildoek in de mond. 'Daar lig je nou!' zei Harmen bitter, zijn bloedende pols aflikkend. 'Bijten, hè, dat kun je? 'k Had je daarnet onder het water moeten houden, dan had je zo'n praats niet gehad!'

Harmen trok zijn slachtoffer naar een prauw, snoerde hem met een touw, dat in het bootje lag, polsen en enkels vast, zodat de man zich niet van de prop bevrijden kon. Toen rolde hij hem geheel in de schaduw van een andere prauw en raapte het mes op, vond in het zand ook nog de tondeldoos, die hij bij zich stak.

'Ze hebben niks gemerkt,' stelde Harmen vast. 'Nou wou ik maar, dat de slaapkop zijn bootje niet zover had weggeduwd. – Wacht! daar ligt het ommers!' Het prauwtje was een eindje verder weer tegen de kant gestoten. De Maleier worstelde nog om los te komen, trachtte te schreeuwen.

'Stil maar, ik weet wel wat je zeggen wilt,' troostte Harmen, sloop op handen en voeten naar de prauw met de lantaren op de steven, kroop er in, stootte van wal en hees het zeil.

'Nou! Nou vaar ik als een radja!' Harmen grinnikte, keek met welbehagen naar de vrolijke lichtschijn van de lantaren, voorop. 'Ze zullen opkijken!'

Een briesje deed het zeil bollen, en licht en bevallig gleed het bootje, gestuurd door Harmens vaardige hand, over het water.

Een half uur later zwenkte Harmen de kreek binnen, meerde zijn prauw, sprong aan de wal. 'Sta op, jongens!'

'Harmen...! Zitten ze achter je aan?!'

'Niet dat ik weet. Maar we doen toch goed onze biezen te pakken. 'k Heb niet alleen een zeil, maar een hele prauw gekaapt!'

'Een prauw? Kunnen we dáár dan niet beter mee in zee te gaan?' vroeg Padde.

'Ja, goeie morrege!' zei Harmen verachtelijk. 'Eén golf, en de hele boel slaat om!'

'Ja, ik geloof ook dat het vlot wél zo stevig ligt! meende Rolf. 'En we moeten ook niet meer stelen dan nodig is. Kom jongens, aan 't werk!'

Het zeil werd losgemaakt en op het vlot gegooid. Drinkwater was al aan boord; de kokosnoten, de wapens, het vistuig en de halfgedroogde vis volgden. En gezamenlijk duwden de jongens van wal.

Halverwege stokte Harmen, keek verschrikt naar de oever. 'M'n zethaakjes!' stamelde hij.

'Maak dan voort!'

Die raad was overbodig; Harmen holde met grote sprongen naar de plaats waar hij de zethaken had uitgelegd. "'k Heb er al een!' gilde hij. 'Gommenikkie, wat een vet mormel! Kijk hem eens kronkelen! En hier! Zit er ook een an! En aan m'n derde haak... zit er ook een!! Jongens, we *blijven* hier nog! Tot morgenvroeg! Eerder zoeken ze ons toch niet! En dan heb ik er nog drie bij! Ik hou zo razend van paling!'

'Kom je, of kom je niet?'

'Nee! Ik kom *niet!*'

'Stoot af, Hajo,' beval Rolf.

'Wacht!' schreeuwde Harmen, kwam aanrennen en belandde met een geweldige sprong aan boord. En tegen Rolf voer hij uit: 'Je weet, dat je in Bantam nog een pak rammel van me te goed hebt, hè?'

'Wie breng je mee?' vroeg Rolf.

'Harmen bromde wat. Nijdig pakte hij een boom op en werkte mee om het vlot naar het midden van de rivier te krijgen.

De maan brak weer door. Zachtjes gleed het vlot voort. En zo kwam het op de plaats waar de oevers zich openvouwden en aan beide zijden het zeestrand blonk.

'Jongens, nu de branding door! Padde, ga op het zeil zitten en hou Joppie vast. Harmen, zorg jij voor de waterkokers en de rest, dan zullen Hajo en ik...'

Het vlot werd hoog opgetild, smakte neer, onderdompeld in het schuim; een andere zeereus zette er zijn rug onder; de bamboes kraakten; het water vloog over de hoofden der jongens. Maar ze hielden zich schrap; Rolf en Hajo duwden uit alle macht af in de ondiepe bodem, en opeens gleed het vlot smeuïg de branding weer uit, lag stil op de kalme deining.

'Een beste kast!' prees Harmen. 'Zullen we hem dopen?'

'Hij *is* net gedoopt!' lachte Rolf.

'Maar een naam moet hij toch hebben,' meende Hajo. '*Dolimah* is een mooie naam!'

De jongens knikten zwijgend. Dolimah...! Ze keken naar het land dat ze nu gingen verlaten. Het strand, de bossen, de bergen in de verte baadden in het maanlicht.

En nu ze die groene bossen, die bergen vaarwel zeiden, voelden ze dat ze daarmee pas voorgoed Dolimah verlieten. In hun verbeelding zagen ze Dolimah met Saleiman haar dorpje weer zoeken. Saleiman zijn betoverde bamboefluit bespelend, Dolimah angstig denkend aan wat haar thuis te wachten stond. En tussen de struiken gluurden de kantjil, de olifant, het stekelvarken, de boze en goede geesten, en lieten haar eerbiedig voorbijgaan, als een prinsesje, dat onaangeraakt moest blijven...

Een prinsesje, dat was Dolimah voor hen geweest. Een beschermheilige en een kleine, wakkere raadgeefster.

Het vlot was *Dolimah* gedoopt. Zou het hen dan niet veilig naar Bantam brengen? Waterduivels, boze stroomgeesten, weet het allen: dit is de *Dolimah!*

Zachtjes wiegend op de golven, dreef de *Dolimah* voort in de oneindigheid van maan, sterren, wolken, zee en hemel.

In volle zee

'Zo, jongens, nu de mast opzetten!' riep Rolf.

'Laat dat maar aan Harremen over', zei Harmen. 'Hier, Padde, pas jij op de palingen en laat ze niet wegglippen, of ik draai je nek om.' Hij reikte Padde zijn drie troeteldieren, die nog met de snoeren van de zethaken waren samengebonden, en begon de mast klaar te maken.

'Weet je wat ik wou?' vroeg hij. 'Dat we een katrolletje hadden, dan konden we reven en hijsen. Wacht, ik weet al wat: ik kap boven in de mast een gaatje, daar halen we dan een rotansnoertje door en aan die rotan knopen we de gaffel! Nietwaar?'

'Als je maar zorgt dat de gaffel vrij draaien kan.'

'Dat snapt een kind,' zei Harmen.

Zo kwam de mast te staan. Het 'lopende touwwerk' liep gesmeerd, als je er een beetje goed aan trok.

'Nou, zullen we de lantaren nou ook nog hijsen?' vroeg Harmen.

'Om er een prauw met vijandige Maleiers mee aan te lokken?'

'Ik begrijp niet waarom die kerels allemaal zo woest op ons zijn!' zuchtte Harmen. En hartgrondig geeuwend: 'k Heb maf!'

'Dan ga je slapen, raadde Rolf aan.

'Moet er dan niet een opblijven?'

'Dat zal ik zijn.'

'Waarom jij?'

'Omdat jullie niets van de sterren af weten.'

'Jij wel?'

'Ik wel.'

'Welke koers vaar je?' gromde Harmen.

'Noordoost.'

'Waarom noordoost?'

'Omdat daar Bantam ligt.'

'Hoe weet je dat?'

'Ga nou maar slapen,' zei Rolf.

Harmen gooide zich neer en snurkte.

'Zullen we de waterkokers nog even tegen de mast binden?' vroeg Hajo aan Rolf. Samen bonden de jongens ze vast. De boom was gelukkig hoog genoeg, dat hij vrij rond zwaaien kon. 'Ziezo,' zei Rolf. 'Ga jij nu maar slapen!'

'Wek je me als het licht wordt? Dan neem ik het roer van je over.'

'Ik zal het doen.' – En terwijl Hajo en Padde zich op het dek uitstrekten, bleef Rolf zwijgend zitten en waakte, de schoot van het zeil in de ene hand en in de andere het roer, dat dank zij zijn lengte beter voldeed dan men zo denken zou. Hij zorgde er voor, het Zuiderkruis recht aan stuurboord te houden. Er woei landwind, net genoeg om het zeil te doen bollen.

Na een paar minuten was alleen Rolf nog maar wakker...

De anderen keken elkaar verrast aan toen ze de volgende morgen de ogen opsloegen en rondom niets dan zee zagen, behalve dan, nu al ver in het westen, de blauwe bergketen van Sumatra. Stil genietend, lieten ze de frisse zeewind om hun hoofden waaien.

'Ben je moe, Rolf?'

'Nou, ik wil nu wel wat slapen. Hou maar oost, of noordoost; het komt er niet zo op aan.'

'Wil je niet eerst wat bikken vóór je gaat maffen?' vroeg Harmen, die zijn vete vergat nu Rolf de hele nacht voor hen gewaakt had.

''k Heb alleen maar slaap,' zei Rolf, liet zich op zijn beurt op het dek neervallen en sliep vrijwel ogenblikkelijk in.

'*Ik* lust wel wat, verklaarde Harmen, kapte een paar kokosnoten open en reikte de stukken rond. 'Ziezo! Als jij aan jouw kant een paaltje in het hek wringt, Padde, doe ik 't aan deze kant, en dan hangen we de vis weer keurig te drogen!'

Even later hing op het 'voorschip' het hele partijtje vis in de wind te schommelen. 'Jongens, 't zal warm worden vandaag!' voorspelde Harmen. 'We gaan zometeen achterscheeps zitten, daar hebben we schaduw van het zeil. Zou er nog wat hout zijn voor m'n vuurtje? Om alles hebben we gedacht, alleen niet om hout voor het vuur! Wacht, ik kan ook wel een kokosbast nemen!' – Al gauw vlamde, dank zij de tondeldoos, een vuurtje op. 'Nou, waar zijn m'n palingen nou?'

'In 't water,' zei Padde.

Harmen verbleekte.

'Vastgebonden!' lichtte Padde haastig toe. 'Ze zitten nog aan de haakjes, voor aan het vlot.'

Harmen haalde met een zucht de palingen binnen. 'Ze konden twintigmaal

gekaapt zijn! Waarom heb je ze niet in het drinkwater bewaard?'
'Nogal lekker!'
Harmen was grenzeloos verbaasd. 'Maar, akelige buikspreker, uit datzelfde water heb ik ze toch immers gevangen!' En Harmen gooide twee palingen in de kokers met drinkwater. 'Zo, deze ene zullen we maar in de maag laten verhuizen! Hou jij hem vast, Padde, dan zal ik hem stropen. Kijk hem nou eens kronkelen! Ik ken geen beest, dat zo de smoor gezien heeft aan doodgaan als een paling. 't Is een vette, jongens!' – En weemoedig liet Harmen er op volgen: 'Zo'n plekkie vind ik in m'n leven niet meer! Als ik in Hoorn zo'n plekkie wist, ging ik nooit meer varen!'

De paling smaakte heerlijk. 'Zouden ze nou zelf weten hoe lekker ze zijn?' vroeg Harmen, zich smakkend de vingers aflikkend.

Vanuit de schaduw van het zeil tuurden de jongens over het diepblauwe water, waarop geen schuimkop glinsterde. 'We zitten in een zijstroming,' zei Harmen. 'Dat voel ik aan het schommelen.'

'Dat zal de stroming al zijn van Straat Soenda!'

'Ja, Pollepoenda,' dichtte Harmen.

'Rolf heeft het toch gezegd? Dat we in Straat Soenda zouden komen?'

'O!' zei Harmen. 'Omdat Rolf het heeft gezegd! Als Rolf morgen zegt: Harmen krijgt schubben, dan *is* het ook zo! Hij is nooit in dit Chinezenland geweest en toch wil ie alles weten. Luisteren naar *ouweren*,' Harmen sloeg zich op de borst, 'die wèl in Indië zijn geweest – ho maar! 'k Zal een Arabier worden als dit Straat Soenda is.'

'Nou, wat is het dan?'

'Lig me niet te vervelen,' zei Harmen. 'Kijk daar eens, jongens! Een *eilandje!*'

Hajo sprong overeind. Aan de horizon doken vage omtrekken op. 'Wat zullen we doen, Harmen?! Er op aanhouden?'

'Natuurlijk! 't Ligt trouwens in de koers!'

Allengs werden de omtrekken minder vaag en gingen van blauw in groen over. De ogen deden op het laatst zeer van het turen over het blinkende water.

Tegen de middag was het eilandje zo dichtbij gekomen, dat ze duidelijk bomen onderscheiden konden. De jongens stelden vast dat het vlot nog vrij veel gang maakte. De wind zat dan ook vlak achter in het zeil! Nu en dan piepte de mast, en de rotankoorden, die naar de achtersteven liepen, stonden strak als vioolsnaren.

'We gaan aan land,' zei Harmen. ''k Heb hout nodig voor het vuur.'

'Als we proberen te landen, komen we in gruzelementen op de rotsen terecht,' voorspelde Hajo.

Harmen wilde nog tegensputteren, maar hij was zeeman genoeg om in te zien dat Hajo gelijk had. 'Best, je zult je zin hebben!' knorde hij daarom. 'Maar als je denkt dat ik m'n palingen rauw eet, vergis je je! Dan kap ik nog liever een stuk van het vlot af!' Hij loerde in de bamboekokers. 'Ze zijn er nog, hoor, m'n palinkies! En tierig! Terug jij!' Hij tikte er een op de kop, maakte van zijn handen een bekertje en dronk. ''t Is warm! – Kijk die smerige wolken daar eens!'

Hajo keek om. In het westen doken achter de bergen vuilzwarte wolken op. ''k Zal er eens niezen!' zei Harmen, die met vochtige ogen en een ontzaglijk dom gezicht naar boven keek. 'Hatsjie...! Daar schrikken ze misschien van.' Maar de wolken schrokken niet. Over het hele westen staken ze hun sombere koppen op.

Het eilandje waaraan de jongens voorbijvoeren baadde nog in zonnige weelde. Het was klein, kon misschien in een half uur worden omgelopen. Hier en daar vielen de grijze rotsen steil neer in het nog blauwe water, dat blank opschuimde.

Toen ze het eilandje voorbij waren en er nog eens naar omkeken, stond het als een groot en kleurig brok erts te fonkelen tegen de dreigend zwarte hemel, en de zee er achter leek ook in inkt gedrenkt. Nu gleed een zwarte scha- duw over het eilandje, roofde het zijn bonte pracht, en vóór de jongens het wisten, zaten ze zelf ook al in het donker.

Hoor! daar stak de wind op! Hij rukte aan het zeil dat de mast er krakend van doorboog en het vlot een schok kreeg. Rolf sloeg verbaasd de ogen op.

'Rotweer,' lichtte Harmen hem in.

'En dat eilandje daar?!'

Kunnen we nu niet meer bij komen! We hadden daareven moeten landen, maar Hajo eet paling liever rauw dan lekker gepoft!'

'Er stond te veel branding,' verklaarde Hajo.

Een nieuwe windvlaag rukte aan de mast, en van achteren sloeg het water over het dek. Het klotste hol onder het vlot.

'Zouden we het zeil niet neerhalen?' vroeg Rolf.

'Ben je gaar?' zei Harmen. 'Hij loopt juist lekker. Kijk eens wat een zog we maken?' Harmen wreef zich vergenoegd de handen. 'Krimmeneel, wat zie *jij* witjes, Padde! Heb je weer verlet om 't zeeziekvrije plekkie?'

Nog vóór Padde 'knap maar!' had kunnen zeggen, rukte de wind geweldig aan het zeil; de schoot glipte Hajo uit de vingers, zodat de boom met een zwaai naar voren uithaalde en een paar maal heen en weer wrikte; toen sprong een bakboordtalie los, en de mast sloeg naar stuurboord over, bleef schuin hangen.

'M'n *palingen!*' schreeuwde Harmen. De schrandere dieren hadden zich het schuin vallen van de mast ten nutte gemaakt door uit de kokers te glijden, die mee overhelden. Harmen schoot toe, maar de klappende boom van het zeil sloeg hem tegen de borst, zodat hij op zijn zitvlak belandde, en toen hij weer overeind was gekrabbeld, zag hij nog juist hoe de beide palingen, kronkelend over het dek, in het water een goed heenkomen zochten.

De tranen schoten hem in de ogen. 'Daar *gáán* ze!' jammerde hij. En zich woedend omkerend: 'Wie heeft die achterste rotan zo allerbelabberdst beroerd vastgeknoopt!'

''k Heb er een ouwe-wijvenknoop opgedaan...' stamelde Padde.

'Je bent zelf een oud wijf! raasde Harmen. 'Wat doe jij eigenlijk op een schip!'

'Wie zegt je dat ik op een schip wou! 'k Zou bij m'n oom in de bierbrouwerij!'

'Kon ik je er maar heenboksen!' schreeuwde Harmen, nog met een spijtige trilling in zijn stem, terwijl Padde weemoedig verzuchtte: 'Dan weet je wat je hebt...!'

Rolf was opgesprongen, bond het zeil op. Hajo liep naar het voordek, waar de losgeschoten rotan in de lucht slierde, en trok de mast weer overeind. 'Ziezo, deze knoop laat niet meer los!' En hij rukte ook de andere knopen stevig aan. Het vlot gleed een ogenblik zo schuin tegen de helling van een golf op, dat ze zich alle vier moesten vasthouden om niet weg te glijden. Harmen bond de arme Joppie, die op zijn schrale poten te bibberen stond en hulpeloos rondkeek, aan de mast.

'Toch zit ik liever op dit vlot als met z'n zeventigen in een jol!' zei Harmen. 'Als je je goed vasthoudt...' Meteen gooide Harmen zich schrap op het dek, de benen uit mekaar, de handen om de dekspijlen geklemd. Padde rolde tegen hem aan; Hajo en Rolf sloegen neer en grepen de mast stevig beet. Toen kwam het vlot weer zowat vlak te liggen. en Harmen beëindigde zijn zin: '...dan kan je niks gebeuren!'

De jongens dropen van het water. Toen ze weer overeind stonden, begon het te regenen: een dichte sluier streek over het eilandje achter hen en onttrok het aan het oog; van alle zijden kwamen regensluiers en vouwden zich boven het vlot ineen. De regen ratelde op het dek, en zo zwaar drukte hij op het zee-oppervlak, dat het water meteen veel kalmer werd. Waar de spokende duivels hun gladde bultige ruggen toonden, striemde hij ze dat ze ineen krompen van pijn.

De wind worstelde zich nog wat door de regen heen, zeeg toen hijgend, afgemat neer.

'Hoe moeten we nou koers houden?' vroeg Harmen. 'Je ziet geen zon, geen sterren...'

'Dan houden we koers op de wind,' zei Hajo.

'De wind, die er niet is. 'n Mooie koers zal dat worden!'

Hajo en Rolf zetten het zeil op. Het bleef slap hangen.

'Zullen we wat bikken?' stelde Harmen voor.

'Geef maar op,' zei Padde.

'Wat wil uwes hebben?' vroeg Harmen. 'Gebraje kip? Warme oliebollen?'

Kauwend op een vis waar het zeewater nog afdroop, zaten de jongens in triest zwijgen bij elkaar op het stuurloos dobberende vlot.

Zachtjes spon zich de schemering.

In de nacht rukte de wind ineens weer aan het zeil. Rolf en Harmen – het was Hajo's beurt om op te blijven – schrokken er wakker van.

Het regende nog bij vlagen. Ook de wind was niet meer dan een vlaag geweest. Alleen daarboven, hoog in de lucht, scheen hij vrij sprel te hebben, zweepte de zwarte wolken tot woeste galop.

'Laat mij nou maar eens koers houden,' zei Harmen. 'Ik neem koers op de wolken.' Hij rekte zijn verkleumde leden en ging huiverend bij het roer zitten. ''k Zal eens fluiten. Dan komt de wind! Gaan jullie maar weer maffen.'

De zee was nog woelige maar het vlot deinde regelmatig, in brede slingering, zonder schokken. Langzaam-aan kwam er wat wind opzetten en stuwde het voort over de golven. Het water vloeide over het dek tot aan de plaats waar de andere jongens sliepen. Ze merkten het niet. Maar Harmen knikte tevreden. 'Er zit weer vaart in de kast! 'k Zal 't zeil nog wat aanhalen, dat ik geen zuchtje wind verlies!'

Zo, langzaam-aan, zwol de wind, en toen de morgen grauwde, stond hij met gebolde rug in het zeil te duwen. Harmen hing, de armen over het roer, te snurken. Maar koers hield hij – dat kon Harremen maffende nog wel, en zonder sterren!

Java

In wilde vaart joegen de wolken langs de hemel, die hele dag. Pas tegen de avond werden ze trager; op het laatst schenen ze zich nog maar met moeite voort te slepen. Ze kregen vage omtrekken en rukten niet meer in dichte gelederen op, zoals eerst. Hier en daar braken grote plekken blauw door, met helder fonkelende sterren.

De wind sloeg naar het zuiden om; nu bleven de wolken bedremmeld staan, botsten tegen elkaar en vluchtten tenslotte als een kudde opgejaagde schapen naar het noorden, en de hemel stond blank gepoetst als na de grote schoonmaak.

'Wanneer zouden we Java in het zicht krijgen?' vroeg Hajo.

'Misschien zijn we al op de helft,' zei Rolf. 'We hebben vandaag een heel eind achter ons gelaten.'

In spanning op de dag van morgen gingen de jongens slapen.

De ochtend was weer verrukkelijk. Er lag een blauwgrijze nevel op het water, en in dat grijs stond de zon als een rode lampion. Later werd ze goud; de nevel verdampte; de zon brandde op het vlot.

Harmen kon de verleiding niet weerstaan: plonsde in het frisse water. 'Ik kon 't nauwelijks bijhouden!' pufte hij toen hij buiten adem weer op het dek kroop.

'Ga niet meer zwemmen, Harmen,' zei Rolf. 'Je weet niet of hier soms haaien zitten.'

'Die lusten mij niet. Die lusten alleen maar landrotten. Laatst...' Harmen begon te grinniken '...laatst vongen ze eens een haai en vroegen 'm op de man af waarom ie meer van landrotten hield. De zeelui bennen me te zout, zei-d-ie,

337

en je weet van te vorens nooit, of je bijgeval niet een por met een kortjan in je schone vessie krijgt! – Weet je wat Gerretje verteld heeft van een haai en van zo'n uitgebakken bokkum van een landrot? Afijn, laat ik het maar niet zeggen ook, want 't is zo allergemeenst gelogen, dat jullie er allemaal scheel van zouden worden, en Joppie erbij. Ophakken is goed, maar je moet de lui niet gaan voorliegen. – Hebben jullie ook zo'n honger?'

'Nou!' zei Padde.

'Jou wordt niets gevraagd,' stelde Harmen vast. 'De stukken vis zitten je nog achter de kiezen! Jij hebt je 's morgens nog niet behoorlijk uitgerokken, of je zit al bij de proviand.'

''t Was maar een kleintje,' zei Padde.

'Nou, jij bent ook maar een kleintje. Blijf je er af met je vingers?!'

Padde trok nijdig een paar vissen van het drooglijntje en deelde ze rond. Toen zette hij zelf met een nors gezicht zijn tanden in een visje.

Harmen keek er grinnikend naar. 'Je moest bij de drogist eens wat pillen halen, dat je eens afleert om dadelijk altijd zo woest te worden. Als 'n mens: kurk zegt, versta jij d'r: schurk uit. En als je nou toch bij de drogist bent, vraag dan meteen een zalfje dat je niet overal zo invliegt. Ik zie je nog in de kombuis zitten buikspreken! 'k Dacht, dat ik een beroerte zou krijgen! En Lijsken had geen asem meer. – 'k Wil d'r uit! riep ie. – Komt dat uit m'n buik? vraagt Padde. Toen je weg was, zei Lijsken: Ik geloof dat die augurk ons nóg niet in de smiezen heeft!' Harmen rolde van plezier over het dek en knabbelde, met opgetrokken knieën achterover liggend, aan zijn vis.

Padde stond met rollende ogen op, wilde met zijn vis naar het voordek verhuizen. Maar ineens stootte hij een kreet uit, staarde in het water. De anderen sprongen meteen ook overeind. Kort onder de oppervlakte flitste de witte buik van een haai. De driehoekige muil was duidelijk te zien.

Harmen greep een speer en stelde zich aan de rand van het vlot op. 'Als ik hem dit ding in z'n bast kan prikken, zal ik het niet laten, jongens...!'

In spanning wachtten ze. Alle grapjes waren van de lucht. Plotseling dook het monster weer van onder het vlot te voorschijn. Harmen haalde zijn speer ver naar achteren uit en slingerde het wapen uit alle macht naar de haai. Meteen wentelde de haai zich om; de gevlerkte staart dook uit de golven op en klapte weer neer, dat het water de jongens om de oren vloog. Toen dook het dier in de diepte weg, een bloedspoor achter zich latend.

'Die heeft ie te pakken!' hijgde Harmen.

De jongens keken nog enige tijd uit, maar de haai kwam niet meer opdagen.

'*Land!*' riep Harmen ineens. 'Wéér een eilandje!'

'Dat kan,' zei Rolf. 'Straat Soenda ligt vol eilandjes! Daar landen we, jongens! We hebben haast geen drinken meer aan boord!'

Als ze nu maar kónden landen! Voorlopig moesten ze nog een paar uur wachten voor ze er waren. Langzamerhand hing er een gloeiende hitte boven het water. De jongens hokten dichter bij de mast naarmate de schaduw van het zeil ineenkromp. Joppie schikte telkens mee.

Harmen, die de beurt bij het roer had, verklaarde kort en goed dat hij het niet langer uithield. 'Ik geloof dat ik maar zo lang onder het vlot kruip – daar is het tenminste lekker koel.'

'Ben je die haai vergeten?' vroeg Rolf.

'Die is naar Harremen niks nieuwsgierig meer', verzekerde Harmen. Maar hij bleef toch maar zitten.

De wind bleef uit het zuiden waaien, blies van hitte sidderende lucht voor zich uit die de kelen schroeide.

De laatste kokosnoot werd opengekapt en ging onder de jongens rond. Met gulzige haast brachten ze de vrucht aan hun lippen en lieten het vocht door hun keelgat klokken.

In de namiddag, na elkaar om de beurt aan het roer te hebben afgelost, kwamen ze bij het eiland. Voorlopig bleek er van landen echter geen sprake: een hoge rotswand viel steil in de branding neer. Ze besloten naar stuurboord om te zwenken – daar zag het er wat gunstiger uit.

Hajo gooide het roer dus om en trok de schoot aan. Gelukkig – gaandeweg werd de rotswand minder hoog, er volgde een smalle strandvlakte met bos, en toen ineens een smalle kreek, waarvoor nagenoeg geen branding stond, zodat ze er gerust konden binnenvaren.

Maar bij het naderen van de kreek... wat schoof daar, ver aan de horizon, vaag en grijs achter de bomen te voorschijn...?!

'*Java!*' schreeuwde Harmen.

'Hoe weet je dat?!'

'Zal ik niet zien!' De vreugdetranen braken door Harmens stem. 'Die twee bergen, met dat gat links ervan, dat is Java. 'k Heb het toch op m'n vorige reis gezien?!' En hij sprong op het roer af, wilde het omrukken.

Rolf voorkwam het. 'Harmen, we moeten éérst de kreek in!'

'Laat je dat *roer* los?!' bulderde Harmen.

'Luister dan toch!' viel Rolf driftig uit. 'Al is dat dan ook Java daar in de verte, daarom moeten we morgen toch nog wel wat te drinken hebben! Alle jonge noten zijn op.'

'Maar morgenochtend *zijn* we immers al!'

'Rolf heeft gelijk, Harmen,' zei Hajo. 'Hier kunnen we landen, daarginds ligt de kust misschien vol rotsen.'

'Ja, laten we nou maar eerst aan land gaan, Harmen,' viel Padde Hajo bij.

'Als Joppie nou óók nog gaat janken, zijn we klaar!' schimpte Harmen bitter.

En zie: op het horen van zijn naam, sperde Joppie zijn liefelijk keelgat open en gaf luide bijval te kennen. Vlak erop kreeg hij er spijt van, ging met een blik vol wantrouwen zo ver mogelijk van Harmen zitten. – Intussen was het vlot de kreek binnengegleden. Ze werden in hun verwachtingen niet teleurgesteld: overal stonden kokosbomen.

'Kom, Harmen, zit niet meer te mopperen!' zei Rolf. 'Vanavond varen we al weer uit!'

'*Ik* heb geen haast!' snauwde Harmen. 'Ik *wou* immers eerst niet eens mee naar Bantam?'

De jongens trokken het vlot half op het strand, waarbij de meeuwen hen

339

tsjiepend om de oren vlogen. Er waren grote zilvermeeuwen, zwartkoppen, sterntjes, stormvogels...

'Wedden, dat ik eieren vind?' vroeg Harmen aan Hajo, terwijl hij Rolf de rug hield toegekeerd.

'Als je ze dan maar niet weer in je mond bewaart,' zei Rolf vriendelijk.

Om dit antwoord moest Padde zo verbazend grinniken, dat hij er van dubbel dreigde te slaan. 'Ja, 'k heb het van Hajo gehoord!' proestte hij. 'Dat was ook niet snugger van je, zeg!' En Padde wrong zich, de handen om z'n rond buikje, in allerlei bochten, om zijn vrolijkheid kwijt te raken. 'H-h-hij heeft de eieren in zijn m-m-mond gestopt!' gierde Padde. 'En toen knapte de tak! En toen...' Padde liet zich neerploffen en wentelde zich door het zand, 'hi-hi-hi-hi, toen zijn de eieren... hi-hi-hi-hi-hi!' Hij weerde met beide handen Joppie af, die keffend om hem heensprong. 'Toen zijn de eieren... hi-hi-hi-hi-hi-hi!'

'Moet ik je kietelen?' zei Harmen, zijn boosheid nu maar opgevend.

'Hoe-oe-oe! Kietelen! gilde Padde en vluchtte met grote sprongen voor Harmen uit. Joppie sprong hem keffend om de benen, zodat hij over hem heen in het zand sloeg en Harmen weer bovenop hem terechtkwam.

'Kom, jongens!' lachte Rolf. 'Nu vlug wat noten plukken!'

Harmen sprong overeind, kletste met de handen op zijn zitvlak en schoot een kokosboom in. 'Reuze-noten, jongens! Hou je kop er maar eens onder, Padde!' En toen Padde daar geen lust in toonde: 'Joppie! Joppie! Kom er eens bij Harremen?' Jankend van vreugdevolle opwinding, sprong Joppie op de stam. Maar toen Harremen met noten begon te kegelen, droop hij weer af, de staart tussen de poten.

Hajo en Rolf zaten al in een andere boom en Padde maakte zich verdienstelijk door de geplukte noten over het strand naar het vlot te kegelen. Dat vond Joppie aardig: hij vloog er holderdebolder achteraan, probeerde er vergeefs een in de bek te nemen.

De jongens plukten niets dan jonge noten: het was hun om de melk te doen. Toen ze er naar hun zin genoeg hadden, werd er nog wat brandhout gehakt.

Rolf had ook een aantal palmbladeren afgekapt en sleepte ze naar het vlot. 'Daar vlechten we een zonnetent uit, jongens!'

En zo staken ze weer in zee, door een dichte zwerm meeuwen gevolgd, die pas weer omkeerde, toen de schemering inviel...

'Wie zal vannacht waken?' vroeg Rolf.

'Ikke,' zei Harmen. ''t Is mijn beurt.'

'Ik heb maf!' stelde Padde vast en geeuwde allerverschrikkelijkst.

'Weet je wat,' zei Rolf. 'We waken om de beurt: Harmen, dan ik, dan Hajo.'

'Nou, als er beslist gewaakt moet worden...' begon Padde aarzelend.

'Help jij maar maffen,' zei Harmen, 'dat doe je beter.'

De avond was zeldzaam mooi. Toen de zon bloedrood in zee was weggezonken, kwamen uit het oosten de nachtnevelen aandrijven en omsluierden het gebergte. Tot er niets meer van te zien was.

Maar ze wisten immers dat het daar lag; Java, en ze konden koers houden op de sterren. Java...! *Java...!*

Het eerste weerzien

En bij het eerste daglicht, de volgende morgen... Daar, valkbij, lag de kust! Java's lachende, zonnige kust! De jongens keken er als betoverd naar. Dit, dit was nu Java, waarover ze zoveel wonderen gehoord hadden. Op dit grote mooie eiland woonden de vorsten die onder gouden zonneschermen wandelden in hun lusthoven, door brede lanen vol bloemengeur. Hun kleren waren zwaar van edelstenen; zij droegen vlammende krissen met kostbare heften en... Wat had Vader Langjas hun niet alles verteld!

Kijk! daar gluurde de zon boven de bergen uit; ineens schoten er allerlei grillige, goudgekartelde vormen in de rotsen aan de kust, en een blauwe schaduw sloeg op zee neer.

'Wat doen we? Gaan we aan land?' vroeg Harmen.

Rolf schudde het hoofd. 'We varen de kust af tot we op de Hollandse schepen stuiten.'

Zelfs Harmen zag daar deze keer het verstandige van in.

'Kom, we gaan intussen een zonnetent maken,' zei Rolf en begon er meteen aan, met Hajo's hulp.

'Laat je wat bladeren voor een nieuw rokje over?' vroeg Harmen, die aan het roer zat. 'Met dat wat ik nou aan heb, durf ik geen mens meer onder de ogen te komen. Jij mag ook nodig wat nieuws hebben, Padde!'

'Ja, 'k loop voor schandaal,' gaf Padde toe. Hij wou net gaan vissen, maar

341

legde z'n hengel weer neer en zocht mooi groen palmblad uit om er een nieuw rokje van te maken.

De jongens zaten zwijgend bijeen en werkten.

Harmen, de roerstok in de arm gekneld, vlocht ijverig aan *zijn* rokje en hield toch koers. Zo volgden ze op veilige afstand de kust in oostelijke richting. Tot Harmen ineens riep: 'Een prauw! Daar komt een prauw aan!'

Ja! Achter een in zee uitlopende rots dook een zeil op. Het was een grote prauw en er zaten vijf mannen in. Zouden ze te vertrouwen zijn?

'Ze komen nu recht naar ons toe!'

'We zullen ze ontvangen,' zei Harmen strijdlustig. 'Wij zijn óók met z'n vijven! Nietwaar, Joppie?'

'Wouw!' gilde Joppie.

'Misschien is het alleen maar nieuwsgierigheid,' dacht Rolf.

'Valt er wat aan ons te zien?' vroeg Harmen. 'Hier, Hajo, pak een speer. En jij ook, Rolf!'

'En ikke?' vroeg Padde, met schorre stem.

'Jij doet maar krek of je d'r niet bij hoort,' rade Harmen hem aan.

Opgewonden wachtten de jongens de prauw af, bereid hun leven duur te verkopen. Maar toen het vaartuigje naderde en ze de vijf stomverbaasde, argeloze gezichten zagen, lieten ze de wapens zinken.

'Tabé!' riep Harmen.

Een gemurmel steeg uit de prauw op. De mannen reefden het zeil, stuurden langszij van het vlot, klemden er zich met de handen aan vast.

'Is dit Java?' vroeg Rolf.

De mannen knikten, keken nog ongelovig van de een naar de ander.

'En zijn hier ook ergens Hollandse schepen?'

Ze wezen naar het oosten.

Rolf haalde diep adem. 'Masih djauh? – Nog ver hier vandaan?'

Ontkennend hoofdschudden.

'Kunnen... kunnen we er vandaag nog komen?'

'Bisa, toean...'

'Wat zeit ie?' vroeg Harmen.

Rolf zaten de tranen in de keel. 'Dat we... we vandaag nog bij de schepen komen!'

Eerst keken de anderen hem aan alsof ze hem niet begrepen. Toen steeg uit Harmens keel een schorre snik. Tabé!' schreeuwde hij, trapte de prauw van het vlot los en voerde een dolle rondedans uit, zijn blote benen wijd uitzwaaiend. En dikke tranen rolden hem over de wangen. 'Hè, Padde, lollig varken?'

Padde kreeg een grinnikbui waarin hij bijna stikte. 'Harmen! Weet je wat jij bent? Oók een lollig varken!' En de beide jongens vielen elkaar in de armen, rolden van de pret op het dek, tegen de mast aan, die ervan kraakte. Ook Joppie leek wel dol geworden; hij sprong keffend om de jongens heen en begon Padde aan zijn schortje te trekken, tot hij met zijn buit achterover in het water plonsde. Rolf hielp hem weer aan boord. Nu ging Joppie op zijn achterste zitten en gilde met open bek, de kop omhoog, zijn opwinding uit.

De Maleiers keken met wijd opengesperde ogen naar het gebeuren daar op het vlot. 'Mabok... dronken!' stelden ze vast.

Maar Harmen stond alweer nuchter op z'n benen, rukte het roer om, haalde de schoot aan. ''k Wou dat ik vliegen kon!' zei hij, nog hijgend. 'Rolf, ik ben smoor van je!'

Rolf kon zijn lachen ook niet inhouden.

'Jongens!' schreeuwde Harmen. 'Leve Rolf! Leve de pennelikker! – 'k Zou je wel kunnen uitwringen van lol! – Hè, Joppie? Ouwe uitgebakken Chinees? Hou je snoet nou dicht, kammelejon!' En Harmen begon mee te gillen: 'Hauw! Au... au... auw! Oeh... oeh... wauw!'

De anderen vielen om van plezier; Padde stemde met Harmen in. Toen werd het Joppie te kras; hij staakte zijn gejeremieer en keek verbaasd en gevleid naar de twee jongens, die nog met het hoofd in de nek als onvervalste kamponggladakkers zaten te jammeren. Van louter pret gaf Harmen Padde een geweldige mep in het gezicht; Padde had een ferme bloedneus en Joppie was er ijlings bij om hem de wangen schoon te likken. Met krachteloos geworden arm weerde Padde hem af.

'Kom, jongens, het hoofd bij elkaar houden!' zei Rolf. 'Ik zie nog niets van die schepen en we hebben nog een snikhete dag voor ons. Als over een uur de tent niet klaar komt, zitten we in de barre zon.

Padde hield het hoofd achterover om zijn bloedneus te stelpen.

'Wil ik je nóg een mep geven, om het gat weer dicht te slaan?' vroeg Harmen.

'Heb het hart er eens toe?' zei Padde. 'Dan ga ik straks naar de bootsman!'

'Daar zul je geen plezier van beleven, lelijke klikspaan!'

Toen begonnen ze allemaal weer te lachen. Hè, zoveel geluk ineens was ook niet te omvatten!

Een uur later hadden ze een 'zonnetent' van twee el in het vierkant. Ze zetten de mat op vier staken neer, zo konden ze er net mooi onder zitten.

De middag kwam; de hitte werd haast onverdraaglijk. Met trage handen aten de jongens een visje. In slapen had niemand behalve Joppie die middag enige zin. Ze tuurden in oostelijke richting over het water naar de sidderende horizon.

Harmen en Padde waren met hun schortje klaar, ze voelden zich net zo trots als wanneer ze vroeger een nieuwe broek voor het eerst aan hadden. Dat straks iemand er iets vreemds aan zou kunnen vinden, kwam niet in hun hoofd op. – Harmen liet zich bewonderen. 'Hè? Da's andere koek dan dat smerige rokkie van daarstraks! Valt het van achteren ook goed?'

'Puik!' prees Padde. 'En bij mij?' Ook Padde draaide zich om.

'Buk je eens wat?' vroeg Harmen.

Padde bukte en... pats! vloog hij door de lucht naar de andere kant van het vlot. 'Hè! M'n hand gloeit ervan!' grinnikte Harmen.

'Lammeling!' schold Padde, overeind krabbelend. Maar meteen lachte hij ook alweer. Wie kon er vandaag boos worden?

In de namiddag betrok de lucht. De jongens gingen voor op het vlot zitten. Joppie en Padde hielden de wacht bij het roer.

'Wat zit jij te koekeloeren, Hajo?' vroeg Rolf.

Hajo antwoordde eerst niet en zei toen, moeilijk sprekend: 'Ik gelóóf... dat ik... een schip zie!'

'*Waar?!*'

Met bevende hand wees Hajo naar voren.

De jongens waren overeind gesprongen, tuurden ademloos in oostelijke richting. Padde had het roer losgelaten en kwam, struikelend over een rotan, naar voren. Spannend zwijgen...

Toen stootte Harmen een schreeuw uit. '*Ik zie het!*'

De anderen rekten hun halzen.

'Ja!' riep Rolf. 'Nu zie ik het ook! Jongens!!'

Padde knipte zenuwachtig met zijn oogjes. 'Waar dan?' vroeg hij. En op het laatst begon hij te huilen en driftig met de voeten te trappelen. 'Ik zie niks! Ik zie niks!!'

'Kijk dan uit je doppen!' zei Harmen.

Padde sloeg zich met de vuisten tegen het gezicht en schreeuwde: 'Ik *kijk* uit m'n doppen! Maar ik heb zulke... zulke rotogen!'

'Wacht maar, Padde,' troostte Rolf. 'Zometeen zie jij het ook en je moet maar denken: we komen er allemaal tegelijk aan!' – Ook Hajo had medelijden met Padde. 'Hè, Padde?' vroeg hij. 'Als 'we straks samen weer aan boord klauteren?'

'Hajo!' snikte Padde en viel zijn vriend om de hals.

'Vooruit!' riep Harmen. 'We schieten niet op! Waarom blaast de wind niet wat harder!'

'Wees maar stil,' zei Rolf, 'straks krijgen we nog storm! Kijk eens, wat een wolken!'

'Wat heb ik aan wolken? Wind moeten we hebben! – Ziezo! dat gaat een betere kant uit,' prees Harmen, toen een sterke windvlaag het vlot een schokje voorwaarts gaf. Hij laadde de armen vol kokosnoten en gooide ze overboord. 'Weg met die rommel! Dat scheelt in de vaart! En van dat tentdak maken we een fok!'

De jongens zetten de zonnetent als een zeil op het voordek. De wind was geleidelijk aan naar het westen omgezwaaid, blies nu recht van achteren en nam in kracht toe.

'Voor mijn part gaat hij razen als de hond van Lubbes,' zei Harmen.

Heel langzaam-aan werd het scheepsomtrekje duidelijker. De schuit lag voor anker; ze konden duidelijk de kale masten onderscheiden.

In het westen was de zon vertroebeld door vuilpaarse wolken. ''n Vieze beweging daar!' zei Harmen. 'Afijn, 't brengt wind...'

Het zeil bolt met een slag uit; de mast buigt krakend door. De golven spoelen weer over het dek.

Harmen wrijft zich de knuisten. 'Nou gaat ie gesmeerd!' Maar dan betrekt zijn gezicht. ''k Ben maar voor één ding bang, jongens! Dat ze daarginds met dit weer niet voor anker durven blijven liggen en van de kust afzeilen!'

De anderen weten geen antwoord. Ze hijsen de lantaren in de mast, want het zal over een half uur donker zijn. Jongens, wat schiet het vlot door de golven!

Een plotselinge windstoot rukt het matten 'fokzeil' los; het vliegt draaiend de lucht in, slaat over de kop en schiet in het water weg.

'Wel verduiveld!' roept Harmen spijtig uit en gaat na of de mast en het 'grootzeil' goed vastzitten.

Het vlot vaart zonder 'fok' niet langzamer. Fors dompelt het de kop in de golven.

'Licht!!' roept Hajo ineens.

'Ha! – Trek de schoot aan, Rolf! 't Ligt bijna in de koers!' En Harmen begint alvast te brullen: 'Schip ahoy! Ahoy! *Schip ahoy!!*'

Zó snel vaart het vlot, dat het licht met het kwartier groter en helderder wordt. Daar, aan bakboord is nog een licht! En aan stuurboord nog een!

Nu zijn ze er geen vijfhonderd ellen meer af. Duidelijk zien ze de donkere omtrek van een Oostinjevaarder. 'Zullen we roepen, jongens?' vraagt Harmen.

'Ja. Allemaal tegelijk. Een-twee-drie...'

'Schip ahoy!!' schreeuwen ze met hun vieren. Joppie gilt mee.

'Nog eens! Een-twee-drie...!'

'*Schip ahoy!!!*'

'Het ligt met de zijkant hier naar toe! We lopen er vierkant tegen op!'

'Trek het zeil dan neer! Doe jij het, Hajo; ik moet het roer houden...' – Met een scherp geluid scheurt het zeil van de boom af; klappend in de lucht rukt het de gaffel mee en vliegt als een witte meeuw weg.

'Ik zie mensen!' roept Rolf. '*Jongens!!*'

Hoog rijst het schip voor hen op, deinend op de golfslag, die klotst en schuimt onder de spiegel. Nu stoot het vlot tegen de houten wand van de Oostinjevaarder.

''n Valreep!!' schreeuwt Harmen dringend omhoog.

Boven schemeren vage koppen. Daar vliegt een touwladder overboord. Met een wilde kreet grijpt Harmen het ding beet, wil er de voet in zetten, bedenkt zich. 'Padde, jij eerst! Nou, *vooruit* dan!!' En Harmen duwt hem in het laddertje, geeft hem nog een zetje na. 'Nu jij, Hajo! Geen praatjes! *Kerel* dan toch...!! – En nou jij, Rolf!'

'Nee. Ik ga het laatst,' zegt Rolf, alsof hij al schipper is en zijn bodem verlaten moet. 'Maar hoe krijgen we Joppie mee?'

Harmen weet raad. Hij grijpt Joppie, die deemoediger dan ooit is, in het nekvel en draagt hem als een hondenmoeder *tussen de tanden* de valreep op.

Als laatste verlaat Rolf het vlot. Zo komt hij boven, waar Harmen de nekharen uit zijn mond spuwt.

Wie staat daar en sluit hen alle vier in zijn zevenmijls-armen?

Hilke Jopkins.

Bij de Bruinvis aan boord

'M'n jongens...! Hajo! Rolf! Harmen! Padde, goeie sukkel, ik dacht, dat jullie altemet naar de weerlicht waren!' En de tranen sprongen Hilke zo maar in de ogen.

'Mannen, haal Bolle eens op!'

Daar kwam Bolle aanhollen. 'Grote genade, jongens, zijn *jullie* daar weer?!' Hij veegde z'n vette handen aan zijn witte voorschot af. 'Hoe hebben jullie 'm dat gelapt?'

'Tja, Bolle,' zei Harmen, 'als ik daar over begin te vertellen, mag ik eerst wel een bord bruine bonen met spek achter de kiezen hebben, anders val ik onderweg van m'n stokje.'

''k Zal gauw wat klaarmaken! Lusten jullie een bord pap na?'

'Schei maar uit, Bolle!' zuchtte Harmen. 'Pap...! Grote genade!'

Bolle verdween al naar de kombuis. Harmen schreeuwde hem na: 'Denk je om de basterdsuiker?'

Hilke keek de jongens nog hoofdschuddend aan. 'Nee maar, nee maar. Ik kan het nog niet geloven! Daar staan jullie weer in levende lijve voor me en... wat voor rokjes hebben jullie aan?'

'Geef me straks maar een broek van jou, Hilke,' zei Harmen. 'Op wat voor schuit sta ik?'

'Je bent op de *Nieuw-Zeeland*, bij de Bruinvis.'

'Op die rotschuit?'

'Heila!' schreeuwden er een paar. 'Zachies an!'

'Vraag ik jullie wat?' informeerde Harmen. 'Zeg, Hilke, waar is de schipper? *Onze* schipper bedoel ik natuurlijk.'

'Bontekoe heeft een nieuwe schuit: de *Berger Boot*. Die ligt een eind verderop. Voor Batavia.'

'En jij en Bolle zitten hier?! Jullie hebben de ouwe toch niet laten schieten?!'

'Wat konden we anders doen?' vroeg Hilke. 'Als de schipper niet teruggaat...?'

'Nou valt m'n hoedje af!' zei Harmen. 'Waar gaat ie dan heen?'

'Weet ik het? Tegen de Chinezen bakkeleien.'

'Nou, kom nou maar eerst mee naar het logies,' suste Hilke. 'Dan krijg je een broek van me, en dan moeten jullie maar eens alles vertellen!'

'Dat we met die gepolitoerde nikkers wat beleefd hebben, daar kun je gif op nemen, Hilke!' verzekerde Harmen.

'Jongens, we zullen eerst naar de kajuit moeten,' zei Rolf.

'In m'n rokkie zeker?' vroeg Harmen.

347

'De Bruinvis is er niet!' gromde er een. 'Anders had hij jullie al lang in de gaten gekregen.'

'Is de stuurman dan aan boord?'

'De opperstuur is met de Bruinvis mee. En de onderstuur ligt in zijn kooi. Was ie maar aan boord, de Bruinvis, dan zouden we van de kust afzeilen, want 't is hier gevaarlijk liggen met dit weer. Maar als de ouwe vannacht terugkomt en ie moet zich eerst groen zoeken voor hij de kast vindt, raast ie morgen de zeilen van de mast.'

'Hij is naar de *Maegt van Dordregt* bij Jan Coen op bezoek,' lichtte een van de omes hen in.

In optocht daalden ze nu in het vooronder af – eerst de jongens. 'Alle duivels, die hond die jullie daar hebben...' riep Hilke ineens, 'da's immers geen ander mens als... als *Joppie!*'

'Wauw!' gilde Joppie en vloog tegen Hilke op, die hem in zijn armen ving. 'Joppie! Zat je daarom zo aan me te snuffelen! Heb jij dat hele tochtje ook meegemaakt, ouwe rakker? – Kom, jullie moeten eerst wat ordentelijks aan je lijf hebben! Hier, Harmen, pas die broek eens?'

'Hij zou me wel eens wat lang kunnen wezen...' weifelde Harmen. Zijn bezorgheid bleek gerechtvaardigd: de kniebroek die Hilke hem geoffreerd had reikte hem tot op de enkels. 'Nou, een broek *is* het,' troostte Harmen zichzelf. 'En 'k hoef er niet mee naar m'n meisje. We zullen de pijpen eens wat omslaan!'

Zo deed Harmen. Ook Padde kreeg een broek: een goedhartige ome stond er hem een af – 'Veel zaaks is het niet,' zei Padde.

'Toch beter als zo'n rokkie,' excuseerde de ome zich.

Padde bekeek de broek van achteren. 'Kijk het zitvlak eens gesleten zijn!'

'Wacht maar,' troostten de maats, 'als je hier bij de Bruinvis aan boord blijft, zal het nog wel meer slijten! Juffer Driestreng ligt altijd klaar.'

'Dacht je dan dat ik op die smerige schuit van jullie wou?' vroeg Padde. Hij trok de broek aan; ze bleek om het midden wat nauw, maar hij priemde een paar gaatjes in de boord, trok er een touwtje door – toen kon zijn buik er wel in.

'Nou,' zei Harmen, 'nou moet je me eerst nog eens vertellen waar de anderen zijn. Waar is de bootsman? En de Schele en Bokje en Gerretje en Diede Doedes en...'

'De meesten zijn bij de schipper gebleven. Hilke keek er wat verlegen bij. 'Ik had ook wel gewild, maar eh, Sijtje, snap je...? Nou, en de Schele is dood.'

'D-dood?' stamelde Padde.

'Dood,' zei Hilke triest. 'Toen tegelijk met... Wacht, dat weten jullie natuurlijk niet: we zijn overvallen! Floorke en de Neus en...'

'Schei maar uit...' zuchtte Harmen. 'Wij hebben ze begraven, Hilke!'

'Is 't waarachtig...? – Dat was me wat, jongens! – Nou, de Schele is dus dood, hij kreeg een giftige pijl in z'n schouder; we hebben hem later over boord moeten zetten. En Gerretje is getrouwd.'

'Getr...?! Wát zeg je?'

'Met een Javaans meisje.'

'En z'n meisje in Hoorn dan?'

'Tja...! Ik weet ook niet hoe we het dat arme kind straks moeten vertellen. Hij zegt dat ie geen aardigheid meer aan varen heeft, nou Floorke er niet meer is.'

'Wedden dat ik 'm weer op een schip krijg?' vroeg Harmen. 'Schamen moest ie zich!'

Daar kwam Bolle aanzetten met een pan bruine bonen en een kommetje vet met uitgebakken stukjes spek erin. En de jongens smulden...!

De schuit begon al aardig te dansen, maar zelfs Padde had geen behoefte om naar het zeeziekvrije plekje te gaan zoeken. – 'Hè, Joppie, ouwe smulpaap?' vroeg Harmen, wiens wangen, neus en kin blonken van het vet, 'dat is wat anders als zo'n half gepekeld stukkie vis?'

'Wat zul je daar een gelijk aan hebben!' antwoordde Joppie. 'Krak!' En hij brak met de tanden een dikke korst zwoerd middendoor.

Een groot bord pap besloot het koningsmaal. Vol aandacht strooiden de jongens er basterdsuiker over, en Padde schepte zo lang door dat de pap helemaal bruin was. Maar Bolle keek vandaag zo nauw niet.

'Ziezo,' zei Harmen, 'als jullie me nou een pijpje en een blaadje tabak geeft en wat brand erin, dan zal ik jullie er 's gaan vertellen wat we alzo beleefd hebben!'

Zijn bescheiden wens werd met spoed ingewilligd.

'Nou, luisteren jullie?' vroeg Harmen, na gnuivend een paar trekken aan z'n pijpje gedaan te hebben. En toen begon hij te vertellen. Te vertellen...!! Ze hadden, samen met Joppie, hele kampongs bestormd; Dolimah bleek tot achter de oren op Harmen verliefd te zijn geweest; het avontuur met de panter werd in zo felle kleuren opgedist, dat de maats de rillingen over het lijf liepen. Toen Harmen merkte dat zijn verhaal indruk maakte, deelde hij de panter nog een wijfje en vijf volwassen jongen toe, mormels van heb ik jou daar! Toen het hol eindelijk geheel van het pantergebroed gezuiverd was, hadden twee reuzenslangen de arme zwervers in hun schuilplaats belegerd. Maar Harmen knoopte de beide staartuiteinden van de monsterachtige grote beesten met een dubbele ouwewijvenslag aaneen, zodat ze voor hun leven lang aan elkaar geketend waren en...!! – Harmen stokte. 'Dat laatste was gelogen,' bekende hij onder de ongelovige blikken van alle kanten. 'Laat Hajo het dan maar vertellen.'

'Nee, vooruit, vertel maar door. Kun je het dan niet zonder liegen?'

Harmen schudde ontkennend het hoofd. 'In het begin wel, maar later niet meer. En als ik aan jullie tronies zie dat jullie het niet meer geloven, geloof ik het zelf ineens ook niet meer. – Vertel jij het maar, Hajo!'

Hajo nam het verhaal over, maar Harmen viel hem telkens in de rede om het wat aan te vullen en vroeg dan: 'Niet waar, Rolf?' Voor Rolf wat zeggen kon, ratelde Harmen al weer verder.

Nu en dan sloeg Hilke Hajo op de schouder dat zijn botten kraakten en zei, zegevierend rondkijkend: 'Alsjeblieft, mannen, hier zien jullie een *Fries!*'

Zo werd het elf uur. Toen pas gingen de mannen naar hun kooi; nog druk dooreenpratend over de avonturen van de helden van die dag, voor wie een paar *fijne* kooien waren vrijgemaakt. Terwijl de omes zich stonden uit te kleden,

349

schrap staande op beide benen om niet om te slaan, klonk buiten opeens een stem als een kanon. '*De Bruinvis!*' stamelden de maats en schoten haastig hun broeken weer aan. Ook de jongens, die het met uitkleden gemakkelijk hadden en al hoog en droog in hun kooien lagen, vlogen overeind.

'Blijf liggen!' raadde Hilke. 'Jullie liggen immers goed? Als je bij hem mocht aanmonsteren, kun je nog genoeg hollen: 't is hier werken aan boord! Kom, ik ga ook eens kijken wat er aan het handje is!' En Hilke stapte met grote passen achter de anderen aan.

In het uitgestorven vooronder lagen de jongens te luisteren naar de donderende bevelen van de Bruinvis. '*Haal in* de ankers! Zet de fok op! Hel en weerlicht, als ik een uur later was gekomen, had de kast aan gruzelementen gelegen!'

Verdraaid! ze dansten flink – dat was waar. Hoor! de ankerspillen ratelden. Nu werd er zeker een zeil opgezet. Hoe de wind er in sloeg! Pang! – Hilke kwam kletsnat weer binnen. ''k Ben door een zeetje gelopen,' lichtte hij toe. 'We gaan eerst een eind buitengaats en zeilen dan op Batavia aan, dan spreken jullie morgen meteen de ouwe schipper. Kom, ik moet nog wat helpen! Slaap lekker, jongens!'

'Dag Hilke!' – Maar ze konden maar zo niet inslapen. Zwijgend lagen ze in hun kooien, stil-gelukkig in het heerlijke bewustzijn weer onder vrienden te zijn. Morgen zouden ze Bontekoe de hand drukken – die lag met zijn schip voor Batavia... Wat ging hij doen, had Hilke gezegd? Tegen de Chinezen bakkeleien? Wat moesten *zij* dan doen? Ze wilden wel met hem mee, maar... Zou het lang duren vóór hij weer terugvoer naar... naar Hoorn...? De jongens zuchtten. Drommels, wat vloog de lamp heen een weer, wat kraakten de masten!

Bij groepjes daalden de maats weer in het vooronder af. De helft moest die nacht opblijven. De Bruinvis zelf bleef ook aan dek. Mijmerend dachten de jongens er over na wat Bontekoe eens van de Bruinvis had gezegd: 'Toch een goed zeeman!'

Rolf lag het langst wakker. Hij dacht er aan dat hij straks van Hajo afscheid zou moeten nemen. Hun wegen zouden uiteenlopen – daar was Rolf nu zeker van.

Af- en aanmonsteren

Toen de jongens de volgende morgen wakker werden, scheen de zon door de poorten aan bakboordzijde; de storm, voor zover men dat nachtje stevig blazen storm mocht noemen, had opgehouden, al stampte de schuit ook nog wat. De omes, bezig hun broeken aan te schieten, knikten hen van alle kanten toe. 'Morrege!'

'Morgen!' antwoordden de jongens. En Joppie sprong onder Hajo's kooi vandaan en wenste ook goede morgen met veel likken en kwispelstaarten.

'De Bruinvis weet al dat jullie d'r zijn!' zei een ome. 'Hij heeft de sloep vannacht zowat kapoerus gevaren tegen jullie vlot: hij was niks gemakkelijk toen ie aan boord kwam! Jullie moeten bij hem in het lijkhuis komen.'

'Het lijkhuis??'

'De kajuit. Je zult wel zien. Maar jullie hoefden pas te komen als je wakker was.'

'Allicht,' zei Harmen, 'we zijn geen slaapwandelaars.'

De jongens maakten zich op naar de kombuis, waar Bolle hen met een kom dampende koffie verwelkomde. Het was alles nog te mooi om te geloven! Volop genietend, slurpten ze het bruine vocht.

'En nou maar op naar het lijkhuis,' zei Harmen. ''t Zal me benieuwen. 't Ligt daar vol opgeblazen krokodillen, zeggen ze.'

351

In optocht begaf het viertal zich naar de grote kajuit. Ze klopten aan.
'*Binnen!!!*' donderde een stem.

Daar zat de Bruinvis. De jongens keken naar zijn koperkleurige kop met de donkerrode wangen als van een rijpe bellefleur en de weerbarstige kleine krulletjes, en in gedachten zagen ze hem de valreep weer opklauteren, statig gevolgd door de dorre koopman... toen, op de *Nieuw-Hoorn*...!

Hij zat rondom in de opgezette beesten. In een hoek stond een wat houterige tijger met gele glazen ogen – deze was heel wat makker dan die ze op Sumatra waren tegengekomen, al keek hij ook erg grimmig en al waren de zware hoektanden ook ontbloot. Van de lage zoldering hing een albatros met wijd uitgestrekte vleugels, net of hij nog vloog, en hij klemde een morsdode vis in de snavel. Half tussen zijn vleugels door was een kalong neergelaten; dan hingen dieper in de kajuit nog vissen: een opgevulde kleine haai – kijk, daar in z'n vestje had ie een opstopper gekregen! In een hoek hingen een zwaardvis met half afgebroken zwaard, een kolossale rog en een duivelsvis. In een waas zagen de jongens onder de tafel waaraan de Bruinvis zat een krokodil met groene ogen liggen.

Aarzelend waren ze binnengegaan in dit sombere hol, waarin de Bruinvis troonde als een vervaarlijk heksenmeester. Joppie, die hen anders overal volgde, was ditmaal buiten blijven staan, alle haren steil rechtop.

'Jullie hebt me vannacht met jullie vlot zowat naar de weerlicht geholpen!' bulderde de Bruinvis vriendelijk. 'Hoe heet jij?'

Dat was tegen Harmen.

'Van Kniphuyzen, schipper.' Verduiveld, wat een griezelige boel was het hier! De maats hadden wel gelijk, het een lijkhuis te noemen! Daar boven op de kast stond een zeeëgel; als pendant had ie een koffervis, en in het midden stond een aap, die juist bezig was in een tak te klimmen.

'En jij? Hoe heet jij?' bulderde de Bruinvis Hajo welwillend tegemoet. De houterige tijger beefde ervan, de staart van de aap trilde, en in de kast viel iets om. Verdikkeme, de Bruinvis had boven zijn bedstee een vampier gespijkerd. Zeker om lekker in te slapen!

'Peter Hajo, schipper.'

De Bruinvis keek Rolf aan.

'Rolf Romeijn, schipper.'

'En ik ben Padde Kelemeijn van de Appelhaven,' lichtte Padde de Bruinvis in.

'Vraag ik je wat?!' vroeg die. En tot Rolf: 'Ben jij die neef van Bontekoe? Als je bij mij komt, maak ik je over een jaar volmatroos.'

'Ik dank u, schipper. Maar ik wil bij mijn oom blijven.'

'Word je soms voor stuurman opgeleid?' vroeg de Bruinvis wrevelig.

'Jawel, schipper.'

'Hm!' De Bruinvis gromde nog wat en gunde Rolf geen blik meer. 'En jullie?' wendde hij zich tot Hajo en Harmen. ''k Heb voor jullie ook nog wel een plaatsje over.'

Harmen keek nog in gedachten verzonken naar de kast. Op de onderste plank stond een kievit bij z'n nest met eitjes. Vier lagen er in. Zouden die van hem zelf wezen of van een andere kievit? Kijk die sperwer daar eens mooi staan, met z'n witte sokjes aan! En daar op die bovenste plank stonden allerlei beesten in flesjes. Slangen, kikkers, hagedissen...

'Heila!' bulderde de Bruinvis. 'Versta je me niet?!'

Harmen schrok op. 'Eerst niet, schipper. Je spreekt zo zachies...'

De Bruinvis rolde met zijn ogen. 'Ik vraag je of jij bij mij wilt aanmonsteren.'

'Nou, schipper, daar moet ik nog eens een nachtje over slapen...' aarzelde Harmen. ''k Weet nog niet of *onze* schipper me wel missen wil!'

'Hij zal je in een glazen kastje zetten!' zei de Bruinvis.

Harmen wees grinnikend op de hagedissen in de flesjes. 'Ik ben geen salamander, schipper!'

Er heerste even zwijgen. De Bruinvis scheen er over na te denken of hij Harmen zou laten kielhalen, op spiritus zetten of laten opvullen en aan de zoldering hangen. 'Als je op m'n monsterrol stond, onthaalde ik je op juffer Driestreng!' viel hij tenslotte uit.

Rolf vond het raadzaam, aan het onderhoud maar een einde te maken. 'Kunnen we gaan, schipper?'

'Ja, ruk maar uit!' bulderde de Bruinvis en stampte met de voet, dat de houterige tijger een hoektand uit de wrede muil viel. De Bruinvis raapte de tand op, duwde hem weer in de holte waar hij thuis hoorde, en de jongens verlieten de kajuit.

'Nou,' zei Harmen, 'voor ik die gruwelkamer wéér in kom! Hè, Joppie? Jij had er ook niet van terug!'

'Hij wou ons graag hebben, hè?' grinnikte Padde. 'Maar dat zat hem niet glad!'

Harmen keek Padde verbluft aan. 'Tegen jou heeft ie toch alleen maar gezegd: ik vráág je niks!'

Padde zweeg even. 'Knap maar,' zei hij toen.

En zo kwam het langverwachte uur waarop de jongens aan boord van de *Berger Boot*, die op de rede Batavia voor anker lag, hun schipper, hun allerbovenstebeste schipper weer de hand drukten. En de brave Vader Langjas! Dat gaf me een blijdschap! De tranen sprongen hun in de ogen; Vader Langjas' stem trilde ook, en Bontekoe sloeg hen op de schouders dat hun botten kraakten.

Ze gingen mee naar de kajuit; daar kregen ze een stoel, net als grote heren, en Bontekoe liet koffie brengen met een plak koek erbij. Toen moesten de jongens vertellen. Schots en scheef ging het; Rolf hield er met moeite een beetje de volgorde in. Harmen weidde ditmaal niet uit: hij wou z'n schipper toch niet voorliegen!

En toen ze honderd uit gepraat hadden, en de schipper en Vader Langjas hun hadden verteld hoe de jol tenslotte op de rede van Bantam was gekomen, – toen kwam Bontekoe met de vraag: 'En, jongens, wat denken jullie nou te doen?'

De jongens keken elkaar aan. Harmen verslikte zich in zijn koffie, werd door Vader Langjas op de rug geklopt tot hij er weer bovenop was. Toen zei hij: 'Is 't waar, schipper, dat je tegen de Chinezen gaat bakkeleien?'

Bontekoe glimlachte. 'Voorlopig ga ik die kant niet uit, Harmen! Maar ik vertrek de volgende week naar Ternate en zal nog wel een paar jaar blijven rondzwerven voor ik Hoorn weer terugzie.'

'Een paar jaar, schipper...?!'

'Zijne Excellentie de gouverneur-generaal heeft me op vijf jaren voorbereid, jongens.'

De jongens zuchtten. Ze hadden altijd gedacht dat er boven hun schipper niets hogers meer bestond, en nu ineens hoorden ze dat ook de schipper iemand gehoorzamen moest...!

Bontekoe zag hun verbazing en glimlachte. 'Ik raad jullie aan, jongens, je bij schipper Pieter Thijsz. van Hoorn te laten aanmonsteren.'

'De Bruinvis!' verbeterde Harmen knorrig. 'Als ik niet onder jou kan varen, schipper, heb ik... heb ik er geen aardigheid meer aan.' Hij haalde diep adem. 'Wat had ik graag met jou weer teruggewild, schipper!'

'Kom, Harmen!' beurde Bontekoe hem op. 'Misschien sta je over tien jaar nog wel eens als volle kok op mijn monsterrol.'

''k Hoop het te beleven, schipper...!' griende Harmen.

'Nou juist,' zei Bontekoe. 'Jullie monsteren straks dus maar meteen bij... bij de Bruinvis aan. Hij zal jullie wel meevallen! Straks varen jullie nog liever onder hem dan onder schipper Bontekoe!'

'Schipper!!' riepen de jongens.

'In elk geval blijft jullie geen andere keus,' zei Bontekoe. Het is voorlopig het eerste schip dat naar Holland teruggaat.' Daarop wendde hij zich tot Hajo. 'Jou wil ik nog wat zeggen, Hajo. Jij hebt een goede kop. Je zou voor stuurman moeten leren.'

'Schipper...!!' stamelde Hajo.

'Wil je 't graag?'

Het duizelde Peter Hajo. 'Of ik het *wil*, schipper...?!'

'Dan zal ik je een brief meegeven voor de heren van de Compagnie.'

Dikke tranen schoten in Hajo's ogen. 'Ja... jawel, schipper.'

'En jij, Padde?' vroeg Bontekoe vrolijk. 'Wat ga jij doen?'

Padde knipte met zijn oogjes, wilde wat zeggen, maar slikte zijn woorden weer in. Hij werd rood als een kreeft, zuchtte diep, haalde de schouders op en keek naar de grond. Om zijn mondhoeken trilde het.

'De Bruinvis mot 'm niet,' lichtte Harmen toe.

Een medelijdende uitdrukking verscheen op Bontekoes gezicht: 'Hebben jullie het hem op de man af gevraagd?'

'Nee, schipper!' haastte Harmen zich. 'We hebben immers nog niet bij hem aangemonsterd!'

'Nu, zie het dan eerst samen klaar te spelen dat Padde meegaat!' zei Bontekoe. 'Desnoods zal ik er wel bij te pas komen.'

'God zal het je lonen, schipper!' snikte Padde.

Bontekoe wendde zich tot zijn neef. 'En... jij, Rolf? Wat doe jij?'
'Ik ga met u mee, oom,' zei Rolf zacht. 'Dat spreekt immers vanzelf.'
'Rolf...!' stamelde Hajo.
Bontekoe keek met een glimlach naar de twee vrienden.
'De wereld is klein, jongens,' zei hij, vriendelijk-troostend. 'Jullie loopt mekaar weer tegen het lijf voor je er erg in hebt! Kom, nu moeten we eens afrekenen!'
'Afrekenen...?!' Padde werd zenuwachtig, stootte Hajo aan.
'Om het geleden verlies voor mijn mannen wat uit te wissen, heeft de Compagnie mij toegestaan, dubbele gage uit te betalen,' zei Bontekoe.
De jongens hielden van spanning de adem in.
Bontekoe liep naar z'n tafel. Trok een lade open.
'Harmen van Kniphuyzen! Over veertien maanden gage: veertien maal vier is zesenvijftig, verminderd met drie gulden aanmonsteringsgeld, vermeerderd met twee gulden voor tweede aankomst in Oostinje – maakt vijfenvijftig gulden!'
Harmen kuchte, stapte gewichtig naar de tafel. Uiterlijk kalm, maar met bevende handen, schoof hij de stapeltjes zilver naar zich toe. 'Bedankt, schipper!' zei hij nors en liet het geld in zijn broekzak glijden. – Maar rinkelend kwam het er bij de pijpen weer uit en rolde naar alle kanten over de vloer. 'Tja!' stotterde Harmen, 'dat komt: 't is mijn broek niet! Ik kon niet weten dat er een gat in zit, nietwaar?' En met Paddes hulp begon hij te grabbelen. 'Ik zal het maar in m'n hand houden!' stelde hij de anderen gerust.
'Peter Hajo! Over veertien maanden gage, maakt veertien maal drie is, tweeenveertig... Heb je aanmonsteringsgeld gehad?'
'Nee, schipper...'
'Ik kan het niet meer nazien omdat de meeste papieren verloren zijn gegaan,' lichtte Bontekoe hen in. 'Dus tweeënveertig. Vermeerderd met een gulden voor eerste aankomst in Oostinje, maakt drieënveertig. – En, wacht eens, Harmen, zou ik jou ook niet de gage van Lijsken Cocs uitbetalen? Alsjeblieft: vijfenvijftig gulden. Geef het maar gauw aan de schipper van de *Nieuw-Zeeland* af, voor je het verliest.'
'Jawel, schipper,' zei Harmen. 'Vijfenvijftig gulden – wat zal z'n moeder blij zijn!'
Bontekoe keek Harmen vriendelijk aan, knikte peinzend. Maar wie de schipper kende, kon wel zien dat hij van die blijdschap van Lijskens moeder, wanneer Harmen haar het zakje met geld zou komen brengen, nog zo zeker niet was... 'Padde Kelemeijn!' riep hij.
Padde krabbelde ijverig overeind, de handen nog vol zilverstukken die hij voor Harmen bijeengezocht had.
'Geef op!' beval Harmen. 'Anders komt het in de war...'
Bontekoe telde Paddes gage uit. 'Veertien maal drie is tweeënveertig...'
'Geen aanmonsteringsgeld ontvangen!' zei Padde.
Bontekoe glimlachte. 'Ja, dat herinner ik me. Jouw aanmonstering staat me nog levendig bij. Dus: tweeënveertig gulden, plus een gulden voor eerste aankomst in Oostinje, maakt...'

'Drieënveertig gulden!' rekende Padde vlug uit.

'Goed zo', prees Bontekoe. 'Daar liggen ze.'

Padde telde het geld na. 'Een twee drie vier... drieënveertig. Bedankt, schipper!' En op Harmens voorbeeld hield hij het geld in zijn hand, in plaats van het in zijn broekzak te stoppen.

'Wil jij je geld ook hebben, Rolf?' vroeg de schipper.

'Houdt u het maar vast, oom!' zei Rolf. 'Als u me maar wat geeft om kleren en een kist en zo te kopen. Een gulden of vijftien.'

'Hier zijn ze. – Zo, wacht jullie nu nog even, dan zal ik die brief voor Hajo schrijven.' En terwijl de jongens zwijgend toekeken, nam Bontekoe een vel papier en een blanke ganzeveer en schreef de brief. Tenslotte zette hij er zwierig zijn handtekening onder, bestrooide de brief met wit zand om de inkt te doen drogen.

'Lees eens voor, Peter Hajo?'

Hajo trad naderbij. 'Aan de Heren Bewindhebbers van...' spelde hij.

'Zo. Dus je kunt wat lezen,' zei Bontekoe!'

'Rolf heeft het me geleerd, schipper!'

De schipper zond zijn neef een welwillende blik toe. Toen wendde hij zich weer tot Hajo. 'Denk er om: het moet nog vlotter gaan, hoor!'

'Ja-jawel, schipper!'

Toen vouwde Bontekoe de brief dicht. 'Geef hem straks aan de schipper van de *Nieuw-Zeeland* af; anders is hij al vuil voor de heren bewindhebbers hem in handen hebben. De Bruinvis...' Bontekoe kon zijn stille pret niet helemaal onderdrukken, 'zal je nog wel zeggen wat je er mee beginnen moet. Begrepen?'

'Jawel, schipper!' zei Hajo, stralend.

En toen kwam het afscheid. Harmen en Hajo grepen ieder een hand van hun schipper. 'Zo eentje als jij krijgen we nooit weer terug, schipper!' verzekerde Harmen met schorre stem. 'Zo'n beste puike schipper! Waar, Hajo?'

Bontekoe lachte maar en klopte de jongens op de schouder, terwijl hij hen naar de valreep leidde.

'Is dat *Joppie* niet?' vroeg hij.

'Ja zeker, schipper, dat is Joppie! Vooruit Joppie, je kent je schipper toch nog wel?'

'Wauw!' kefte Joppie.

'Gaat hij mee naar Holland?' vroeg Bontekoe.

Harmen knikte. 'Hij gaat straks mee aanmonsteren bij de Bruinvis! Hè, Joppie?'

'Hij zal Holland wel een koud landje vinden!'

'Nou, hij gaat tenslotte uit eigen wil mee, schipper?'

'Jongens!' zei Bontekoe, 'we zullen mekaar enkele jaren niet zien. Groet Holland van me, gedraag je zoals ik dat van jullie gewend ben en... heb maar een goede reis.'

'Dag schipper, beste schipper! Van 't zelfde, hoor!'

'n Ome die er bij stond te kijken, kreeg het te kwaad, hoewel hij er volgens zijn eigen zeggen toch niets mee te maken had...

Met dezelfde jol die hen al door zoveel gevaren geleid had werden de jongens weer naar de *Nieuw-Zeeland* gebracht. Harmen had in de verwarring van het afscheid de guldens toch weer in zijn zak gestoken. Wonder boven wonder waren ze niet in het water gevallen, maar in de jol. Nu zat Harmen, nog grienend om het afscheid, zijn geld te tellen, en Padde hielp hem erbij, omdat Harmen door het tranenfloers alles dubbel zag. Bovendien was Harmen in het tellen geen held: boven de tien ging het niet vlot meer. 'Als er een in het water gevallen is, duik ik net zo lang tot ik 'm weer heb!' zei hij triest.

'Dat zul je toch zeker wel laten,' meende een ome van de *Berger Boot*. 'De kust zit hier vol haaien!'

'Zeg er eens,' zei Harmen, 'pas jij op je ouwe tante, maar niet op mij!'

Hajo en Rolf zaten stilletjes achter in de jol. Beiden dachten aan het komende afscheid...

Die avond stonden de jongens weer in het 'lijkenhuis', waar het nu nog griezeliger was dan vanmorgen: van alle kanten loerden duivelachtige koppen uit het duister; glazen ogen glinsterden in het licht van een kaars die vóór de Bruinvis op tafel stond. Daar weer voor stond een regiment flessen rode wijn, waarvan er twee waren leeggedronken en een derde aangebroken was. Het kaarslicht gaf de wijn een helrode kleur, zodat het wel leek of de flessen met bloed gevuld waren.

'Zo-zo!' zei de Bruinvis met enigszins zware tong, terwijl hij zich inschonk en er aandachtig naar keek hoe het kaarslicht de uit de fles klokkende wijn deed fonkelen. 'Komen jullie zoete broodjes bakken? – Jou maak ik... maak ik... Hoe oud ben je?'

De vraag was aan Peter Hajo gericht. 'Vijftien geworden, schipper.'

357

'Zo,' zei de Bruinvis, van achter de tafel een andere fles opdiepend, 'zo, ben je vijftien.' Hij had de kroes half vol geschonken uit de eerste fles en vulde hem nu uit deze fles bij. 'Je ziet er uit als zeventien. Ik maak je... maak je... licht-matroos.' Toen stampte hij de kurk weer op de fles dicht en dronk de kroes in een enkele teug leeg.

De Bruinvis bulderde in het geheel niet meer. Hij fluisterde! Met schorre stem en achter alles wat hij zei tevreden knikkend.

'En jij daar!' dat was tegen Harmen. 'Jij wordt volmatroos.'

'Goeie morrege,' zei Harmen. 'Ik ben altijd koksmaat geweest.'

'Zo,' zei de Bruinvis, zich weer inschenkend. 'Dan... dan maak ik je... maak ik je bijkok. Ja! En d-denk er om, juffer Driestreng ligt altijd klaar.'

'En ik...?' vroeg Padde angstig. 'Wat word ik?'

De Bruinvis zette de kroes weer neer waaruit hij net had willen drinken, en keek Padde aan. 'Wat jij wordt? Een vetzak, als je zo doorgaat. Jou kan ik niet gebruiken.'

'Nou, schipper,' zei Harmen, 'dan moet je schipper Bontekoe eens naar hem vragen! Die heeft 'm nog eh... *apart* aangemonsterd! – Kijk er eens, schipper, vlug is ie niet en als hij ergens een ouwe wijvenknoop in slaat, trek je hem zó los. Maar weet je waar ie goed voor zou zijn? Voor botteliersmaat! Ga nou eens na, schipper, waarom hebben wij op de *Nieuw-Hoorn* zo'n ellende gehad? Omdat de botteliersmaat daar, die stomme pijpekop, een brandende kaars bij een jenevervat heeft gezet. Pats! de hele schuit aan flarden. Zoiets zou Padde niet gebeurd zijn, schipper!'

Padde ademde diep, keek naar de kalong daarboven.

'Schipper!' smeekte Hajo. 'We zijn samen uitgevaren, schipper, en...'

De Bruinvis keek Padde aan, toen Hajo, toen Harmen. Hij schraapte zijn keel en bulderde weer opeens: 'Wat was je op de uitreis?'

De flessen rammelden, de kaarsvlam flikkerde; de schaduwen dansten door de kajuit. Maar de jongens was zijn gebulder welkom: het hoorde bij de Bruin-vis; zo wisten ze wat ze aan hem hadden. Intussen was de vraag op zichzelf pijnlijk genoeg. Padde kuchte, verbleekte.

Maar Harmen sprong in de bres. 'Hij was van alles, schipper! Hij kan bieten schrappen, pannen uitkrabben, flessen spoelen...!'

'Vooruit dan maar!' brulde de Bruinvis. 'Botteliersmaat! Nou tevreden?'

'Dank je wel, schipper,' zeiden de jongens uit een mond.

Toen haalde Hajo zijn brief te voorschijn. 'Schipper,' zei hij. 'Schipper Bontekoe heeft me een brief meegegeven, dat ik voor stuurman...' Hajo slikte wat weg, 'voor stuurman moet worden opgeleid. En...'

'Zo! Is het jou ook al in je bol geslagen!' gromde de Bruinvis. 'De Compagnie zal nog eens schepen met niets dan stuurlui naar Jan Oost zenden! Geef die brief maar hier: jij zou hem nog vuil maken!' Hij legde de brief voor zich op tafel en greep al lezende, zonder er naar te zien, de kandelaar, om zich bij te lichten. Daarbij stootte hij per ongeluk de kroes wijn om. De Bruinvis verbleekte, stond ineens overeind, veegde met zijn mouw de wijn van de brief. Hajo sprong toe, probeerde vergeefs een stapel papieren nog te redden waar de

kroes tegen aan gevallen was. 'Alles zeker nat geworden, hè?' vroeg de Bruin
vis met schorre, fluisterende stem. 'De heren zullen wel denken... hm!' Met
zijn zakdoek begon hij de papieren te betten. Hajo hielp hem. 'Bedankt...'
gromde de Bruinvis. 'Bedankt...'

Intussen had Harmen zijn aandacht aan iets heel anders gewijd. Wat stond
daar op de onderste plank van de kast? Een... een *doodskop?!* Harmen zou
nog bijna hebben aangemonsterd op een schip, dat in de kajuit een doodskop
borg?! Starend naar dat bleke ding met de zwarte oogholten, het akelige neus-
gat en de glinsterend witte tanden, sprak Harmen kort en duidelijk zijn mening
uit: 'Schipper, als dat daar een menselijke doodskop is, ben ik je koksmaat niet
meer!' De Bruinvis keek van zijn werk op. En, een uitweg zoekend voor zijn
drift, over de bemorste paperassen, bulderde hij stampvoetend: 'Er uit! Er *uit*,
zeg ik! Alle drie!'

De jongens verdwenen met bekwame spoed, vonden buiten Rolf en Joppie,
die vol belangstelling naar de uitslag van de aanmonstering informeerden.

'Ik ga weer naar binnen,' zei Harmen. 'Ik laat me niet aanmonsteren op een
schip met een doodskop! Daar waag ik m'n huid niet aan en Joppie's huid ook
niet!' Hij nam Joppie in z'n nekvel en koerste met zijn stekelharige kameraad
de kajuit weer in.

'Wat doe je? *Harmen?!*' Maar Harmen had de deur alweer achter zich dicht
getrokken. Er kwam wat gebulder uit de kajuit – toen werd het stil.

Na een uurtje – de jongens waren met Hilke naar het voordek geslenterd –
kwam Harmen weer aanzetten, Joppie vriendelijk kwispelstaartend vooruit.

'Nou,' zei Harmen, z'n pijpje opdiepend en een handvol tabak nemend uit de
doos die Hilke hem offreerde, 'nou, de Bruinvis is met al z'n gebulder zo mak
als een lammetje, en Harremen windt hem om dit...' Harmen strekte zijn
pink uit, 'dit kleine vingertje! Die kop was niet van een mens; die was van een
Arabier! Hij heeft me ook in de laden laten kijken – herem'ntijd, wat zit daar
allemaal voor een rommel in! Nou, enne... Joppie is ook aangemonsterd. En
ik heb de Bruinvis het geld voor Lijskens moeder in bewaring gegeven. – Hè,
Padde, ouwe dikzak, daar hebben we je mooi doorgesleept! Je had best eens:
dankje! mogen zeggen!'

'Waarvoor?' vroeg Padde.

'Nou, als jij niet snapt waarvóór, dan wil ik je toch één ding zeggen, lelijke
brandstichter!' viel Harmen uit. 'De eerste keer dat ik jou wéér met een kaarsje
de kelder zie ingaan, neem ik je bij je nek en smijt je vierkant overboord;
dan kun je aan de haaien vertellen wat voor een gemene vent Harremen is! Jij
zou het zeker wel lollig vinden om de *Nieuw-Zeeland* óók weer in de lucht te
laten vliegen. Maar daar zal *ik* dan toch eens een stokje voor steken. Gesnapt?'
– Harmen keerde hem de rug toe en ging, nijdig trekkend aan z'n pijpje, naast
Hilke over de verschansing hangen, turend naar de lichtjes aan de oever.

Padde was pruttelend weggegaan van de maats om een sok te vragen. Daarin
wilde hij zijn geld stoppen, en die sok met geld wilde hij zo sekuur verbergen
dat geen mens 'm vinden kon. Hij had er al een mooi plekje voor. Wáár, dat zei
hij niet.

Harmen zuchtte diep. 'Morgen zal ik zien, of ik een viool op de kop tik! Een mooi zakmes wil ik ook hebben. En een spiegeltje en een kam! En voor m'n moeder neem ik ook wat mee! En voor m'n vader een Javaanse kris, die heb ik hem beloofd. En voor m'n meisje koop ik wat van zilver, dat ze om kan hangen.'

'Ik dacht dat je geen meisje meer had,' zei Hilke.

'Heb ik ook niet. We kregen ruzie, juist een dag voor ik aan boord moest. Maar als ik drie dagen aan wal ben, zit ik er toch weer aan! – 'k Wil zuinig wezen, Hilke: van die vijftig guldens, of hoeveel zijn het er, nou ja, maar de helft moet ik er *minstens* van overhouden. Niet zoals de vorige keer, toen alles schoon opging. Afijn, toen waren Gerretje en Floorke er bij, toen *moest* het wel opgaan! Blij dat ik de centen voor Lijskens moeder tenminste aan de Bruinvis heb afgegeven. Daar...' Harmen deed een lange trek aan zijn pijpje, 'daar liggen ze veilig.'

De oever zag er aanlokkelijk uit. Lichtjes fonkelden tussen de palmen, en de witte muren van pasgebouwde huizen glansden uit het donker op. Op het strand lagen vissersprauwen, en een eindje het water in stond een huisje op palen, waarin eenzaam een Maleier zijn net ophaalde. De vis schitterde als zilver in het licht van de opkomende maan.

Het was stil op het water geworden. Branding stond hier haast niet. Daar, wat verder in zee, lag de *Maegt van Dordregt*, waar de gouverneur-generaal Jan Pieterszoon Coen zijn verblijf hield. Niet ver daar vandaan lag de *Neptunus*, ook een mooie schuit en goed bewapend. De *Morghenstar*, een lichtgebouwde schoener, lag half overgetalied; werd zeker schoongeschraapt. En nog wat verder naar het noorden fonkelden de lichtjes van de *Berger Boot*, waar hun bovenste beste schipper zat. Goeie reis, schipper! En pas maar op, als je heus nog eens tegen de Chinezen moet bakkeleien...!

Toen luidde de etensbel. Ze aten bij lantarens op het open dek, want in het vooronder stikte je.

Zoemend dansten de muskieten hun om het hoofd.

Met Gerretje naar Loa Hok Sen

Het was nog vroeg toen de jongens de volgende morgen met nog een paar maats aan wal roeiden, maar je voelde al hoe warm het zou worden. Ze meerden de sloep bij een houten kade, sprongen aan wal en wisten niet waar ze het eerst naar moesten kijken in de wirwar van bontgeklede oosterlingen. Maar wie stond daar, stralend van blijdschap, en drukte hen alle vier tegelijk in de armen? – Gerretje!

"k Heb gisteren van Bolle gehoord dat jullie weer aan boord waren!' riep hij in vervoering uit. 'En als Bolle niet gelogen heeft, sjonge-sjonge, dan zijn jullie er raar doorgerold, zeg!'

'Is het waar dat je getrouwd bent?' vroeg Harmen. 'Met een Javaans meisje?'

'Nou, wat zou dat?'

'Dat zou,' zei Harmen giftig, 'dat jij je schamen moest! Met zo'n lief meisje in Hoorn!'

'Zeg, lig me nou niet te vervelen,' pruttelde Gerretje, half verlegen, half wrevelig. 'Heb ik je dáárvoor afgehaald?' Hij leidde hen naar een soort rijtuig, dat veel van een grote kist op wielen had. Er stonden een paar broodmagere biekjes voor, en op de bok zat een Javaanse koetsier met op zijn hoofddoek een strooien hoed in de vorm van een paddestoel. 'Stap maar in, heren!' nodigde Gerretje uit.

Stomverbaasd keken de anderen hem aan.

'Is 't je in je bol geslagen?'

'En als ik je nou toch zeg dat dat rijtuig van mij is?'

'Van jou?!'

'Nou ja, van een vrind van me. Een Arabier! 't Kan ook wel een Chinees wezen.'

'Heeft ie een staart?' vroeg Harmen.

'Weet ik dat of ie een staart of geen staart heeft!' zei Gerretje. "k Heb hem immers pas eenmaal gezien! En toen had ie een tulband op. Vooruit! Stap in.'

'Als d'r maar plaats genoeg is!' grinnikte Harmen, terwijl hij in het krakende verfloze voertuig stapte.

'Plaats zat,' meende Gerretje. 'We hebben er laatst met z'n zevenen in gezeten. Moet die smerige gladakker ook mee?'

'Dat is geen smerige gladakker,' zei Harmen verontwaardigd. 'Dat is Joppie.'

'Wat? Is die met jullie meegekomen? – Joppie! Ken jij Gerretje nog?'

'Wauw!' kefte Joppie en sprong tegen Gerretje op.

'Hij is me nog niet vergeten!' zei Gerretje aangedaan. 'Zeg, lik je grootmoeder, maar mij niet!'

Onder grote belangstelling van Javaanse kinderen en kleine Chineesjes hadden de jongens zich in het voertuig gehesen. Moet Padde ook mee?' vroeg Gerretje.

'Waarachtig!' zei Padde beledigd. 'Ik hoor d'r ook bij!'

'Nou, dan zullen we hém daar maar naar beneden taliën,' besloot Gerretje. En vóór de koetsier, die slaperig naar de met zweepstriemen getekende schoften der paardjes zat te turen, ergens op verdacht was, had Gerretje hem van de bok getrokken. 'Zeg maar dat toewan Gerretje de koeda's zelf wel weerom zal brengen!' schreeuwde toewan Gerretje de verblufte man toe.

'Zou-d-ie dat verstaan?' vroeg Harmen.

'Waarom niet? Hij is niet doof!'

'Nou, dan zal *ik* de koers wel houwen!' bood Harmen aan. 'Ik kan goed met knollen omgaan!'

'Met winterknollen uit het land van Lubbes bedoel je zeker!' hoonde Gerretje. 'Laat mij dat zaakje nou maar opknappen: ze zijn erg wild!' Gerretje smakte met de tong. 'Tschk! Vooruit!'

'Heila!' waarschuwde Harmen. 'Joppie en Padde moeten er nog in!'

'Nou, ze lopen immers ook nog niet, de knollen? Je moet ze eerst altijd even wakker maken. En dan een trap tegen d'r achterwerk. Dan lopen ze.'

Gerretje bleek goed op de hoogte te zijn: na enkele aanmoedigende duwtjes hieven de rossinanten de kop op, vergewisten zich dat ook Padde op de bok zat naast Gerretje en dat Joppie veilig geborgen lag tussen Harmens knieën; toen ratelde de wagen de kade af langs kleine winkeltjes, waar de meest uiteenlopende zaken in bonte mengeling lagen uitgestald. Voor de open deuren en vensters zaten werkende Chinezen in hun wijde broeken en nauwsluitende jasjes, voor zover ze geen bloot bovenlijf hadden. Ze droegen hun staart in een knoedeltje op de kaalgeschoren bol, of als snoer om het hoofd gewonden, of over de schouder met het uiteinde in de zak...

'Heb je d'r verstand van?' vroeg Harmen hoofdschuddend. 'Zeg, jongens, als we hier vast eens wat kochten?' Hij tastte in de zak waar zijn guldens zaten. 'Straks verlies ik m'n geld nog vóór ik er wat voor gekocht heb!'

'Ben je gaar?' zei Gerretje. 'We gaan eerst naar mijn huis! Vanmiddag kunnen we wel inkopen doen! En vanavond is het pasar malam! Dan gaan we lol maken!'

'Wat is dat: pasar malam?'

'Zowat als kermis.'

'En waar gaan we eten?' vroeg Padde.

'Bij mij natuurlijk!' zei Gerretje. 'Rijsttafel! Hilke komt ook! Wat kijk jij zuur, Harmen?'

'Nergens om,' zei Harmen. 'Maar ik lust die rare kost niet.'

Gerretje sperde zijn ogen wijd open, hield de teugels in. 'Lus jij geen *rijsttafel?!*'

''t Is me nog al lekker!' smaalde Harmen. 'Weet ik wat ze er allemaal in doen: gepiepte schorpioenen, gemalen kakkerlakken... Vooruit, rij door!'

Padde rilde. 'Ik lust ook geen rijsttafel, zeg!'

'Jullie zijn stapelgek!' mopperde Gerretje. ''t Smaakt *fijn!* Ik eet 't elke dag!'

'Jij liever als Harremen!' zei Harmen. 'Wat moet ik straks tegen je vrouw zeggen? Juffrouw?'

Gerretje bloosde. 'Welnee, je zegt maar gewoon: Mina! Tja... hoe ze aan een hollandse naam komt, weet ik ook niet! Voor een dag of wat vroeg ik haar: hoe heet je? – Mina, zei ze. – Kom jongens, laten we de kast maar weer eens op gang brengen! Die knollen vertikken het!'

Harmen en Gerretje rolden samen het vehikel vooruit, Gerretje in één hand de teugels en de zweep en met allerlei klanken het rossenspan aanmoedigend. Zo kwam er weer gang in en Harmen en Gerretje sprongen 'aan boord'.

"k Heb me in m'n leven nog niet zo'n meneer gevoeld!' bekende Harmen, behaaglijk achterover leunend en z'n pijpje uitkloppend in de vlakke hand. Maar de rugleuning schokte zo dat hij weer rechtop moest gaan zitten.

Ze waren nu de kade af en uit het gekrioel van Javanen en Chinezen, die lasten droegen, hun prauwen meerden, of voor winkeltjes op de hurken inkopen deden, een 'strootje' rookten, of een vrucht aten.

De wagen rolde nu over een houten brug. Hol klonk het geratel van de wielen, het klip-klap van de hoeven. Beneden stroomde een rivier, die zijn bruin modderwater in zee loosde. 'Hoe heet die kali nog maar weer?' vroeg Harmen.

'De Tjiliwoeng' lichtte Gerretje in. 'Je kunt er nooit eens lekker baaien, want ie zit vol kaaimans!'

'Maar daarginds zijn ze toch aan 't baden?'

'Nou ja,' zei Gerretje. 'Die koffienikkers zie je in dat bruine water niet zo. Maar een blanke hebben ze direct in de smiezen.'

'Een lekker landje!' smaalde Harmen.

'Och... ik mag er toch wel wezen!'

'Nou ja,' zei Harmen. 'Jij bent zelf al een halve Arabier, jij met je Javaanse meissie!'

'Begin je weer?' vroeg Gerretje. 'Wacht maar, straks bij de rijsttafel verleer je dat gebrom wel. We nemen er een neutje bij. Arak noemen ze dat! 't Is lekker zoet en toch hartig!'

Bevangen, als in een droom, keken de jongens om zich heen. Gerretje reed nu een brede laan in, met aan weerszijden hoge bomen. Hier was het heerlijk, in de schaduw.

'Kun je ons niet eens een echte Javaanse radja laten zien?' vroeg Harmen.

'Die lopen hier niet als kippen over straat,' zei Gerretje. 'Zie je daar dat huis met die vijver ervoor? Dat is een Javaanse kerk.'

'Een kerk?! En er zit niet eens een windwijzer op!'

'Nou ja,' zei Gerretje, "t is ook maar net wat je een kerk wilt noemen! Als de lui er binnen gaan, trekken ze hun sloffen uit. En je hoed mag je op je kop houwen! Dat ken toch nooit goed zijn?'

'Ben je er wel eens ingegaan?' vroeg Harmen. 'Niet? Wat een vent!'

'Je wordt bedankt!' zei Gerretje. 'Dan zat ik hier nou niet levend meer op de bok!'

Langzamerhand werden ze stil, – kwamen onder de bekoring van de heerlijke Indische morgen, het vogelgerucht in de bomen, de bloemengeuren die over de weg hingen. Een enkele maal kwamen ze een paar vrouwen tegen in kleurige sarongs en lange 'badjoes' met mooie spelden, een plat zonnescherm bevallig over de schouder houdend. Of een grassnijder met niets dan een smal lenden-doekje om, in snelle wiegelende gang zijn last van gesneden gras torsend. Of een Chinees koopman, in de hand het met een varkensblaas bespannen trom-metje waartegen, bij snelle draaiing, twee kogeltjes slaan en zo een roffel ver-oorzaken, die de komst van de 'klontong' al van verre aankondigt.

Ze reden ook Javanen achterop die van de markt terugkeerden en door hun vrouw, die enkele passen achter haar heer en gebieder aanliep, de ingekochte kippen lieten vervoeren. De jongens kwamen tot de ontdekking dat Indië het land is waar zelfs de allerarmste nog een gevolg heeft, al is het ook maar zijn eigen vrouw.

Ze kwamen nu langs met bomen en bloeiende struiken beplante erven, en achter die erven stonden bamboehuizen met veranda's, waarin orchideeën hingen en stokjes met parkieten. In de bomen wemelde het van kleine vogeltjes die priet-priet! en tiep-tiep! riepen.

'Ziezo!' zei Gerretje, terwijl hij de teugels inhield, zodat de wagen met een schok stilstond. 'Hier zijn we er! Nou zal ik jullie nog vóórrijden!'

'Over dat bruggetje...?' vroeg Harmen, wantrouwend uit de wagen loerend. Voor Gerretjes erf liep een brede goot met een bamboebruggetje er overheen.

'Waar anders over? Ik ben er gisteren ook nog overgereden! – Tschk!' En Gerretje begon de paarden te overreden het bruggetje op te stappen.

Na veel moeite lukte het. Even tikkend met de hoeven, om de betrouwbaar-heid van de bamboezen bodem te onderzoeken, waagden de dieren zich op de brug. Toen ineens een scherp gekraak; met een smak zakten de achterwielen de goot in, en de twee paardjes hingen met de voorpoten in de lucht.

'Zo! Nou liggen we voor anker!' mopperde Harmen.

Gerretje, die schuin achterover lag, werkte zich op de bovenwal. 'Hier, jon-gens!' riep hij. 'Pak Gerretje maar bij de hand! 'n Bof dat er geen water in staat!'

'Kijk me die knollen eens raar hangen!' zei Harmen, terwijl hij zich uit de bak liet hijsen. ''t Lijkt wel of ze steigeren!'

'Nou, 'k heb je toch direct gezegd dat ze wild bennen! Kom jongens, sla eens

een handje in de spaken; we zullen die schuit weer fijn op vlak water zetten!' – En met z'n allen werkten ze de wagen uit de goot, zodat de vurige rossen weer op hun acht benen kwamen te staan en vertrouwelijk tegen elkaar aanleunden. 'Stap maar weer in, heren!' nodigde Gerretje uit. 'Als ik zeg: ik rij jullie voor! – dan rij ik jullie ook voor.'

En zo gebeurde. Ze hielden stil voor het huis zelf. Het was geheel van bamboe. De open voorgalerij, waarin een tafeltje stond met een paar rieten schommelstoelen, was aan de zijden afgesloten door palmen in potten, en tussen de palmen gluurden een paar bruine kereltjes.

'Zijn die allemaal van jou?' informeerde Harmen.

'Dat grut is met m'n vrouw meegekomen,' zei Gerretje geërgerd. 'D'r moeder en d'r tantes ook, de hele mikmak! Dat is hier altijd zo: ik heb er naar gevraagd.'

'Dus je zit zo te zeggen al midden in je Arabische familie!'

'Schei maar uit!' zuchtte Gerretje. 'Als ik dat geweten had...! Ze liggen me de hele dag met z'n zevenenzeventigen aan m'n kop te zaniken, en m'n duiten vliegen weg voor ik ze zelf gezien heb! – Ajo! Smeer 'm!' viel hij tegen de jochies uit.

De bruine snoetjes verdwenen. 'Pigi! Kras op! Lekas!'

'Je duiten?' vroeg Harmen. 'Verdien je dan wat?'

'Waarachtig! Eerst heb ik m'n gage uitbetaald gekregen: zesentachtig gulden: daar heb ik die stoelen en die tafel van gekocht. Waar de rest gebleven is, zal de drommel weten. Nou ja, 'k heb ook nog onkosten gehad met m'n trouwfeest. De muziek en de dansmeisjes en de hadji, om te bidden – dat wou m'n vrouw zo. En nou geef ik les aan die vent die me die paarden en die sjees heeft geleend. Hij wijst wat aan en dan zeg ik wat het in 't Hollands is, en ik leer hem ook hoe hij zich te gedragen heeft. – Neem plaats, heren, dan zal ik die knollen in de schaduw zetten, anders drogen ze uit.'

En terwijl Gerretje de paarden trachtte te verleiden hem te volgen in de schaduw van een hoge tamarindeboom, zetten de 'heren' zich behaaglijk neer in de schommelstoelen en keken eens rond. De bamboe wanden waren met rare, maar fijngesneden poppen versierd; achter in de voorgalerij hing een gordijn, dat de afsluiting van een ander vertrek vormde. 'Roken, heren?' vroeg Gerretje, terugkerend, en diepte uit zijn zak een bos 'strootjes' op.

'Wat moeten we daarmee doen?' vroeg Harmen, die verwachtte dat hem tabak zou worden aangeboden en in afwachting daarvan z'n pijp al wilde uitkloppen.

'Ze roken hier geen pijpen,' lichtte Gerretje hem in. 'Heb je ze die strootjes niet zien dampen?'

Weldra trokken Harmen en Gerretje dapper aan hun strootjes. 'Ze bennen lekker scherp!' prees Harmen. 'Jammer dat je d'r zo gauw door bent!'

'Dan steek je maar weer een ander op,' meende Gerretje. 'De warong ligt naast de deur. Dat is een winkel, zal ik maar zeggen.'

Dromerig keken de jongens over het erf naar de weg met de hoge kanariebomen, waaronder nu en dan een Javaan voorbijslenterde. De morgenblijheid, die daarstraks in en om alles hing, had plaats gemaakt voor lome middagstilte.

'Nou,' zei Gerretje, 'willen jullie nou eens met m'n vrouw kennis maken? Je zegt maar gewoon: tabé, Mina, hoor!'

'Goed, haal 'r dan maar eens hier!' zei Harmen grinnikend.

Gerretje maakte van zijn handen een misthoorn. 'Mina! Minááááh!'

Geen antwoord. Achter op het erf begon een hond te huilen, en van achter het gordijn, dat de voorgalerij afsloot, klonk het gekakel van een kip.

'Nou vraag ik je toch hoe dat mormel in m'n slaapkamer komt!' mopperde Gerretje. Hij verdween, en je kon hem horen mopperen: 'Wat moeten jullie daar?! – Ajo, Smeer 'm!' Drie donkere hummels doken achter het gordijn op, vluchtten met een angstige blik op de 'gasten' door de voorgalerij de tuin in. De kip scheen moeilijker te verdrijven. Gerretje raasde en tierde, de kip kakelde. Maar eindelijk kwam ze onder het gordijn doorglippen, vluchtte met veel misbaar naar het achtererf, en Gerretje verscheen met een soort bezem gewapend ten tonele, veegde zich het zweet van het voorhoofd. 'M'n hele slaapkamer smerig en overhoop! En die rakkers hebben er doerian zitten eten! Ga er eens binnen: je valt om van de stank!'

'Niks nieuwsgierig,' zei Harmen. 'Nou, waar blijft je vrouw nou?'

'Misschien is ze naar de pasar,' zei Gerretje. ''k Ruik nog niks van braaien of zo. – Gaan jullie eens mee, m'n tuin kijken?'

Ze stonden op en volgden Gerretje naar het achtererf. Hier was het een geharrewar van vrouwen en kinderen, die verbaasd naar de gasten van 'toewan Gerretje' loerden.

'Zijn dat allemaal neefjes en nichtjes van je?' vroeg Harmen grinnikend.

'Schei je nou eens uit?' mopperde Gerretje. Hij stevende op een oud vrouwtje af, dat op haar hurken kruiden zat te stampen. 'Hé, opoe, waar is Mina nou weer?'

Het vrouwtje hief het oude hoofd met de dungezaaide zilverwitte haren op, die in een knoedeltje waren samengebonden, en keek naar Gerretje met blinde ogen. ''Nga taoe... Ik weet het niet.'

'Wat heb ik *nou* aan m'n pet hangen?? En wanneer komt ze kembali?'

Het oudje ging weer met stampen door. 'Beloem tentoe. Barangkali besok...'

'Wel allemachies!' stamelde Gerretje. 'Nou zegt ze dat Mina morgen pas terugkomt. Daar heeft ze niks van verteld!' Hij dacht even na. 'Als ik maar centen had, zou ik zeggen: Kom, jongens: Gerretje heeft centen; we gaan bami bikken bij Loa Hok Sen! – Dat is een Chinees!'

'O, nou weer Chinees eten!' schimpte Harmen. 'Wurmen en gedroogde slangendarmen!'

'Nou ja,' zei Gerretje. 'We kunnen er ook rijsttafelen!'

'Dan betalen we samen voor Gerretje!' stelde Hajo voor. 'Wat jij, Rolf?'

'Kop dicht!' beval Harmen. '*Ik* zal betalen. Centen zat!' En Harmen rammelde met de guldens in zijn broekzak. 'Dan kan ik later nog eens vertellen, dat ik twee *stuurlui* getrakteerd heb!'

'Stuurlui??' vroeg Gerretje.

'Jazeker! Stuurlui! Gewoon maat willen ze niet worden! Daar zijn ze te fijn voor gebouwd! – Wat heb je daar voor een gemene kat, Gerretje?'

'Poes? Kom er eens hier?' Gerretje lokte een gestreepte, veelkleurige kat naar zich toe, die vol kale plekken zat en een gebroken staart had. 'Zie je wel dat ie vier kleuren heeft? Wit, zwart, rood en geel! 't Is een heilige kat.'

'Heilig?' vroeg Harmen. 'Heeft ie soms gezworen nooit meer wat uit de keuken te gappen?'

Gerretje grinnikte. 'Zie je die hoek in z'n staart? Dat hebben de katten hier allemaal en de katers lopen helemáál zonder staart – alleen maar met een dikke knoop.'

"n Raar land!' meende Harmen, 'waar de mensen mét en de katten zónder staart lopen!'

Van het voorerf klonk een krachtige stem: 'Sepada!'

'Daar zul je Hilke hebben!' meende Gerretje, trok een paar pisangs van een boom en verdeelde ze. 'Hier! Voor de knollen zullen we er ook een paar mee-nemen.'

Daar stond Hilke. In groot tenue, met een strooien hoed op.

'Goed dat je er bent, Hilke!' zei Gerretje. 'We gaan bikken bij Loa Hok Sen! Mina is er vandoor – zeker weer een of andere ouwe tante opzoeken.' Gerretje verdween achter het gordijn om even later met een kruik terug te keren. 'Jan-doedel gaat mee, jongens,' zei hij en sloeg opgewonden op de kruik.

'O, wacht even,' kalmeerde Hilke hem. 'Als je je bedrinken wilt, bedank ik voor je gezelschap!'

'Kom, lig niet te preken, ouwe heer!' zei Gerretje. 'Ik ben geen garnaal: ik lust wel eens wat anders als enkel zeewater.' Hij stopte de fles onder het bankje van de wagen. 'Hoe krijgen we die lijkkoets nou weer over dat kapotte bruggetje?'

'Als we de knollen uitspannen, is het een kleinigheid om 'm samen even over die goot te tillen!' dacht Harmen. – En zo was het ook: toen Hilke zijn knuisten onder de bak zette, Harmen en Gerretje ieder een wiel namen, en de jongens boven aan de boom trokken, schoot de wagen als een veertje zo licht tegen de straatberm op. Ze spanden de biekjes weer in.

'Da's dát!' zei Gerretje. 'Hoe komen we er nou met z'n allen in?'

'Padde gaat op een knol zitten,' stelde Harmen voor. 'Dat staat deftig.'

'Niks, hoor,' zei Padde vastbesloten, 'dat doe ik niet.'

'Nou, dan maar op het treeplankje.'

'Jullie zijn mal,' zei Hilke. 'Padde kan best op m'n knieën zitten!'

"n Lekker vrachtje!' zei Harmen. – Maar Hilke deed zijn woord gestand, en toen even later het zwaarbeladen voertuig weer voortrolde, onder de aanmoe-digende kreten van Gerretje, draaide Harmen zich grinnikend om. 'Jongens, 't lijkt wel weer als toen we met z'n zeventigen in de jol zaten!'

'Nou...!!'

De weg werd weer drukker; aan de kant stonden warongs en wandelende winkeltjes. 'Zie je daar aan bakboord dat huis?' vroeg Gerretje en wees op een Chinees gebouwtje met een doorgebogen dak, dat naar de zijden in houten draken eindigde. 'Daar moeten we zijn!' En Gerretje hield stil voor Loa Hok Sens gastvrije woning en sprong van de bok. 'Heila!' schreeuwde hij. 'Toean Gerretje is d'r weer!'

Een onderdanig Chineesje kwam met vliegende staart naar buiten rennen om, geheel onnodig, de paarden bij de toom te grijpen. Hilke en de jongens stapten uit, keken nog eens even naar het grappige dak en naar de lange vlaggen aan weerszijden met de wonderlijke Chinese lettertekens en bestegen toen in optocht de trap van de open veranda. Boven ontving hen met veel plichtplegingen Loa Hok Sen in eigen persoon, het vette bovenlichaam naakt, de geweldige buik in het korte broekje gewrongen. In een allerzonderlingst klinkend Maleis, nasaal, zangerig, met lange uithalen en de *r* gedurig als *l* uitsprekend, heette hij zijn gasten welkom.

'Tabé, baba!' zei Gerretje joviaal.

'Tabé, toewan bázál...!' En de Chinees schoof stoelen bij.

'Ga zitten, heren!' nodigde Gerretje uit. En tot de Chinees: 'We willen nasi! En lekas, hoor, want we hebben trek!'

'Boewat balapa olang, toewan bázál...?'

'Wat leuter je nou nog?' vroeg Gerretje.

'Hij vraagt voor hoeveel mensen er eten moet komen!' vertaalde Rolf.

'Nou, dat ziet ie toch!' zei Gerretje. 'Ikke, dat is één: satoe, Harmen en Hilke en Rolf, dat zijn er vier: ampat, en Hajo en Padde zijn zes: anam! Anam orangs en voor Joppie, de andjing, ook wat. Gesnapt?'

'Anam olang, toewan bázál?'

Gerretje en alle anderen knikten, en Loa Hok Sen riep op hoge giltoon iets naar achteren.

'Wat een taaltje hè, dat Chinees?' grinnikte Gerretje.

'Nou!' zei Harmen. 'Ha-tschji-tschja-tschjoe! 't Lijkt wel of ze doorlopend niezen!'

De Chinees wendde zich nu aarzelend tot Gerretje, die hij voor de leider van het gezelschap hield, knikte vriendelijk een paar maal achtereen en begon: 'Toewan bázál, djangan máláh, toewan bázál; Loa Hok Sen telaloe miskin; boewat ini Loa Hok Sen mintah sama toewan bázál: apa toewan bázál ada... ada *doewit*, toewan bázál? Djangan máláh...'

'Aha: *doewit!* – Laat eens kijken, Harmen, dat je centen hebt? Hij wil boter bij de vis zien.'

'Was daar dat lange smoesje voor nodig?' vroeg Harmen en rammelde met zijn geld.

'Wah! Soedah dèngal, toewan bázál!' riep de Chinees verblijd. En hij waggelde naar achteren.

De jongens keken bevreemd en – vooral Padde – niet zonder wantrouwen rond. Goed, dat Gerretje hier wegwijs was! – 'Gommennikkie!' riep deze juist uit, 'nou heb ik de arak in de wagen laten staan! M'n kop er af, als ze er al niet aangezeten hebben!' En hij snelde weg.

In de veranda hing aan dikke zijden koorden een Chinese lantaren, beschilderd met letters en figuren. Harmen wees op een gordijn. 'Daarachter liggen ze nou de hele dag te bidden voor een beeld met *zó'n* buik.'

'Misschien bidden ze wel dat ze net zo dik mogen worden.'

''k Geloof het ook,' zei Harmen. 'Als je er maar even aankomt, worden ze al woest. En ze kunnen ook niet velen dat je hun zo eens voor de aardigheid aan hun staart trekt.

'Zou het bloeien als je er een stukje afknipte?' vroeg Padde.

'Onderaan niet,' legde Harmen uit, 'bovenaan wel.'

Gerretje keerde terug, zette de kruik met een slag op tafel. 'Ze hadden 'm gelukkig nog niet gevonden! Kom, heren, we zullen vóór het eten maar een neutje nemen, dan smaakt die bami straks nog ééns zo lekker. Hilke, jij bent de oudste, bedien je!'

Maar de Fries weerde af. 'Weg met die smerige arak!'

'Smerige arak...!' stamelde Gerretje verbluft. 'Jij bent in jouw koeieland zeker niks als melk en slootwater gewend! Kom Harmen, jij weet beter wat goed smaakt!'

'Ik drink ook niet,' zei Harmen. 'Straks tik ik een viool op de kop, om eindelijk weer eens 'n moppie te spelen, en dan wil ik recht op m'n benen staan. Drink jij er maar op dat je een goeie landrot mag worden!'

Gerretje antwoordde niet, bood met een grimmig gezicht de anderen aan. Toen hij overal bot ving, nam hij zelf een hartige slok, stampte de kruik dicht en smaalde: 'Ik zou je bedanken om op die rotschuit van jullie aan te monsteren!'

'Rotschuit? Hij ligt als een meeuw op het water!' zei Harmen, die van een schip tot welks bemanning hij hoorde geen kwaad kon horen. 'Maar ik snap het al wel: de Bruinvis lust zo'n dronkelap als jou natuurlijk niet.'

Gerretje verbleekte, rolde met z'n ogen, maakte een beweging van Harmen te lijf te gaan. 'Dat zul je me waar maken!'

'Nou stil maar,' suste Hilke en trok hem weer op zijn stoel. 'Harmen meent het zo erg niet. Maar 't is ook flauw om je kameraden in de steek te laten – Kijk dáár eens een stelletje aankomen!' Hij wees op een groep Chinezen, die druk dooreenpratend de trap opkwamen, om een tafeltje gingen zitten, in het Chinees iets naar achteren schreeuwden, van daar ook weer antwoord kregen en weer doorredekavelden.

Gerretje luchtte zijn verkropte woede. 'Heila! Zullen jullie je gezicht er eens houden, inktvissen? – Als die kruik leeg was, kregen ze hem naar de kop! – Kom...!' En Gerretje ontkurkte de fles weer.

'Laat dat drinken nou, Gerretje!' zei Hilke.

Gerretje keek hem sarrend aan. 'Waar bemoei jij je mee, Friese boter-en-kaasboer!'

Hilke ademde diep. 'Ik geef je de raad, die kruik met rust te laten, of ánders...!'

'Wat ánders? Ik zou wel eens willen zien wie mij beletten zou, m'n eigen jandoedel te drinken!'

'Nog eenmaal,' zei Hilke, z'n beide handen op tafel leggend. 'Zet je die kruik neer, ja, of...!'

'Nee!' riep Gerretje en zette de kruik aan zijn mond.

Toen griste Hilke ze hem met een rode kop van drift uit de vingers en sloeg ze aan scherven. De arak vloeide over de tafel uit.

Met een vloek, hijgend van woede, sprong Gerretje overeind. En toen kwam een lelijk ding voor de dag, waarmee de omes veel te haastig waren: de kortjan. Maar in hetzelfde ogenblik was Harmen toegesprongen, had Gerretje het mes ontworsteld. Het viel op de grond; pats! Hilkes voet stond er boven op. Gerretje sprongen de tranen in de ogen. 'Waarom sarren jullie me dan ook?' griende hij. En in een nieuwe aanval van drift draaide hij zich om, trok een Chinees de stoel onder het zitvlak weg en slingerde Hilke dit meubelstuk naar het hoofd. Hilke, vlug als water, bukte zich; de stoel vloog tegen het kralengordijn, viel in de achterkamer. Maar met een sissend geluid was de op de grond neergeplofte Chinees weer overeind gekrabbeld en gaf Gerretje een stomp in de rug.

Met een zwaai keerde Gerretje zich om, pakte hem om het middel, hief hem op en wierp zijn spartelend slachtoffer op tafel, midden tussen zijn vrienden.

Die wilden nu met hun allen Gerretje te lijf, maar dan hadden ze toch buiten diens vrienden gerekend, die nu, alle binnenlandse geschillen vergeten, zich als één man tegen de buitenlandse vijand keerden. Hilke deelde met zijn jatten ongezouten meppen uit, dat de Chinezen het in Peking hoorden donderen en allen tegelijk de trap aftuimelden, achtervolgd door Joppie, die hun de flarden uit de broek wilde happen. Op straat aangekomen, braakten ze een stortvloed van verwensingen uit.

'Jawel! Tsjing-Pong-Tsjamalai!' schreeuwde Gerretje, de tranen in zijn stem.

'Kom er eens kembali, als je brani bent!'

Maar de zonen van het Hemelse Rijk maakten van Gerretjes uitnodiging om terug te keren geen gebruik; zowel in het Chinees als in hun allerbelabberdst Maleis de omstanders inlichtend over het bedroevend gedrag van de Hollandse janmaats, gingen ze op zoek naar een andere Loa Hok Sen, die hun een even lekkere bami zou voortzetten.

'Hier is je mes terug, Gerretje!' zei Hilke.

Gerretje griste het weg: stak het in zijn riem. 'Wat deed je ook aan m'n arak!'

Loa Hok Sen was intussen met een schaal vol gerechten, die hij met de rand in een plooi van zijn buik steunde, ten tonele verschenen. Met weemoedige oogopslag overzag hij de toestand. 'Wa... ahah, toewan bázá...áál! Bagaimá... áná, toewan bázál? Kasian sama Loa Hok Sen, toewan bázál...!'

Harmen wierp hem met een breed gebaar een gulden toe. En deze daad verteerde Loa Hok Sen weer zo, dat hij zijn verdere verwijten maar inslikte. Een reeks woorden van dank ontsnapte stamelend aan zijn mond.

'Vooruit, jongens,' zei Harmen, 'nou geen deining meer! We zijn toch samen uit?'

'Die *fijne* arak...!' pruttelde Gerretje.

'Toewan bázál maoe minoem álák?' vroeg Loa Hok Sen ijverig, de schaal neerzettend.

'Nee, waarachtig niet!' protesteerde Harmen. 'We hebben jouw smerige arak niet nodig!'

'Kom, Gerretje, leg ons nou maar eens uit hoe we dat goedje moeten eten!' zei Hilke. 'Jij kunt er beter mee overweg dan wij.'

Gerretje gromde wat. Toen stak hij zijn hand uit. 'Vooruit! De zaak is vergeten.'

Hilke sloeg zijn vuist in die van Gerretje. '*Wij* moeten toch geen ruzie maken, Gerretje! Daar zijn we toch te lang vrinden voor geweest!'

'*Ik* heb ook geen ruzie gemaakt,' zei Gerretje. 'Als jij m'n arak maar niet...'

'Sssst!' suste Harmen. 'Vertel eens, wat moeten we met die soep beginnen?'

'Dat is geen soep,' zei Gerretje, 'dat is *sajoer*, die kaai je d'r over. En dit hier is kroepoek, dat moet je er bij eten; 't knapt fijn tussen je tanden. Die stukjes vlees aan een stokje noemen ze saté, dat moet je er maar met je kiezen aftrekken, en dat zwarte vlees daar is dendeng – kan ik jullie ook aanbevelen. Nou, uit die potjes moet je niet te veel nemen; daar brand je je keel maar aan. En dat is pisang goreng, gebakken pisang. Nou, en van de rest weet ik de naam ook niet. Wat zullen we er bij drinken? Wacht! Vruchtennat met glibbertjes is fijn! – Hei, baba! Ajer boewah met selase!'

'Saja, toewan bázál...!'

En de maaltijd begon. De jongens hadden een stevige eetlust opgedaan en weerden zich als leeuwen! Of het smaakte? Ze hadden nooit gedacht dat die Chinezen zulk lekker eten konden maken! En toen die vruchten daarna! Mangga, mangistan, ramboetan, doekoe... zoveel ze maar wilden.

Eindelijk werden de molentjes stomp en maalden trager.

Het werd stil op de weg. En heet dat het was...!

'Kunnen we hier niet wat maffen?' vroeg Harmen.

'Waarom niet?' meende Gerretje. 'Op de grond!'

Toen rolden ze allemaal van hun stoelen af en dutten in.

De pasar malam

Toen ze wakker werden, was de grootste hitte voorbij. 'Wat gaan we nou doen?' vroeg Gerretje, zich uitstrekkend en luidruchtig geeuwend. 'Voor de pasar is het nog te vroeg.'

'Nou, dat is niks,' zei Harmen. 'Dan gaan we eerst eens kijken wat er hier te kopen valt. We moeten broeken, hemden, sokken, een kist hebben, affijn: alle rommel, die je nodig hebt.'

'Dan gaan we naar toko Bombay!' stelde Gerretje voor.

'Wat is dat: tokobombee? Kan ik daar ook een viool krijgen, dacht je?'

'Krijgen: nee. Kopen: ja. Ze hebben er van alles.'

'Vooruit dan maar!' Harmen sprong overeind.

Daar verscheen, beminnelijk glimlachend, de handen op zijn ronde buik, Loa Hok Sen weer. 'Tabé, toewan bázál! Toewan bázál tidol baik?'

'Hij komt om zijn duiten,' zei Gerretje. En tot de Chinees: 'Barapa? Hoeveel?'

'Oa... ah, toewan bázál!' stamelde Loa Hok Sen verheugd. En tellend op de vingers, half zingend, begon hij een ellenlange berekening. Tot hij tenslotte een som van twee gulden bijeengezongen had en vriendelijk de hand ophield.

'Wat een afzetter!' raasde Gerretje.

Maar Harmen tastte in zijn broekzak als een tovenaar in zijn schatkist en wierp de eigenaar van het eethuis vol zwier de guldens toe. De man scheen, naar zijn verraste gezicht te oordelen, nog niet op de helft gerekend te hebben en bedolf Harmen nu onder zegenwensen.

'Vooruit, lekas, patjakker!' zei Gerretje. 'Laat de wagen en de koeda's hier halen!'

Loa Hok Sen riep iets naar achteren en even later reed krakend de wagen voor. De Chinese gastheer boog zo diep als zijn dikte het maar veroorloofde; zelfs de plooien in zijn buik schenen te glimlachen. Toen Joppie bij zijn nekvel binnenboord gehesen was, ging de reis weer verder. Gerretje stuurde; Harmen klapte met de zweep en weerde de aanvallende straathonden af; Joppie was nauwelijks in bedwang te houden en kefte tot hij hees was.

Toko Bombay bleek een onooglijk winkeltje te zijn, niet ver van de haven. Met gebukt hoofd stapten de jongens het donker in. 'Jij mag je wel dubbelvouwen, Hilke!' zei Harmen.

In de winkel hing een bedwelmende geur van wierook, bloemen, reukwaters. Zo grauw het geval er van buiten uitzag, zo kleurrijk was het er binnen. Schitterende, glanzende, fonkelende zaken lagen op en naast elkaar gestapeld, en daar dook uit het halfduister een al even bont en zonderling wezen op: de koopman uit toko Bombay. Hij droeg een goudbestikt kalotje, een lang wit hemd en daar overheen een open vestje vol figuren van gouddraad. Onder het hemd kwam een wijde broek uit van dezelfde kleur, en de naakte voeten staken in zwartfluwelen sandalen, die ook al glommen van het gouddraad. Met een lichte buiging van het hoofd en een deftige armbeweging heette hij zijn gasten welkom en wachtte zwijgend, hen schrander aanziend met zijn glinsterend-zwarte ogen, hun wensen af.

'Tabé, broer!' zei Gerretje. 'Ja, jongens, wat willen jullie nou kopen?'

Bevangen keken de jongens rond. Wat een prachtige dingen!

Harmen kreeg een waterpijp te pakken. 'Wat is dat voor een ding?

'Dat is een pijp!' lichtte Gerretje in. 'M'n vrind, die ik les geef, heeft er net zo eentje.'

'En wat moeten ze dan met die slang eraan?'

'Weet ik het?' vroeg Gerretje. 'Misschien wel om die pijp op hun nek te nemen, als ze verhuizen.' Padde begon zachtjes te grinniken.

'Hij is gekocht!' riep Harmen.

'Als je daaruit rookt, vallen ze thuis in Hoorn dubbel!' voorspelde Hilke.

'Zolang ze maar niet op mijn pijp vallen, vind ik het best,' zei Harmen, de pijp voor zich terzijde zettend. 'Kijk er eens een mooie kwasten aan zitten! Nou moet ik nog een viool hebben!' En hij duidde de koopman zijn wens door het hoofd schuin te leggen en met zijn armen door de lucht te fiedelen.

De man knikte, wendde zich om en riep iets in een scherp klinkende taal. Een klein jongetje met matgele huidkleur en hetzelfde Oosterse pakje aan dook uit het halfduister op en zette op de toonbank een zwarte vioolkist neer.

De man opende de kist, lichtte het doekje op en...

Harmen rolden dikke tranen over de wangen. Zwijgend, zonder de handen uit te steken, staarde hij naar het wonder daar voor hem. Toen lichtte hij de viool met bevende handen uit de kist, haakte de strijkstok los. 'Nou, jongens...' Harmen haalde diep adem, 'wat zal ik spelen?'

'Van die begrafenis...' zei Hajo.

'Wacht! ik weet al een mooi moppie!' riep Harmen. Hij begon te fiedelen, eerst nog wat aarzelend en beverig, maar al gauw weer met de oude zwier, vol trillers en loopjes, en dan weer akelig droefgeestig slepend van de ene toon naar de andere.

'Verduiveld mooi!' prees Hilke.

'Mag ik ook eens even?' vroeg Hajo, zich verslikkend van opwinding.

'Jawel,' zei Harmen genadig. 'Straks mag je! Je moet eerst luisteren! En geef Joppie eens een trap, dat ie ophoudt met z'n gegil.' – Joppie werd tot kalmte gebracht, en nu wendde Harmen zijn krachten op de 'Begrafenis' aan. Voor de winkel bleven meer en meer belangstellenden staan. Harmen gloeide van trots en ondernam met vingers en strijkstok de meest gedurfde toeren – waarbij hij wel eens uitgleed.

Intussen sloegen de anderen aan het inkopen. Geen van hen ontkwam aan de bekoring die van al die wondere zaken uitging. Gerretje, die zelf geen centen te verteren had, hielp de koopman door uit hoeken en gaten glinsterende waren op te diepen, het ene al mooier dan het andere, en dit de in kooproes zwelgende jongens voor de neus te leggen, zodat ze zich, nog voor ze aan de aankoop van een stevige broek dachten, al bijna arm gekocht hadden aan bestikte muilen, verzilverde reukdoosjes met mooie figuren er op, waaiers, ringen, ivoren olifantjes, aardige poppetjes, zijden doeken, ponjaards, armbanden... Padde was juist aan het onderhandelen over een beschilderd zonnescherm met mooi gesneden stok, toen Rolf eindelijk op de goede gedachte kwam om eens te vragen wat een paar sterke scheepskisten kostten.

De man noemde de prijs en zei, dat ze in twee dagen klaar konden zijn.

'Wanneer zeilt de *Nieuw-Zeeland* uit?' vroeg Rolf de anderen.

'Volgende week, als de wind goed is!' zei Harmen, zijn viool afleggend. ''k Mag lijen dat we lekker in de winter aankomen: 't is mij nou lang genoeg zomer geweest, hè, Joppie? En jou, Hilke? Hè? Wat zal ze blij zijn, zeg!'

'Schei d'r maar over uit!' zuchtte Hilke.

'Met Kerstmis zijn we wel thuis,' dacht Harmen. 'Wat zullen we 't gezellig hebben, jongens! 's Avonds bij het vuur een bakkie hete slemp en dan maar vertellen van je reis...!'

Gerretje was stil geworden, en Harmen merkte het. 'Ja, stommerik, daar grijp *jij* naast! Laat jij je maar gaarstoven in dit nikkerland! Z'n kameraden in de steek laten – wat een vent!'

'Hou je bek, jij!' schold Gerretje.

'Ssst!' suste Rolf. En tot de koopman: 'Maak de kisten maar voor ons. Vier stuks.'

'Zeg hem dat ie plaatjes over de hoeken slaat!' radde Padde aan.

Het was een zonderling groepje dat zich een half uur later in het rijtuig hees. Harmen, onder één arm zijn viool, onder de andere zijn waterpijp, had een rode fez op met een zwarte kwast er aan, droeg een kris achter in de broekriem en slofte voort op goudbestikte sandalen. De anderen waren al even schilderachtig bepakt en bezakt.

'Alles maar onder het bankje!' raadde Gerretje aan.

'Goeie morrege!' zei Harmen. 'Daar kan net m'n pijp staan en meer niet.'
'Nou,' besliste Hilke, 'dan nemen we de boel op schoot en brengen eerst alles aan boord.'

Zo gezegd, zo gedaan. Harmen wipte op de bok naast Gerretje; de anderen gingen met de gekochte spullen binnen in de wagen zitten. En toen alles goed was ondergebracht, nam Harmen z'n fiedel op en begon zo vurig te spelen dat de paardjes er een gestrekte draf inzetten.

'Kijk ze eens lopen!' zei Gerretje. 'Ze zijn bang voor de muziek.'

Achter in de wagen deelde Hajo zijn vriend Padde mee hoe hij zijn schatten verdelen zou. 'De pop krijgt Antje; Maartje de waaier, en de olifant is voor Doris. En die muilen geef ik aan m'n moeder! Zou het echt goud zijn wat er op zit?'

'Wat dacht jij dan?' vroeg Padde. En met een zucht liet hij er op volgen: '*Ik* ben thuis met zijn tienen! En m'n ooms en tantes willen óók wel wat hebben! Er eens kijken: voor Louwtje en Nelis en Heintje heb ik wat; Margje krijgt dat poppetje. Vind je die doek niet mooi? Die is voor m'n moeder voor 's zondags naar de kerk. En als 't regent kan ze er die paraplu nog bij opzetten – wat zullen de lui kijken! Annetje krijgt samen met Margje die pop, dan kunnen ze er om de beurt mee spelen. Nou zit ik nog met Jan en Gijs! Als ik ze die dolk geef, komen er ongelukken van.'

Rolf had er zwijgend, met afgewende blik bij gezeten. Nu keerde hij zich om, duwde Padde een paar ivoren olifantjes in de hand. 'Hier, neem die maar. Die... die zullen ze wel leuk vinden!'

Padde keek Rolf verbluft aan. 'Dat méén je toch niet?'

'En hier!' zei Rolf korzelig. 'Neem dit poppetje maar mee voor... voor Annetje, dan hebben je zusjes er allebei een.' En hij probeerde de bevreemde blik van de anderen te ontwijken.

'Nou!!' riep Padde verblijd uit. 'Daar boffen ze bij! Zeg, als je nou toch aan het geven bent, heb je dan soms ook nog wat voor m'n ooms en tantes?'

'Padde!' berispte Hajo.

'Nou, 'k maak immers maar een lolletje!' zei Padde. 'Of denk je dat ik hem de spullen wil afhalen die hij zelf gekocht heeft voor... voor... eh' Padde wist opeens niet verder.

De kar ratelde over de stenen, en de jongens werden dooreengeschud op de houten banken. Harmen fiedelde onverdroten voort.

'Ziezo, mannen, we zijn er!' riep Gerretje.

'Hoe komen we nou aan boord?' vroeg Hilke, z'n hoofd naar buiten stekend.

'Met een prauw! Daar ligt er al een met een zeil!'

'En als de baas van het spul nou komt?'

'Die komt niet,' zei Gerretje. 'Laten Harmen en ik het zootje maar even aan boord brengen, want we kunnen niet met z'n allen in die smerige prauw. – Leg die fiedel nou eindelijk eens af, Harmen!'

Harmen staakte zijn spel, sprong in de prauw.

Even later zeilden de twee in de richting van de *Nieuw-Zeeland* weg. Harmen fiedelde weer.

De anderen gingen een warong binnen, die aan de kade stond, en aten wat zoetigheden in pisangblad gevouwen. De zon gleed juist in zee weg; de korte Indische schemering viel in.

Het duurde wel een uur voor Gerretje en Harmen terugkwamen. Al van verre klonk Harmens vioolspel weer over het water. De anderen betaalden hun vertering en gingen naar buiten.

De rede bood nu een prettige aanblik. Overal werden prauwtjes losgegooid; een paar Javanen sprongen erin, staken een flambouw op de voorplecht en voeren ter visvangst. De spiegeling van de lichtèn danste over de golven.

'Jongens, ik heb een nieuwtje!' riep Harmen al van uit de prauw. 'Gerretje heeft aangemonsterd bij de Bruinvis!'

'Vooruit, lig niet te zaniken!' gromde Gerretje, aan wal springend. 'We gaan naar de pasar malam!'

'En m'n viool gaat mee, jongens!' schreeuwde Harmen. 'Bij kerremis hoort muziek!'

Opgewonden werkten allen zich weer in de wagen. Op naar de pasar malam! Ze reden de brug weer over en toen de laan in van daarstraks. Hier onder de hoge zware loofbomen was het pikkedonker, zodat je geen berm kon onderscheiden, maar verderop dansten de brandende vetpotjes van wandelende winkeltjes, en op die lichtboeien stelde Gerretje zijn koers. Hij was bij Harmens gefiedel gaan zingen, klapte met de zweep en gilde zijn vreugde over zijn aanmonstering uit. 'We gaan naar Holland, wie gaat er mee?'

'Gerretje gaat mee!' brulde Harmen.

'Hiep-hiep-hiep, hoera!' riepen de anderen, en Gerretje verstomde opeens van aandoening.

Zo belandden ze bij de pasar malam. Toen het marktgeroezemoes tot hen doordrong, staakten ze hun gezang en gluurden uit het rijtuig naar het bonte schouwspel.

'Zo! Hier leggen we de kast voor anker, besliste Gerretje. En toen dit gebeurd was, stapten ze met z'n allen uit en gingen de markt op. Overal stalletjes met walmende oliepitjes en flambouwen, voorbijschuivende gestalten in bonte baadjes en sarongs, grillige schaduwen afwerpend naar drie, vier kanten tegelijk. Merkwaardig: nergens werd geschreeuwd of gezongen of ruziegemaakt. De marktventers zaten zwijgend, een strootje rokend, bij hun waren en spraken alleen maar een paar woorden wanneer een kooplustige bij hun stalletje bleef staan.

'Wat een dooie boel!' zuchtte Harmen. ''k Hoor nog geen draaimolen, 'k zie geen paardenspul – niks.'

Wacht, daar in de verte klonk lallend, brullend gezang. Janmaats! 'Die kant maar uit, jongens!' beval Harmen. Hij had nogal bekijks met zijn rode fez, zijn kris en zijn viool.

De jongens liepen door, vonden op het midden van de markt onder een reusachtige waringin het gezelschap zangers. Een kring Javanen keek meesmuilend toe.

De maats brulden en tierden en klapten in de handen, en in hun midden waren er twee aan het rondhuppelen met zonderlinge lichaamswendingen.

'Schip ahoy!' schreeuwde Gerretje. 'Wat halen jullie daar uit?'

'We zijn aan het dansen! Op z'n Javaans! Heila, speel jij er eens wat bij, zeg?'

Harmen werd in hun midden geduwd, bij de 'dansers', en sloeg aan het fiedelen.

'Jongens!' schreeuwde Gerretje boven het gebrul en gejoel uit, 'Gerretje heeft weer aangemonsterd en centen zat!' En hij rammelde met de pas ontvangen zilverstukken in zijn broekzak.

'Leve Gerretje! Hoera!' brulde de schare. Een van de dansende omes kreeg het met een Javaan te kwaad, tegen wie hij op botste. 'Kun je niet uitkijken, stommeling?' schold hij.

Hilke trok Rolf, Hajo en Padde met zich mee. 'Laat ze schieten, jongens, het wordt hier een bende. Ga met mij mee: daarginds kunnen we écht Javaans zien dansen.' En Hilke ging voorop, wandelde als een Goliath tussen de kleingebouwde Javanen en de lage stalletjes door.

De jongens verbaasden er zich over hoeveel verschillende rassen oosterlingen ze zagen. De Javanen waren in hun beste kledij. Kinderen droegen zilveren enkelbanden; om de bruine vingertjes glommen ringen. De vrouwen hadden hun zwartglanzend, geolied haar onberispelijk naar achteren gekamd en in hun wrong prijkten witte melatibloempjes. Overal hing een zoete geur van bloemen, lekkernijen, vruchten, vermengd met de lucht van kokerij, van vis en doerian. Het licht van de duizenden oliepitjes gaf het geheel een feestelijk en sprookjesachtig aanzien.

Tenslotte – Harmens vioolspel en de zang van de janmaats waren intussen in de verte verstomd – vonden ze de plaats waar gedanst werd, en een tijd lang stonden ze verwonderd en dromerig toe te kijken bij het sierlijk bewegen van de 'ronggengs' – zo heetten de Javaanse danseressen. Wat een mooi omgebogen gouden helm droeg die ene – dat was zeker een prinses...! Hoe vreemd klonk die muziek...

Ze zagen die avond ook nog een schaduwspel met poppen, die grappige gezichten hadden en wonderlijk dunne armen, en achter het scherm zat een oude man die de poppen liet spreken. Hu! dat was de duivel zeker! En dat daar de koning! Jammer, dat ze niets verstonden!

En van de 'wajang koelit' dwaalden de jongens naar de plaats waar een hanengevecht gehouden werd. Driftig, de borstveren opgezet, vlogen de dieren tegen elkaar op en brachten elkaar bloedige wonden toe met de scherpe stalen sporen die men hun had aangebonden. Zwijgend zaten de Javanen toe te zien; op de grond lagen hoopjes koper, die er op duidden dat op de hanen werd gewed. De jongens voelden zich door het wrede spel afgestoten en gingen weer verder. Wat was dit toch voor een eigenaardig volk, dat zoveel beschaving te paren wist aan zulke wrede neigingen.

Het was laat geworden en ze besloten nu maar terug te gaan. Hilke en Padde voorop, en achteraan Hajo en Rolf, slenterden ze weer in de richting van Harmens vioolspel.

'Nu, Hajo,' zei Rolf plotseling, 'over een paar dagen is het afgelopen...'

Hajo haalde diep adem en keek naar boven, waar tussen de boomtoppen door de sterren fonkelden. Toen zei hij: 'Rolf, ik weet niet of ik je ooit nog terugzie, maar vergeten zal ik je nooit! Jij bent...' Hajo kon niet meer uit z'n woorden komen. 'Jij bent...'

'Een pennelikker,' zei Rolf met een half ondeugende, half droevige glimlach. Hajo omklemde Rolfs arm.

'Wacht maar,' zei Rolf. 'Als jij hier over een paar jaar weer terugbent in Indië, monsteren we op hetzelfde schip aan en zeilen samen naar Holland terug. Dat zal leuk zijn, hè?'

'Nou...!'

'En dan ga ik op een scheepstimmerwerf werken; dat heb ik altijd al gewild.'

'Ja,' zei Hajo, 'dat weet ik nog van toen, op de Italiaanse zeedijk...! Had je toen wel gedacht dat we nog eens zulke dikke vrienden zouden worden?'

Rolf knikte. 'Ik zag je en meteen mocht ik je al lijden. Als ik je een lamme vent gevonden had, zou ik je met vechten toen heel anders hebben aangepakt. En Padde vond ik ook al dadelijk zo'n gezellige sukkel. Toen wij nog zouden gaan vechten, droeg hij m'n emmertje met bot al!'

'Zeg, Rolf,' zei Hajo. 'Misschien... misschien word ik nog wel eens stuurman' (hij sprak het woord haastig uit) 'op een schip waarop *jij* schipper bent!'

'Of jij wordt nog eens schipper op een schuit die *ik* gebouwd heb!'

Hajo was blijven staan. 'Méén je dat, Rolf...? Zou ik nog wel eens... nog wel eens *schipper* kunnen worden?'

'Waarom niet? Als je maar aanpakt! Kijk zo'n Bruinvis nou eens aan. Zou jij niet kunnen leren wat hij geleerd heeft?'

'Rolf...?!'

De jongens zwegen. Hajo moest nog eens rijpelijk overdenken wat Rolf gezegd had. Hij, Peter Hajo, zou nog eens schipper kunnen worden?! Schipper met een opper- en een onderstuurman, een bootsman onder zich? Een eigen schip hebben, een eigen schip met een bemanning?!

Schipper Hajo... Wat klonk dat! – Daarvoor moest gewerkt worden. Hard gewerkt, jarenlang. Welnu! Hajo zou werken, de tanden opeengeklemd. Hij zou lezen en schrijven leren, hij zou het ene boekje na het andere verslinden, regel na regel, tot hij het van buiten kende. Hij zou over sterrenkaarten gebogen zitten, avond aan avond, tot er geen olie meer in de lamp was. Hij zou wachten tot hij een man was en dan zijn baard laten staan, net als schipper Bontekoe; nu, op deze reis al, zou hij de bootsman vragen hoe de Bruinvis zijn koers bepaalde... of het erg moeilijk was, schipper zijn...

Daar klonk Harmens fiedel weer. Ze keken op en zagen de wagen aankomen, die geducht zwaaide, naar het licht op de bok te oordelen. Gerretje mende.

'Zometeen kantelen ze nog! zei Rolf.

'En m'n centen die zijn op en wat is me dat 'n strop. En m'n centen ben ik kwijt – is me dat een narigheid!' zong Gerretje.

De jongens gingen eerbiedig een beetje opzij. Gerretje klapte met de zweep; Harmen zat naast hem te fiedelen. Binnenin lag een stel omes bij elkaar op

379

schoot; het was een wonder dat de bodem het uithield. Eén maat had zich achterstevoren op een biekje geslingerd, steunde zich op de andere paarderug om niet te vallen en schreeuwde: 'Hou op! Ik val er af!' Maar Gerretje luisterde niet naar de smeekbeden van de onervaren ruiter en zong onverdroten voort: dat zijn aanmonsteringscenten op waren en dat hij dat zo'n strop vond. En daarbij klapte hij lustig met de zweep.

Harmen merkte Rolf en Hajo aan de wegkant op. 'O, mannen, daar hebben we de twee stuurlui ook!' De anderen letten niet zo op de jongens, maar Hilke ontdekkend, riepen ze: 'Kom er ook in, Hilke! Plaats zat!'

Hilke wees het aanbod af. 'Ik loop liever. Wachten jullie bij de sloep?'

'Ja, we zullen wachten!' schreeuwde Harmen en fiedelde weer voort. Zo zwaaide de wagen verder, tot hij bij een bocht uit het oog verdween.

Hajo was uit zijn droom wakker geschud. 'Wat heeft Harmen opeens?'

'Harmen is jaloers op die brief, die mijn oom je heeft meegegeven,' zei Rolf. 'Gisteravond kwam hij bij me en vroeg of lezen en schrijven moeilijker dan vioolspelen was. Als het niet moeilijker was, wou hij het leren.'

'En wat heb je gezegd!?'

'Dat, als hij net zo goed kon lezen en schrijven als hij nu viool speelt, hij er nóg geen laars van kon. Toen was hij boos.'

'Vind jij dan niet dat hij erg mooi speelt?' vroeg Hajo verbaasd.

'Gaat nog al. In de buitenlcht is het niet zo hinderlijk als binnen.'

'Van die begrafenis is toch wel mooi...' aarzelde Hajo.

''t Is er tenminste treurig genoeg voor,' zei Rolf.

De jongens belandden bij de kade, waar de anderen al in de sloep zaten en de tijd verdreven door zo heen en weer te schommelen, dat de boot telkens water schepte. Boven stond de verlaten wagen; de paarden leunden droevig en slaperig tegen elkaar. Toewan Gerretje had geen lust meer om ze thuis te brengen...

'Span ze dan tenminste uit!' gromde Rolf en bevrijdde de dieren van het tuig. De paardjes maakten er meteen een dankbaar gebruik van door in een sukkeldrafje weg te lopen, vermoedelijk naar hun stal...

'Wel verduiveld!' schold Gerretje met dubbele tong. 'Van wie zijn die knollen? Van jou soms?' Meteen plofte hij weer neer, door het geschommel van de anderen. Ze gierden allemaal van plezier.

'Hou nou op met dat schommelen!' mopperde Hilke. 'Zometeen slaan we nog om.'

'Juist lollig!' schreeuwden de maats. 'D-dan zwemmen... hik! zwemmen we wat!'

'Je weet zeker niet dat het hier vol haaien zit? vroeg Rolf. Samen met Hilke maakte hij de sloep los. 'Ga daar eens weg,' zei hij tegen een ome, 'ik zal het roer wel nemen.'

'Nee!' protesteerde de maat. '*Ik* hou het roer vast! *Ik* wil het roer vasthouden!' En hij sloot de roerstok als een zuigeling in zijn armen.

'Laat los!' zei Rolf.

'Waarom? Waarom zou ik het roer niet houden?'

'Omdat je stomdronken bent.'

'Wat?! Ik dronken? Ben ik d-dronken, jongens?'

'Laat maar los, Piet!' zei Harmen, uit alle macht heen en weer schommelend. 'We hebben nou twee *stuurlui* aan boord!'

'Schei uit met dat schommelen!' riep Rolf driftig.

'Ja, schei uit, jongens! De stuurman vindt het ommers niet goed!' treiterde Harmen.

'Hou op met dat sarren, Harmen!' gromde Hilke. Hajo kookte van binnen.

'Wat: stuurman?' vroeg een schommelende maat. 'Wáár is een stuurman?'

Harmen wees op Rolf. 'Hij daar, de boekenwurm! Die is te fijn om met gewone jongens in een sloep te zitten!'

'Kom, hijs het zeil nou maar,' zei Hilke geërgerd.

'Dat mag je niet zo maar doen! Dat moet je eerst aan de stuurman vragen!' riep Harmen.

Rolf stond op. 'Ik heb jullie niet nodig,' zei hij met trillende lippen. 'Ik zal zo wel aan boord komen!' En meteen dook hij het water in, kwam weer boven en zwom van de kade weg in de richting van de lichtjes, daar ver in zee.

Verbluft waren de omes. Zo verbluft, dat ze nog niet begrepen wat er gebeurd was toen het boord van de sloep voor de tweede maal neergedrukt werd en nog een jongenslichaam het water inplonsde.

'Hajo...!' schreeuwde Padde ontzet.

Toen kreeg Harmen zijn bezinning terug. Hij legde zijn viool neer, nam een roeispaan op en duwde van de kant af. Hilke gooide het zeil los. Vijf minuten later waren de twee zwemmers aan boord gehesen.

Padde jammerde in één toon tegen Hajo. Ben je nou helemaal gek geworden? Rolf zei immers zo net nog dat het water hier vol haaien zit...!'

Harmen keek met afgewend gezicht voor zich uit naar de *Nieuw-Zeeland*, waarvan de lichten steeds groter werden. In fiedelen had hij geen lust meer. Rolf zat met druipende kleren op een bankje, het hoofd gebukt. Hajo griende. Hilke hield het roer.

Na een tijdje herinnerde Gerretje zich weer dat zijn centen op waren en dat dit zo'n strop was, en hij deelde het zingend iedereen mee die het maar horen wilde.

Zo legde de sloep zich langszij van de *Nieuw-Zeeland*, en de omes klauterden aan boord. Geen van hen viel de valreep af. Want zoveel arak kan een Hollandse janmaat niet door zijn keelgat gieten, dat hij een touw loslaat als hij het eenmaal in z'n knuisten heeft. Harmen werkte zich op een onbegrijpelijke manier met Joppie en z'n viool naar boven.

Zwijgend trokken Hajo en Rolf hun natte kleren uit en gingen ter kooie. De meeste omes sliepen al.

Harmen was die avond gaan slapen zonder een mens goedenacht te wensen. Hij gooide zich zuchtend om en om, en onverwachts stond hij in zijn onderbroek voor Rolfs kooi.

'Ik kom je wat zeggen...' zei hij, moeilijk ademhalend. 'Ik heb het niet zo kwaad gemeend als jullie dacht, hoor. 'k Ben ook niet nijdig op je omdat jij zo knap bent, maar alleen maar omdat ik zo stom ben. Snap je?'

'Wie zegt dat jij dom bent?' vroeg Rolf.

Harmen keek hem verbaasd aan. 'Dat weet iedereen! Waarom geeft de schipper Hajo wél een brief mee en mij niet? Omdat de schipper denkt: Laat Harremen maar wat op z'n viool krassen, daar...' hij slikte wat weg, '...daar is ie goed voor. – Afijn,' Harmen snoof dapper zijn tranen op, 'zolang ik m'n fiedel maar heb, is er met Harremen niks aan 't handje. Maar dan moet jij niet zeggen dat ik óók geen viool kan spelen!'

Rolf glimlachte weer. 'Als ik het maar eerst zo kon als jij, zou ik al blij zijn, hoor!'

''t Is niet gemakkelijk!' verzekerde Harmen. 'Nietwaar, Hajo? Dat van die begrafenis is verduiveld moeilijk!'

Zo was de vrede weer gesloten. Harmen kroop nog niet dadelijk weer zijn kooi in; hij sleepte alles wat hij die dag had ingekocht bijeen, liet zijn viool nog eens bewonderen.

En Padde toonde zijn schatten, verdeelde ze nog eens opnieuw. En Rolf voelde zich blij dat Paddes broertjes en zusjes zo blij zouden zijn met wat hij Padde voor hen gegeven had. Al die mooie dingen leken zo mal in hun grove knuisten; het was net of het sprookjesachtige er nu af was, dat hen zo bekoord had toen ze ze in het halfduister van dat eigenaardig geurende winkeltje hadden zien liggen te midden van duizend andere vreemde dingen. In de matgele handen van die Oosterling hoorden ze thuis...

Nu, in Holland zou alles wel mooi gevonden worden. Als het maar uit Indië kwam!

'Ruik dat hout eens?' vroeg Padde, Hajo zijn waaier onder de neus houdend.

'Lekker!' zei Hajo, en Padde liet ook nog anderen aan de waaier ruiken.

En Harmen vulde zijn waterpijp, stopte er tabak in en rookte als een echte Arabier: met gekruiste benen! Ze deden allemaal een trekje, en de slapende omes gromden dat ze niet zo ginnegappen moesten als een ander mens mafte.

Maar de jongens waren traag in het scheiden.

Een lange, lange scheiding stond hun nog te wachten. Nietwaar...?

De thuiskomst

De achtste maart van het jaar 1620 lichtte de *Nieuw-Zeeland* het anker, om het de achtentwintigste december van hetzelfde jaar na een voorspoedige reis weer te laten vallen op de zanderige rede van Vlissingen.

Met tranen in de ogen hadden de jongens Rolf vaarwel gewuifd toen een ferme zuidoostenwind de zeilen deed bollen en de *Nieuw-Zeeland* statig voortdreef van Java's groene kust, en met tranen in de ogen zagen ze de achtentwintigste december in de vroege morgen, rillend van kou, in de grijze nevel de duinen van Walcheren schemeren. Daar stonden ze bij elkaar, de kraag van hun duffelse hoog opgezet, de handen en de polsen in de broekzak: Hajo en Harmen en Hilke en Gerretje en Padde en honderd andere maats en zwetsten allemaal dooreen en wuifden en schreeuwden, of bliezen zich in de handen.

Kijk, daar lag Vlissingen met zijn rode daken en zijn stompe toren, waar de vlag uithing omdat er een Oostinjevaarder, de *Nieuw-Zeeland*, uit het verre menseneterland was binnengelopen, de ruimen vol peper, kruidnagelen, koffie, tabak! Nu liep alles van de werkplaats weg, de smid nog zwart van het roet, de bakker witbestoven, de timmerman met zijn schaaf in de hand, en door de kleine vensters van de havenkantoren gluurden de klerken, kauwend op hun ganzeveren. De reder, deftig in het zwart, met witte kraag en leren handschoenen, nam waardig in zijn sloep plaats om zich, vergezeld door de heren van het kantoor, aan boord te laten roeien.

En de kwajongens van Vlissingen? Nee, maar, de kwajongens! Overal klepperden hun klompen over de keien; ze kropen onder karren en paarden door, de rakkers; ze baanden zich met hun ellebogen een weg door het tesaamgestroomde volk en roeiden in volgepropte bootjes hals-over-kop naar de Oostinjevaarder.

Grinnikend hingen de omes over de balie, zagen toe welke van de benden kleine zeerovers met de lauweren zou gaan strijken: het eerst bij de Oostinjevaarder te zijn aangekomen, het eerst hallo! geschreeuwd te hebben, met de handen gezwaaid en gevraagd te hebben: 'Gooi eens wat *Indisch* naar beneden?' Daarvoor doken ze desnoods in het ijskoude water, de bengels, die nu, trekkend aan de riemen als dollemannen, naderbij kwamen. En daarginds, aan de kade! Zie eens, wat een mensen oploop! En wat een vlaggen fonkelden er in de klare zon!

Ja, jongens, ze waren weer in hun bovenstebeste kikkerlandje! En al die vlaggen, al dat volk, al die opwinding was voor hen!

Of ze weer terug wilden naar de Oost? Voorlopig had niemand er trek in! Nou ja, ze kenden zichzelf wel: als ze weer een maand lang thuis gehokt hadden, met een pijp en een kop koffie bij de haard, en zo lang over hun reizen hadden opgesneden dat ze zelf niet meer wisten wat waar gebeurd en wat gelogen was, zodat ze in hun verhalen vastraakten en niemand hen meer geloofde; wanneer de volle zak gage die ze meekregen een lege zak geworden was, dan werden ze sjagrijnig, dan luisterden ze naar het droeve jammeren van de wind in de schouw, dan kregen ze verlangst naar het vooronder en hun kameraden, dan gingen ze zo er eens naar de zee kijken, hoewel ze een maand geleden hadden gezworen die nooit weer terug te willen zien, omdat ze 't zoute water nou wel zat waren, en... verdikkoppe! een week later hadden ze weer aangemonsterd voor Jan Oost.

Maar nu de ankerpallen ratelden, zat de vreugde hun nog tot boven in de keel. Straks zouden ze afmonsteren en, de zak vol blinkende daalders, op de wal staan met hun aapjes en papegaaien, die, sinds het koud was, in omwonden kooien in de kombuis hingen. Daar was het lekker warm!

Ook Joppie hokte in de kombuis, stelde niet het allergeringste belang in Walcheren, Vlissingen, of in iets anders dat koud was.

Op het water krioelde het nu van roeibootjes vol kwajongens, die hun nek pijnigden met naar boven te kijken. 'Hé, Lange!' riepen ze omhoog, 'spreek jij Maleis? Of *ken* je het niet eens?'

'Papperalapoetje!' schreeuwde de 'lange' omlaag.

De jongens rolden de boot haast uit van het lachen. 'Nou, en wat betekent dat nou?'

'Dat zeggen ze als ze je gaan villen!' lichtte de 'lange' toe.

Nieuw gegrinnik, Nou, als ze jou zouden villen, hadden ze een hele lap, zeg!' roept er een. En alles daar beneden brult van het lachen over deze geestige zet.

Twee uur later begon de afmonstering. Harmen kwam de kombuis binnen, pakte Joppie in zijn nekvel en schaarde zich met hem in de rij wachtenden voor de kajuit.

'Wat moet dat?' jammerde Joppie, bibberend over al zijn leden.

'We gaan afmonsteren, Joppie,' zei Harmen.

En zo kwamen de jongens aan de beurt en schoven met z'n drieën de kajuit in. Joppie ook – verdekt achter Harmens rug.

Of de Bruinvis tevreden was over zijn scheepsjongens? Eerst wendde hij zich tot Harmen. 'Jij kunt de volgende reis weer mee!'

'*Ik* ga niet meer varen,' zei Harmen.

'Dan ken ik je beter dan je jezelf kent,' zei de Bruinvis.

'Nou,' zei Harmen, 'ik zal een bruinvis wezen als ik me ooit weer op zo'n smerige Oostinjevaarder laat aanmonsteren.'

Er was even stilte in de kajuit. De Bruinvis keek met vervaarlijke ogen naar Harmens gezicht waarop niets dan bittere ernst te lezen stond. 'Hier! Neem je gage!' bulderde de Bruinvis.

'Dankje, schipper,' zei Harmen beleefd. Om het geld te kunnen opstrijken, moest hij Joppie loslaten. Dit wakkere dier zwikte op zijn vier poten door, ontwaarde de opgezette tijger en zette alle haren steil overeind.

De Bruinvis liet z'n ogen rollen. 'Wat moet die *hond* hier in de *kajuit?!*'

'Afmonsteren en z'n gage halen,' verklaarde Harmen. En toen kon hij zich opeens niet meer goed houden, begon te grinniken, streek haastig het geld op en liet het in zijn broekzak glijden. 'Nou dag, schipper! 't Ga je goed!' En Harmen verliet met bekwame spoed de kajuit. Joppie achter hem aan, de staart tussen de poten.

De Bruinvis hapte naar adem. 'Nu jij!' wendde hij zich bars tot Hajo. 'Ik zal je brief afgeven in Amsterdam en er nog een woordje bij doen. Waar moet je heen? Naar Hoorn? Nou, dan zit je niet zo ver van me af. Hier is m'n adres, ik heb het voor je opgeschreven! Maandag over een week kom je bij me, dan neem ik je mee naar de heren van de Compagnie, begrepen?'

Of Hajo het begrepen had!

'Hoe ga je nu naar Hoorn? Lopen?'

'Ja, schipper. Maar Harmen zei...'

'Harmen?! Vraag ik je wat Harmen zei? Je kunt tot Dordrecht met de jol mee – die is voor het volk dat die kant uit moet. En verder loop je maar, dat is gezond. En laat je onderweg je geld niet afstelen: een landrot is nooit te vertrouwen! Hier is 't. Met wat je in bewaring hebt gegeven, drieënzeventig gulden. – En nou jij!' Dat was tegen Padde. 'Waarom schipper Bontekoe jou nog apart heeft aangemonsterd, zal me eeuwig een raadsel blijven. Weet je wat jij bent? Een nietsnut! Een landrot!'

'Nou, ik *wou* ook nooit varen!' zei Padde, woest. 'Ik wou bij m'n oom in de brouwerij!'

De Bruinvis keek hem verbaasd aan. 'En waarom ben je dan naar Oostinje gegaan?'

'Ik heb... ik heb me verslapen!'

'Hè?? – Nou, dat je een slaapkop bent, heb ik gemerkt. Hier is je geld. Vierenzestig guldens. Negenendertig plus zevenentwintig...'

'Is zesenzestig en niet vierenzestig,' stelde Padde vast. 'Twee gulden te min!'

'Wat?!' De Bruinvis sloeg aan het rekenen en bevond dat Padde gelijk had. 'Hier dan!' pruttelde hij, zijn lade openend en nog twee gulden op tafel gooiend. ''k Dacht net dat m'n boeken nu eindelijk klopten...'

Even later stonden de jongens buiten. 'Daar wou hij me eventjes twee guldens afpikken!' zei Padde verontwaardigd. ''k Zou er anders niks van gezegd hebben, maar die schippers verdienen genoeg! Nietwaar, Harmen?'

'Nou,' viel Harmen hem bij. 'De Bruinvis krijgt meer gage dan wij met z'n drieën, en hij heeft er niet half zoveel voor gedaan!'

's Middags voer de jol weg. Dat gaf me een afscheid tussen de omes! Ze wisten allemaal dat ze elkaar binnen enkele weken terug zouden zien, maar ze namen afscheid voor eeuwig en wuifden zolang ze maar een muts konden zwaaien.

De wind zat pal in het noorden, zodat de jol tussen Walcheren en Zuid-Beveland aan één stuk door laveren moest. Het was zo ijzig op het water dat ze met z'n allen in de holte van de boot bijeen gingen zitten, een zeiltje over de boorden gespannen. Tegen donker meerden ze de jol aan de zuiderdijk van Noord-Beveland, waar een boerendak opdook. Ze klauterden met stijve benen, slapende voeten en verkleumde vingers en tenen tegen de dijk op en kropen bijeen op de warme hooizolder, die hun door de boer bereidwillig werd afgestaan.

'Waar komen jullie weg?' vroeg de boer terwijl hun met een kaars voorging, het laddertje op naar de zolder.

'Van Batavia,' zei Padde.

'Dat is zeker 'n heel eind hiervandaan?'

'Vlakbij, als je d'r eenmaal bent,' lichtte Harmen hem in. 'Kom, Joppie!' En Joppie werd voor de zoveelste maal in z'n nekvel gepakt.

'Moet die hond mee op zolder??' vroeg de boer.

'Wat dacht jij dan?' zei Harmen. 'Die heeft al meer gezien dan vijftig boeren-kaaskoppen bij mekaar.'

'Nou, 't is een lelijk mormel,' gromde de boer.

'Zeg hem dat eens in 't Maleis, als je durft,' zei Harmen.

Toen ze met hun allen boven waren, klapte de boer het luik dicht en trok de ladder weg, zodat ze opgesloten zaten.

'Hij vertrouwt ons voor geen pruim tabak!' meende een ome.

'Zou hier geen kippetje te graaien zijn voor ouwejaarsavond?' vroeg Gerretje, tastend langs de hanebalken. Daar fladderde een haan luid kakelend weg. 'Wat een rotbeest!' schold Gerretje. 'Hij heeft me gepikt!'

Hè, het was lekker warm hier op zolder. Zelfs Joppie ontdooide. De mannen rolden zich in het hooi, genoten nog eens volop van het bewustzijn weer in hun eigen lief landje te zijn. Thuis moesten ze eens weten dat ze alweer binnen waren! Hoe zou het thuis zijn? Toch alles goed? Een kleine ongerustheid, die hun ziel binnensloop, werd er weer uitgebezemd. En even later snurkten ze zo, dat de boer en zijn vrouw verbaasd hun neuzen boven de dekens uitstaken en zich afvroegen waarom de varkens vannacht zo rumoerig zouden zijn. Biggen op komst...?

Al vroeg werden de janmaats weer wakker door het gekakel van een kip die wijd en zijd verkondde dat ze, hoewel het winter was, voor de boer toch nog een vers eitje had gelegd. Gerretje brak het open en dronk het leeg. 'Nog warm!' Anderen morrelden aan het luik, maar het zat van onderen vast. Eindelijk kwam de boer en opende het. 'Oók goeiemorgen!' wensten de omes het slaapdronken hoofd met de bonte nachtmuts toe.

'Wat zijn jullie vroeg!' mopperde de boer. ''t Is nog zo koud!'

'Heeft het gevroren?'

'Nou! De pomp zal wel vastgevroren zijn!'

'Heb je dan tenminste een bakkie koffie voor ons?'

De boer gromde wat. 'Kom nou maar eerst beneden!'

'Die grote, witte kip heeft een ei gelegd,' zei Gerretje onder het afdalen.

'Ja, ik heb 't gehoord, knorde de boer tevreden. ''k Zal het straks wel halen, – Wat hebben jullie in die kooien?'

'Jonge leeuwen,' lichtte Gerretje hem in.

'Nou, jullie maakt er wat van!' grinnikte de boer.

'Heb je niks te bikken, Hannes?' vroeg Harmen hem.

''k Heb nog wel een homp brood voor je,' zei de boer. 'Die wou ik aan de varkens geven, omdat ie zo hard is.'

Even later zaten allen te kauwen op het keiharde brood. De vrouw van de boer kwam ook te voorschijn, een nors, dik wijf in nachtmuts en onderrok, en ging zonder groeten koffie zetten, blazend in het vuur alsof ze de hele oven wilde wegblazen en haar man en zijn gasten er bij. Op de hoffelijkheden van de galante omes zei ze boe noch ba. De boer was in de stal gegaan.

De koffie bleek slap te zijn en niet van de beste soort, maar gelukkig wél warm – dat scheelde al veel. Er waren maar twee koppen, zodat de omes ze moesten laten rondgaan.

De boer kwam uit de stal terug en begon een lang verhaal over een koe op te dissen die hij van 't voorjaar gekocht en van het najaar weer verkocht had en waarop hij zo'n schade had geleden. En dan had het van het voorjaar zo weinig geregend. En hij had de heren van het Waterschap eens even de waarheid verteld over een dijk die niet meer te vertrouwen was, en hij had ook een neef bij de Secretarie. En z'n wijf was zo best, nooit ziek of zo, en zijn zeug had dertien biggen gekregen, waarvan hij er een verzopen had, omdat dertien immers een ongeluksgetal was...

De omes lieten hem zwammen, tot ze ze hun derde kom koffie hadden leeggeslurpt. Toen stonden ze op. 'Nou, Nelis,' zei Harmen en stak de boer gul de hand toe. 'Bedankt voor je rotkoffie, hoor!'

De boer grinnikte. 'Goeie reis!'

'Vergeet je dat eitje niet van de zolder te halen?' riep Gerritje nog.

''k Zal er temet om gaan,' beloofde de boer.

En de omes staken weer van wal. Alles was in grijze morgennevelen gehuld. De wind zat nog even beroerd in het noorden en blies vinnig de nevelen over het water, zodat de maats rode oorlelletjes en blauwe neuspunten kregen. Ze staken de brede Oosterschelde over. In het midden was het zo duivels koud, dat je adem bevroren op je lippen sloeg. Op het water dreven dikke ijsschotsen. Joppie lag rillend in Harmens armen; de kooien met aapjes waren in het bergplaatsje voor de proviand neergezet. – Nu zeilden ze tussen Duiveland en Tholen het Mastgat in, de Zijpe door, toen om Overflakkee het Volkerak door in het Hollands Diep.

Bij de Dordtse Kil wachtte hun een teleurstelling: het water was dicht gevroren. Tegen lopen zagen ze niet op, maar hoe moesten ze met hun kisten aan? Ze meerden de jol voor een herberg en bespraken de zaak bij een kroes warme spaanse wijn.

'Ik wil jullie m'n slee wel verkopen,' zei de waard, een lelijke, schele kerel.

'Is het ijs dan sterk genoeg?'

'Daarstraks is er al een op schaatsen uit Rotterdam gekomen.'

'Laat kijken je slee!' In optocht volgden ze de waard, die hun in een schuurtje een grote groene bakslee aanwees.

'Wat moet die ouwe wasbak nog opbrengen?' vroeg Harmen.

''n Daalder.'

'Je bedoelt zeker als we jou en je kroeg er bij kopen?'

De waard haalde de schouders op. 'Niemand dwingt je, die slee te kopen. Ik wil hem voor minder niet kwijt. Jullie kunt er je hele rommel in laden!'

'Vooruit!' zei Hilke. 'Hij is gekocht!'

Harmen pruttelde nog wat. 'Afijn!' zei hij. 'Weet je wat, jongens? Ik ga naar Dordt en zie in een oudroestzaakje een stel schaatsen op te scharrelen. Dan trekken we de slee! – Hé, afzetter, leen me je schaatsen even naar Dordt, 'k ben zó weerom.'

Grommend ging de waard de schuur weer in gaf Harmen een paar verroeste schaatsen. Harmen schoot ze aan, holde er mee weg en sprong op het ijs. Daar maakte hij, om te tonen dat hij het schaatsen nog niet verleerd had, een kuitenflikker en begon toen met ver naar voren gebogen bovenlijf, de handen op de rug, tegen de wind op te werken in de richting Dordrecht.

De anderen gingen de herberg weer in, dronken nog een kroes wijn tegen de kou. Ze werden doezelig en kregen slaap. De schemering viel alweer in.

'We moeten hier maffen,' meende Gerretje. 'Of heeft er iemand lust, vannacht in een wak terecht te komen?' Hij keek rond, maar toen er geen liefhebbers voor het wak bleken te zijn, sloeg hij met de waard aan het onderhandelen over de logiesprijs. Voor acht stuiver de man met avondeten erbij en nog een 'flapkanne' spaanse wijn werd de zaak tenslotte beklonken.

Tegen donker kwam Harmen weer aanscheren, een bos schaatsen over de rug. 'Daar word je lekker warm van!' riep hij, terwijl hij de dijk opkrabbelde. Met zijn schaatsen nog aan de voeten sjouwde hij de gelagkamer binnen. ''t Moet vannacht nog maar wat vriezen, jongens, want 't ijs kraakt als 'n ouwe zolder.'

Terwijl de omes de schaatsen verdeelden en de roestige ijzers wat aanzetten op de met zand bestrooide vloer, kwam de waard met een dampende pan watergruwel aanzetten.

Dat smaakte! De omes slobberden, als hadden ze een week gevast.

'Je hebt 't hem vlug gelapt, Harmen!' prees Gerretje. 'Wat heb je nou nog voor dat oudroest betaald?'

'Oudroest?' vroeg Harmen beledigd. 'Als je een beetje rijden kunt, heb je er het roest in twee slagen af. 'k Heb er drie stuivers per stuk voor betaald.'

'Toe maar, het kan niet op!' meende een zuinige ome.

'Nou, je hoeft ze me niet weer af te kopen,' zei Harmen. 'Loop jij dan maar, als je dat liever doet.'

'Kom!' susten de anderen. 'Als jullie deining wil maken, maak dan deining tegen een landrot, dan doen we allemaal mee!'

389

's Avonds, bij de schouw nog wat gezelsend, speldden ze de boeren uit de omtrek de meest gewaagde avonturen op de mouw. Toen de brave plattelanders laat in de avond met een stuk in hun kraag huiswaarts keerden, duizelde het hun zo van tijgers, krokodillen, reuzenslangen en menseneters, dat er twee arm aan arm een sloot intuimelden.

Gelukkig lag er keihard ijs op.

Bij hanengekraai zaten de jongens naast de omes al in het beijzelde riet hun schaatsen onder te binden. En met een homp brood in de tintelende knuist reden ze er op los – een touw om het middel, waarmee ze de slee voorttrokken, die als een veertje over het ijs vloog. Padde zat er met Joppie bibberend in: voor hen had Harmen geen schaatsen meegebracht.

Of het vannacht gevroren had! Het ijs was pikzwart met witte punten erin. Als een wervelwind joeg het groepje janmaats voort, en bij de eerst bocht zwaaide de slee al zowat tegen de knoestige wilgen aan de oever. Joppies haren rezen te berge en Padde, wiens groenblauw gezicht paars van schrik werd, schreeuwde: 'Heila! kalm aan wat!'

Maar de janmaats hoorden niets. Wat werden ze al lekker warm! Hoe langer hoe doller ging het.

In een half uur hadden ze Dordrecht bereden. Ze kochten een paar vers broden, warm uit de oven, en togen kauwend verder, nu in de richting Rotterdam. Bij de IJssel zwaaiden ze naar stuurboord om, en nog voor de midda, waren ze bij Gouda.

Het was een zonnige vriesdag en op de Gouwe krioelde het van de schaatsers. – 'Hoe-oe!' schreeuwden de omes al van verre, om zich vrij baan te maken. Hand in hand zwierden ze over de ijsvlakte, en de slee vloog al even lustig heen en weer.

Ze hadden niet te klagen dat de landrotten hun geen plaats lieten: wie het stelletje ongezouten kerels met hun slee aan de gezichtseinder zag opduiken, ging bedachtzaam opzij en keek vrolijk naar de dolle bende en naar de dikke angstige verkleumde jongen in de slee en de magere steilharige hond, die het nu en dan uitjammerde van verlangen naar zijn zonnig Sumatra.

Ze volgden de Gouwe, de Aar, de Drecht en kwamen aan de Amstel. Daar wuifden meisjes hun toe, en de omes wuifden terug en schreeuwden 'hoera!' omdat de levenslust er nu eenmaal uit moestl Verduiveld, nog vóór de schemering zwierden ze met hun slee Amsterdam in!

Gerretje had er nog een ouwe moei; die woonde aan de IJkant, en ze zou hem en zijn makkers graag herbergen en onthalen.

Na drie uur heen en weer sjouwen was de moei gevonden. Gerretje klopte aan. 'We krijgen het vast goed, jongens,' zei hij. 'Ze is wat aan de gierige kant, maar voor mij heeft ze een zwak!'

Maar de moei keek allesbehalve vriendelijk toen ze, het oude wijfjeskopje met de witkanten knipmuts uit het bovenraam stekend, haar dierbaar familielid en zijn twintig makkers ontwaarde. 'Wat moet dat daar?' vroeg ze.

'Goeienavond, moei!' wenste Gerretje haar toe. 'Kun je ons vannacht bergen? Ik ben Gerretje, je neef. En dit zijn m'n kammeraje.'

'Wat doen jullie hier? Waar kom je vandaan?' vroeg het mensje.

'Uit de Oost,' schreeuwde Harmen naar boven. 'We komen regelrecht uit de Oost, moei!'

'Op schaatsen?!'

'Jazeker! Op schaatsen!' riep Gerretje. 'Daar kunnen we je wat van vertellen, moei!'

'Nou,' zei moei na een aarzeling, 'jij mag binnenkomen, omdat je m'n neef bent.'

'En de anderen niet?' vroeg Gerretje weemoedig. 'Denk er eens aan, moei, wat een tocht we achter de rug hebben! Geef ons ten minste een neutje, we zijn zowat bevroren.'

'Ik heb niets in huis,' verklaarde de moei. 'Maar verderop is ''t Vette Varken'. Daar kun jullie meteen slapen ook.'

'Moei, wat ben je weer knibbelig,' klaagde Gerretje. 'Laat mij nou er eens zoeken, ik zal nog wel ergens een kruikje vinden! Kom, je bent er zelf toch ook niet vies van?'

'Ik zeg je toch dat ik niks in huis heb!' zei de moei snibbig.

''t Is wélles, ouwe toverkol!' riep Gerretje boos.

Het raam sloeg dicht. Gerretje wilde de deur gaan bewerken, maar de omes susten hem. 'Kom, Gerretje, maak je niet giftig; laat ze met haar neutje naar de weerlicht lopen!'

'Heb je dáár nou een moei voor?' jammerde Gerretje droefgeestig.

'Vooruit!' zei Harmen. 'We gaan naar ''t Vette Varken'. Harremen betaalt!'

Dus maar in optocht langs het kanaal naar de herberg, waar het onderdak vrij duur bleek te zijn. Een paar omes wilden die nacht doorrijden, maar de meesten hadden er geen trek in, verdronken hun gramschap tegen Gerrits ongastvrije moei in een borrel en dachten de stamgasten hier ook eens wat op de mouw te kunnen spelden. Maar ze werden door de slimme Amsterdammers niet zo grif geloofd: een was erbij, een landrot die misschien nog nooit in een roeibootje had gezeten en toch ophakte alsof hij z'n leven lang op Oostinje had gevaren: hij wist alles op een prik, die lelijke kikker, en liet hen nauwelijks aan het woord komen.

Verdrietig, met wrok in het hart, zochten de gebruinde omes, die me daar even door zo'n witgesteven pennelikker uit het veld waren geslagen, hun logies op.

Toen ze de volgende morgen hun bol uit het dakvenster staken, was de wind naar het zuiden gedraaid en er lagen grote plassen op het ijs. Dooi!

'Natte voeten!' meende Gerretje. 'Afijn, over een paar uur zijn we thuis!'

Thuis...! dat woord ging er in! Ze zouden er vandaag eens even een gangetje inzetten!

Padde keek bedenkelijk. 'Als jullie nóg woester rijdt dan gisteren, gebeuren er ongelukken!' voorspelde hij.

'O! Dat zit de hele weg lekker in de slee en heeft nog praats ook!' schimpten de omes.

Na de 'vroegkost' met gloeiende koffie naar binnen gewerkt te hebben, rekende Harmen met de waard af. Die bleek hen flink geplukt te hebben. Dat was zo de gewoonte: janmaats keken toch niet op een stuiver!

'Gevaarlijk rijen met die nattigheid!' meende de waard, het geld opstrijkend.

'Ja, *jij* zorgt wel dat je droog blijft, duitendief!'

In dolle vaart ging het er weer op los. Zo fel zwierden de maats door het water, dat ze tot op het hemd nat werden. Geen landrot waagde zich meer op het ijs.

Toen gebeurde het. Bij het omzwenken, de Zaan op, namen ze de bocht te kort; de slede botste tegen de kant, zeilde weer over het ijs uit, zodat de meest rechtse schaatsers werden omgerukt, – sloeg toen tegen de andere wal, juist

tegen het steigertje van een molen, en lag in gruzelementen. Joppie was op de wal gesprongen; Padde liep een geweldige buil op, de kisten lagen over het ijs verspreid.

'Zo'n rotslee!' schimpte Gerretje, die ook op zijn achterwerk geslagen was en nu kwam aanstrompelen, de handen tegen zijn broek. 'Heb je je pijn gedaan, Padde?'

'Nou en of!' klaagde de arme jongen, nog wit van schrik.

De molenaar was naar buiten gekomen, een wollen doek om de hals, en stond met de handen in de zakken naar het geval te kijken. 'Sjongejonge,' filosofeerde hij, 'jullie hebt zeker erg woest gereden! Moeten jullie naar Hoorn? Daar kun je op schaatsen niet komen.'

'En waarom niet?' vroeg Gerretje uitdagend. 'Dat die slee kapot is, geeft niet. We slepen ieder onze eigen kist, jongens!'

'Dan kun je meteen je doodkist wel meeslepen,' zei de molenaar. 'Verderop is het vol wakken, en door het water zie je ze niet. Maar weet je wat? Nemen jullie mijn wagen!'

'En dan zeker betalen dat we scheel zien!'

'Hoe kom je daarbij?' vroeg de molenaar. 'Jullie rijden voor niks!' En zich omwendend: 'Jan! Span de wagen eens in!'

'Ja, vader,' klonk het uit de molen.

'Man!' stamelde Harmen in verrukking, 'jij moest in een gouden lijstje!'

De molenaar grinnikte. 'Pak je kisten maar op en ga mee naar binnen. M'n vrouw heeft net krentenmik voor oud en nieuw gebakken.'

'Drommels, 't is de eenendertigste vandaag!' bedacht Hilke.

'Nou, jullie kunt makkelijk thuis zijn vanavond,' meende de molenaar.

'*Wij* niet meer,' zeiden een paar maats. '*Wij* moeten nog door naar Enkhuizen.'

'Ik kan de kar niet zover missen,' zei de molenaar. 'Morgenochtend moet ik m'n jongen ook weerom hebben; die gaat met jullie mee, om de kar terug te rijden. Kan ie ergens onderdak, dat je weet?'

'In ''t Sillevere Anker',' zei Harmen. 'Op mijn kosten.'

'Nou, kom dan maar binnen. Waar komen jullie eigenlijk vandaan?'

'Uit Oostinje!'

'Wat je zegt! En die hond?'

'Die komt van Sumatra.'

'Geen wonder dan dat ie het hier koud vindt. Kijk hem eens rillen!'

En ze gingen de molen in. 'Vrouw, ik breng je een stelletje Javanen mee!' riep de molenaar gul. 'Kom maar gerust voor den dag: ze bijten niet, behalve in je krentenmik!'

De vrouw, dik en goedlachs, kwam met een dampende krentenmik binnen. 'Lusten jullie boerenjongens op brandewijn?' vroeg ze.

'Voor boerenmeisjes zijn we ook niet bang!' blufte Gerretje.

'Stil jij!' schimpte Harmen. 'Jij bent met een menseneetersvrouw getrouwd!'

'Is dat waar?' vroeg de molenarin, die de krentenmik aansneed.

Gerretje was vuurrood geworden. ''k Zou jou graag je nek omdraaien!' siste hij Harmen toe.

'Dat meen je niet,' zei Harmen.

Gerretje zocht naar een woedend antwoord, maar juist op dit ogenblik zette de molenarin hem een dikke snee krentenmik voor, en Gerretje vergat zijn woede. 'Ja-ha!' grinnikte de molenaar, 'zo doet ze met mij ook. Als ik nijdig ben, zet ze me gauw wat lekkers voor de neus!' En hij trommelde tevreden op zijn rond buikje.

Jongens, de krentenmik smaakte! Die smolt in je mond! Daar nog boerenjongens bovenop, een stuk koek met suikerfiguren... De molenaar en zijn gezellig wijfje lachten maar, en de maats voelden zich wonderwel thuis.

'Kom, jongens,' zei Hilke, 'als we nog vóór donker in Hoorn willen zijn...!'

Maar hij moest een paar maal aandringen, voor de anderen opstonden.

'Kijk!' zei Gerretje, aangedaan door het gastvrije onthaal, 'die papegaai is voor jou! Hij kan potverblomme! zeggen, maar als je hem pest, bijt ie.'

Toen voelde Harmen zich geroepen om de molenaar als herinnering een aapje te laten. Maar toen hij de kooi opende, lag het aapje stijf en koud op de bodem. Ze werden er allen even stil van. – 'Snap ik niet,' zei Harmen. 'Gisteren was ie nog zo fleurig!'

'Stom beest!' zei de molenaar meewarig. – Een van de andere maats gaf hem toen een aapje dat nog niet dood was. 'We zullen het bij het vuur hangen,' stelde de molenaarse voor.

'Hoe dichter, hoe liever,' zei Harmen. 'Dan denkt ie, dat ie weer in Java is.'

En toen klommen onze vrienden na veel handdrukken en nieuwjaarswensen in de kar. In het westen trok een rosse sneeuwlucht op. 'Heb je je goed inge-pakt, Jan?' vroeg de molenaar.

'Ja, vader,' antwoordde een blozend, stil, goed gevuld jochie met strogele haren onder de pet, dat parmantig op de bok zat, de teugels in de hand.

'En heb je een lantaarn bij je? Voor straks, als het donker is?'

'Ja, vader.'

'Zit er olie in?'

'Ja, vader.'

'En heb je je brood bij je? En je beursje?'

'Ja, moeder.' Bij elke bevestiging knikte het jochie – bleef dromerig voor zich uitzien. 'Jan denkt toch om alles!' prees de molenaar.

En de wagen zette zich in beweging. De maats wuifden om het hardst en riepen bedankt! en tot ziens! De molenaar en zijn vrouw wuifden terug.

Het begon zachtjes te sneeuwen; al gauw was de gastvrije molen als een schim weggebleekt in het grijs. De maats zaten in de aanvankelijk erg schok-kende, maar tenslotte in de sneeuw haast geruisloos voortrollende kar dicht bijeen – Joppie tussen hun knieën. Nog vanavond zouden ze thuis zijn! Was het te bevatten? Padde en Hajo keken elkaar stil gelukkig aan. Harmen tuurde zwijgend naar de bodem van de kar. Opeens drukte hij Hajo een handvol guldens in de hand. 'Doe *jij* het liever,' zei hij en zuchtte.

'Wat?'

'Dat geld aan Lijskens moeder geven. Ze woont aan de Markt.' En toen hij Hajo's weifeling zag: 'Toe, doe me die lol. Ga samen met je moeder...'

'Kijk me dat ventje eens mennen!' prees een maat.

Gerretje knikte. 'Een beste jongen. En... een zoete jongen!'

'En die knol loopt ook met volle zeilen!'

'Nou!' bevestigde Gerretje. 'Laat mij er eens mennen, Janneman?'

De jongen antwoordde niet, keek ook niet om, schudde alleen maar het hoofd.

'Denk je dat ik niet met knollen kan omgaan?' vroeg Gerretje.

'Met deze niet,' zei het jongetje.

Gerretje werd nijdig. 'Vooruit, ga van de bok af!'

'Gerretje!' berispte Hilke. 'De jongen stuurt best.'

'Dat zeg ik ook niet! Maar *ik* wil nou eens mennen. Vooruit, snotaap! De bok af!'

De jongen schudde weer het hoofd, zonder omkijken.

'Wel verduiveld!' schold Gerretje.

Nu keerde de jongen zich om, hield het paard in. 'Als je me verveelt, laat ik het paard staan, en dan kun je honderdmaal vort! roepen, hij loopt toch alleen als *ik* het wil.'

'Hou je toch koest, Gerretje,' pruttelden de anderen.

Gerretje bromde wat, zakte op de bodem van de wagen neer, keek beledigd voor zich uit.

'Hu!' riep het kereltje op de bok. En het paard liep weer.

De maats sloegen aan het zingen en wuifden met de mutsen wanneer ze door een dorp reden. De sneeuw begon steeds dichter te vallen; de wielen trokken al dieper voren in de witte weg; zwart stonden de knotwilgen langs de nu geelbruine sloten.

'We krijgen nog veel meer!' voorspelden de maats. Toen ze zich schor gezongen hadden, tuurden ze over de witte velden, en de schoonheid van vallende sneeuw drong vaag door tot in hun varensgastenziel.

Eindelijk... zagen ze goed?!... daar schemerde in het noordoosten... een bekende omtrek... de grote toren van Hoorn!

Dol werden ze! Woest, razend van vreugde, begonnen ze in de wagen te dansen, vielen in elkaars armen. 'Hoera! Hiep-hiep-hiep hoera!! *Hoera!!!*'

En zwaaiend, gillend en schreeuwend reden ze een kwartiertje later de Westerpoort in. 'We komen uit Indië!' riepen ze de verbaasde mensen op straat toe en hieven hun kooien met papegaaien en aapjes omhoog. Zo hadden ze in een ommezien een groot gevolg.

'Halt! Daar loopt m'n broer! Krelis! Hou dan toch stil! Krelis! Hou je taai, jongens! Ik moet... Krelis! Krelis!' En de ome was met zijn kist en papegaai uit de wagen gesprongen, rende met grote sprongen op z'n broer toe. De anderen zagen terwijl ze weer voortdansten, holderdebolder over de keien, hoe de broers elkaar in de armen vielen.

Op de grote markt stopte de kar; ze sprongen er uit, drukten elkaar de hand en sjouwden met hun hebben en houden door de sneeuw naar huis.

Nu ze alleen waren, maakte de vreugde op hun gezicht voor een bezorgde uitdrukking plaats. Zou thuis alles goed zijn!?

Daar stond Hajo's huisje! Was het zo klein?? Hijgend rukte Hajo de lage deur open en stortte zich naar binnen. 'Moeder!! Moeder!! *Moedertje!!!*'

Daar lag hij in haar armen, en beiden snikten en lachten en kusten elkaar en drukten elkaar aan het hart. Was zijn moeder zo klein en zo tenger??

'Moeder! Moedertje van mij!'

'Peter! M'n jongen!'

Zijn moeder nam zijn hoofd tussen haar handen, wilde het bekijken, maar begon toen weer te huilen en te lachen en overdekte het met kussen zonder iets anders te kunnen zeggen dan: 'Jongen! Mijn jongen! Ben je daar weer? Hoe is het mogelijk? Mijn Peter...'

Uit de achterkamer waren de andere kinderen gekomen, verwonderd, met hun houding niet goed raad wetend. Hajo drukte hen aan het hart en wist niet waar hij het eerst heen moest kijken en wie hij het eerst kussen moest. 'Antje! Maartje! Wat zijn jullie groot geworden! En Doris! Ken je mij niet meer?' Hij knielde voor Doris, die bedremmeld in een hoekje stond en hem met grote ogen aanstaarde.

'W-waar is de olifant?' vroeg Doris.

Hajo sloeg van plezier een gat in de lucht. 'Hij kent me nog!! Wacht maar, jij krijgt je olifant!'

Hajo sprong op, viel zijn moeder weer om de hals, die hem stralend aankeek, rukte toen zijn kist open, keerde hem onderste boven. 'Hier!' riep hij,

terwijl dikke tranen hem over de wangen rolden. 'Hier! Antje, een pop voor jou! Met Chinese ogen, – zie je wel? En een waaier! Voor jou, Maartje! Ruik er eens aan, hoe lekker! Moeder, ik word voor stuurman opgeleid! En later voor schipper! Hier! wie moet die armband hebben? En kijk eens, Doris! Hè? Wat heb ik hier? Wat heb ik hier voor jou?' – Hajo kroop op de knieën naar Doris toe, hield hem een wit ivoren olifantje voor de neus. 'Kijk z'n slurf eens? En zijn tanden?'

'En... en de menseneter?' vroeg Doris, met een blijde uitdrukking op zijn rond kindergezichtje de 'olifant' bekijkend.

'De menseneter? Hier is de menseneter! Hau-auw!' En Hajo maakte een menseneteretsgezicht en hapte naar Doris, die schaterend van de pret vluchtte en door Antje werd opgetild. Hajo sloot hen beiden in de armen. 'Antje! Wat ben jij een meid geworden!'

'Dacht je dat ik altijd zo klein bleef?' vroeg Antje. 'Jij bent ook groot geworden, zeg! Niet waar, moeder?'

Moeder knikte, zonder nog te kunnen spreken. En toen Hajo zich weer in haar armen wierp, snikte ze het weer uit. 'M'n jongen... wees niet boos dat ik nog huil! Ik ben zo blij dat je terug bent! Het is alles zo onverwacht gekomen. En... Heb-heb je een goeie reis gehad?'

'Terug wel, moedertje! Maar de *Nieuw-Hoorn* is vergaan!'

'Verg...?!!'

''k Heb geld bij me, moeder! Kijk eens!!' Hij legde handen vol guldens op tafel. 'Tweeënzeventig gulden en zeven stuivers! Hier heb ik nog meer geld, maar dat is voor Lijskens moeder. Lijsken is onderweg aan de scheurbuik...!!'

En toen begon Hajo te vertellen. Bij stukken en brokken. Over de brand aan boord, de tocht met de jol, over Dolimah, de panter, Pak Samirah, het vlot, en dat hij bij de Bruinvis in Amsterdam moest komen...

Onder zijn opgewonden, verwarde verhalen viel de klopper. Padde stond aan de deur.

'Padde!!'

En ook de brave dikzak werd door Hajo's moeder omhelsd, en hij zelf snikte alsof Hajo's moeder ook de zijne was.

''k Heb haar vijfenzestig gulden en zeven stuivers meegebracht,' zei Padde. 'Ze laat vragen of jullie vanavond bij ons komen, Maartje ook. – Dag Maartje! Wat zijn jullie allemaal groot geworden! Bij mij thuis ook! 'k Heb er nog een zusje bijgekregen!'

'En thuis alles goed?' vroeg Hajo.

'Best. Alleen m'n vader... die is een half jaar geleden verdronken.' Padde haalde diep adem en kuchte. 'In de sloot achter de Zuidwal,' zei hij er toen achteraan. En opeens, het hoofd gebukt en op een harde toon die anders nooit over zijn lippen kwam: 'Z'n eigen schuld. Hij was weer dronken. Die... die... die dronkelap!'

'Padde,' zei Hajo's moeder zacht, 'zo mag je niet over je vader spreken.'

Padde schudde driftig het hoofd. 'Wat doet ie m'n moeder te slaan? En het geld te verdrinken?

'Maar... maar nu is hij toch dood, Padde.'

Padde worstelde met iets.

Hajo's moeder stond met droeve glimlach op, nam Padde in haar armen en kuste hem. 'Zeg maar aan je moeder dat wij komen.'

En Padde ging, huilend.

'Nu, m'n jongen,' zei Hajo's moeder, 'nu moeten wij samen nog even uit. Heb je... heb je daar het geld van die gestorven vriend van je? We gaan geen blijde boodschap brengen, m'n jongen, maar... het moet.' Ze ging naar de kast, sloeg een doek om.

En even later stapte Hajo met zijn moeder aan de arm de deur uit. Dicht aaneengedrukt liepen ze door de besneeuwde straten. 'Mijn jongen, wat ben je groot geworden...' verzuchtte zijn moeder steeds weer. 'Ik moet nu helemaal tegen je opzien!'

'Maar ik ben ook al zestien, moeder! Is de tijd niet gevlogen?'

Zijn moeder glimlachte. 'Niet... niet altijd, Peter.' Toen werd ze stil en met haar gedachten afwezig. Hajo droeg het geld voor Lijskens moeder in een zakdoek geknoopt.

Het was gaan schemeren. De lichte vensters glansden neer op de sneeuw. Uit de rossig-grijze lucht bleef het maar omlaagdwarrelen.

Bij de Waag zagen ze twee bekende gestalten: Harmen en Gerretje, hun kist op de nek. Gerretje droeg bovendien Harmens waterpijp nog, en Harmen klemde onder de linkerarm zijn dierbare viool. Joppie dribbelde met opgetrokken poten tussen hen in.

'Schip ahoy!' riep Hajo.

De beide gestalten hielden stil. 'Hallo, Hajo!'

'Waar gaan jullie heen?' vroeg Hajo. 'Zijn jullie al thuis geweest?'

'Jawel,' zei Harmen, met een aarzelende blik op Hajo's moeder, 'maar ze zijn verhuisd! Naar Alkmaar, zeggen de buren. Tja...! We gaan nou maar eerst naar ''t Sillevere Anker'!'

'Dit is nou Harmen, moeder!' zei Hajo trots. 'Die heeft samen met mij die panter... weet je wel?'

Hajo's moeder stak Harmen de hand toe. 'Harmen, ik dank je voor wat je voor mijn jongen gedaan hebt! Voor alles, hoor, voor alles dank ik je!'

Harmen werd verlegen. ''n Kleinigheid, juffrouw...! – Afijn, 't had raar kunnen aflopen! Als je nou bedenkt, die arme Floorke...! We gaan 't z'n meisje in ''t Sillevere Anker' nou zeggen.'

'Arme meid,' zuchtte Gerretje.

'Zeg dat wel,' viel Harmen hem op droefgeestige toon bij. En met afgewende blik sloeg Harmen op zijn zwarte vioolkist en kuchtte. 'Hilke is bij z'n meisje – *die* was even in haar nopjes!'

'Nou! Ze drukten mekaar zowat plat!' grinnikte Gerretje.

'Kijk moeder, dat is nou Joppie! Die is ook mee door Sumatra geweest!'

'Arm beest!' zei Hajo's moeder, toen het dier bibberend tussen Harmens benen kroop.

'Hij zal er wel aan wennen!' stelde Harmen haar gerust. 'Nou dag, juffrouw! Ajuus, Hajo!' – En het drietal haastte zich over de verlaten marktplaats voort naar ''t Sillevere Anker'...

Lijskens moeder, een bleek, mager, klein vrouwtje met grote droevige ogen, nam zwijgend de zilveren guldens in ontvangst en borg ze weg in een oude gehavende kast.

'Ik was er al bang voor...' Dat was al wat ze zei. Toen Hajo's moeder haar kuste, begon ze te huilen.

Zo vierden allen het ouwejaar nog in Hoorn. En de maats die de volgende morgen verder moesten, naar Enkhuizen, zaten bij hun makkers aan de haard en hielpen opsnijden.

Buiten sneeuwde het altijd maar door; als een troostende hand legde de sneeuw zich over het stadje... er moesten vele schrijnende wonden worden bedekt.

Vertrouwelijk, als goede raadgevers, wandelden te middernacht twaalf klok-keslagen over de sneeuw.

Een nieuw jaar was begonnen.

Inhoud

Zeewind . . . . *blz.* 11
Een vechtpartij 14
Schipper Bontekoe 22
Moeder 26
Het grote afscheid 30
Padde doet zijn vriend uitgeleide 40
Op zoek naar de bottelier 50
In 't vooronder 58
Oudejaarsavond 66
Storm 76
Padde leert buikspreken 83
Padde ziet door een mistkijker 92
Rolf 96
Maneschijn 102
Padde heeft beet 104
Windstilte 109
Albatrossen 113
De gevreesde vijand 120
Een nachtelijke roeitocht 126
De horen des overvloeds 133
Vreemde beesten 141
Ruilhandel 150
De Neus schiet een musket af 158
Brand 168
In de boten 177
Haaien 182
Joppie III 186
Sumatra 190
De kampong in 196
Verlaten 206

TWEEDE DEEL
De zwervers 215
Paddes broek 219
Een nest met katten 226
'Tabeh!' 230
Padde is zoek 235
Dolimah 239

De strijd om het hol . . . . *blz.* 247
De regen 255
Si Kampret 260
Saleiman en zijn fluit 266
Harmen vindt een geitje 272
Pak Samirah, de doekoen 278
De vlucht 286
De biawak 291
De dans ontsprongen 295
Harmen en Padde op de visvangst 299
Dolimahs heimwee 305
Padde stuit op een menseneter 308
Boeng van Bapak Loleh 314
Joppie doet een ontdekking 322
Harmen kaapt een zeiltje 327
In volle zee 331
Java 337
Het eerste weerzien 341
Bij de Bruinvis aan boord 347
Af- en aanmonsteren 351
Met Gerretje naar Loa Hok Sen 361
De pasar malam 373
De thuiskomst 383